DIE

DARSTELLENDE GEOMETRIE

IN

ORGANISCHER VERBINDUNG

MIT DER

GEOMETRIE DER LAGE.

VON

Dr. WILHELM FIEDLER.

DRITTE ERWEITERTE AUFLAGE.

I. THEIL.

DIE METHODEN DER DARSTELLENDEN UND DIE ELEMENTE
DER PROJECTIVISCHEN GEOMETRIE.

LEIPZIG,

DRUCK UND VERLAG VON B. G. TEUBNER.

1883.

DIE

METHODEN DER DARSTELLENDEN

UND DIE

ELEMENTE

DER

PROJECTIVISCHEN GEOMETRIE.

FÜR VORLESUNGEN UND ZUM SELBSTSTUDIUM

VON

Dr. WILHELM FIEDLER.

LEIPZIG,

DRUCK UND VERLAG VON B. G. TEUBNER.

1883.

Vorrede.

Indem ich mein Werk dem wissenschaftlichen Publikum zum dritten Male vorlege, geschieht es wiederum in erweiterter Form. Ich gebe hier von den drei Theilen desselben zunächst nur den ersten, die Methodenlehre, dem ich die beiden andern, die darstellende Geometrie der krummen Linien und der Flächen und die construierende und analytische Geometrie der Lage als selbständige Bände folgen lassen will. Die Eigenthümlichkeiten des Werkes sind unverändert geblieben, weil sie mit der demselben zu Grunde liegenden Reform-Idee mir nothwendig verbunden erscheinen. Ich lasse die Vorrede zur ersten Auflage (1871) darüber sprechen.

„Die Form des Buches ist die eines Grundrisses; in den grundlegenden Hauptsachen wollte ich deutlich und klar, in den Folgerungen möglichst kurz sein, doch aber auch reich genug, um den Vorträgen schon innerhalb des Gegebenen die Freiheit einer auswählenden Bewegung zu lassen, und um auch dem liebevolleren Selbststudium noch dauernd Stoff zu bieten; diesem suche ich durch Quellen- und Literatur-Nachweisungen noch weiter zu dienen.

Das Buch ist eine darstellende Geometrie ohne Atlas; denn dass die Figur dem Texte, der sich auf sie bezieht, unmittelbar zur Seite stehe, erschien mir so werthvoll, dass ich mich entschloss, auf alle die grösseren Ausführungen zu verzichten, welche eine reiche Beigabe gestochener Tafeln in Quart ermöglicht hätte, und dass ich selbst die Gefahr nicht scheute, zuweilen auch eine unentbehrliche Figur durch die nöthige Kleinheit dem Verständniss etwas weniger bequem werden zu sehen. Die ausgeführten Beispiele sollen ja nur die selbständige Wiederdurchführung erleichtern und damit zur Durchführung der grossen Menge anderer Probleme an-

leiten und anregen, welche nur in Worten gegeben sind. Dem
sorgfältigen Leser, welcher mit den Elementen der darstellenden Geometrie in dem Maasse vertraut ist, wie solches heut-
zutage an den technischen Hochschulen vorausgesetzt werden
darf, wird diese Anleitung ausreichend sein; die Selbstaus-
führung zu ersparen ist in keinem Falle meine Absicht gewesen.

Eigentlich technische Beispiele und Anwendungen sind
ausgeschlossen, einmal um Raum und Figuren zu ersparen,
namentlich aber, weil sie zeitlich und örtlich vielfach bedingt
und darum nicht von allgemeingültigem Werthe für den Zweck
der Wissenschaft sind.

Der Entwickelungsgang, welchen ich befolge, ist in der
Aufgabe der darstellenden Geometrie an der technischen
Hochschule der Gegenwart und in ihrer Stellung im Unterrichts-Organismus derselben begründet. Natürlich sind beide
durch die Herausbildung der technischen Schulen zu Hochschulen der Mathematik und der Naturwissenschaf-
ten, die sie jetzt sein müssen, um ihre Aufgabe ganz zu erfüllen, wesentlich beeinflusst worden; und weil jene Entwickelung erst im letzten Jahrzehnt mehr und mehr vollzogen,
respective angestrebt oder doch für nothwendig erkannt worden
ist, so mag es nicht überflüssig sein, in Kürze von dem zu
sprechen, was dabei die darstellende Geometrie betrifft.

Die Stellung derselben im Unterrichts-Organismus ist
insofern dieselbe geblieben, als sie ihrer technischen Anwendungen wegen nach wie vor zu den Studien des ersten Jahres
gehört; aber sie ist wesentlich dadurch verändert, dass sie
mathematische Kenntnisse überhaupt und ihre Elemente selbst
in gegen früher nicht unbeträchtlich erweitertem Umfange
voraussetzen darf, nur nicht die analytische Geometrie des
Raumes; und dass streng wissenschaftliche mathematische Vorlesungen, insbesondere ein umfassender Curs der höhern Ana-
lysis, ihr parallel gehen.

Was die Aufgabe der darstellenden Geometrie an der
technischen Hochschule betrifft, so ist das zu bewältigende
Material im Wesentlichen gleichfalls das Alte geblieben; für
Kegel und Cylinder, für die Flächen zweiten Grades, für
windschiefe Regelflächen und Rotationsflächen als die technisch

vorzugsweise zur Verwendung kommenden Typen hat sie die
Darstellung und die constructive Behandlung der Berührungs-
und Durchdringungsprobleme zu lehren. Dagegen hat man im
Fortschritt jener Entwickelung immer mehr erkennen müssen,
dass die eigentliche Aufgabe dieses Unterrichts die wissenschaftliche Entwickelung und Durchbildung des Ver-
mögens der Raumanschauung sei, und dass diese Aufgabe
nicht wohl durch die Ueberlieferung einer blossen Methode
der Darstellung und einer Anzahl technisch nothwendiger oder
brauchbarer Constructionen erfüllt werden kann.

Und wenn von Monge und seinen nächsten Nachfolgern
die darstellende Geometrie hingestellt werden konnte als die
Anwendung auch von Lehrsätzen, die anderwärts und zwar
analytisch bewiesen wurden, zur Begründung der Constructionen,
die in den verschiedenen Zweigen des Ingenieurwesens gebraucht
werden, so hat sich mit der fortschreitenden Arbeitstheilung
im Gebiete des höheren Unterrichts eine dem entsprechende
Behandlung immer mehr als unwissenschaftlich und als ganz
unverträglich mit dem Charakter einer Hochschule herausstellen
müssen. Man hat daher selbst mit einem Schein von Consequenz bis zu einer vollständigen Verweisung dieser Disciplin
an die Vorbereitungsschulen vorgehen können; aber es ist dies
gewiss mit Unrecht und zum grossen Schaden der Sache geschehen, denn die Durchbildung des Raumanschauungsver-
mögens ist für den Techniker ebenso wichtig und nothwendig,
als im erforderlichen Umfange auf früheren Stufen des Unterrichts unerreichbar, und nicht so gut oder doch nicht so natürlich durch andere Disciplinen zu erzielen.

Vielmehr nur das bleibt übrig, dass die darstellende Geometrie an der technischen Hochschule durch die Behandlung ihres
Materials das geistige Interesse tief und nachhaltig genug anzuregen wisse, um den Schülern neben gediegenen rein mathe-
matischen Collegien doch soviel Arbeitslust und Liebe abzu-
gewinnen, dass die mühsame constructive Durchführung einer
grössern Reihe von Problemen nicht zu lästig wird, — denn nur
durch solche ideelle Anregung und Durchdringung kann das in
der freien Luft der Hochschule gelingen; und anderseits, nur durch
solche vielseitige geistige und graphische Arbeit kann jenes
eigentliche zugleich im höchsten Sinne praktische Ziel der Wissen-

schaft, die Durchbildung der Raumauffassung, erreicht werden.
Es ist eine Durchbildung an der Hand der zeichnenden
Darstellung, aber mit dem Endziele, die ideelle Anschauung so lebendig und so sicher zu machen, dass
jene, die Zeichnung, ganz oder doch auf weite Strecken
erspart werden kann. Und die Geschichte der Geometrie
in der jüngsten Epoche selbst predigt ja durch die Rolle, die
wir darin die Schule von Monge spielen sehen, die Wahrheit,
und predigt sie nicht für die Kreise der technischen Hochschulen allein, dass die Geometrie so lange graphisch
construiren muss, bis gelernt ist, ohne äussere Anschauung räumlich zu denken.

Die Lösung der Aufgabe, die ich hier darbiete, habe ich
vor einer Reihe von Jahren (1863 in der „Zeitschrift f. Mathem.
u. Physik") in kurzem Ueberblick skizziert und seitdem vielfach
erprobt. Ich entwickele an der Betrachtung der Raumelemente:
Gerade Linie, Punkt und Ebene, und an ihren gegenseitigen
Beziehungen und einfachsten Zusammensetzungen in Polygonen
und Polyedern, an der Kugel und den Rotationskegeln, sowie
an den als Projectionen des Kreises entstehenden Kegelschnitten
die Methoden der darstellenden Geometrie. Ausgehend von der Centralprojection, dann aufsteigend zur centrischen Collineation der Räume als der Theorie der Modellierungs-Methoden und zurückgehend zu dem Specialfall der
Parallelprojection gewinne ich alle die Hilfsmittel, welche für
die constructive Theorie der krummen Linien und Flächen
nöthig sind. Es sind die Untersuchungsmittel der neueren
synthetischen oder der Geometrie der Lage. Vor allem wichtig
für das Ziel der darstellenden Geometrie ist die klare Einsicht
in den Zusammenhang und den Formenwandel der collinearverwandten Figuren, und die Erkenntniss; dass die involutorischen Systeme in der Ebene und im Raum die Quelle bilden,
aus der alle Arten von Symmetrie entspringen.

Eine solche Entwickelung ist, wenn nicht überhaupt für
Gereiftere, so doch in der Voraussetzung möglich, dass ein
elementarer Cursus der darstellenden Geometrie vorausgegangen
ist. Dann genügt es, in dem Abschnitt von der Parallelprojection, wie ich gethan, nur recapitulierend und ergänzend zu
verfahren, um namentlich die Vortheile zu entwickeln, welche

von den gewonnenen allgemeinen Gesichtspunkten und Methoden für diese elementaren Gebiete zu ziehen sind. Darum sind hier ganze Richtungen der Untersuchung und Entwickelung nur flüchtig berührt worden; ich habe die Gefahr nicht unterschätzt, die darin liegt, und muss es der billigen Beurtheilung der Leser überlassen, festzustellen ob ich sie vermieden habe. Jedenfalls ist dieser Abschnitt aus zahlreichen Lehrbüchern leicht zu ergänzen."

Die sehr bedeutende Vermehrung des Umfangs dieser Methodenlehre auch gegen den des betreffenden Theiles der zweiten Auflage hat nun ihren Grund nicht nur darin, dass ich, wie schon dort, auch weiter bemüht gewesen bin, das Buch für die von meinen Vorlesungen unabhängige Benutzung immer geeigneter zu machen, durch vollständigere Entwickelung, durch stellenweise grössere Ausführlichkeit der Besprechung, durch Hinzufügung zahlreicher neuer Beispiele aus dem grossen Vorrath derer, die ich durchgearbeitet habe. Beinahe jeder Paragraph des Buches giebt Belege dafür. Sondern zum Theil ist jene Vermehrung bedingt durch die seit dem Erscheinen der zweiten Auflage in einem wichtigen Punkte wesentlich veränderte Situation.

Damals glaubte ich noch an das baldige Erscheinen des im Jahre 1826 von J. Steiner als nahe druckbereit angekündigten Manuscripts (von 25—30 Bogen) „über das Schneiden (mit Einschluss der Berührung) der Kreise in der Ebene, das Schneiden der Kugeln im Raume und das Schneiden der Kreise auf der Kugelfläche", in welchem der auf die Kreis- und Kugel-Geometrie bezügliche Theil der Consequenzen von der Einführung des Distanzkreises und der Benutzung der Centralprojection entwickelt gewesen sein müssten, und schloss alles dies von meinem Buche aus. Seitdem ist durch die von der K. Preuss. Akad. d. Wissensch. veranstaltete Ausgabe „Jacob Steiner's Gesammelte Werke" (Berlin 1881 f., 2 Bde.) ausser Zweifel gestellt worden, dass Manuscripte Steiner's aus jener Epoche nicht mehr vorhanden sind. Ich habe in Folge dessen in meiner „Cyklographie" (Leipzig 1882) diesen Theil meiner Entwickelungen zunächst selbständig und elementar dargestellt, konnte und wollte ihn aber als ein wesentliches Stück der Ausgestaltung der Grundidee dieses Werkes nun auch in diesem selbst nicht unterdrücken. Die §§ (7), (36), (36ᵃ) bis (36ᵉ) und eine Reihe von Bemerkungen des Ueberblicks zum Abschnitt B sind seiner Einführung gewidmet und der zweite Band wird die Fortsetzung dieser Anfänge bringen.

Ich habe aber drittens in der Zwischenzeit auch den lange zurückgehaltenen vervollständigenden Ausbau meiner Methodenlehre an die Oeffentlichkeit gebracht und gebe nun hier zum ersten male (man vergl. § 6*, Ueberblick zu Abschnitt A, § 43, § 54*, § 61 und den Schlussüberblick) die vollständige Entwickelung und damit auch die Kritik der Methoden nach dem Princip des Sehprozesses, das ich mit Recht an die Spitze der darstellenden Geometrie gestellt zu haben glaube. Es entspricht diesen Erweiterungen des Textes, dass dem Buche sechs lithographierte Tafeln und eine Anzahl neuer Figuren im Text beigefügt worden sind.

Hottingen-Zürich, Juni 1883.

Dr. Wilh. Fiedler.

Berichtigungen.

Seite 25,	Zeile 15 v. o.	lies	Festsetzung	statt	Forts.
„ 32,	„ 4 „ „	„	Büschels	„	Bündels.
„ 73,	„ 10 v. u.	„	perspectivische	„	project.
„ 101,	„ 3 „ „	„	C^*A^*, C^*A	„	umgekehrt.
„ 104,	„ 6 „ „	„	§ 15, 4	„	§ 15, 3.
„ 108,	„ 18 v. o.	„	Beispiels-Nummer 7)	statt	6).
„ 162,	„ 13 „ „	„	für X als R und Y' als Q'.		
„ 213,	„ 18 „ „	„	orthogonale.		
„ 237,	„ 5 v. u.	„	Drei statt Die.		
„ —	„ 11 „ „	„	sphärischer Kreise.		
„ 321,	„ 7 v. o.	„	gegebene.		

Darstellende Geometrie.

Uebersicht der Figuren und Tafeln
des ersten Theiles.

Tafel I, II, III. Büschel und Schaaren von Kegelschnitten Fig. a bis n. Alle Hauptfälle sind dargestellt, für jeden Fall ist der Kegelschnitt eingezeichnet, welcher die Mittelpunkte der Kegelschnitte des Büschels enthält, und ebenso die gerade Linie, in der die Mittelpunkte der Kegelschnitte der Schaar liegen. Die gemeinschaftlichen Punkte sind überall durch A, B, C, D und die Ecken des gemeinsamen Tripels harmonischer Pole durch X, Y, Z bezeichnet; ein imaginäres Paar C, D ist durch die elliptische Involution harmonischer Pole CC_1, DD_1 ersetzt; etc. Ebenso heissen die gemeinsamen Tangenten a, b, c, d und die sie ersetzenden Involutionen $aa_1, bb_1; cc_1, dd_1$. Der Ort der Mittelpunkte ist durch M bezeichnet und in punktierter Linie ausgeführt, die Mittelpunkte der verzeichneten Kegelschnitte sind angegeben.

Tafel I, Fig. a bis d. Fig. a enthält das Büschel mit vier reellen gemeinsamen Punkten, die ein convexes Viereck bilden; man sieht die beiden Parabeln desselben, eine Ellipse, zwei Hyperbeln und die Hyperbel der Mittelpunkte, die durch die Diagonalpunkte des Vierecks geht und die Durchmesserrichtungen der Parabeln enthält. Wenn die vier gemeinsamen Punkte auf einem Kreise lägen, so sind die Durchmesserrichtungen der Parabeln rechtwinklig zu einander und der Mittelpunktsort ist eine gleichseitige Hyperbel. (Vergl. Taf. III, Fig. i.)

In Fig. b ist das Büschel durch vier reelle Punkte dargestellt, von denen einer im Dreieck der andern liegt; das daher keine Ellipsen und Parabeln, sondern nur Hyperbeln enthält, dessen Mittelpunktsort somit eine Ellipse ist. Die Figur giebt die gleichseitige, die beiden Hyperbeln mit 60° Asymptotenwinkel und die mit dem Minimalwerth desselben. Wäre die Gruppe der vier Punkte aus den Ecken eines Dreiecks und dem Schnittpunkt seiner Höhen gebildet, so würden alle Hyperbeln gleichseitig und der Mittelpunktsort der durch die Höhenfusspunkte des Dreiecks gehende Kreis — der Feuerbach'sche.

Fig. c giebt das Büschel für zwei reelle und zwei conjugiert imaginäre gemeinsame Punkte, dessen Mittelpunktskegelschnitt eine Ellipse ist; von seinen Hyperbeln ist die gleichseitige und die mit dem kleinsten Asymptotenwinkel hervorgehoben; auch die beiden mit 75° sind eingetragen. Die Gerade der elliptischen Involution, die die imaginären Punkte definiert, schneidet die Verbindungslinie der reellen Punkte zwischen diesen.

Fig. d ist das Büschel für zwei reelle und zwei conjugiert imaginäre gemeinsame Punkte, dessen Mittelpunktskegelschnitt eine Hyperbel ist, das also zwei Parabeln und neben unendlich vielen Hyperbeln auch unendlich viele Ellipsen enthält. Die Gerade der elliptischen die imaginären Punkte definierenden Involution schneidet die der reellen ausserhalb ihres endlichen Segments. Beide Parabeln und die gleichseitige Hyperbel des Büschels sind eingezeichnet. Hier kann die Mittelpunktshyperbel gleichseitig werden, d. h. unter den Ellipsen des Büschels der Kreis auftreten; in c) kann der Mittelpunktsort zum Kreise werden und das Büschel aus lauter gleichseitigen Hyperbeln bestehen.

Tafel II, Fig. e bis h. Fig. e ist das Büschel mit zwei Paaren conjugiert imaginärer gemeinsamer Punkte; der Mittelpunktskegelschnitt ist eine Hyperbel, die beiden Parabeln und die gleichseitige Hyperbel des Büschels sind eingezeichnet. Das Büschel von Kreisen mit Grenzpunkten ist ein Büschel dieser Art, sowie das Kreisbüschel mit Grundpunkten eines der vorigen Art.

Fig. f giebt die Schaar von Kegelschnitten mit vier reellen gemeinsamen Tangenten an; die Gruppen von Ellipsen, die Parabel der Schaar und ihre Hyperbelreihen sind angegeben; die Linie der Mittelpunkte ist eingetragen.

Fig. g ist die Schaar der Kegelschnitte mit zwei reellen und zwei conjugiert imaginären gemeinsamen Tangenten, wenn diese letzten speciell parallel sind — für den Fall von lauter Hyperbeln. Der Strahl x_1 ist die Mittelpunktslinie. Man ist veranlasst, nach dem Falle von lauter Ellipsen zu fragen.

Fig. h enthält eine Schaar mit zwei Paaren von conjugiert imaginären gemeinsamen Tangenten; die Parabel der Schaar, zwei Ellipsen und drei Hyperbeln sind angegeben. Sind die beiden elliptischen Polarinvolutionen xx_1, yy_1 und $x'x_1'$, $y'y_1'$ speciell rechtwinklig, so hat man die Schaar der confocalen Kegelschnitte.

Tafel III, Fig. i bis n; die hauptsächlichen Grenz- und Specialfälle der Büschel und Schaaren. Wir erwähnen hier zugleich die nicht gezeichneten in Anknüpfung an die Figuren, aus denen sie am einfachsten vorstellbar sind. Wenn man in Fig. a zwei der gemeinsamen Punkte, etwa die beiden unteren, unendlich nahe zusammengerückt denkt, so entsteht das Büschel mit Berührung und noch zwei reellen gemeinsamen Punkten. Ebenso kann aus d) ein Büschel mit Berührung und zwei conjugiert imaginären gemeinsamen Punkten gemacht werden. (Warum nicht analog beides aus b) und c)?) Eine Schaar mit Berührung und zwei reellen gemeinsamen Punkten lässt sich aus Fig. f, Tafel II und eine Schaar mit Berührung und zwei conjugiert imaginären gemeinsamen Tangenten aus g) entwickeln. Tafel III enthält nun zunächst die Hauptfälle der Osculation oder der Berührung zweiten Grades unter den Kegelschnitten; in Fig. i für das Büschel mit Angabe der zwei Parabeln und der gleichseitigen Hyperbel. Der Mittelpunktsort ist eine gleichseitige Hyperbel, die im Osculationspunkte die Kegelschnitte berührt. (Vergl. Fig. a, Tafel I.)

Sodann in Fig. k die Schaar der osculierenden Kegelschnitte

Ellipsen und Hyperbeln mit der Parabel des Ueberganges und der geraden Linie der Mittelpunkte.

In Fig. 1 die vierpunktig berührenden Kegelschnitte, die zugleich ein Büschel und eine Schaar bilden.

Die Figuren m und n geben endlich die Typen der doppeltberührenden Kegelschnitte, die wiederum gleichzeitig Büschel und Schaar sind; m) mit reellen Berührungspunkten, n) mit conjugiert imaginären.

Zur Ableitung von Specialfällen aus den typischen Formen vergleiche man die Erörterungen im Text § 33, 20. Man verwandelt die Fig. n durch eine centrische Collineation mit x als Gegenaxe in ein System concentrischer ähnlicher und ähnlich gelegener Ellipsen und durch gleichzeitige Ueberführung der Involution um X in eine rectanguläre in ein System concentrischer Kreise; ebenso m) durch Collineation mit x als Gegenaxe unter gleichzeitiger Verwandlung der Involution in eine symmetrische in das System gleichseitiger Hyperbeln mit denselben Asymptoten. Man verwandelt h) durch eine gewisse Umformung dieser Art in die Schaar der confocalen Kegelschnitte, b) in das Büschel aus lauter gleichseitigen Hyperbeln mit dem Feuerbach'schen Kreise der gemeinsamen Punkte als Mittelpunktsort; etc., etc.

Tafel IV, Fig. a, b, c. Die dreiflächigen Abstumpfungen der dreiseitigen Ecke. Die dreiseitige Ecke vom Scheitel S ist in jedem Falle durch
drei Ebenen abgeschnitten, die als erste, zweite und dritte bezeichnet
werden können, da ihre Schnittpunkte mit den Kanten durch die Ziffern
1, 2 resp. 3 bezeichnet sind; für ihre Schnittlinien unter einander sind
in jedem Falle die Durchstosspunkte mit zwei Flächen der Ecke markiert, nämlich Punkte I in der Schnittlinie der Ebenen 2 und 3, II in
der der Ebenen 3 und 1 und III in derjenigen der Ebenen 1 und 2.
Die schliessliche Gestalt der Eckenabstumpfung ist durch stärkere Linien
hervorgehoben. Augenscheinlich könnte die Verticalprojection weggelassen werden, wenn man nur die Höhe von S über der Grundrissebene
markierte. Die Construction belegt den Satz: Wenn drei Dreiecke für

dasselbe Centrum in Paaren centrisch collinear sind, so schneiden sich ihre Collineationsaxen in einem Punkte. Die Abstumpfungen der Ecke sind in den drei Fällen a, b, c typisch verschieden von einander in Folge der verschiedenen Reihenfolge der Kantenschnitte der einzelnen Ebenen vom Scheitel aus. In a) haben wir auf den drei Kanten die Folgen 123, 321, 213; in b) 123, 231, 312 und in c) 123, 321, 132. Der reguläre oder cyklische Fall b) zeigt drei viereckige Abstumpfungsflächen, während im Falle a) Dreieck, Viereck und Fünfeck und im Falle c) zwei Dreiecke und ein Fünfeck auftreten. Sind noch andere typische Hauptfälle möglich? Man leitet leicht aus den gegebenen Figuren die Anschauung der Grenzfälle ab, wo ein oder zwei oder alle drei äussersten Ecken der Abstumpfung unendlich fern liegen.

Tafel **VI**, Fig. a, b, c. Der Parameterkörper $2\,O\,3$, ein Fall der allgemeinen Grundgestalt des regulären Krystallsystems, in Centralprojection, in schräger und in orthogonaler Axonometrie dargestellt zur Vergleichung der Bilder. Die Figur auf der linken Seite der Tafel ist die
Centralprojection des Körpers von dem durch den Distanzkreis **D** vom
Centrum C_1 bestimmten Centrum aus; die Ebene seiner Hauptaxen x
und y ist normal zur Tafel und durch die Spur s und die Fluchtlinie q'
(den Horizont) angegeben, O' ist das Bild des Mittelpunktes und x', y', s'
sind die Bilder der Hauptaxen des Körpers; der Fluchtpunkt Q'_y und der
Theilungspunkt T_x liegen im Blatte. Die Bilder der Endpunkte der
von O aus auf die Axen abgetragenen Längen 1, 2, 3 sind angegeben,
soweit sie auf das Blatt fallen. Vom Bilde des Körpers sind die sichtbaren Kanten als stärkere Linien von den verdeckten unterschieden.

Die Figur in der Mitte ist ein schräg axonometrisches Bild desselben
Körpers mit den Axenrichtungen des perspectivischen Bildes und denselben Einheiten in der Axe z sowie mit den Längen der von O nach
vorn aufgetragenen Einheiten in den Axen x und y.

Die Figur rechts endlich ist das orthogonal axonometrische Bild
desselben Körpers, welches man erhält, wenn man die Axenrichtungen
der Figuren a) und b) beibehält und der Einheit in der Axe z dieselbe
Länge giebt, wie in ihnen. Die Vergleichung der Bilder besteht in der
Anschauung der relativen Lage der zwölf vierseitigen, der acht sechsseitigen und der sechs achtseitigen Ecken des Körpers in demselben. In
der Mittelfigur sind zwei Flächen des Körpers zufällig nahe genau projicirende Ebenen, rechts findet dasselbe statt für zwei Ebenen, welche
zwei Gegenkanten des Achtecks in $y\,z$ mit zwei bestimmten sechsseitigen
Mittelecken verbinden; in der Centralprojection kommt dergleichen nicht
vor. Die Herstellung beider axonometrischen Bilder ist gleich einfach;
in dem orthogonalen ist die Bequemlichkeit ein wesentlicher Vorzug,
mit der man die Lage der Bildebene und die Maassstäbe, also die wahre
Grösse, des dargestellten Objects erhält.

———————

Darstellende Geometrie.

Einleitung.

Zweck und Bedeutung. Der nächste Zweck der darstellenden Geometrie ist die Bestimmung räumlicher Formen nach Lage, Grösse und Gestalt durch andere räumliche Formen; zumeist geschieht sie durch die graphische Darstellung in einer Fläche, in manchen Fällen durch das räumliche Abbild oder Modell. Die Untersuchung der gegenseitigen Beziehungen der so bestimmten Raumformen mittelst ihrer Darstellung wird daran angeschlossen. [1])

Beides macht die darstellende Geometrie zu einer wichtigen Hilfswissenschaft des Technikers; sie dient ihm gleichmässig bei der Nachahmung schon vorhandener Erzeugnisse seines Faches, wie bei der Erfindung neuer. In der Regel ersetzen die nach ihren Methoden hergestellten Zeichnungen die so viel kostbareren Modelle; natürlich liegt in der Einfachheit ihrer Herstellung und Verwendung ihr praktischer Werth. Die erste systematisch-pädagogische Anleitung zur Befriedigung dieser Bedürfnisse durch Zeichnung auf ebener Fläche boten J. H. Lambert's Freie Perspective — Zürich 1759 und G. Monge's Géométrie descriptive — Paris 1795.

In zwei Richtungen erweitert sich diese Bedeutung noch. Zuerst insofern der angestrebte nächste Zweck gefördert wird durch die Bildlichkeit der Darstellung, d. h. durch ihre Aehnlichkeit mit dem Gesichtseindrucke, den das dargestellte Object selbst hervorbringen würde; man ist dadurch veranlasst, diese Bildlichkeit zu gewinnen und sucht dieselbe für die ebenen Darstellungen zu erhöhen durch die Aufnahme der Beleuchtungsverhältnisse in die Darstellung. Damit erweitert

sich die darstellende Geometrie nach der praktischen Seite, der
Seite der Darstellung, zur wissenschaftlichen Grundlage der Zeichenkunst; sie nimmt für ihre Ausführungen
neben der Genauigkeit die Schönheit zum Ziel.

Sodann aber, insofern der bezeichnete Zweck recht ver-
standen die Darlegung aller Constructionen der Raumgeometrie
und die Lösung ihrer Aufgaben verlangt, hat die darstellende
Geometrie sich als geeignet zur naturgemässen Entwickelung
hiervon zu erweisen; und es ergiebt sich, dass sie allerdings
vermag, in den Besitz gerade der Elemente zu setzen, aus
denen die Eigenschaften der Figuren gleichzeitig mit der
Erzeugung derselben in der einfachsten Weise entspringen —
mit andern Worten, dass sie durch ihr Verfahren den Orga-
nismus der Raumformen erkennen lässt. Daher die histo-
rische Stellung der darstellenden Geometrie am Anfang der
neuesten Entwickelungs-Epoche der Geometrie; nach Lambert
und Monge kommen Poncelet (1822), Möbius (1827), Steiner
(1832), Chasles (1831, 1837), v. Staudt (1847) in stetiger Folge,
indess vorher Desargues (1636) ganz vereinzelt erscheint.
Insofern erweitert sie sich nach der geometrischen oder theo-
retischen Seite, ihr Studium wird zum ersten Hauptstück
der höheren geometrischen Studien; die Erreichung
der Constructionsziele mit einer Minimalzahl von Constructions-
linien in allen Fällen und die Begründung strenger Constructionen mit Zirkel und Lineal bei allen Aufgaben, die nicht
mehr als zwei Lösungen zulassen, sind die wichtigen praktischen Ergebnisse des Beginns dieser Entwickelung. Die
Geometrie der Lage ist als diejenige Fortsetzung
und Erweiterung der darstellenden Geometrie anzusehen, bei welcher die systematische wissenschaftliche Entwickelung alleiniger Zweck ist, so dass die Rücksicht auf die
Darstellung und selbst auf die Darstellbarkeit wegfällt.

Methode. Zum Zwecke der graphischen Darstellung
wird die Raumform auf die Bildebene bezogen und diese
durch die Zeichnungsebene repräsentiert — allgemeiner
Bildfläche und Zeichnungsfläche. Die Vereinigung der in
der Bildebene vorhandenen Bestimmungselemente heisst das
Bild oder die Projection der Raumform; die Methode
der Beziehung, durch welche aus der Raumform oder dem

Original das Bild hervorgeht, heisst die **Abbildungs- oder Projections-Methode**.

Die nächste und natürlichste Quelle der Abbildungsmethoden — wir wollen desshalb die aus ihr entspringenden **die elementaren Abbildungsmethoden** nennen — ist das mathematische Abstractum des Sehprozesses: Von einem Centrum der Projection aus gehen nach allen Punkten und geraden Linien des darzustellenden Objects gerade Linien und Ebenen — wir bezeichnen ihre Gesammtheit als das **Bündel der projicierenden Strahlen und Ebenen** oder als den **Schein des Objects** — deren Durchschnittspunkte und -linien mit der **Bildebene** die Bilder oder Projectionen dieser Punkte und Geraden sind.

Von der gegenseitigen Lage im Moment der Abbildung abgesehen, also auch nach der Aufhebung derselben, sind daher Original und Bild durch die beiden Gesetze verbunden: **Jedem Punkte des Originals entspricht ein Punkt des Bildes und jeder geraden Linie des Originals entspricht eine gerade Linie im Bilde.** Ist das Original sowie das Bild eine ebene Figur, so gelten beide Gesetze im Allgemeinen auch **umgekehrt**; man macht sie durch gewisse Voraussetzungen über das Unendlichferne im Raum, welche widerspruchsfrei sind, ohne Ausnahme gültig und sagt: Original und Bild sind projectivisch oder stehen in der **Verwandtschaft der Projectivität**, specieller der **Collineation**. Die besondere gegenseitige Lage, die beide im Momente der Abbildung haben, kann man immer als die **perspectivische Lage** derselben bezeichnen.

Die Theorie der ebenen Abbildung nach diesen Grundsätzen nennen wir die Lehre von der **Centralprojection**; sie enthält als einen durch die Forderung auf Bildlichkeit ausgesonderten Theil die **Theorie der Perspective**; als ein Specialfall geht aus ihr die Lehre von der orthogonalen und schiefen **Parallelprojection** hervor.[2]

Der Verfolg zeigt sodann, dass man auch den Raum d. i. die nicht ebenen Formen nach Anleitung derselben Gesetze der Projectivität von einem Centrum aus und für dasselbe abbilden, nämlich in solcher Art räumlich abbilden oder modellieren kann, dass jedem Punkte des Originals ein

1*

Punkt des Bildes und jeder Geraden desselben eine Gerade des Bildes sowie umgekehrt ausnahmslos entspricht. Mit Einschränkungen, welche den beim Uebergang von der Centralprojection zur Perspective Erforderlichen analog sind, kann man auch dieser Abbildung einen hohen Grad von Bildlichkeit verleihen; daher umfasst sie die in der Kunst wie die in der Technik verwendeten Modellierungs-Methoden.

Wenn wir aber speciell an die Art anknüpfen, wie bei der Centralprojection die Lage des Centrums gegen die Bildebene durch einen Kreis fixiert wird, dessen Kenntniss für die Bestimmtheit der metrischen Verhältnisse der dargestellten Raumformen unentbehrlich ist, so entspringt eine Abbildung der Punkte des Raumes durch die Kreise der Ebene, vermittelst welcher die Aufgaben über die Bestimmung der Kreise und Kugeln etc. der darstellenden Geometrie unterworfen werden. Wie die bildlichen Projectionsmethoden zu den projectivischen Verwandtschaften führen, so giebt diese Abbildung der Cyklographie uns Kenntniss von der fundamentalen metrischen Verwandtschaft der Inversion oder der reciproken Radienvectoren.

Perspectivische Raumansicht. Wir fassen unter diesem Namen die vorher bezeichneten Voraussetzungen über die unendlich fernen Elemente des Raumes zusammen, durch welche das eindeutige Entsprechen von Punkt zu Punkt und von Gerade zu Gerade zwischen Original und Bild von scheinbaren Ausnahmen befreit wird; denn solche treten nur bei jenen auf. Wenn die Punkte einer Geraden durch gerade Strahlen vom Centrum der Projection aus auf die Bildebene projiciert werden, so giebt es unter diesen einen, der zu ihr selbst, und einen anderen, der zur Bildebene parallel ist; der erste liefert ein bestimmtes Bild von dem — wir wollen zunächst sagen — uneigentlichen Punkte der Geraden, den der Parallelstrahl projiciert und den Manche als gar nicht existierend, Andere als aus einer Vielheit von Punkten bestehend ansehen wollen; der zweite liefert ebenso zu einem bestimmten Original ein uneigentliches Bild. Die Frage gehört zur Theorie des Maasses und des Messens, die mit den uns empirisch geläufigen Voraussetzungen darüber nicht entschieden und noch weniger gegeben ist und die man zu fassen hat als die pro-

jectivische Vergleichung der Figuren mit einer als fest oder
absolut gedachten die Maasseinheiten liefernden Figur; ihre
Beantwortung fällt daher je nach der Wahl des Absoluten
verschieden aus. Ueber die Zweckmässigkeit oder den Vorzug
der einen oder andern muss das Ganze der Wissenschaft
als entscheidend angesehen werden, und dies hat für denjenigen
Bereich der Geometrie, den man als Geometrie der Projectivität oder als projectivische Geometrie bezeichnen
kann, und dem die Elementargeometrie unbedingt
angehört, die Entscheidung dahin gegeben, dass es nothwendig ist, anzunehmen, jede Gerade habe einen einzigen und bestimmten unendlich fernen Punkt. Wir
nennen denselben in genauer Uebereinstimmung mit dem
Sprachgebrauch die Richtung der Geraden und haben
damit zugleich die Erklärung dieses Begriffes gewonnen.

In unmittelbarer Consequenz ergiebt sich daraus, dass die
unendlich entfernten Punkte einer Ebene angesehen werden
müssen als eine gerade Reihe bildend, die man die unendlich
ferne Gerade derselben oder ihre Stellung nennt; und
zuletzt, dass alle die unendlich fernen Punkte des Raumes und
alle die unendlich fernen Geraden desselben als · einer Ebene,
der unendlich fernen Ebene, angehörig anzusehen sind.[3]

Die Sätze: Zwei Gerade in derselben Ebene schneiden
sich in einem Punkte; zwei Ebenen schneiden sich in einer
geraden Linie; eine Gerade und eine Ebene haben nur einen
Punkt gemein, wenn nicht die Erste ganz in der Letzteren
liegt — erhalten damit zugleich ausnahmsfreie Gültigkeit.
Ebenso die Bestimmungssätze der Geraden aus zwei Punkten
oder Ebenen, der Ebene aus drei Punkten und des Punktes
aus drei Ebenen; ein unendlich ferner Punkt ist durch eine
Gerade bestimmt, in der er liegt, eine unendlich ferne Gerade
durch eine Ebene, der sie angehört, und man construirt bekanntlich mit solchen Elementen mit der gleichen oder selbst
mit grösserer Leichtigkeit, wie mit denen des endlichen Raumes.

Entwickelungsgang. Unsere Entwickelung gilt haupt-
sächlich den bildlichen unter den elementaren Projectionsmethoden und hat daher mit der Darstellung und Bestimmung der projicierenden Strahlen zu beginnen,
als durch welche alles Andere dargestellt und bestimmt werden

muss; sie hat sodann die Bestimmung der das Centrum nicht enthaltenden Geraden und Ebenen zu zeigen und jene Verwendung auf allen Stufen durchzuführen. Die Objecte der Darstellung sind die geometrischen Gebilde, welche durch Reihung oder durch Bewegung aus den geometrischen Elementarformen: Gerade Linie, Punkt und Ebene erzeugt werden. Die Berücksichtigung des raumerfüllenden Inhaltes bleibt den Anwendungen überlassen — dem Architektur- und Maschinenzeichnen, dem topographischen Zeichnen, etc. Für die Darstellung der Beleuchtungsverhältnisse und sonst zur Erhöhung der Bildlichkeit der Zeichnungen wird den geometrischen Flächen die Eigenschaft der Undurchsichtigkeit beigelegt.

Wir entwickeln zuerst — in diesem Bande — an der Behandlung der geometrischen Elementarformen und der einfachsten aus den Elementen der Geometrie bekannten Gebilde die Methoden der darstellenden Geometrie, bei welchen die Bestimmung der geraden Linie fundamental ist, also die Centralprojection und die verschiedenen Formen der Parallelprojection, sowie die damit verbundenen Elemente der projectivischen Geometrie. Wir schliessen daran — im zweiten Bande — ihre Anwendung auf das Studium und die Darstellung der zusammengesetzten Formen an, insbesondere der Curven und der Flächen. Dadurch ermöglichen wir bei diesen die Verwendung aller Methoden und die Wahl der für die specielle Absicht zweckgemässesten unter denselben und sichern so ein tieferes und rascheres Eindringen in die nothwendigen Theorien und die möglichste Kürze und Genauigkeit bei den praktischen Anwendungen. Auf die Consequenzen des Gedankens von der Abbildung der Punkte des Raumes durch die Kreise einer Ebene werden wir an den geeigneten Orten in beiden Bänden kurz eingehen; ihre Verwendung zur Lösung von Problemen bietet vortreffliche Uebungen im Gebrauch der elementaren projectivischen Methoden. Die vollständige Entwickelung der Geometrie der Lage in construierender und in analytischer Form, in beiden Gestalten beherrscht durch die so zu sagen raumbildende Kraft des Projectionsprozesses, enthält der dritte Band.[4])

Erster Theil.

Die Methodenlehre, entwickelt an der Untersuchung
der geometrischen Elemente und ihrer einfachen
Verbindungen.

A. Die Centralprojection als Darstellungsmethode und nach ihren allgemeinen Gesetzen.

1. Das Centrum C der Projection, der Scheitel oder
Träger des Strahlenbündels der projicierenden Geraden, wird
auf die Bildebene, die zugleich Zeichnungsebene oder
Tafel sein mag, durch die Normale von ihm auf sie bezogen;
ihr Fusspunkt C_1 heisst der Hauptpunkt, ihre Länge CC_1
die Distanz d und der mit dieser aus dem Hauptpunkt in der
Bildebene beschriebene Kreis **D** der Distanzkreis. (Fig. 1.)

Dies vorausgesetzt bestimmt jeder Punkt P der Bildebene
den projicierenden Strahl CP, der nach ihm geht (seinen
Schein); alle die unendlich vielen Punkte, die in diesem
Strahle liegen, werden in jenem Punkte der Bildebene abgebildet, also dass kein Einzelner unter ihnen bestimmt wird.
Hiervon machen nur zwei Punkte des projicierenden Strahls
Ausnahme, nämlich der Durchstosspunkt P des Strahls
mit der Bildebene selbst, welcher mit seinem Bilde P' zusammenfällt, und die Richtung des Strahles oder der unendlich ferne Punkt Q desselben, der Punkt, den er mit allen
anderen ihm parallelen Geraden gemein hat.

Betrachten wir an einem projicierenden Strahl seine
Länge CP oder l vom Centrum bis zur Tafel und seine Tafelneigung oder den Neigungswinkel $\beta = \angle CPC_1$, den er mit
der Tafelebene bildet, so sind beide in dem bei C_1 rechtwinkligen Dreieck CC_1P enthalten, welches die Distanz CC_1 und die

Linie $C_1 P$ vom Hauptpunkte nach dem Punkte P der Bildebene zu Katheten hat. Es ist also für $C_1 P = r$ und $CP = l$

$$r \tan \beta = d, \quad l \sin \beta = d, \quad l \cos \beta = r.$$

Alle projicirenden Strahlen, deren Durchstosspunkte für
einerlei Hauptpunkt und Distanz in einem Kreise liegen, wel-

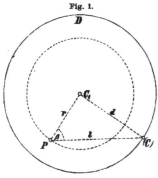

Fig. 1.

cher den Hauptpunkt zum Mittelpunkt hat, haben gleiche Tafelneigung β und gleiche Länge l,
und umgekehrt. Wir nennen daher solche Kreise N e i g u n g s -
k r e i s e und haben

$$\beta \gtreqless 45^0, \text{ je nachdem } r \lesseqgtr d$$

ist; insbesondere $\beta = 90^0$ für
$r = 0$ und $\beta = 0$ für $r = \infty$. Der
Distanzkreis ist also der Neigungskreis für 45^0, der Hauptpunkt der
für '90^0 und die unendlich ferne Linie der Bildebene oder ihre
Stellung entspricht der Neigung 0.

1) Man bestimme r aus β und dem Distanzkreis $\mathbf{D}$; oder l
aus $\mathbf{D}$ und r; oder β und d aus C_1, l und r.

2. Jede Gerade p der Bildebene bestimmt alle die projicirenden Strahlen, die vom Centrum nach ihren Punkten
gehen — wir sagen das B ü s c h e l d e r p r o j i c i r e n d e n
S t r a h l e n, indem wir ganz allgemein den Inbegriff aller Geraden durch einen Punkt in einer Ebene als ein S t r a h l e n -
b ü s c h e l bezeichnen — und damit die p r o j i c i r e n d e E b e n e,
die vom Centrum nach ihr gelegt wird. Auf dieser projicirenden Ebene lassen sich unendlich viele das Centrum nicht
enthaltende Gerade g ziehen, deren Bilder g' alle mit p zusammenfallen, von denen die Gerade p also im Allgemeinen
k e i n e bestimmt. Ausgenommen hiervon sind nur die S p u r
der projicirenden Ebene in der Tafel, d. i. p selbst, welche
mit ihrem Bilde p' zusammenfällt, und die u n e n d l i c h
f e r n e G e r a d e q der projicirenden Ebene, oder die Stellung
derselben, ihre Schnittlinie mit allen zu ihr parallelen Ebenen,
die Linie der Richtungen aller in ihr enthaltenen Geraden.

An einer projicirenden Ebene betrachten wir ihre B r e i t e
b zwischen ihrer Spur und der durch das Centrum gehenden

Parallelen zu derselben, d. i. den normalen Abstand ihrer Schnittlinie mit der Bildebene und der Parallelen zu ihr durch das Centrum, und sodann ihre **Tafelneigung**, d. i. den spitzen Neigungswinkel α, den sie mit der Bildebene macht. Fällen wir vom Hauptpunkte C_1 die Normale auf p, die sie in H treffe, so ist im rechtwinkligen Dreieck CC_1H

$$\angle\, CHC_1 = \alpha$$

und $CH = b$; für $C_1H = r$ ist also

$$r \tan \alpha = d,\quad b \sin \alpha = d.$$

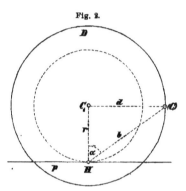

Fig. 2.

Alle projicierenden Ebenen, deren Spuren für einerlei Hauptpunkt und Distanz einen Kreis berühren, welcher den Hauptpunkt zum Mittelpunkt hat, haben gleiche Neigung α und gleiche Breite b, und umgekehrt. Solche Kreise sind gleichzeitig **Neigungskreise** für die projicierenden Linien nach ihren Punkten und für die projicierenden Ebenen nach ihren Tangenten und zwar für einerlei Winkel. Die Spuren der zur Bildebene normalen projicierenden Ebenen gehen durch den Hauptpunkt; die der unter 45^0 geneigten berühren den Distanzkreis. Die zur Tafel parallele projicierende Ebene, deren Spur die unendlich ferne Gerade der Bildebene ist, so dass die Bilder aller in ihr gelegenen Punkte und Linien unendlich fern sind, soll die **Verschwindungsebene oder die vordere (erste) Parallelebene** heissen.

Polygone oder Curven in der Bildebene bestimmen projicirende Pyramiden oder Kegel als die Vereinigungen der entsprechenden projicierenden Geraden und Ebenen.

1) Man construire b und r aus $\mathbf{D}$ und α.

2) In der projicierenden Ebene Cp bestimme man die projicierenden Geraden von der Länge l oder der Neigung β.

3) Durch die projicierende Gerade CP lege man die projicirenden Ebenen von der Neigung $\alpha \geqq \beta$; oder von der Breite $b \leqq l$.

3. Wir wenden uns zur Bestimmung von geraden Linien und Ebenen, die nicht durch das Centrum gehen. Jede Ge-

rade *g*, die das Centrum *C* nicht enthält, bestimmt mit
diesem eine projicierende Ebene als den Inbegriff der projicierenden Strahlen ihrer Punkte oder den Ort des ihr entsprechenden projicierenden Strahlenbüschels (Schein der Geraden); die Spur dieser projicierenden Ebene in der Tafel ist
das Bild *g'* der Geraden. Unter allen geraden Linien in
dieser projicierenden Ebene ist *g* ausgezeichnet durch ihren
Schnitt- oder Durchstoss-Punkt *S* mit der Tafel — diesen
theilt sie mit allen andern Strahlen eines durch *S* gehenden
Strahlenbüschels in der Ebene *Cg* — und durch ihre Richtung oder ihren unendlich fernen Punkt *Q* — ihn hat sie
gemein mit allen Strahlen
des Büschels der Paralle-
len zu *g* in derselben
Ebene. Durch beide Be-
stimmungen ist die Ge-
rade *g* als Verbindungs-
linie von zwei Punkten
oder als der gemeinsame
Strahl von zwei Strahlen-
büscheln bestimmt, und
nach § 2. sind die Punkte
S und *Q* ihrerseits durch
ihre projicierenden Strahlen allein völlig bestimmt;

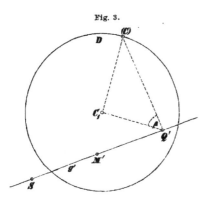

Fig. 3.

d. h. **die gerade Linie *g* wird bestimmt durch den
Durchschnittspunkt *S*, den sie mit der Bildebene
erzeugt, und durch den Durchstosspunkt des zu ihr
parallelen projicierenden Strahls, d. i. das Bild *Q'* ihres
unendlich fernen Punktes *Q* oder ihrer Richtung.** Der letzt-
genannte Punkt soll der **Fluchtpunkt** der Geraden heissen.
Die gerade Verbindungslinie ihres Durchstosspunktes *S* mit
ihrem Fluchtpunkte *Q'* ist das Bild *g'* der Geraden *g*. Die
Gerade selbst bestimmt sich aus *S*, *Q'* und *C* oder **D** als die
Parallele zu *CQ'*, welche durch *S* geht. (Fig. 3 und 4.)

Die Gerade hat daher dieselbe Tafelneigung *β*, wie der
projicierende Strahl ihrer Richtung *Q*; wenn wir den Durchschnittspunkt der Verschwindungsebene mit ihr oder ihren
Verschwindungspunkt durch *R* bezeichnen, dessen Bild *R'*

die Richtung von g' ist, so ist $SR \,\#\!\!\#\, Q'C$, d. h. die Strecke l
der Geraden g zwischen Bildebene und Verschwin-
dungsebene ist gleich der Strecke des zu ihr parallelen projicierenden Strahls von der Bildebene bis
zum Centrum; und ebenso $RC \,\#\!\!\#\, SQ'$, d. h. die Bildlänge n
der Geraden zwischen Durchstosspunkt und Flucht-
punkt ist gleich dem Abstand ihres Verschwindungspunktes vom Centrum. Macht man in der Geraden

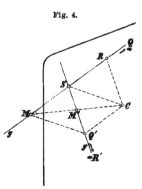

Fig. 4.

g die Strecke SM gleich und entgegengesetzt SR, so ist $MS \,\#\!\!\#\, Q'C$,
d. h. auch $SC \,\#\!\!\#\, MQ'$ oder M liegt
auf der Geraden g ebensoweit hin-
ter der Bildebene wie R oder C vor
derselben, und das Bild M' dieses
Punktes ist die Mitte der Strecke
zwischen S und Q' oder die Bildmitte; denn die Diagonalen eines
Parallelogramms halbieren einander.
Die Punkte M auf allen denkbaren
Geraden erfüllen die zweite oder
hintere Parallelebene, eine zur
Bildebene parallele Ebene in der Entfernung d von ihr auf
der dem Centrum entgegengesetzten Seite.

Denkt man wie von C das Perpendikel CC_1, so auch von
den Punkten M und R der Geraden SQ' die Perpendikel auf
die Tafel gefällt mit den respectiven Fusspunkten M'' und R'',
so hat man wegen
$$CC_1 \,\#\!\!\#\, RR'' \,\#\!\!\#\, M''M$$
$SR'' \,\#\!\!\#\, Q'C_1$ und $M''M' = M'C_1$, also auch $SR'' = M''S$; d. h.
die Fusspunkte der Normalen zur Tafel aus den
Schnittpunkten einer Geraden SQ' mit den Parallelebenen liegen in einer Parallelen durch S zu $Q'C_1$ und
um $Q'C_1$ von S entfernt, R'' zugleich in demselben
Sinne.

1) Parallele Gerade haben denselben Fluchtpunkt für das
nämliche **D**; alle Normalen zur Tafel haben ihren Fluchtpunkt im
Hauptpunkt C_1.

2) Demselben Fluchtpunkt und Durchstosspunkt entsprechen
bei Unbestimmtheit des Centrums alle Strahlen eines Bündels; bei
welcher Bewegung desselben nur die eines Strahlenbüschels?

3) Alle Geraden von derselben Länge l zwischen Bild- und
Verschwindungsebene haben für dasselbe **D** gleiche Tafelneigung β
und ihre Fluchtpunkte liegen also in einem Neigungskreis.

4) Bei gegebenem **D** bestimme man l und β aus S und Q',

5) Bei gegebenem **D** bestimme man aus g', S in demselben und
β den Fluchtpunkt Q' und die Gerade.

6) Bei gegebenem **D** construiere aus g' und l den Fluchtpunkt
Q' und β und aus n die Spur S und die Gerade. (Vier Lösungen.)

7) Man bestimme bei gegebenem **D** unter den projicirenden
Linien der Punkte von g oder SQ' diejenige von der **grössten**
Tafelneigung und die beiden, welche eine **gegebene Tafelneigung**
β haben.

8) Alle Geraden, für welche bei gegebenem **D** die Strecke SQ'
gleiche Länge n hat, schneiden die Verschwindungsebene in Punkten
R auf einem aus C mit n als Halbmesser beschriebenen Kreise.

9) Man characterisire nach ihrer Lage alle Geraden von gegebenem Schnittpunkt M mit der zweiten Parallelebene und gegebener Bildlänge SQ' bei gegebenem **D** und construire ihre Bilder.
Sie sind die Mantellinien eines Kegels aus M nach den Punkten
eines Kreises vom Mittelpunkt C in der Verschwindungsebene, der
die Bildlänge zum Radius hat.

10) Bei gegebenem **D** construire man alle Geraden von gegebenem S für gegebenes l; und unter ihnen die für gegebenes n.

4. Der Schein der unbegrenzten das Centrum nicht enthaltenden Geraden bildet die **ganze** projicirende Ebene. Bei
einer vollen Umdrehung des projicirenden Strahles in der projicirenden Ebene Cg werden alle Punkte von g projicirt und
umgekehrt zu allen Punkten des Bildes g' die entsprechenden
Punkte des Originals g bestimmt. Wir lassen ihn von S über
M nach Q und in demselben Drehungssinne weiter gehen und
bemerken die **vier Hauptlagen** CS, CM, CQ, CR. Dann
entsprechen den in demselben Sinne auf einander folgenden
Strecken des Originals g : SM, MQ oder $M\infty$, QR oder ∞R,
RS Punkt für Punkt die Strecken $S'M'$ oder SM', $M'Q'$, $Q'R'$
oder $Q'\infty'$ und $\infty'S$ des Bildes g'. Jenen Strecken des Originals, welche durch die Bildebene, die zweite Parallelebene,
das Unendliche — die unendlich ferne Ebene — und die Verschwindungsebene von einander getrennt werden, entsprechen
die Strecken des Bildes, welche der Durchstosspunkt, die Bildmitte, der Fluchtpunkt und der unendlich ferne Punkt desselben von einander scheiden. Ein Punkt des Originals und
der entsprechende Punkt des Bildes liegen in entsprechenden

Strecken; aus der Lage des einen kann auf die des andern (in der entsprechenden Strecke) geschlossen werden.

Man erlangt die wirkliche Bestimmung dieser Abhängigkeit durch die **Umlegung der Geraden** g **mit ihrer projicierenden Ebene** Cg **in die Bildebene.** Sind der Distanzkreis **D** und die Gerade g durch S und Q' also g' (Fig. 5) gegeben, so bestimmt man zuerst die Lage $\mathfrak{C}$ oder $\mathfrak{C}^*$ des mit der projicierenden Ebene Cg in die Bildebene umgelegten Centrums C, indem man auf das Perpendikel C_1H, welches vom Hauptpunkt auf die Gerade g' gefällt ist, von H aus die Breite b der projicierenden Ebene Cg d. i. die Hypotenuse des aus

Fig. 5.

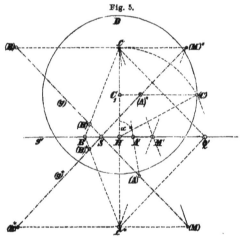

C_1H und d als Katheten gebildeten rechtwinkligen Dreiecks abträgt (§ 3.). Die Umlegungen $\mathfrak{C}$ und $\mathfrak{C}^*$ entsprechen den Drehungen der projicierenden Ebene um die Winkel α und $(180^0 - \alpha)$ respective. Dann ist $\mathfrak{C}Q'(\mathfrak{C}^*Q')$ der zur Geraden g parallele projicierende Strahl in der Umlegung — zugleich die Länge l der Geraden g — und diese selbst, (g) respective $(g)^*$, geht durch S parallel $\mathfrak{C}Q'$ respective $\mathfrak{C}^*Q'$. Die von $\mathfrak{C}(\mathfrak{C}^*)$ nach der Bildmitte M' und parallel zu g' gehenden Strahlen bestimmen die Punkte (M) oder $(M)^*$ und (R) oder $(R)^*$ in der Umlegung (g) resp. $(g)^*$.

Die wahre Länge der in $A'B'$ projicierten Strecke und die Projectionen der in $(A),(B)$ gelegenen Punkte ergeben sich daraus.

So wie vorher das Bild und das Original der Geraden in perspectivischer Lage für das Centrum C waren, so wird es nun Bild und Umlegung der Geraden für die Umlegung des Centrums $\mathfrak{C}$, respective $\mathfrak{C}^*$.

Wenn man $Q'\,\mathfrak{C}$ um Q' und $S(R)$ um S um gleiche Winkel und bei unveränderter Länge dreht, so bleibt die perspectivische Beziehung von $A'B'$ zu AB ungeändert. $\mathfrak{C}\,Q'$, $S(R)$ sind dabei immer (siehe 5.) Fluchtlinie und Spur einer durch $S\,Q'$ gelegten Ebene; für jede solche Ebene können also $Q'\,\mathfrak{C}$ und $S(R)$ in die Fluchtlinie respective Spur übergeführt werden. Man sagt, die **Theilungspunkte** $\mathfrak{C}$ **einer Geraden** $S\,Q'$ **liegen in der Peripherie eines um** Q' **mit dem Radius** l **beschriebenen Kreises.** (Vergl. § 7.)

1) Bei gegebenen $\mathbf{D}$, S und Q' bestimme man die Projectionen der Endpunkte der von S aus in g abgetragenen $k$fachen Distanz.

2) Aus denselben Daten bestimme man die wahre Länge der in $A'B'$ projicierten Strecke von g; theile die Strecke $A'B'$ in k gleiche Theile und projiciere ebenso eine der $k$fachen Distanz gleiche Strecke in der Geraden g, welche den Verschwindungspunkt R zum Mittelpunkt hat.

3) Man löse Aufgabe 6. in § 3. durch Umlegung der projicierenden Ebene Cg' und erläutere die gegenseitige Lage der vier entsprechenden Geraden.

4) Man bestimme den normalen Abstand der Geraden $S\,Q'$ vom Centrum bei gegebenem $\mathbf{D}$.

5) Man soll eine durch ihr Bild $A'B'$ gegebene Strecke in der Geraden $S\,Q'$ wiederholt abtragen und die Endpunkte projicieren. Weil Parallelen zwischen Parallelen gleich sind, so ziehe man durch Q' eine zweite Gerade und durch A' und B' eine dritte und vierte mit dem gemeinsamen Fluchtpunkte Q_1', so dass diese in jener die Schnittpunkte A_1' und B_1' bestimmen mit $A_1 B_1 \not\equiv AB$; zieht man nun $A_1' B'$ und durch seinen Fluchtpunkt d. h. seinen Schnitt mit $Q'\,Q_1'$ nach B_1' so erhält man in $S\,Q'$ den Punkt C', so dass $AB = BC$ ist; ebenso aus $B'C'$ den Punkt D', für den $CD = BC = AB$, etc. Zieht man dagegen durch den Fluchtpunkt von $A'B_1'$ nach A_1', so erhält man in $S\,Q'$ den Punkt $B^{*\prime}$ mit der Relation $AB^* = BA$, etc.

6) Hat man auf einer zu $S\,Q'$ parallelen Geraden die Auftragung z. B. $A_1 B_1 = B_1 C_1 = C_1 D_1$ in A_1', B_1', C_1', D_1' projiciert, so erhält man die Dreitheilung etc. der Strecke $A'D'$ von $S\,Q'$, indem man den Schnitt von $A'A_1'$ und $D'D_1'$ als Fluchtpunkt von Parallelen durch B_1', C_1' benutzt; dieselben schneiden $S\,Q'$ in $B'C'$, so dass $AB = BC = CD$ ist; etc.

Wenn die Halbierung der Strecke AC von SQ' in B gefordert ist, so bestimmt man B' nach dem Satze, dass die Diagonalen eines Parallelogramms einander halbieren, indem man durch A' und C' die Geraden nach zwei Fluchtpunkten $Q_1{}'$, $Q_2{}'$ in einer durch Q' gehenden geraden Linie zieht und ihre neuen Schnittpunkte $A_1{}'$ und $C_1{}'$ mit einander verbindet; die Verbindungslinie schneidet $A'C'$ in B'. (Vergl. § 16, 3, 13.)

Man beachte, dass die Durchstosspunkte der Geraden nicht gebraucht werden; so lange nicht die wahre Grösse der betrachteten oder erhaltenen Theile in Betracht kommt, ist auch die Lage des Centrums d. h. der Distanzkreis ohne Einfluss.

5. **Eine das Centrum C nicht enthaltende Ebene E** enthält unendlich viele Gerade g_i, von denen keine durch das Centrum geht; die Durchstosspunkte S_i derselben liegen nothwendig in der Schnittlinie der Ebene mit der Bildebene oder in ihrer **Spur** s; die **Fluchtpunkte** Q_i' derselben liegen in der Schnittlinie der zur Ebene E parallelen projicierenden Ebene qC mit der Bildebene, die wir die **Fluchtlinie** q' der Ebene E nennen wollen und die also zur Spur s parallel geht. **Eine Ebene wird durch ihre Spur s** und ihre Fluchtlinie q' bestimmt (§ 3.). Man erhält sie

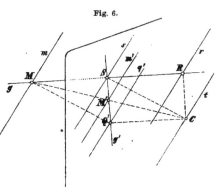

Fig. 6.

aus diesen, indem man durch die Spur s eine Parallelebene zur projicierenden Ebene Cq' der Fluchtlinie legt. Darnach hat die Ebene E dieselbe Tafelneigung α und dieselbe Breite zwischen Bildebene und Verschwindungsebene wie diese Ebene Cq'. (Fig. 6.)

Die Punkte R_i aller in der Ebene gelegenen Geraden g_i liegen in der zur Spur s parallelen Geraden r, in welcher die Ebene die Verschwindungsebene schneidet, oder in ihrer **Verschwindungslinie**; der Abstand derselben vom Centrum C oder von der zu ihr und zu s parallelen Geraden t durch dasselbe ist ebenso gross als die Breite des Parallelstreifens zwischen Spur und Fluchtlinie oder ist **die Bildbreite der Ebene** (§ 7.). Ebenso ist die Breite zwischen *s* und *r* gleich der Breite zwischen *q′* und *t* oder *C*. Die zweite Parallelebene schneidet die Ebene **E** in einer zur Spur parallelen Geraden *m*, welche die Punkte *M* aller Geraden der Ebene enthält; *r* und *m* sind zwei zu *s* parallele und davon gleich entfernte Gerade.

1) Ebenen von derselben Stellung haben bei gegebenem **D** dieselbe Fluchtlinie; sie begrenzen eine Schicht, die das Centrum enthält, wenn ihre Fluchtlinie zwischen ihren Spuren liegt; etc.

2) Ebenen von gleicher Breite zwischen Bild- und Verschwindungsebene haben bei gegebenem **D** dieselbe Tafelneigung *α* und ihre Fluchtlinien berühren somit denselben Neigungskreis.

3) Die Geraden *r* in der Verschwindungsebene für alle die Ebenen, welche bei gegebenem **D** dieselbe Breite des Parallelstreifens *s q′* besitzen, berühren einen aus *C* mit dieser Grösse als Radius beschriebenen Kreis.

4) Ebenen von parallelen Spuren und gleicher Breite zwischen *s* und *q′* haben für gegebenes **D** dasselbe *r*, wenn für beide *s* und *q′* in gleichem Sinne einander folgen. Wie liegen ihre *r* bei entgegengesetztem Sinn dieser Folge?

5) Wodurch sind Ebenen characterisiert, die dasselbe *m* haben? Wenn insbesondere die Spur der ersten die Fluchtlinie der zweiten ist, so ist auch die Spur der zweiten die Fluchtlinie der ersten.

6) Wie insbesondere die beiden mit einerlei *m* und gleicher Tafelneigung *α*?

7) Ist eine Ebene durch Spur und Tafelneigung oder Spur und Bildbreite *s q′* bei gegebenem **D** unzweideutig bestimmt?

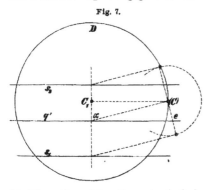

8) Der normale Abstand der Ebene vom Centrum ist die dem Winkel *α* derselben gegenüberliegende Kathete in einem rechtwinkligen Dreieck, welches die Breite ihres Bildes zur Hypotenuse hat.

9) Wie bestimmt man eine Ebene durch ihre Fluchtlinie *q′* und ihren Abstand *e* vom Centrum und wie aus der Spur *s* und demselben Abstand bei gegebenem **D**? Man erkläre die Figur 7, welche die erste Aufgabe löst.

10) Derselben Fluchtlinie und Spur entsprechen bei Unbestimmtheit des Centrums alle Ebenen eines Büschels.

6. Der Schein der unbegrenzten das Centrum nicht enthaltenden Ebene bildet den ganzen Raum (vergl. § 4.) und das Bild der unbegrenzten Ebene E bedeckt die ganze Bildebene; jede Gerade g' in dieser bildet eine Gerade g der Ebene E ab, deren Durchstosspunkt S in der Spur s und deren Fluchtpunkt Q' in der Fluchtlinie q' der Ebene liegt. Jeder Punkt A' der Bildebene ist Bild eines Punktes A der Ebene E, der der Schnitt des projicierenden Strahles CA' mit dieser Ebene ist und der in allen den Geraden der Ebene gelegen ist, deren Bilder sein Bild A' enthalten; alle diese Geraden bilden ein Strahlenbüschel vom Scheitel A und der Ebene E, ihre projicierenden Ebenen bilden ein Ebenenbüschel von der Scheitelkante CA und ihre Bilder d. i. die Spuren der Ebenen dieses letztgenannten Büschels in der Bildebene ein Strahlenbüschel vom Scheitel A'.

Durch die geraden Linien r, s, m (Fig. 6, S. 13) und die unendlich ferne Gerade q der Ebene E wird dieselbe in vier Regionen getheilt, rs, sm, mq oder $m\infty$ und qr oder ∞r, wie sie im Sinne von der Verschwindungsebene nach der Bildebene einander folgen; denselben entsprechen die Regionen der Bildebene, welche die Linien r' oder ∞', s, m' und q' begrenzen, also $\infty's$, sm', $m'q'$ und $q'\infty'$. Dieses erlaubt, die Schlüsse des § 5. von einer in der Ebene gelegenen Geraden g auf diese Ebene selbst zu übertragen, weil jede zur Tafel parallele Gerade in der Ebene ein zu s und q paralleles Bild hat. Die directe und vollständige Bestimmung dieser Abhängigkeit liefert die Umlegung der Ebene in die Tafel (§ 11.).

1) Man verzeichne die Strahlen eines Büschels in der Ebene sq', dessen Scheitel zwischen s und r liegt.

2) Gerade Linien in einer Ebene, deren Bilder einander parallel sind, bilden ein Strahlenbüschel, dessen Scheitel ein Punkt R der Geraden r ist. Nach Art. 3 bestimmt man R'' und die β und l dieser Geraden. Die durch R'' zu s gezogene Parallele enthält die R'' aller in der Ebene gelegenen Geraden.

3) Man ziehe auf der Ebene sq' bei gegebenem D durch den Punkt vom Bilde A' die Geraden von der Tafelneigung β und durch den Punkt vom Bilde B' in derselben Ebene die zu ihnen parallelen. Ihre Fluchtpunkte liegen in den Durchschnittspunkten von q' mit dem Neigungskreis für β.

4) Man lege bei gegebenem D durch eine bestimmte Gerade SQ' die Ebenen von vorgeschriebener Tafelneigung α, insbesondere

die Ebene von der kleinsten Tafelneigung. Die Fluchtlinien der
Ersten sind die Tangenten aus Q' an den Neigungskreis für α.
Für die Letzte geht der Neigungskreis durch Q'.

5) Für Gerade, welche sich schneiden, d. i. in derselben Ebene
liegen, ist die Verbindungslinie ihrer Durchstosspunkte $S_1 S_2$ zu
derjenigen ihrer Fluchtpunkte $Q_1' Q_2'$ parallel.

6) Durch Punkte A_1, A_2, ..., welche auf Geraden $S_1 Q_1'$,
$S_2 Q_2'$, ... respective liegen und durch ihre Bilder A_1', A_2', ... in
ihnen bestimmt sind, lege man die parallelen Geraden vom Fluchtpunkt Q' oder insbesondere die Normalen zur Tafel.

6*. Das Vorhergehende zeigt, dass für jedes im Endlichen
und ausserhalb der Bildebene gelegene Centrum C die Bestimmung der Raumelemente g und E mittelst ihrer Spur- und
Flucht-Elemente, d. h. ihrer Schnittpunkte und Schnittlinien mit
zwei festen Ebenen, der Bildebene S und der unendlich fernen
Ebene Q erfolgen kann. Offenbar kann jede andere feste gegebene Ebene U an Stelle der unendlich fernen Q neben der
Bildebene S zur Bestimmung ebenso dienen, sofern sie nicht
durch das Centrum C geht; so dass sie durch zwei parallele
Gerade, ihre Spur u und ihre Fluchtlinie q', bestimmt ist, wenn
wir den Distanzkreis D als gegeben voraussetzen. Jede gerade
Linie g und jede Ebene E hat dann mit S einen Durchstosspunkt S resp. eine Spur s gemein, die mit ihren respectiven
Bildern S' und s' zusammenfallen, und sie schneiden die Ebene
U in einem Punkte U resp. einer Geraden u, welche durch
ihre Bilder U' resp. u' allein vollständig bestimmt sind; die
Punkte S und U' bestimmen die Gerade g, und die Geraden s
und u', die sich in einem Punkte von u begegnen müssen (dem
Schnittpunkt der Ebenen E, S und U), die Ebene E. Offenbar
ist die zu s durch den Schnitt von u' mit q' gezogene Parallele
die Fluchtlinie q' der Ebene E, und insofern E durch g, also s
durch S und u' durch U' geht, ist auch der Schnittpunkt von
q' mit SU' oder g' der Fluchtpunkt Q' von g (Fig. 8). Für
Gerade und Ebenen, welche zu U parallel sind, fällt U' resp.
u' in q' und ist vom Fluchtpunkt resp. der Fluchtlinie im
früheren Sinne nicht verschieden.

Läge jedoch C in U oder fiele u mit q' zusammen, so
würde der Punkt U' den Punkt U nicht mehr bestimmen, da
alle Punkte der Geraden CU' dasselbe U' hätten; und ebenso
fielen die Bilder der Geraden u für alle möglichen Ebenen E

in die eine Gerade u q' hinein, d. h. die Bestimmung oder Unterscheidung der Geraden und Ebenen mittelst ihrer Elemente U resp. u besteht nicht mehr.

Das Gleiche tritt bei der gewöhnlichen Centralprojection für ein unendlich fernes Centrum C ein, da dann dieses in der zweiten festen Ebene Q als der Ebene der unendlich fernen Punkte liegt; die Unterscheidbarkeit der Geraden von einerlei Bild g' und demselben Durchstosspunkt S mittelst ihrer Fluchtelemente Q' ist hinfällig, weil die Q' für alle im unendlich fernen Punkt von g' vereinigt sind; etc. Wenn aber

Fig. 8.

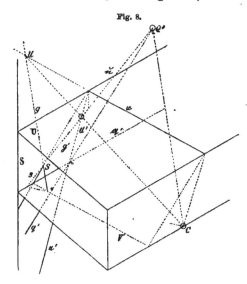

die Ebenen S und U im endlichen Raume liegen, so bestimmen wir durch die Centralprojection aus einem unendlich fernen Centrum oder durch eine Parallelprojection die Geraden aus S und $U'_\bullet$ und die Ebenen aus in u sich schneidenden s und u'; jedoch kann das Centrum C nicht mehr durch den Distanzkreis D und U nicht mehr durch seine Fluchtlinie q' bestimmt werden, sondern man wird etwa U durch u und seinen Neigungswinkel ω zur Tafel an bestimmter Seite derselben und die Lage des Centrums durch einen projicierenden Strahl vom Durchstosspunkt S und dem Fusspunkt U'' der Tafelnormale

aus seinem Punkte in $\mathfrak{U}$ (U' liegt in S) angeben. Für C als die
Richtung der Normalen zu $\mathfrak{s}$ fällt dann U'' in S und man erhält Bestimmung der Raumelemente durch die Punkte
S, U' respective die Geraden s, u' (welche sich in $\mathfrak{u}$ schneiden)
mittelst einer Orthogonalprojection. Wir wollen weiter-
hin gelegentlich — immer durch *) markiert — auf diese allgemeinere Fassung der centralprojectivischen Bestimmung bezügliche Anregungen und Bemerkungen einfliessen lassen.

Man soll die Gerade g oder SU' mit ihrer projicierenden
Ebene Cg in die Tafel umlegen. ($\mathfrak{D}$ und $\mathfrak{u}$, $\mathfrak{q}'$ gegeben.)
Wir legen C mit $C\mathfrak{q}'$ nach $\mathfrak{C}$ um, ziehen durch den Schnitt
von g' mit $\mathfrak{u}$ eine Parallele zu der von $\mathfrak{C}$ nach $g'\mathfrak{q}'$ gehenden
Geraden, um in ihr auf dem Strahl $\mathfrak{C}U'$ den Punkt (U), die Umlegung von U, zu erhalten; dann ist die Gerade $S(U)$ die verlangte Umlegung. Sie giebt den Verschwindungspunkt (R), die
wahre Länge des Parallelstrahls $S(R)$, den Winkel β, etc.

7. Durch jede gerade Linie g oder SQ', die nicht selbst
normal zur Tafel ist, geht unter den unendlich vielen Ebenen
des Büschels (§ 6), dessen Scheitelkante sie ist, eine zur

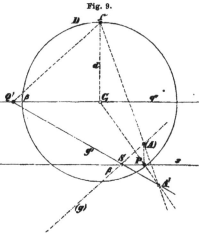

Fig. 9.

Tafel normale Ebene,
die Ebene aller der Per-
pendikel, die von den
Punkten der Geraden auf
die Bildebene gefällt werden; man erhält ihre
Fluchtlinie q' somit (Fig. 9)
durch Verbindung des
Fluchtpunktes Q' mit dem
Hauptpunkte C_1 und ihre
Spur s als die Parallele
dazu durch S. Bestimmt
man dann die Tafelnei-
gung β der Geraden mit
Hilfe der Distanz d als
β gegenüberliegender und
$Q'C_1$ als anliegender Kathete (Art. 3, 1) und trägt sie in S
an s an, so erhält man in dem neuen Schenkel die Lage (g),
welche die Gerade annimmt, wenn man die durch sie gelegte
Normalebene zur Tafel mittelst Drehung um ihre Spur s in
diese überführt; und es ist (g) parallel zu $\mathfrak{C}Q'$. Ist dann A'

das Bild eines beliebigen Punktes der Geraden, so ist $C_1 A'$ das
Bild der durch denselben gehenden Normale zur Tafel und P
in s ihr Durchstosspunkt; trägt man in P einen rechten Winkel
an s an, so erhält man in seinem neuen Schenkel auf (g) die
Lage des Punktes (A) und in der Länge $P(A)$ desselben seine
normale Entfernung von der Bildebene oder die Länge der
entsprechenden Tafelnormale oder Tafelordinate y. Weil

$$\Delta (A) PS \sim \Delta \mathbb{C} C_1 Q' \quad \text{und} \quad \Delta PS A' \sim \Delta C_1 Q' A',$$

so folgt $(A) P : \mathbb{C} C_1 = y : d = PS : C_1 Q' = SA' : Q' A'$;
d. h. die Tafelordinate eines Punktes verhält sich zur
Distanz wie der Abstand seines Bildes vom Durchstosspunkt einer ihn enthaltenden Geraden zum
Abstand vom Fluchtpunkt derselben. Und überdiess,
wenn y und d von der Bildebene aus in demselben Sinne gezählt sind, d. h. wenn der betrachtete Punkt mit dem Centrum
auf derselben Seite der Bildebene liegt, so verlaufen auch SA'
und $Q' A'$ in demselben Sinne, d. h. A' theilt die Strecke SQ'
als ein äusserer Theilpunkt im dem Verhältniss $y : d$;
wenn dagegen y und d von der Bildebene aus in entgegengesetztem Sinne gehen, oder wenn der betrachtete Punkt auf
der dem Centrum entgegengesetzten Seite der Bildebene liegt,
so verlaufen SA' und $Q' A'$ in entgegengesetztem Sinne, und
A' theilt die Strecke SQ' als ein innerer Theilpunkt nach
dem Verhältniss $y : d$. (Vergl. § 4.) Legen wir dem Theilverhältniss des Punktes A' in der Strecke SQ' das
Vorzeichen bei, welches ihm als Quotienten von zwei im
gleichen oder im entgegengesetzten Sinne gezählten Strecken
zukommt, also dem des äusseren Theilpunktes das positive,
dem des innern das negative Zeichen, so entspricht diess der
Auffassung der Tafelordinaten als im einen und im andern Sinne
gezählt, als positiv oder negativ, je nachdem sie zu Punkten
auf der Seite des Centrums oder auf der entgegengesetzten
Seite der Bildebene gehören. Vor den Anwendungen unter
den Beispielen wollen wir dieses Gesetz zur elementaren Begründung der Verwendung des Theilungspunktes ge-
brauchen, die in § 4 bemerkt wurde. Man denke durch das
S und Q' einer Geraden von bekanntem l oder $C Q'$ zwei beliebige Parallelen s und q' gezogen und auf q' von Q' aus die
Länge l als $Q' T$ abgetragen, so erhält man durch die Strahlen

TA' in s die wahren Längen SA abgeschnitten. Denn für y als die Tafelordinate von A und β als Tafelneigung der Geraden ist $SA \cdot \sin\beta = y$ und da auch $Q'T \cdot \sin\beta = d$ ist, so folgt die Construction aus dem Gesetz der Tafelordinaten:

$$y : d = SA : Q'T = SA' : Q'A'.$$

Da durch jede Gerade eine Ebene geht, deren Winkel α mit ihrem Winkel β übereinstimmt (§ 6, Beisp. 4), so dass ihr Q' der Fusspunkt H der Normale vom Hauptpunkt C_1 auf die Fluchtlinie q' derselben ist, oder der Hauptfluchtpunkt der Ebene, so kommen ihr auch (in der Entfernung l oder HC von ihm auf dieser Fluchtlinie oder in dem zu $Q'C_1$ normalen Durchmesser ihres Theilungskreises) zwei Haupttheilungspunkte zu. Für die Normalen zur Tafel ist der Distanzkreis der Ort der Theilungspunkte und die Enden seiner Durchmesser nennt man die Distanzpunkte der Normalebenen zur Tafel, welchen jene als Fluchtlinien angehören. Bei verticaler Tafel nennt man den horizontalen Durchmesser speciell den Horizont und die in ihm gelegenen Theilungspunkte der Tafelnormalen die Distanzpunkte par excellence.

) Wenn in der Centralprojection des Art. 6) C_1, u und q' gegeben sind, so sind das s und u' einer zur Tafel normalen Ebene durch die Beziehung verbunden, dass die vom Hauptpunkt C_1 nach dem Schnittpunkt von u' mit q' gehende Gerade zu s parallel ist; denn sie ist die Fluchtlinie der Normalebene. Diese Relation lässt ebensowohl u' aus s als s aus u' bestimmen. Ihre zweimalige Anwendung liefert auch für eine Normale zur Tafel das U' aus dem S und das S aus dem U'. Auch hier wird nur der Hauptpunkt und nicht der Distanzkreis selbst gebraucht. Für die Umlegung der Normalebene ist dem Texte nichts Neues hinzuzufügen.

1) Man erläutere Aufgabe 5. des § 6 von dem entwickelten Gesetze aus.

2) Man construire bei gegebenem **D** die Bilder der Punkte P_i einer gegebenen Geraden SQ' aus den nach Grösse und Sinn bekannten Tafelordinaten y_i derselben; ebenso die Bilder der zur Tafel parallelen Geraden p_i, in welchen die Punkte einer gegebenen Ebene von vorgeschriebenen Tafelabständen y_i liegen.

3) Wenn von einem Polyeder die Orthogonalprojection auf die Tafel und die Entfernungen y_i seiner Ecken E_i von der Tafel gegeben sind, so soll seine Centralprojection daraus abgeleitet werden.

4) Man bestimme die Centralprojection eines Polyeders (Gebäude, etc.) bei gegebenem Distanzkreis aus der Orthogonalprojection auf die verticale Tafel und einer Horizontalprojection; z. B. das Bild eines Würfels, dessen eine Ecke in der Tafel und dessen entsprechende Diagonale normal zur Tafel ist. Man benutze dafür den Endpunkt des horizontalen Durchmessers im Distanzkreis oder den Distanzpunkt.

5) Man erläutere die unendlich ferne Lage der Bilder der in der Verschwindungsebene gelegenen Punkte mittels desselben Gesetzes. (Theilverhältniss $+ 1$.)

6) Man ziehe durch den Punkt P von der Tafelordinate y in der Geraden $S Q'$ eine Gerade von gegebenem Durchstoss- oder Fluchtpunkt.

7) Man zeige, dass in der Figur dieses § die Punkte $\mathfrak{C}$, A' und (A) in einer geraden Linie liegen müssen und gebe die Lage an, in welche die Gerade r der Normalebene in der Umlegung gelangt (vergl. § 9.), bestimme auch R'' (§ 3.) und (R) von g.

8) Man theile die Strecke $A B$ in $S Q'$ in n gleiche Theile nach dem Gesetz der Tafelordinaten.

(7.) Sowie das Projections-Centrum C durch den Distanzkreis $\mathbf{D}$ bestimmt wird, so kann auch jeder andere Punkt des Raumes durch den Kreis bestimmt werden, der um den Fusspunkt der von ihm ausgehenden Normale zur Tafel in dieser mit der Länge der Normale als Radius beschrieben wird, wenn man diesem den positiven oder Drehungssinn des Uhrzeigers beilegt, falls der Punkt auf derselben Seite der Tafel mit dem Centrum, und den entgegengesetzten Sinn, falls derselbe auf der dem Centrum entgegengesetzten Seite liegt — was also durch eine Pfeilspitze in der Kreisperipherie markiert werden kann. Diese Bestimmung kann mit Vortheil als Abbildung der Punkte des Raumes durch die Kreise der Ebene benutzt werden; wir sprechen dann vom Bildkreis des Punktes und vom Originalpunkt des Kreises und von der Methode der Cyklographie. Die Abbildung der Punkte einer geraden Linie g oder $S Q'$ durch ihre Bildkreise lässt sich an Fig. 9 leicht anschliessen. Die Spur s der durch sie gehenden Normalebene zur Tafel d. h. die Parallele durch S zur Geraden $C_1 Q'$ ist der Ort ihrer Mittelpunkte, insbesondere entspricht dem Punkte A' der Mittelpunkt P und der Radius $P(A)$, dem Punkte S er selbst als Kreis vom Radius Null und der vierten Ecke des Parallelogramms aus $C_1 Q' S$ (R'' des § 3) als Mittelpunkt ein Kreis vom Radius d. Für einen Punkt B

der Geraden auf der dem Centrum entgegengesetzten Seite der
Tafel d. i. mit einem Bilde B' zwischen S und Q', erhält man
Mittelpunkt und Radius des Bildkreises wie vorher und hat
demselben nur den negativen Drehungssinn beizulegen. Alle
diese Kreise haben S zum gemeinsamen Aehnlichkeitspunkt
und zwar die von zwei Punkten auf einerlei Seite der Tafel
zum äussern oder direkten, die von zwei Punkten auf entgegengesetzten Seiten derselben zum innern oder inversen
Aehnlichkeitspunkt, wie man sieht. Für Q' ausserhalb des
Distanzkreises oder $\beta < 45^0$ liegt der Aehnlichkeitspunkt ausserhalb aller Bildkreise und unter den durch ihn gehenden Geraden oder Aehnlichkeitsstrahlen sind zwei gemeinsame Tangenten derselben. Für Q' im Distanzkreis oder $\beta = 45^0$ berühren
sich alle Bildkreise im Aehnlichkeitspunkt S und für $\beta > 45^0$
umschliessen sie denselben; $\beta = 90^0$ oder Q' in C_1 liefert die
concentrischen Kreise um S. Parallele Gerade werden durch
gleiche und parallele lineare Kreisreihen dargestellt. Jede
solche Reihe ist durch einen Kreis und den Aehnlichkeitspunkt
bestimmt; wir bezeichnen cotan β als ihren Modul.

Zwei Kreise in der Tafel bestimmen zwei Gerade und
zwei lineare Kreisreihen, je nachdem man ihnen einerlei oder
entgegengesetzten Drehungssinn beilegt, also respective mit dem
äussern oder innern Aehnlichkeitspunkt als Null-
kreis.

Die Bildkreise der Punkte einer Ebene bilden ein System,
das wir ein planares nennen wollen; die Spur s und die gerade Linie r'', die Spur der Normalebene zur Tafel durch die
Verschwindungslinie der Ebene (§ 5, § 6, 2), bestimmen das
planare Kreissystem bei gegebener Distanz; auch durch die
Spur und einen seiner Kreise ist es bestimmt; es enthält alle
die linearen Kreisreihen, die durch einen Punkt S der Spur s
als Aehnlichkeitspunkt und einen Kreis vom Radius d aus
einem Punkte von r'' bestimmt werden. Den Falllinien der
Ebene zur Tafel entsprechen die linearen Reihen mit dem
kleinsten Modul; ist ihre Tafelneigung α gleich 45^0, so sind
dieselben berührend im Durchstosspunkt; für $\alpha > 45^0$ giebt es
zwei Systeme paralleler Geraden mit $\beta = 45^0$ in der Ebene
und die Kreise des Systems ordnen sich in zwei Schaaren von
berührenden linearen Reihen; $\alpha = 90^0$ liefert alle Kreise, deren

Centra in einer Geraden liegen. Irgend zwei Kreise des Systems haben einen Aehnlichkeitspunkt im Durchschnitt ihrer Centrale mit der Spur oder die Spur ist für alle Kreise des Systems ein gemeinsamer Aehnlichkeitsstrahl, man nennt sie ihre Aehnlichkeitsaxe; sie schneidet für $\alpha > 45^0$ alle Kreise des Systems unter demselben Winkel σ, und für r als Radius eines derselben, dessen Mittelpunkt den Abstand e von seiner Spur hat, ist cotan $\alpha =$ cos σ, weil beide gleich $x : r$ sind. Die Kreise des planaren Systems schneiden seine Aehnlichkeitsaxe unter Winkeln von einerlei cosinus, der der cotangente der Tafelneigung der Ebene gleich ist; wir nennen diesen Zahlwerth den Modul des planaren Systems.

Drei beliebige Kreise bestimmen das planare System eindeutig unter Fortsetzung ihres Drehungssinnes; sie bestimmen vier planare Systeme im Falle der Unbestimmtheit desselben, weil den ersten Kreis als Bildkreis eines Punktes 1 im Raum gedacht der zweite und dritte je zwei Punkte 2, 2* und 3, 3* respective liefern und diese die vier Ebenen 1 2 3, 1 2 3*, 1 2* 3 und 1 2* 3* bestimmen; ihre Spuren sind die vier Aehnlichkeitsaxen der drei Kreise. Die Construction der Aufgaben über den Schnitt von Ebenen unter einander zu zweien oder zu dreien, und von Ebene und gerader Linie liefert damit die Auflösung von Problemen über Kreise mittelst Angaben über Aehnlichkeitspunkte, Aehnlichkeitsaxen und Moduln derselben; bei ihrer Lösung wird man einen der gegebenen Kreise zum Distanzkreis machen.

Wir fügen noch hinzu, dass die Kreise in der Tafel, welche einen gegebenen Kreis berühren, die Bildkreise der Punkte eines gleichseitigen oder durch Drehung eines 45^0 Winkels um den einen Schenkel erzeugten Rotationskegels (oder von zwei in Bezug auf die Tafel zu einander symmetrischen Kegeln dieser Art) über diesem Kreise sind; denn die geraden Linien von den Punkten in der Peripherie dieses Kreises nach den durch ihn abgebildeten Raumpunkten sind unter 45^0 zur Tafel geneigt und die zugehörigen linearen Kreisreihen daher berührend im Durchstosspunkt. Dabei ist die Berührung ausschliessend zwischen dem Grundkreise und den Bildkreisen der auf der entgegengesetzten Seite der Tafel mit seinem Originalpunkte (der Kegelspitze) liegenden Punkte und umschliessend für die auf derselben Seite liegenden Punkte einer Mantellinie.

Hat der Grundkreis den Radius Null, so erhält man die Gesammtheit der durch ihn gehenden Kreise der Ebene als das System der Bildkreise des gleichseitigen Rotationskegels mit zur Tafel normaler Axe, der ihn zur Spitze hat.

Damit gehen die Bestimmungen von Kreisen einer linearen Reihe, welche einen gegebenen Punkt enthalten oder einen gegebenen Kreis berühren, über in die Construction der Schnittpunkte zwischen einer geraden Linie und einem Kegel jener Art mit dem Punkt als Spitze, oder den zwei Kegeln derselben Art mit dem Kreis als Basis.

Wir kommen weiterhin auf diese Methode und ihre Anwendungen zurück — immer unter dem Zeichen ( ).

8. Scheinbar unzugänglich den vorigen Bestimmungsweisen sind die Geraden und Ebenen, welche der Bildebene parallel liegen, weil ihre Durchstoss- und Fluchtpunkte, Spuren und Fluchtlinien unendlich entfernt liegen. Aber eine zur Bildebene parallele Gerade ist durch ihr Bild und einen in ihr gelegenen Punkt oder eine durch sie gehende · Ebene bestimmt; diese beiden Bestimmungsarten kommen überdiess auf einander zurück. Eine zur Bildebene parallele Ebene ist durch · einen ihrer Punkte und ein solcher durch eine ihn enthaltende Gerade bestimmt, welche die Bildebene schneidet. Endlich sind insbesondere die Punkte R und Geraden r der Verschwindungsebene als Punkte bekannter Geraden und als Linien in bekannten Ebenen schon bestimmt worden; die Angabe ihrer Lage in der Verschwindungsebene gegen das Centrum genügt, um solche sie enthaltende Gerade, respective Ebenen zu verzeichnen (§ 3.; § 5., 3, 4). Damit schliessen sich dann auch diese speciellen Fälle der Verwendung in den jetzt lösbaren Aufgaben über die gegenseitige Lage von Punkten, Ebenen und Geraden an.

) In der allgemeinen Centralprojection des § 6 sind die Parallelen zur Tafel durch unendlich ferne S resp. s ausgezeichnet, aber durch ihre U' und g' resp. ihre u' bestimmt. Ebenen durch die Gerade u haben aber vereinigte s und u' und werden durch ihren Schnittpunkt mit irgend einer Geraden SU' bestimmt; gerade Linien in solchen Ebenen sind durch ihr Bild (mit ver-

einigtem S und U') und ihren Schnitt mit einer Geraden bestimmt, welche u nicht schneidet. Auch für die der Ebene
angehörigen Elemente genügt diess.

1) Man ziehe und bestimme die gerade Linie SQ' zwischen
zwei Punkten A und B, die durch ihre Bilder A', B' in den Geraden S_1Q_1', S_2Q_2' gegeben sind; speciell die Parallele durch A
auf S_1Q_1' zu S_2Q_2'; ebenso die Gerade von A auf S_1Q_1' nach dem
Verschwindungspunkt R_2 von S_2Q_2'. Man bestimmt die Ebene von
A nach S_2Q_2' mittelst einer Hilfslinie durch A, die mit dieser den
Fluchtpunkt oder den Durchstosspunkt gemein hat und deren Durch-
stoss- resp. Flucht-Punkt man erhält.

2) Durch zwei auf verschiedenen Geraden gegebene Punkte
ziehe man die geraden Linien, welche mit einer dritten gegebenen
Geraden sich in der Verschwindungsebene schneiden. Wann fallen
sie in eine zusammen?

3) Man bestimme die Spur und Fluchtlinie der Ebene durch
drei Punkte A, B, C, welche durch ihre Bilder auf den Geraden
S_1Q_1', S_2Q_2', S_3Q_3' gegeben sind — durch zweimalige Anwendung
von 1).

4) Man verzeichne die durch zwei Punkte A, B parallel einer
geraden Linie g und die durch einen Punkt A parallel zu zwei
geraden Linien g, h gehende Ebene; oder die Ebene durch eine
Gerade g parallel einer andern Geraden h und die durch einen Punkt
A parallel einer gegebenen Ebene E.

5) Man construire die Schnittlinie von zwei Ebenen und den
Schnittpunkt von drei Ebenen; insbesondere die Schnittlinie von
zwei Ebenen mit parallelen Spuren — diess durch eine Hilfsebene,
die einen Punkt derselben liefert.

6) Man bestimme den Schnittpunkt von zwei geraden Linien
S_1Q_1', S_2Q_2' mit sich deckenden Bildern — als Schnittpunkt mit
der Schnittlinie von zwei sie enthaltenden Ebenen.
Wenn S_1 auf Q_2' und S_2 auf Q_1' fallen, so liegt der Schnittpunkt beider Geraden in der zweiten Parallelebene und projiciert
sich in der Mitte von SQ'.

7) Man bestimme den Durchschnittspunkt einer Geraden SQ'
mit einer Ebene sq' — als in ihrer Schnittlinie mit einer Hilfsebene durch SQ' gelegen.

8) Man construire die durch den Punkt A' auf S_1Q_1' gehende
Gerade SQ', welche zwei andere gegebene Gerade S_2Q_2', S_3Q_3'
schneidet, die nicht in einer Ebene liegen; insbesondere die Transversale von zwei Geraden in vorgeschriebener Richtung.

9) Man ziehe die möglichen parallelen Geraden durch gegebene
Punkte in zwei gegebenen nicht parallelen Ebenen — natürlich
parallel ihrer Schnittlinie.

Die speciellen Lagen von Punkten und Geraden in der Verschwindungsebene oder von Geraden und Ebenen parallel zur Tafel

sind hier überall einzuführen; so ist z. B. zu bestimmen die Ebene
durch den Verschwindungspunkt R einer Geraden nach einer andern
Geraden, respective parallel einer gegebenen Ebene; die Ebene
durch einen Punkt A in SQ' nach der Verschwindungslinie r der
Ebene sq'; oder durch einen Punkt nach den Verschwindungspunkten
zweier Geraden; etc.

10) Zu drei sich kreuzenden Geraden $S_1 Q_1'$, $S_2 Q_2'$, $S_3 Q_3'$ das
Parallelepiped darzustellen, dessen Kanten sie sind (mittelst der
Ebenen 12, 13; 23, 21; 31, 32 d. h. durch 1 parallel 2, durch
1 parallel 3, etc.). Insbesondere wenn eine oder zwei dieser Geraden der Bildebene parallel sind; wenn eine projicierend ist; wenn
eine in der Verschwindungsebene liegt.

11) Ein Parallelepiped als der zu drei Schichten (§ 5, 1)
gemeinsame Raum wird immer durch drei Paare paralleler Ebenen
bestimmt. Die Darstellung seiner Kanten und Ecken bietet daher
vier verschiedene Typen dar, je nachdem das Centrum der Projection sich a) in keiner Schicht befindet oder b) in einer, c) in
zwei Schichten oder d) in allen drei Schichten, d. h. im Innern
des Parallelepipeds. Das erste ist gegenüber einem bestimmten
Parallelepiped auf acht, das zweite auf sechs, das dritte auf zwölf
und das vierte auf eine Art möglich; das Centrum liegt respective in einer der acht Scheitelecken seiner Ecken, in einem der
sechs nach aussen offenen parallelepipedischen Räume über seinen
Flächen, in einem der zwölf Scheitelwinkelräume seiner Flächenwinkel an den Kanten, und in seinem Inneren. Der Gesammtraum
wird durch die drei Paare paralleler Ebenen in diese 27 Theile zerlegt.

Man zeichne die drei typischen Bilder eines Parallelepipeds
nach den Fällen a), b) und c) und die den Uebergangsfällen entsprechenden, wo das Centrum in einer Fläche oder in der Ebene
von drei oder vier Ecken, in der Geraden zwischen zwei Ecken oder
in einer Kante oder in einer Ecke des Parallelepipeds gelegen ist;
und wo eine Ecke oder zwei Ecken, eine Kante, drei oder vier Ecken,
eine Fläche in der Verschwindungsebene liegen. (Vergl. § 14, 4.)

12) Von vier durch einen Punkt gehenden Ebenen kennt man
die Fluchtlinien $q_1', \ldots q_4'$ und von dreien derselben die Spuren s_1,
s_2, s_3. Man lege durch den Schnittpunkt von s_1 und s_2 die drei
Ebenen, welche aus denselben Paare von Parallelen schneiden. Es
ist offenbar, dass dieselben die geraden Linien $q_1' q_2'$, $q_3' q_4'$; $q_2' q_3'$,
$q_1' q_4'$; $q_1' q_3'$, $q_2' q_4'$ zu ihren Fluchtlinien haben.

9. Wenn $S_1 Q_1'$ und $S_2 Q_2'$ in Fig. 10 zwei gerade
Linien sind, die sich im Punkte P vom Bilde P' schneiden
und also sq' ihre Ebene ist, so ist der von ihnen gebildete
Winkel bei P dem Winkel der ihnen respective parallelen
projicierenden Strahlen CQ_1', CQ_2' am Centrum C gleich. Dieser
aber kann bei gegebenem D durch die Umlegung der proji-

cierenden Ebene Cq' in wahrer Grösse gefunden werden; nach
§ 4. ist $\mathfrak{C}$ das umgelegte Centrum und damit $Q_1' \mathfrak{C} Q_2'$ der gesuchte Winkel. Die zweite Lage des umgelegten Centrums $\mathfrak{C}^*$
giebt den nämlichen Winkel.

Wir bemerken sodann, dass die Winkel der parallelen
Projicierenden $\mathfrak{C} Q_1'$; $\mathfrak{C} Q_2'$ mit der Fluchtlinie q' den Winkeln
der Geraden g_1, g_2 selbst mit der Spur s gleich sind, und dass
die Punkte S_1, S_2 bei der Umlegung der Ebene in die Tafel

Fig. 10.

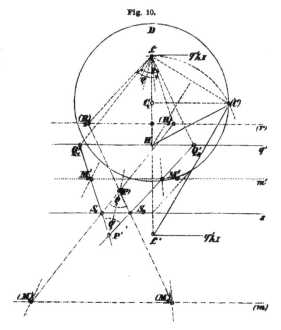

an ihrem Orte bleiben; und schliessen, dass die Parallelen zu
$\mathfrak{C} Q_1'$ aus S_1, und zu $\mathfrak{C} Q_2'$ aus S_2 respective die mit der Ebene
sq' in die Tafel umgelegten Geraden g_1 und g_2 d. i. (g_1) und
(g_2) sind und dass ihr Schnittpunkt (P) die Umlegung des
Punktes P repräsentiert. Denken wir endlich unter den Geraden der Ebene sq', welche durch P gehen, diejenige, deren
Bild das umgelegte Centrum $\mathfrak{C}$ enthält, so folgt aus der Lage
ihres Durchstoss- und Fluchtpunktes, dass ihre Umlegung mit
dem Bilde selbst zusammenfällt und dass somit die Punkte P'

und (P) immer in einer geraden Linie aus dem umgelegten Centrum $\mathfrak{C}$ liegen müssen.

Wir bemerken, dass die Antragung des gegebenen Winkels ϱ in P an die Gerade $S_1 Q_1'$ mittelst der Bestimmung von Q_2' durch Antragung desselben Winkels in $\mathfrak{C}$ an $Q_1'\mathfrak{C}$ dargestellt würde.

Zieht man weiter durch das umgelegte Centrum $\mathfrak{C}$ Parallelen zu den Projectionen g_1', g_2' respective bis zum Durchschnitt mit den Umlegungen (g_1), (g_2), so erhält man in (R_1), (R_2) die Umlegungen der Punkte dieser Geraden in der Verschwindungsebene (Fig. 4, 5. § 3., 4.), welche in der zu s parallelen Geraden r der Ebene $g_1 g_2$ d. i. in ihrer Umlegung (r) liegen müssen.

Da die Entfernung von $\mathfrak{C}$ bis r dem Abstand der Parallelen q' und s gleich ist, so ist das (r) von sq' bestimmt, wenn das umgelegte Centrum $\mathfrak{C}$ bestimmt ist. Die Mitte auf einer Geraden durch $\mathfrak{C}$ zwischen $\mathfrak{C}$ und s ist auch die Mitte ihres Segments zwischen q' und r.

Auf der andern Seite von s ebensoweit entfernt davon wie (r) liegt (m), die Umlegung der Schnittlinie der Ebene mit der hinteren Parallelebene, mit den Umlegungen von M_1 und M_2.

Offenbar sind $\mathfrak{C}$ und $\mathfrak{C}^*$ die Schnittpunkte der Theilungskreise (§ 7.) der beiden Geraden $S_1 Q_1'$ und $S_2 Q_2'$; und die Theilungskreise aller in der Ebene sq' gelegenen Geraden gehen durch sie hindurch. Man sagt: Die Theilungskreise der Geraden einer Ebene — allgemeiner der Geraden deren Richtungen einer und derselben Stellung angehören — bilden ein **Kreisbüschel mit reellen Grundpunkten.**

1) Der Winkel von zwei Geraden, die nicht in einer Ebene liegen, wird durch ihre projicierenden Parallelstrahlen ebenso bestimmt wie der ebene Winkel.

2) Welchen Winkel bildet eine beliebig gegebene Gerade mit den Normalen zur Bildebene? Welchen mit einer beliebigen Geraden in der Bildebene? Mit welchen Geraden in ihr den grössten und mit welchen den kleinsten?

3) Man verzeichne in der Ebene sq' um einen gegebenen Punkt derselben als Mittelpunkt einen Rhombus, von welchem zwei Gegenseiten die Tafelneigung 30^0 haben und theile die ganze Ebene von ihm aus in gleiche Rhomben — mit oder ohne Bestimmung der wahren Gestalt derselben.

4) Man soll die Ebene sq' von gegebener Strecke $A'B'$ aus als erster Seite in gleiche Quadrate oder reguläre Sechsecke eintheilen — natürlich bei gegebenem Distanzkreis. Man wird mit Hilfe des Collineationscentrums $\mathfrak{C}$ durch A' in sq' die Normale zu AB respective die zu AB unter 60^0 geneigten Geraden zeichnen, auf sie von A aus die zu AB gleichen Strecken abtragen und dieselben in ihnen wie in $A'B'$ wiederholt auftragen (siehe § 4, 5.); durch Ziehen von Parallelen zu den betrachteten Geraden wird die verlangte Täfelung dargestellt.

5) Für die durch eine Gerade SQ' gehenden Ebenen sind die umgelegten Centra $\mathfrak{C}$ die Theilungspunkte der Scheitelkante SQ'.

10. Die Bestimmung der Winkel zwischen geraden Linien und Ebenen, sowie derjenigen zwischen je zwei Ebenen wird nach bekannten Definitionen auf die der Winkel zwischen Linien zurückführt. Dieselben fordern die Construction der Normalen zu einer Ebene oder die der Normalebenen zu einer Geraden. Da alle Normalen derselben Ebene von gleicher Richtung und alle Normalebenen derselben Geraden von gleicher Stellung sind, so kommt diese Construction auf die Kenntniss der Beziehung zurück, welche zwischen dem Durchstosspunkt Q' einer projicierenden Geraden CQ' und der Spur q' der zu ihr normalen projicierenden Ebene Cq' stattfindet. Diese besteht aber darin, dass die zu q' normale projicierende Ebene, welche auch CQ' enthält, mit dieser Linie, der Bildebene und der projicierenden Ebene Cq' ein bei C rechtwinkliges Dreieck $CQ'H$ (Fig. 11) erzeugt, in welchem die zur Hypotenuse $Q'H$ gehörige Höhe die Distanz d ist, indess die spitzen Winkel bei H und Q' die Tafelneigungen α und β der projicierenden Ebene und Geraden, und die Abschnitte der Hypotenuse C_1Q', C_1H die Abstände der Q' und q' vom Hauptpunkt sind. Man hat also

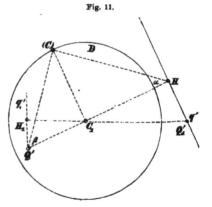

Fig. 11.

$$C_1H : d = d : C_1Q'.$$

Die nämliche Relation besteht zwischen dem Fluchtpunkt einer geraden Linie, also eines Bündels von Parallelen, und der Fluchtlinie aller zu ihr normalen Ebenen, oder zwischen der Fluchtlinie einer Ebene, also eines Bündels von parallelen Ebenen, und dem Fluchtpunkt der dazu normalen Geraden.

Die Fluchtlinie $q_1{'}$ der Normalebene einer Geraden, die einer Ebene von der Fluchtlinie q' parallel ist — oder deren Fluchtpunkt $Q_1{'}$ in q' liegt — ist das Perpendikel $q_1{'}$ aus dem Fluchtpunkt Q' der Normalen von q' auf die Gerade $C_1 Q_1{'}$. Denn es ist

$$C_1 H_1 : d = d : C_1 Q_1{'}.$$

Oder auch: Die Normalebene zu jeder einer Ebene angehörigen Richtung enthält die Richtung der Normalen dieser Ebene.

) In der allgemeinen Centralprojection des § 6 geht man von den S, U' resp. s, u' zu den Q' resp. q' über und construiert q_n' und Q_n' der Normalelemente wie vorher.

Die Anwendung auf die Winkelmessung und auf die Bestimmungen von Linien und Ebenen durch die Winkelgrössen mittelst der Constructionen am Centrum zeigen wir an zahlreichen Beispielen.

1) Man construiere bei gegebenem **D** — der Distanzkreis wird auch für alle folgenden Aufgaben dieses § als gegeben gedacht — die Normale $S Q'$ einer Ebene $s q'$, die von dem Punkte A' in der geraden Linie $S_1 Q_1{'}$ ausgeht; speciell ihren Fusspunkt B in der Ebene und die wahre Länge $A B$. Die Normalebene der Ebene $s q'$ durch $S_1 Q_1{'}$ dient am besten; ihre Fluchtlinie ist durch $Q_1{'}$ und den Normalenfluchtpunkt Q_n' von $s q'$ bestimmt.

2) Man construiere die Normalebene $s q'$ zur Geraden $S Q$, durch den Punkt A' in der Geraden $S_1 Q_1{'}$ und das Perpendikel von diesem Punkte auf jene Gerade — mittelst ihres Fusspunktes in der Normalebene.

3) Construiere die vom Verschwindungspunkte R von $S Q'$ auf $S_1 Q_1{'}$ gefällte Normale und ihre wahre Länge.

4) Man bestimme die wahre Grösse des Winkels der geraden Linie $S Q'$ mit der Ebene $s q'$ nach beiden geometrischen Definitionen. Für Q_n' als den zu q' gehörigen Normalenfluchtpunkt ist der Schnittpunkt von $Q' Q_n'$ mit q' der Fluchtpunkt Q_d' des in $s q'$ liegenden Schenkels; für $\mathfrak{C}$ als das mit $C' Q_n' Q'$ umgelegte Centrum ist $\angle Q_d' \mathfrak{C} Q'$ der gesuchte Winkel und $Q' \mathfrak{C} Q_n'$ sein Complement. Man construiert den Winkel der parallelen projicirenden Linie mit der parallelen projicirenden Ebene.

5) Lege durch eine gegebene Parallel-Linie zur Tafel die Normalebene zu einer gegebenen Ebene. Durch den Normalenfluchtpunkt der letzten geht ihre Fluchtlinie zum Bilde der Geraden parallel.

6) Man bestimme die wahre Grösse der Winkel, welche die Ebenen $s_1 q_1'$, $s_2 q_2'$ mit einander einschliessen und die Halbierungsebenen dieser Winkel.

Man zeichnet entweder die Fluchtpunkte Q_{1n}' und Q_{2n}' ihrer Normalen und nach der Umlegung von § 9 den $\angle Q_{1n}' C Q_{2n}'$; oder man zeichnet die Verbindungslinie dieser Fluchtpunkte als die Fluchtlinie q_N' der Normalebene ihrer Schnittlinie und für Q_1', Q_2' als ihre Schnittpunkte mit q_1', q_2' resp. den Winkel $Q_1' C Q_2'$. Beides liefert denselben Winkel, weil nothwendig $\mathfrak{C} Q_1' \perp \mathfrak{C} Q_{1n}'$ und $\mathfrak{C} Q_2' \perp \mathfrak{C} Q_{2n}'$ ist.

Weil die Normalebenen $\mathbf{N}_1$, $\mathbf{N}_2$ zu einer der Halbierungsebenen $\mathbf{H}_1$, $\mathbf{H}_2$ zu den gegebenen Ebenen $\mathbf{E}_1$, $\mathbf{E}_2$ selbst gleichgeneigt sind, so bestimmt man leicht die beiden Ebenen durch eine gegebene Gerade, die mit zwei gegebenen Ebenen gleiche Winkel machen. Sind drei Ebenen $\mathbf{E}_1$, $\mathbf{E}_2$, $\mathbf{E}_3$ gegeben, die ein Dreikant bilden, so schneiden sich die Halbierungsebenen der von ihnen in Paaren gebildeten Winkel in vier Geraden aus der Spitze des Dreikants (vergl. § 46) und man erhält in den durch einen Punkt gehenden vier Normalebenen zu diesen Geraden die Ebenen gleicher Neigung zu den drei gegebenen durch den Punkt. Zur Förderung der Durchführung dieser lehrreichen Constructionen machen wir noch folgende Bemerkungen: Für q_1', q_2' als Fluchtlinien der gegebenen Ebenen und q_N' als die Fluchtlinie ihrer gemeinsamen Normalebene, in der die Fluchtpunkte Q_{1n}' und Q_{2n}' ihrer Normalen liegen, erhält man mit Hilfe des zugehörigen $\mathfrak{C}$ den Winkel der Ebenen und seine Halbierungslinien und durch sie die Fluchtlinien der Halbierungsebenen q_{H1}' und q_{H2}'; sie bilden mit q_N' zusammen ein orthogonales Tripel (unten 14), oder der Normalenfluchtpunkt für jede Ebene, deren Fluchtlinie durch die eine Ecke ihres Dreiseits geht, liegt in der gegenüberliegenden Seite. Solche Ebenen sind die gleichgeneigten zu den gegebenen; ihre Fluchtlinien gehen durch den Punkt q_N', q_{H1}' resp. den Punkt q_N', q_{H2}' und die Fluchtpunkte der bezüglichen Normalen liegen in q_{H2}' resp. q_{H1}', natürlich in dem zur angenommenen Fluchtlinie normalen Distanzkreis - Durchmesser.

7) Eine Ebene zu construieren, welche zur Ebene sq' normal ist, die Tafelneigung $\alpha = 40^0$ hat und den Verschwindungspunkt R einer gegebenen Geraden SQ' enthält.

Das erste giebt einen Punkt ihrer Fluchtlinie, das zweite den von ihr berührten Neigungskreis, das dritte ihre Bildbreite.

8) Man lege durch die in der Ebene sq' enthaltene Gerade SQ' die beiden Ebenen, welche mit jener den Winkel von 25^0 bilden. (Fig. 12.) Die projicierende Normalebene zu SQ', d. h. die Ebene des gegebenen Winkels, $C q_m'$ schneidet die zu sq' parallele

projicierende Ebene in der in $\mathfrak{C}\,Q'_n$ umgelegten Geraden und daher die zur gesuchten parallele projicierende Ebene in einer Geraden

Fig. 12.

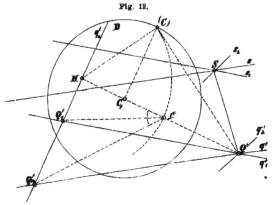

$\mathfrak{C}\,Q_1'$ (resp. $\mathfrak{C}\,Q_2'$), die mit jener den gegebenen Winkel einschliesst. Ihr Fluchtpunkt bestimmt die Fluchtlinie der gesuchten Ebene. Man füge zu der in Fig. 12 enthaltenen ersten Lösung die zweite hinzu.

9) Man soll diejenigen **durch eine Gerade** SQ' **gehenden Ebenen** bestimmen, welche mit einer **dieselbe schneidenden Ebene** sq' **den Winkel** $\alpha^* = 54^0$ **einschliessen** — indem man mit den Fluchtelementen construiert. Die Fig. 13 ent-

Fig. 13.

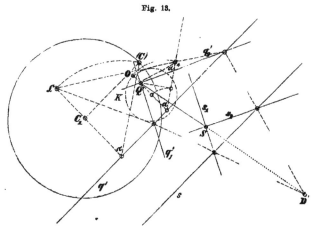

hält die Lösung. Vom Fluchtpunkt Q' der Geraden ist auf die zu sq' parallele projicierende Ebene Cq' die Normale gefällt und ihr

Fusspunkt mit derselben in die Tafel umgelegt; er ist Mittelpunkt eines Kreises K, dessen Radius mit der wahren Länge der Normale die Katheten eines rechtwinkligen Dreiecks mit dem an ihm anliegenden Winkel α^* bildet. Die vom Centrum C an diesen Kreis gehenden Tangenten — die in der Umlegung aus dem mit Cq' umgelegten Centrum $\mathfrak{C}$ gezogen sind, sind die Schnittlinien der durch C gehenden Parallelen zu den gesuchten Ebenen mit Cq', und ihre Schnittpunkte mit q' daher Punkte ihrer Fluchtlinien, welche mit Q' sie d. h. q_1', q_2' bestimmen; durch S_1 ihnen parallel gehen s_1, s_2.

Natürlich kann der Fusspunkt der Normale von Q' auf Cq' auch mittelst des Normalenfluchtpunktes von q' bestimmt werden; etc.

10) Man bestimme insbesondere den kleinsten Winkel φ, für den die Lösung noch möglich ist, d. h. den Neigungswinkel der Geraden gegen die gegebene Ebene. Der Kreis K geht durch $\mathfrak{C}$ und sein Radius bestimmt mit der Länge der Normale den fraglichen Winkel. Wie vereinfacht sich die Construction, wenn sq' normal zur Tafel ist?

11) Man soll zu zwei gegebenen windschiefen Geraden $S_1 Q_1'$, $S_2 Q_2'$ aus einem Punkte A der ersten diejenigen Transversalen ziehen, welche mit ihnen gleiche Winkel bilden. Das Princip von der Verlegung der Winkelgrössen an das Projectionscentrum lehrt sofort, dass die Parallelstrahlen der gesuchten Transversalen in den beiden Normalebenen der projicirenden Ebene $C Q_1' Q_2'$ liegen, welche durch die Halbierungslinien des Winkels $Q_1' C Q_2'$ gehen, und somit die Fluchtpunkte der Transversalen in den beiden Geraden enthalten sind, in welchen diese Ebenen die Tafel schneiden. Da aber der Punkt A mit der Geraden $S_2 Q_2'$ eine Ebene bestimmt, so liegen die Fluchtpunkte des gesuchten Paares von Transversalen auch in der Fluchtlinie dieser Ebene, und sind somit bestimmt, mit ihnen die Transversalen selbst. Man hat also $Q_1' C Q_2'$ in $Q_1' \mathfrak{C} Q_2'$ in wahrer Grösse darzustellen, die Fluchtpunkte der Halbierenden einzutragen und sie mit dem Normalenfluchtpunkt der projicirenden Ebene $C Q_1' Q_2'$ zu verbinden; etc.

Man sieht, dass die Aufgabe auch dann ebenso gelöst wird, wenn verlangt ist, die gleichgeneigten Transversalen von $S_1 Q_1'$ und $S_2 Q_2'$ zu bestimmen, welche in einer bestimmten durch $S_1 Q_1'$ gehenden Ebene liegen; oder wenn sie einer gegebenen Ebene parallel sein sollen, etc.

12) Zu zwei windschiefen Geraden $S_1 Q_1'$, $S_2 Q_2'$ diejenigen Transversalen zu ziehen, welche mit der ersten den Winkel a und mit der zweiten den Winkel b einschliessen.

Man construirt die dreiseitigen Ecken vom Scheitel C aus $Q_1' C Q_2'$ als Kantenwinkel und a, b als den an $Q_1' C$, $Q_2' C$ anliegenden andern Kantenwinkeln; die Fusspunkte ihrer neuen Kanten in den Tafeln sind die Fluchtpunkte der möglichen Transversalen, welche dann nach § 8, 8 gefunden werden.

3*

13) Man projiciere und bestimme die kürzeste Entfernung AB von zwei nicht in einerlei Ebene gelegenen Geraden $S_1 Q_1'$, $S_2 Q_2'$ — als Durchschnitts-

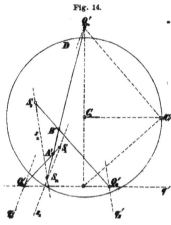

Fig. 14.

linie SQ' der die beiden Geraden enthaltenden Normalebenen $s_1 q_1'$, $s_2 q_2'$ zu der projicierenden Ebene $CQ_1'Q_2'$, die zu beiden Geraden parallel ist; was bleibt zur Fig. 14 hinzuzufügen? Die Grösse der Entfernung AB wird auch als der normale Abstand der parallelen Ebenen von der Fluchtlinie $Q_1'Q_2'$ erhalten, deren Spuren durch S_1 resp. S_2 gehen. (Siehe § 5, 8.) Ist also eine Gerade einer Ebene parallel, so ist sie äquidistant von allen Geraden in dieser Ebene, die ihr nicht parallel sind.

Construiere dasselbe a) für zwei Gerade, von denen die eine parallel, die andere normal zur Tafel ist; und b) für eine beliebige Gerade und einen projicierenden Strahl.

14) Man bestimme eine Gerade aus ihrem Bilde, einem ihrer Punkte z. B. dem Durchstosspunkt und ihrem Neigungswinkel φ gegen eine gegebene Ebene sq'. Die Mantellinien, welche die projicierende Ebene der Geraden aus dem projicierenden Kegel mit der Neigung φ gegen die Ebene sq' ausschneidet, sind die Parallelstrahlen der gesuchten Geraden. Man wird also ähnlich wie in 9) verfahren, jedoch den Kegel am Centrum C bilden.

15) Wenn drei projicierende Linien oder Ebenen eine trirectanguläre Ecke bilden, so sind

Fig. 15.

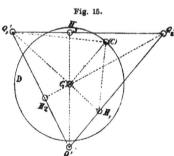

ihre Spuren in der Bildebene die Ecken oder Seiten eines Dreiecks (bei dem Würfel des § 7., 4 ist es gleichseitig), welches den Hauptpunkt zum Höhenschnittpunkt hat und das Rechteck der Höhenabschnitte gleich dem Quadrate der Distanz (Fig. 15).

Man projiciere ein rectanguläres Parallelepiped oder einen Würfel (von gegebener Kantenlänge) aus den Fluchtpunkten von drei in einer Ecke zusammenstossenden Kanten, den

Längen derselben und dem Bilde nebst der Tafelordinate der entsprechenden Ecke. Das besagte Dreieck ist wesentlich spitzwinklig, weil jede Ecke mit dem Fusspunkt der zugehörigen Höhe in der Gegenseite am Centrum einen rechten Winkel bestimmen muss.

16) Man stelle die Zerschneidung des Raumes in congruente Würfel dar, insbesondere die Reihe derjenigen unter ihnen, welche mit dem das Auge umschliessenden eine Körperdiagonale gemeinsam haben.

11. Im Vorhergehenden ist offenbar zugleich die Umlegung einer Ebene in die Bildebene d. i. die Darstellung der wahren Grösse und Gestalt ebener Figuren und Systeme aus ihren Projectionen enthalten. Denn jede gerade Linie der Ebene sq' wird so umgelegt wie $S_1 Q_1'$ oder g_1' in $S_1(R_1)$ oder (g_1) in Fig. 10 (§ 9.), und jeder Punkt derselben somit als der Durchschnitt von zwei Geraden in der Ebene sowie P durch g_1 und g_2. Sind diese Geraden nicht gegeben, so kann man als eine solche die Falllinie der Ebene sq' d. i. die in HP' projicierte Gerade benutzen, welche zur Spur s rechtwinklig ist und sich daher in der Umlegung in eine Normale zu derselben aus ihrem Durchstosspunkt S verwandelt; ebenso können die Geraden benutzt werden, welche in $H_1'P'$, $H_2'P'$ projiciert sind, wo $HH_1' = HC = H\mathfrak{C} = HH_2'$ ist (Fig. 16), Gerade, die sich in der Umlegung in solche verwandeln, die unter 45⁰ gegen die Spur geneigt von ihren respectiven Durchstosspunkten S_1, S_2 ausgehen und sich daher in (P) rechtwinklig durchschneiden, womit auch $S(P) = SS_1 = SS_2$ ist. Die Punkte H_1', H_2' sind die Haupt-Theilungspunkte der Ebene (§ 7.). Hat man die Linie (r) der Ebene, so liefern die Parallelen aus C zu den Projectionen g_i' auf ihr die (R_i) derselben und die Verbindung mit dem entsprechenden S_i giebt die umgelegte Gerade (g_i). Endlich dient auch der Strahl $\mathfrak{C}P'$ zur Bestimmung von (P). (p. 29 unten.)

Umgekehrt vollzieht man durch die nämliche Construction den Uebergang von der Umlegung zur Projection, den wir als die Aufrichtung oder Aufstellung der Ebene bezeichnen wollen. Ist (P) ein Punkt der Ebene sq' in der Umlegung, so wird das umgelegte Centrum $\mathfrak{C}$ bestimmt und (r) aufgetragen; zieht man dann durch (P) eine Gerade (g), so liegt in s ihr Durchstosspunkt S, in (r) die Umlegung (R) ihres Verschwindungspunktes und in dem zu ihr parallelen

Strahl aus dem umgelegten Centrum $\mathfrak{C}$ auf q' ihr Fluchtpunkt Q'. Nun ist das Bild g' die Linie SQ' und zugleich parallel mit $\mathfrak{C}(R)$. Die Linien unter 45^0 und unter 90^0 durch (P) zu s führen auf die Punkte H_1', H_2', H in q' und auf analoge in (r); endlich liefert die Gerade $\mathfrak{C}(P)$ ein weiteres Hilfsmittel der Bestimmung.

Da in Fig. 10 p. 29 die Winkel $(C)H\mathfrak{C}$ und $(C)H\mathfrak{C}^*$ respective gleich α und $180^0 - \alpha$ sind und die Geraden von (C) nach $\mathfrak{C}^*$ resp. $\mathfrak{C}$ zu ihren Halbierenden parallel sind, so sind die durch die umgelegten Centra $\mathfrak{C}$ und $\mathfrak{C}^*$ einer Ebene sq' gehenden

Fig. 16.

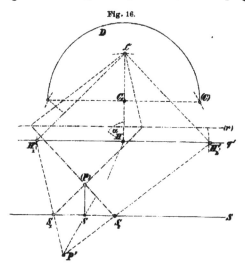

Parallelen zur Spur $q_H'^*$ und q_H' die Fluchtlinien der Halbierungsebenen der von ihr mit der Tafel gebildeten Winkel $180^0 - \alpha$ und α.

Ist bei verticaler Bildebene die Ebene horizontal, so ist q' die Horizontale durch den Hauptpunkt, $\mathfrak{C}$ ein Endpunkt des darauf normalen Durchmessers und die Endpunkte H_1', H_2' des in q' liegenden Distanzkreisdurchmessers sowohl die Fluchtpunkte der horizontalen unter 45^0 zur Tafel geneigten als die Theilungspunkte der zur Tafel normalen; man nennt q' den Horizont und H_1', H_2' die Distanzpunkte. Mit ihnen sind die Bilder beliebiger Figuren in horizontalen Ebenen oder die

wahren Gestalten derselben aus ihren Bildern leicht abzuleiten.
Und weil die Normalen zu den horizontalen Ebenen zur Tafel
parallel sind und als verticale Linien erscheinen, deren wahre
Längen zwischen den Durchstosspunkten paralleler Horizontalen durch ihre Endpunkte erhalten werden, so erhält man
leicht die Centralprojection eines Objects aus der Horizontalprojection und den zugehörigen Höhen seiner Punkte. Diese
Bestimmung derselben ist nicht ganz so bequem, wie die in
§ 7. begründete aus der Orthogonalprojection auf die Tafel und
den zugehörigen Distanzen von dieser; aber sie wird nach dem
häufigen Vorkommen der horizontalen Ebenen und verticalen
Geraden an den Objecten doch von häufiger Verwendung sein
und namentlich beim perspectivischen Skizzieren derselben nach
der Anschauung und nach Maassbestimmungen den hauptsächlichen Leitfaden bilden; man wird zur Uebung etwa die Beisp. 3, 4
des § 9. für eine Horizontalebene durchführen und einfache
Gebäudeformen darstellen.

Wenn die Ebene der Figur zur Bildebene parallel ist, so
liefern die Fusspunkte (A), (B), ... der von ihren Ecken
A, B, ... auf die Bildebene gezogenen Parallelen zu einer
festen Geraden CQ' die Ecken einer ihr congruenten Figur, und
die der Normalen zur Bildebene insbesondere die Ecken derjenigen Figur, welche als ihre Umlegung zu betrachten ist.

Die Figur ist durch die Bilder A', B', ... ihrer Ecken
und eine Gerade $S_1 Q_1'$, welche die erste derselben enthält, bestimmt; der Fluchtpunkt Q' der gedachten Richtung bestimmt
dann (A) als den Durchstosspunkt der Geraden aus A' mit dem
Fluchtpunkt Q'; und da das Theilverhältniss von $Q'A' : A'(A)$
dem andern $Q_1'A' : A'S_1$ und damit dem entsprechenden aller
durch B, etc. gehenden Geraden gleich ist, so bilden die (A),
(B), ... eine zu der von A', B', ... gebildeten ähnliche und
ähnlich gelegene Figur mit Q' als Aehnlichkeitspunkt. Da der
von C bei der Umlegung in die Tafel mit Cq' beschriebene
Kreis in die Normale CC_1 übergeht, so erscheint C_1 als das
umgelegte Centrum und die mit C_1 als Aehnlichkeitspunkt und
als Q' in der vorigen Art construierte Figur als die Umlegung
der gegebenen. (Vergl. auch § 14, 4—6 zur Begründung.)

*) Die Umlegung der Ebene in die Tafel bei der all-
gemeinen Centralprojection des § 6* geschieht nach dem Ueber-

gang zur Fluchtlinie q' der Ebene ϖ' wie vorher und ebenso die Aufrichtung nach Eintragung des (r).

1) Man lege den in einer bestimmten projicierenden Ebene $C q'$ gelegenen Punkt P einer Geraden $S Q'$ mit jener in die Tafel um — indem man eine $S Q'$ schneidende Gerade $S_1 Q_1'$ in $C q'$ benutzt.

2) Von einem regulären n Eck sind zwei Nachbar- oder Gegenecken durch die Fusspunkte und Längen ihrer Tafelnormalen gegeben, und seine Ebene hat die Tafelneigung $\alpha = 60^0$; man bestimme seine Projection aus seiner Umlegung in die Tafel.

3) Man projiciere ein Parallelepiped aus der Ebene einer Fläche, den Bildern einer Ecke und Kante in derselben, dem entsprechenden Kantenwinkel, den Flächenwinkeln, die die ·an seinen Schenkeln benachbarten Flächen mit der ersten bilden, und den Kantenlängen. (Antragung der Flächenwinkel nach Aufg. 8, Fig. 12 des vorigen Art.)

4) Man stelle die Zerschneidung des Raumes dar, die durch die Schichtung gleicher Parallelepipeda entsteht, indem man die Theilungspunkte der drei Kanten so benutzt, wie in § 9, 3 die Theilungspunkte der Seiten oder Diagonalen benutzt werden.

5) Zu zwei sich schneidenden Geraden denke man diejenigen andern construiert, deren jede mit ihnen zwei rechtwinklige Ebenen bestimmt. Da zu jeder Ebene durch die erste Gerade eine Normalebene durch die zweite geht, so erhält man auf jeder dieser Ebenen eine der gesuchten Linien und die Gesammtheit derselben bildet somit eine Folge von unendlich vielen Geraden durch einen Punkt, die man als Kegelfläche bezeichnet. Sind die gegebenen Geraden parallel, so wird der Kegel ein Cylinder, und man erhält in der gemeinsamen Normalebene derselben die geforderten rechten Winkel als Winkel der durch die Fusspunkte der festen Geraden in ihr gehenden Spuren der Ebenen; man erkennt daraus, dass der entstehende Cylinder den Kreis über der Verbindungslinie jener Fusspunkte als Durchmesser zum Querschnitt in ihr hat. Wir denken nun zur Behandlung der allgemeinen Frage den Schnittpunkt der gegebenen Geraden als Projectionscentrum C und die Bildebene normal zu der einen von ihnen, welche wir also durch $C C_1$ bezeichnen; ist dann A' der Fusspunkt des andern Strahls $C A'$ in der Tafel, so ist eine beliebige durch A' gezogene Gerade die Spur und Fluchtlinie einer durch $C A'$ gehenden Ebene und offenbar das von C_1 zu ihr gezogene Perpendikel die Spur und Fluchtlinie der zu ihr normalen Ebene durch $C C_1$; d. h. der Ort der Schnitte dieser Perpendikel oder der über der Geraden $C_1 A'$ als Durchmesser beschriebene Kreis ist der Querschnitt des entstehenden Kegels mit der Tafel. Nimmt man die Tafel normal zu $C A'$, so erhält man dasselbe Resultat für den zu $C A'$ normalen Querschnitt. Man bildet also den Kegel aus seinen zwei Systemen kreis-

förmiger Querschnitte wie folgt: In den Normalebenen der ersten und denen der zweiten festen Geraden beschreibt man sie über den Verbindungslinien ihrer Schnittpunkte mit beiden als Durchmessern.

In der beschriebenen Darstellung ist der Kreis über $C_1 A'$ als Durchmesser zugleich das Bild K' des Querschnittes, den eine beliebige Normalebene zu $C A'$ mit dem Kegel macht, eine Ebene also, die etwa den zu $C_1 A'$ senkrechten Distanzkreisdurchmesser zur Spur s und die dem Punkt A' als Fluchtpunkt entsprechende Fluchtlinie der Normalebene zur Fluchtlinie q' hat. Man sieht, für das Collineationscentrum $\mathfrak{C}$ dieser Ebene mit s und q' als Collineationsaxe und als Gegenaxe muss die entsprechende Figur zum Basiskreis K' wieder ein Kreis (K) sein; oder wenn zwei durch C_1 und A' gehende zu einander senkrechte Gerade $C_1 P'$ und $A' P'$ die Spur s in C_1 und S_2 und q' in Q_1' und Q_2' schneiden, so müssen $\mathfrak{C} Q_1'$ und $\mathfrak{C} Q_2'$ senkrecht auf einander sein und ihre Parallelen durch C_1 und S_2 sich in (P) auf (K) schneiden.

12. Nach dem Vorhergehenden sind alle Aufgaben der darstellenden Geometrie über die Elementarformen theoretisch lösbar, nämlich unter Voraussetzung einer unbegrenzten Zeichnungsebene, unter Voraussetzung geometrischer Genauigkeit auch bei schleifenden Schnitten, etc. und überdies abgesehen von den in der Kleinheit der Constructionstheile, etc. auftretenden Hindernissen der graphischen Durchführung. Für die wirkliche graphische Ausführung, wo weder jene Voraussetzungen gelten, noch sich von diesen Hindernissen absehen lässt, wird die Möglichkeit der constructiven Lösungen durch Transformation gesichert, d. h. durch zweckentsprechende Lagenveränderungen des Centrums, der Bildebene oder des Objects — denn durch solche lassen sich alle jene Schwierigkeiten heben.

Man kann das Centrum der Projection nach jedem Punkte des Raumes verlegen und die Bildebene oder eine beliebige Ebene des Objects mit einer bestimmten Ebene zusammenfallen machen, indem man gleichzeitig über einen Punkt und eine ihn enthaltende Gerade in derselben verfügt. Jede Verlegung des Centrums lässt sich aus einer Verrückung desselben in der Verschwindungsebene und einer solchen in der Normale zur Tafel zusammensetzen; in analoge Componenten zerlegen sich auch alle Parallelverschiebungen der Bildebene und des Objects. Die Drehungen der Bildebene und des Objects kommen im Wesentlichen auf den im vorigen § erklärten Vorgang der Umlegung hinaus und erfordern keine weitere Erörterung. ·

Bei den **Transformationen des Centrums** bleiben alle Durchgangs-Elemente ungeändert, während das neue System der Flucht-Elemente dem ursprünglichen congruent und gleichgelegen ist im Falle der Verschiebung in der Verschwindungsebene oder bei unveränderter Distanz; ähnlich und ähnlich gelegen mit C_1 als Aehnlichkeitspunkt aber im Falle der Verschiebung des Centrums in der Tafelnormale. Im **ersten Falle** (Fig. 17) wiederholen der Hauptpunkt C_1 und alle Fluchtpunkte

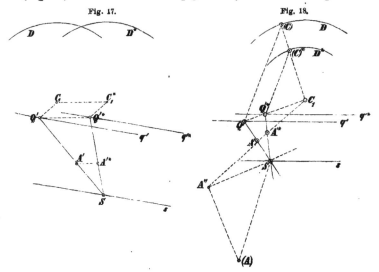

Fig. 17.   Fig. 18.

nach Grösse und Richtung einfach die Verschiebung des Centrums von C nach C^*; das Bild A' eines Punktes in einer gegebenen Geraden g' verschiebt sich in der gleichen Richtung in das transformierte Bild g'^* der Geraden; projicierende Gerade verwandeln sich in solche, deren Bildlänge der Verschiebungsgrösse gleich ist.

Im **zweiten Falle** (Fig. 18) verschiebt sich jeder Fluchtpunkt in der Geraden, die ihn mit dem Hauptpunkt verbindet und zwar um einen Betrag, der in einem rechtwinkligen Dreieck als zweite Kathete erhalten wird, welches die Tafelneigung β des zugehörigen projicierenden Strahls zum anliegenden Winkel und die Grösse der Verschiebung δ des Centrums zur andern Kathete hat; endlich nach dem Hauptpunkt hin oder von demselben weg, je nachdem das Centrum sich der Bildebene nähert oder von derselben wegrückt. Das Bild eines Punktes rückt in der Geraden fort, welche von ihm nach dem Hauptpunkte geht.

1) Man macht eine Gerade SQ' zur projicierenden Linie, indem man das Centrum C nach ihrem Verschwindungspunkte R verlegt; die Grösse $Q'S$ giebt Grösse und Sinn der Verschiebung.

2) Man ziehe zu einer Geraden in gegebener Ebene, deren Fluchtpunkt unzugänglich ist, Parallelen von gegebenen Durchstosspunkten — oder allgemeiner durch gegebene Punkte der Ebene — mittelst Verlegung ihres Fluchtpunktes in einen andern Punkt ihrer Fluchtlinie.

3) Man vergrössere die Entfernung einer Ebene vom Centrum durch Verschiebung desselben in der Verschwindungsebene auf das Dreifache, um das Bild einer in ihr gelegenen Figur deutlicher zu erhalten.

4) Man leite aus dem Bilde einer Raumfigur, welches dem Centrum im rechten Auge entspricht, das Bild derselben für das im linken Auge gedachte Centrum ab, bei unveränderter Distanz. Diess enthält die Construction stereoskopischer Bilder.

5) Bei der Transformation durch reducirte Distanz d. i. Verschiebung des Centrums in der Tafelnormale, bleiben die Bestimmungen von Normalen und Normalebenen zur Tafel unverändert.

6) Welche Hilfsmittel giebt die Transformation durch reducierte Distanz für das Umlegen und Aufrichten ebener Systeme, a) bei zur Bildebene normaler, b) bei schräger Ebene? Man zeichne mit Benutzung derselben ein Quadrat über gegebener Seite in schräger Ebene und den entsprechenden Würfel.

7) Die Darstellung von Punkten mittelst ihrer rechtwinkligen Coordinaten in Bezug auf drei Axen x, y, z in allgemeiner Lage soll mit Benutzung der reducirten Distanz ausgeführt werden.

Wenn wir die Coordinaten a, b, c eines Punktes P als die in einer Ecke zusammenstossenden Kanten $12, 13, 14$ eines rectangulären Parallelepipedums ansehen, so kommt die Aufgabe auf die Darstellung dieses Parallelepipeds respective seiner zu 1 gegenüberliegenden Ecke P hinaus. In Fig. 19 ist sie für ein Drittel der Distanz bei gegebener Ebene sq' der Fläche ab oder 123, gegebener Ecke 1 und Richtung der Kante b in derselben ausgeführt. Die benutzte Transformation ist die Verschiebung des Centrums in der Falllinie der Ebene sq' zur Tafel bis zur Distanz $1/3 d$ d. h. des Hauptpunktes von C_1 nach $C_1/3$. Mittelst der Länge $1/3 d$ ist dann der Neigungswinkel α der Ebene sq', das mit seiner Ebene umgelegte reducierte Centrum $(C/3)$ und das mit Cq' umgelegte reducierte Centrum $\mathfrak{C}/3$, sowie der reducierte Fluchtpunkt der Kante c und der zu ihr Parallelen als der Normalen zur Ebene Cq' in $_cQ'/_3$ erhalten worden.

Da durch diese Transformation das System der Fluchtpunkte gegen den Hauptfluchtpunkt H der Ebene sq' als Aehnlichkeitspunkt auf $^1/_3$ zusammengezogen ist, so erhalten wir durch die Heranziehung des Bildes 1' in der Linie nach H auf $^1/_3$ nach $1'/_3$ und Verbin-

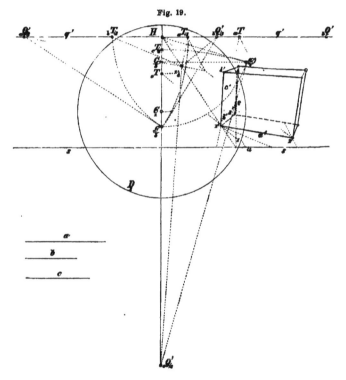

Fig. 19.

dung dieses Punktes mit den reducierten Fluchtpunkten Parallelen der Bilder von a', b', c', nämlich zunächst in $1'/_3$ $_cQ'/_3$ die Parallele zu c', sodann mittelst der durch $1'/_3$ zu a' gezogenen Parallelen in q' den reducirten Fluchtpunkt $_aQ'/_3$ von a, damit den reducierten Parallelstrahl in der Umlegung $_aQ'/_3$ $\mathfrak{C}/3$ und mittelst des zu ihm normalen Strahls aus $\mathfrak{C}/3$ den reducierten Fluchtpunkt $_bQ'/_3$ der Kante b, in der Geraden $1'/_3$ $_bQ'/_3$ also die Parallele ihres Bildes b'.

Zugleich liefern die aus den reducierten Fluchtpunkten $_aQ'/_3$

und $_bQ'/_3$ durch $\mathfrak{C}/_3$ bis zum Schnitt mit q' beschriebenen Kreise in $_aT/_3$ und $_bT/_3$ die reducierten Theilungspunkte von a und b; ebenso erhält man in dem aus $_cQ'/_3$ durch $(C/3)$ beschriebenen Kreis auf der Geraden $_cQ'/_3 C_1$ den reducierten Theilungspunkt $_cT/_3$ von c in der Fluchtlinie der durch dasselbe gehenden Normalebene zur Tafel.

In der Figur sind auch, weil der Raum es gestattete, die wahren Theilungspunkte $_aT$ und $_cT$ angegeben und benutzt. Man erhält $2'$, indem man mit $1'_aT$ die Spur s schneidet, von da in ihr die Länge a abträgt und den Endpunkt derselben mit $_aT$ verbindet; man erhält es auch, indem man $1'/_3 _aT/_3$ bis zur Spur s zieht, a von dort in ihr abträgt, von dem Endpunkt nach $_aT/_3$ bis zur Geraden $1'/_3 _aQ'/_3$ zieht und den so erhaltenen Punkt auf die dreifache Entfernung in der Linie von H aus zurückführt. Analog für b'. Wenn dabei der Schnitt von $1'/_3 _bT/_3$ mit s entfällt, so kann man offenbar an Stelle von s eine zu ihr parallele in der halben, etc. Entfernung von q' benutzen, wenn man in ihr vom Schnittpunkt nur $^1/_2 b$, etc. abträgt. Dabei hat man die in der Figur angegebenen aber nicht bezeichneten Punkte $2'/_3$, $3'/_3$ mit erhalten, welche mit $_bQ'/_3$, $_cQ'/_3$ respective $_cQ'/_3$, $_aQ'/_3$ verbunden, die Parallelen der Bilder der zu b, c; c, a parallelen Kanten aus den Ecken 2 und 3 liefern.

Die Auftragung von c erfolgt endlich durch Aufsuchung der zu $C_1 H$ parallelen Spur seiner Normalebene zur Tafel mittelst des Durchstosspunktes von $H1'$ in s; die Länge c ist von 1 bis 4 für $_cT$ abgetragen; ebenso würde es für $_cT/_3$ geschehen. Im Falle des Würfels lassen sich die Eigenschaften des Quadrats betreffs seiner Diagonalen mit verwenden; die Halbierungslinien der Winkel von $_aQ'/_3 \mathfrak{C}/_3$, $_bQ'/_3 \mathfrak{C}/_3$ geben die reducierten Fluchtpunkte derselben auf q' an.

8) Man füge den Schlagschatten für paralleles Licht von gegebenem Fluchtpunkte auf die Ebene der Basis hinzu.

9) Welche Vortheile bietet es für die Construction, wenn die Axe y des Coordinatensystems als Schnitt der zu $\mathbb{E}$ oder xy und zugleich zur Bildebene normalen projicierenden Ebene gewählt wird?

10) Wenn das Centrum C in der Normale $C_1 C$ unendlich fern gerückt wird, so wird der Fluchtpunkt Q'^* von SQ' die Richtung von $C_1 Q'$ und das neue Bild der Geraden die durch S zu $C_1 Q'$ gezogene Parallele. Es ist die Orthogonalprojection der Geraden auf die Tafel. Wohin kommt die Projection A' eines Punktes der Geraden? Vergl. § (7).

13. Bei den Verschiebungen des Objects parallel zur Tafel und in Normalen zur Tafel, d. i. wenn alle Punkte desselben Parallelen oder Normalen zur Tafel beschreiben, bleiben alle Fluchtelemente ungeändert, und die Durchgangselemente

ändern sich nach den Gesetzen, welche vorher für beide Fälle
für die Aenderung der Fluchtelemente gegeben wurden; insbesondere rückt bei der Normalverschiebung der Durchstosspunkt S der Geraden in der Spur der durch sie gelegten
Normalebene zur Tafel um den Betrag fort, der in dem rechtwinkligen Dreiecke aus der Grösse der Verschiebung δ als
Kathete mit der Tafelneigung β als Gegenwinkel als zweite
Kathete erhalten wird.

Die Verschiebung der Bildebene in Normalen zu ihr
ändert sowohl die Durchgangs- als die Flucht-Elemente und
zwar beide um den nämlichen wie vorher aus der Grösse der
Verschiebung δ und der Tafelneigung β abzuleitenden Betrag
in gleichem Sinn in der Spur und der Fluchtlinie der durch
die Gerade gehenden Normalebene zur Tafel. (Fig. 20.) Die
Bilder der Punkte rücken in den Geraden fort, die sie mit
dem Hauptpunkt verbinden. Man hat für einen beliebigen
Punkt A' der Geraden SQ' und seine Transformation A'^{*}

$$\delta : d = Q'Q'^{*} : Q'C_1 = A'A'^{*} : A'C_1.$$

Die Ebene sq' geht über in $s^{*}q'^{*}$.

Und wenn A' in A'^{*} übergeht, $A'^{*}B'$ aber $Q'C_1$ parallel
ist, so enthält das über diesem mit der zweiten Kathete δ construierte rechtwinklige Dreieck die Um-
legung (A) von A' und den Winkel β
der Geraden. Dies giebt eine Umlegung von Ebenen, welche normal sind
zur Tafel und damit besondere Vortheile für die constructive Behandlung
der zur Tafel normalen Ebenen. Da
die Ausmessung der zu projicierenden
Raumformen, die der Darstellung derselben voran gehen muss, practisch mit
Vortheil nach der Methode der rechtwinkligen Coordinaten geschieht, so
ist es bequem, die als Verticalebene
gedachte Tafel und eine, etwa die
tiefste am Object vorkommende, Hori-

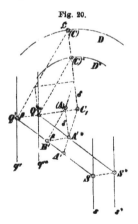

Fig. 20.

zontalebene als natürliche Coordinatenebenen zu betrachten und
dazu normal durch das Centrum die dritte zu fügen. Das

System der der Tafel selbst angehörigen Ordinatenfusspunkte
erfordert dann nur die Auftragung der entsprechenden Abstände als Tafelnormalen. (§ 7., 3 f.)

1) Wenn ein rechtwinkliges Coordinatensystem durch die eine
der Axen, den Anfangspunkt und die Bildrichtung der zweiten Axe
gegeben ist, wie sind die in ihm gemessenen Coordinaten aufzutragen? Wie insbesondere, wenn mit dem vierten Theile der Distanz
gearbeitet wird, weil die Grösse derselben die Dimensionen des
Zeichenblattes überschreitet? (Vergl. § 12., 7.)

2) Man projiciere bei gegebenen Axen und Parameterverhält-
nissen die Körper des regulären Krystallsystems unter Anwendung
der halben Distanz; z. B. den 48flächner 2 0 3.

14. Im Vorhergehenden ist die Centralprojection als eine
selbständige Darstellungsmethode entwickelt und im Wesentlichen ausgebildet. Damit sie zugleich die wissenschaftliche
Grundlage aller übrigen Darstellungsmethoden — und zwar
sowohl Methoden der graphischen Darstellung als der model-
lierenden — liefern könne, ist es nöthig, die fundamentale
Beziehung eingehender zu untersuchen, welche zwischen dem
Bilde eines ebenen Systems und diesem selbst besteht.

Das Bild des ebenen Systems und die Umlegung desselben
in die Bildebene sind zwei geometrisch verwandte, d. i.
in gesetzmässiger Abhängigkeit von einander stehende ebene
Systeme in der Tafel. Diese Verwandtschaft hat zu ihrem
Hauptgesetz, dass jedem Punkt und jeder Geraden des einen
Systems immer ein und nur ein Punkt und eine Gerade des
andern Systems entspricht. Man nennt die Systeme als diesem Gesetz unterworfen projectivisch und insbesondere
collinear, und die bezügliche geometrische Verwandtschaft
Projectivität, insbesondere Collineation. Die Systeme
erscheinen überdies in einer besondern gegenseitigen Lage,
die man als die perspectivische oder centrale Lage zu
bezeichnen pflegt: Jedes Paar entsprechender Punkte liegt auf
einerlei Strahl eines Strahlenbüschels, in welchem jeder Strahl
sich selbst entspricht, d. i. als Theil des Originalsystems betrachtet mit seinem Bilde zusammenfällt und umgekehrt, so
dass dieses Strahlenbüschel beiden Systemen entsprechend gemein ist. Und jedes Paar entsprechender Geraden geht durch
einerlei Punkt einer geradlinigen Punkt-Reihe, in welcher jeder
Punkt sich selbst entspricht, so dass sie beide Systeme ent-

sprechend gemein haben. Den Scheitelpunkt jenes Büschels $\mathfrak{C}$
nennen wir das Collineationscentrum der Systeme, die
gerade Linie dieser Reihe s die Collineationsaxe derselben.

Ferner entsprechen den Punkten in unendlicher Ferne im
einen System die Punkte einer zur Collineationsaxe parallelen
Geraden im andern System; den Punkten im Unendlichen des
Originalsystems entsprechen die von q', den Punkten in unendlicher Ferne des Bildsystems die von (r). Wir nennen
diese beiden Geraden die Gegenaxen der Systeme, und ihre
Punkte die Gegenpunkte derjenigen Geraden der ebenen
Systeme, welche durch sie hindurchgehen. Die Gegenaxen
können als Orte der Scheitel derjenigen Strahlenbüschel beider
Systeme bezeichnet werden, denen Parallelenschaaren im jedes-
maligen andern System entsprechen.

Die Winkel zwischen Geraden der einen Figur werden
von den Strahlen aus dem Centrum nach den Gegenpunkten
der entsprechenden Geraden in der andern Figur wiederholt.

In alledem recapitulieren wir nur die Ergebnisse der
Centralprojection des ebenen Systems mit zweckgemässen Modificationen der Ausdrucksweise. Es entspricht dem ebenfalls,
dass zwei collineare Systeme in centraler Lage bestimmt sind
durch das Centrum und die Axe der Collineation nebst einer
der Gegenaxen; die allgemeinen Abhängigkeitsgesetze zeigen,
dass ein beliebiges Paar A', (A) entsprechender Punkte der
Systeme die Angabe der Gegenaxe für die Bestimmung ersetzt.

Man kann dem die beiden entsprechenden Geraden
t, t' mit gleichen Reihen von entgegengesetztem
Sinne hinzufügen, welche bei räumlicher Lage diejenige projicierende Ebene ausschneidet, die zur Ebene $q'r$ parallel ist.
Die Umklappung der der Originalebene angehörigen Axe t
dieser Art hat das Doppelte der Entfernung $(\mathfrak{C}, q')$ zu ihrem
Abstand von der Collineationsaxe s, d. h. (r) ist die Mitte
zwischen s und (t). In Folge dessen ist q' die Mitte zwischen
t' und s, wie natürlich auch $\mathfrak{C}$ zwischen t und t'. (Vergl. § 39., 4.)
Oder t und t' sind die Symmetrischen zu r und q' für die
Axe s. (Siehe § 16., 4.) Die Fig. 21 bringt alles das zur Anschauung mittelst der Umlegung des Querschnittes, den die zu
s normale projicierende Ebene mit Bild- und Original-Ebene
und deren beiden Parallelebenen macht.

Auch liegt die Frage nahe: Welches sind die beiden Scheitel entgegengesetzt gleicher Büschel? mit der Antwort: Die Symmetrischen von $\mathfrak{C}$ in Bezug auf r und q'. Dasselbe Parallelogramm (Fig. 21) $SQ'(C)(R)$ liefert sie durch die Parallele aus (C) zur Halbierungslinie des Winkels α oder die Normale zu $(C)\mathfrak{C}$. (Vergl. § 15, 4.)

Nach diesen Gesetzen entsprechen einer gegebenen Figur in der Ebene unendlich viele ihr collinearverwandte Figuren, die alle je nach beliebiger Festsetzung des Collineationscen-

Fig. 21.

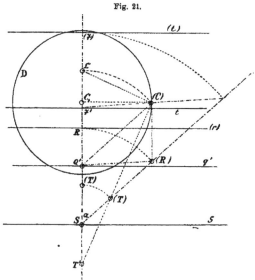

trums und der Collineationsaxe, so wie einer Gegenaxe mit Hilfe des Lineals allein aus ihr construiert werden. Die Lage der gegebenen Figur zur Gegenaxe ihres Systems unterscheidet die entsprechenden Figuren wesentlich von einander, wie diess an den einfachen Figuren von Dreieck und Viereck erläutert werden kann.

Auch diese Unterscheidungen sind in den projectivischen Eigenschaften der hergestellten Bilder mit enthalten, wonach dem Punkte und der Geraden eines solchen ohne Ausnahme ein Punkt und eine Gerade des zugehörigen ebenen Originals entsprechen; auch die Uebereinstimmung in

der Ordnung der Aufeinanderfolge der Punkte in einer Geraden
(ebenso der Strahlen aus einem Punkte) und ihrem Bilde gehört
zu diesen. (Vergl. § 17.)

1) Man construire von zwei collinearen Systemen in centraler
Lage das zweite aus dem ersten, wenn gegeben sind das Centrum
und die Axe der Collineation und zu einem Punkte oder einer Geraden des ersten Systems der entsprechende Punkt respective die
entsprechende Gerade des zweiten; auch weise man den Parallelismus
der Gegenaxen mit der Collineationsaxe als nothwendige Folge des
Grundgesetzes der Projectivität nach.

2) Man zeichne und charakterisiere die Collinearverwandten
eines gegebenen Dreiecks $A_1 A_2 A_3$ für die verschiedenen Lagen, die

Fig. 22.

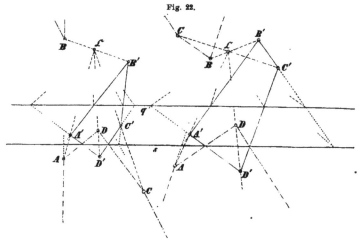

es zur Gegenaxe seines Systems haben kann; also für welche die
Ecken 1, 2, 3 auf einerlei Seite der Gegenaxe, oder 1, 2 auf der
einen, 3 auf der andern Seite derselben liegen, oder 3 in der
Gegenaxe und 1 und 2 auf derselben Seite oder auf verschiedenen
Seiten derselben, oder endlich 1 und 2 in der Gegenaxe liegen.

3) Man führe dasselbe aus für das Viereck der Punkte 1, 2,
3, 4 — in sieben Hauptfällen, welche Zahl sich noch vermehrt,
wenn man auch auf die Lage der Punkte achtet, in denen die
Gegenseitenpaare sich schneiden. Die Fig. 22 zeigt zwei dieser
Fälle für das Viereck $A'B'C'D'$. Die Seiten $A'B'$, $B'C'$ in der
Figur links, die durch q' getrennt werden, und ebenso die $A'B'$,
$C'D'$ rechts erscheinen im Original als unbegrenzte das Unendliche
einschliessende Segmente.

4) Man soll die verschiedenen Formen der Centralprojection

eines Tetraeders verzeichnen. Bezeichnen wir seine Ecken durch
Ziffern 1, 2, 3, 4, so liegen dieselben entweder auf der nämlichen
Seite oder auf verschiedenen Seiten der Verschwindungsebene oder
zum Theil in derselben, und das Centrum liegt entweder ausserhalb
oder innerhalb des Tetraeder-Raumes oder speciell in einer Fläche
oder einer Kante oder einer Ecke derselben. Wenn der Körper
die Verschwindungsebene nicht trifft, so sind entweder alle seine
Kanten sichtbar (eine Fläche unsichtbar) oder vier derselben (zwei
Flächen unsichtbar) oder nur drei (drei Flächen unsichtbar); das
Centrum befindet sich resp. in dem Scheiteleckenraum oder in
einem Scheitelflächenwinkelraum oder in dem Ausseneckenraum über
einer Fläche. Die Verschwindungsebene schneidet, wenn sie keine
Ecke oder Kante oder Fläche enthält, entweder drei oder vier
Kanten und Flächen; das Bild einer von ihr geschnittenen Kante
ist das unendlich grosse in den Bildern ihrer Ecken begrenzte Stück.
Ist das Centrum in einer Fläche, so erscheinen die drei zugehörigen
Ecken in gerader Linie, für die Lage in einer Kante die beiden
Ecken derselben in einem Punkt; ist es in einer Ecke, so erscheint
das Tetraeder auf das Bild der gegenüberliegenden Fläche reducirt.
Das Bild einer sonst in der Verschwindungsebene liegenden Ecke
liegt unendlich fern, die zugehörigen Kanten erscheinen parallel.
Nach diesen Bemerkungen kann man sämmtliche mögliche An-
sichten des Tetraeders skizzieren. (Vergl. § 8, 11.) ·

5) Die Strahlenbüschel beider Systeme, welche das Collineationscentrum zum Scheitel haben, decken sich Strahl für Strahl
und werden daher als einander gleich und entsprechend bezeichnet.
Man soll nun die Existenz gleicher, Strahl für Strahl einander
entsprechender Strahlenbüschel in der Bildebene und einer gegebenen
Originalebene für ein gegebenes Centrum der Projection direct erweisen — indem man die Büschel von projicierenden Ebenen betrachtet, welche zu ihren Scheitelkanten die Normalen derjenigen
Ebenen haben, durch die der Winkel α der Originalebene und sein
Nebenwinkel halbiert werden. Diese Normalen liefern direct die
beiden Lagen des umgelegten Centrums (§§ 9. u. 11.) als ihre
Fusspunkte in der Bildebene.

6) Wenn man durch alle Punkte des ebenen Systems Parallelen
zieht zu einer der in Aufg. 5. bezeichneten Normalen, so bestimmen
dieselben in der Bildebene ein System, welches dem gegebenen
congruent ist. Man erläutere die Construction der Umlegung des
ebenen Systems in § 11. (§ 9.) als die Ausführung dieses Gedankens.

7) Wenn das Parallelogramm $(C)\, Q'S(R)$ der Fig. 21 des Textes
ein Rhombus ist, so dass wegen $SQ' = S(R)$ die Gegenaxen q' und
r in der Mitte zwischen $\mathfrak{C}$ und s sich vereinigen, so fallen auch
T' und (T) in S zusammen und (t) und t' durch $\mathfrak{C}$.

8) Wenn man statt der Spur s eine beliebige Parallele zur
Tafel als Drehungsaxe benutzt, so erhält man durch die Construc-

4*

tion der Umlegung mit demselben Centrum $\mathfrak{C}$ und derselben Gegenaxe q' die Centralprojection der in die zugehörige Parallelebene
zur Tafel umgelegten Figur — eine ähnliche Verjüngung ihrer
wahren Gestalt; für die Tafelparallele m' nach dem Verhältniss $1:2$.

15. Für das Weitere ist die Untersuchung der Abhängigkeit des Bildes der geraden Punktreihe von
ihrem Original die natürliche Vorbereitung. Nach dem Vorhergehenden ist sie als Projectivität in perspectivischer Lage
zu bezeichnen und durch das Zu-
sammenfallen von zwei entsprechenden Punkten im Durch-
schnittspunkt S des Bildes mit
dem Original charakterisiert. Ob
wir die Umlegung der einzelnen
Geraden mit ihrer projicierenden
Ebene wie in § 4. oder die Umlegung der Geraden des ebenen
Systems wie in § 11 betrachten,
so zeigt sich uns das Bild und
die Umlegung der Geraden in
solcher Beziehung, dass beide den
Durchstosspunkt S gemein haben
und das Collineationscentrum die

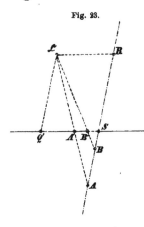

Fig. 23.

vierte Ecke eines Parallelogramms ist, in welchem S ihm gegenüber liegt und die Gegenpunkte Q' und R die andern Ecken
sind. Daraus ergeben sich für zwei Punkte A, B des Originals
und ihre Bilder A', B' die folgenden Relationen (Fig. 23). Es ist

$$\triangle A R \mathfrak{C} \sim \mathfrak{C} Q' A'; \quad \text{also} \quad A R : R \mathfrak{C} = \mathfrak{C} Q' : Q' A'$$

oder

$$A R \cdot Q' A' = R \mathfrak{C} \cdot \mathfrak{C} Q' = S Q' \cdot R S = k^2; \; (= n \cdot l \; \S \, 3.)$$

d. h. das Rechteck der Abstände entsprechender
Punkte von ihren Gegenpunkten ist constant. In
Folge dessen ist

$$Q' A' = \frac{k^2}{A R} \quad \text{und ebenso} \quad Q' B' = \frac{k^2}{B R};$$

also

$$Q' B' - Q' A' = A' Q' + Q' B' = A' B' = k^2 \left(\frac{1}{B R} - \frac{1}{A R} \right)$$

$$= k^2 \frac{A R - B R}{A R \cdot B R} = k^2 \cdot \frac{A B}{A R \cdot B R},$$

für die Ableitung der Länge des Bildes, welches
einer bestimmten Strecke des Originals entspricht.
Man hat ebenso aus AR und BR

$$AB = k^2 \frac{Q'B' - Q'A'}{Q'A' \cdot Q'B'} = k^2 \frac{A'B'}{Q'A' \cdot Q'B'} \cdot$$

Insbesondere ist $A'B' = AB$ für

$k^2 = AR \cdot BR$; und weil $k^2 = AR \cdot Q'A' = BR \cdot Q'B'$ ist,

so ergiebt sich als die Bedingung der Gleichheit entsprechender Strecken

$$BR = Q'A' \quad \text{oder} \quad AR = Q'B';$$

d. h. der Gegenpunkt Q' ist vom Bilde des einen Endpunkts
ebensoweit entfernt wie das Original des andern Endpunkts
vom Gegenpunkt R.

Man erhält dieselbe Bedingung auch aus

$$AR \cdot Q'A' = BR \cdot Q'B' \quad \text{oder} \quad AR : BR = Q'B' : Q'A',$$

indem man bildet

$(AR - BR) : BR = (Q'B' - Q'A') : Q'A'$ d. h. $AB : BR = A'B' : Q'A'$.

Hat man also A und A' als Anfangspunkte entsprechend
gleicher Strecken, so trägt man $Q'A'$ im Bilde rückwärts von
Q' nach D' und im Original beiderseits von R nach B und E
ab; ebenso RA im Original rückwärts von R nach D und im
Bilde beiderseits von Q' nach B' und E'. Dann sind BB',
DD', EE' Paare entsprechender Punkte und (Fig. 24)

$$AB = A'B', \quad DE = D'E'$$

entsprechende Strecken von einerlei Länge, die die Gegenpunkte Q' und R nicht einschliessen;

$$BD = B'D', \quad AE = A'E'$$

dagegen gleiche entsprechende Strecken, die die Gegenpunkte Q' und R einschliessen. Es giebt also in zwei
projectivischen Geraden zwei durch die Lage zu den Gegenpunkten unterschiedene Systeme entsprechend gleicher Strecken.
Die einen gehören als Bilder und Originale im gewöhnlichen
Sinne zusammen, bei den andern entspricht die endliche Strecke
der ausgeschlossenen unendlich grossen als Perspective. (Vergl.
§ 14.)

1) Für

$$AB = A'B' \text{ ist } AB = AR - BR = \frac{k^2}{Q'A'} - Q'A'$$

d. h.

$$AB \cdot Q'A' + \overline{Q'A'}^2 = k^2 (= SQ' . RS);$$

somit

$$Q'A' = - \frac{AB}{2} \pm \sqrt{\tfrac{1}{4}\overline{AB}^2 + SQ' . RS}$$

(d. h. stets reell, so lange k^2 positiv ist, und reell für $\overline{AB}^2 > 4k^2$ bei negativem Zeichen), ein leicht zu construierender Ausdruck.

Das System der gleichen entsprechenden Strecken enthält also immer zwei gleiche Strecken von gegebener

Fig. 24.

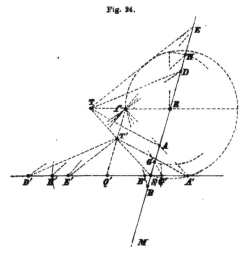

Länge. Man construire sie für $AB = A'B' = 2d$. Insbesondere wird $AB=\infty$ für $Q'A'=0$ oder $=\infty$; in der That ist $Q'R = QR=\infty$. Es ist klar, dass man damit auch die entsprechend gleichen Streifen in einer Ebene und ihrem Bilde bestimmt, wenn eine Grenzlinie (parallel s) oder wenn die Breite gegeben ist.

2) Man erhält ferner $AB = A'B' = 0$ für

$$Q'A' = BR = k = \sqrt{SQ' . RS};$$

d. h. es giebt zwei Punktepaare G, H in g und G', H' in g' (Fig. 24), welche die entsprechenden Nullstrecken genannt werden sollen. Sie müssen dem ersten System der entsprechend gleichen Strecken beigezählt werden, die die Gegenpunkte nicht einschliessen.

3) Sind die Gegenpunkte unendlich fern, d. h. Bild und Ori-

ginal der Geraden einander parallel, so existieren gleiche entsprechende Strecken entweder gar nicht oder alle entsprechenden Strecken sind gleich. Die Reihen sind ähnlich, bei gleichem Abstand vom Centrum congruent.

4) Man trage die Punkte P auf, für welche $SP = SP'$ ist — durch $Q'P' = SR$. Wenn man in einer Ebene sq' in der Geraden, welche die projicirende Normalebene zu ihrer Spur aus ihr herausschneidet, diese Punkte (T) und T bestimmt, so sind dieselben die Scheitel entsprechender symmetrisch gleicher Strahlenbüschel d. h. mit entgegengesetztem Sinn. (Fig. 21.) Es ist $Q'T' = RS = \mathfrak{C}Q'$ und $RT = Q'S = \mathfrak{C}R$. Sie liegen symmetrisch zu $\mathfrak{C}$ in Bezug auf r und q' respective. Auch erhält man die Schnittpunkte $\mathfrak{T}'$, $(\mathfrak{T})$ der symmetrisch gleichen entsprechenden Reihen t', (t) in demselben Strahl SQ' wegen $\mathfrak{C}(\mathfrak{T}) = \mathfrak{T}'\mathfrak{C}$ aus $\mathfrak{C}R = \mathfrak{T}'Q' = Q'S$ und $\mathfrak{C}Q' = (\mathfrak{T})R = RS$, also symmetrisch zu s in Bezug auf q' resp. r. (Vergl. § 14.) Zugleich folgt durch Addition

$$2\,Q'R = T'(T) = \mathfrak{T}'(\mathfrak{T}),\ \text{etc.}$$

5) Da die Grösse k^2 nur von den Seitenlängen, nicht aber von den Winkeln des Parallelogramms $\mathfrak{C}RSQ'$ abhängt, so folgt der Satz: Wenn zwei Gerade perspectivisch sind, so bleiben sie dies auch bei einer Drehung der einen von ihnen um den gemeinschaftlichen Punkt. Das Centrum $\mathfrak{C}$ der Perspective ist immer die vierte Ecke des durch die Q', S und R bestimmten Parallelogramms; bleibt also SQ' fest, so durchläuft $\mathfrak{C}$ den aus Q' mit dem Halbmesser $Q'\mathfrak{C}$ beschriebenen Kreis. Jeder Punkt in ihm hat den Charakter und erlaubt die Verwendung eines Theilungspunktes. (§ 4; Text und 2. § 12; 7. Fig. 19.)

6) Für eine projicirende Gerade ist $R\mathfrak{C} = 0$ also $k^2 = 0$ und $A'B'$ stets gleich Null, d. h. das Bild der Geraden ist ein Punkt.

16. Gehen wir zur Betrachtung von zwei Paaren von Punkten A, B und C, D der Geraden g und ihrer Bilder A', B' und C', D' in g' über, so ergeben sich die Relationen der Abstände der Punkte des ersten Paares von denen des zweiten (Fig. 25)

$$A'C' = k^2 \cdot \frac{AC}{AR.CR}, \quad A'D' = k^2 \cdot \frac{AD}{AR.DR};$$

$$B'C' = k^2 \cdot \frac{BC}{BR.CR}, \quad B'D' = k^2 \cdot \frac{BD}{BR.DR};$$

daraus folgen für die einfachen Theilungsverhältnisse (§ 7.), nach denen die Strecke $A'B'$ durch die Punkte C', respective D' getheilt ist und ihre entsprechenden im Original die Relationen

$$\frac{A'C'}{B'C'} = \frac{AC}{BC} : \frac{AR}{BR}, \quad \frac{A'D'}{B'D'} = \frac{AD}{BD} : \frac{AR}{BR},$$

d. h. alle Theilungsverhältnisse derselben Strecke werden nach gleichem Verhältniss geändert; und es ergiebt sich somit das Verhältniss dieser Theilverhältnisse oder das Doppelverhältniss der Punkte $ABCD$

$$\frac{A'C'}{B'C'} : \frac{A'D'}{B'D'} = \frac{AC}{BC} : \frac{AD}{BD},$$

d. h. das Doppelverhältniss von vier Punkten einer Geraden wird durch Centralprojection nicht geändert — ist im Bilde dasselbe wie im Original; in projectivischen Geraden haben die gleichgebildeten Doppelverhältnisse von Gruppen entsprechender Punkte einerlei Werth.

Fig. 25.

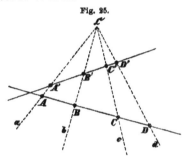

Wir schreiben für die vorige Gleichung abkürzend
$$(A'B'C'D') = (ABCD)$$
und haben damit das Bildungsgesetz für das Doppelverhältniss der Gruppe A, B, C, D. Weil $(A'B'C'\infty) = A'C' : B'C'$ ist, so sind die Relationen in Zeile 1 v. o. äquivalent den Specialfällen des Vorigen
$$(A'B'C'\infty) = (ABCR), \quad (A'B'D'\infty) = (ABDR).$$
Diese liefern also durch Division $(A'B'C'D') = (ABCD)$.

Ist $\mathfrak{C}$ das Centrum und bezeichnen wir die projicierenden Strahlen AA', BB', CC', DD' respective durch a, b, c, d und durch (a, b) den von zweien a, b unter ihnen gebildeten Winkel, so hat man folgende Relationen:

$$(ABCD) = \frac{AC}{BC} : \frac{AD}{BD} = \frac{\varDelta A\mathfrak{C}C}{\varDelta B\mathfrak{C}C} : \frac{\varDelta A\mathfrak{C}D}{\varDelta B\mathfrak{C}D} = \frac{\sin(a, c)}{\sin(b, c)} : \frac{\sin(a, d)}{\sin(b, d)} = (abcd)$$

mit Anwendung der analogen Abkürzung auf den analogen Ausdruck; d. h. das Doppelverhältniss von vier Punkten in gerader Linie stimmt mit dem gleichgebildeten Doppelverhältniss der entsprechenden Strahlen eines darüber stehenden Strahlenbüschels überein. Diese Unveränderlichkeit der Doppelverhältnisse ist das Wichtigste, was den projectivischen Eigenschaften des § 14 hinzufügen war; ihre Tragweite erweist sich sogleich in der Grösse des Gebietes, das sie nach der vorigen Entwickelung beherrschen, in der Art wie sie es thun, und in der fast unmittelbaren Evidenz der bezüglichen Sätze. Die Gleichheit der Doppelverhältnisse entsprechender Gruppen von Punkten in perspectivischen Geraden geht daraus wieder hervor.

Aber ferner die Sätze: Alle vierpunktigen Reihen, die aus demselben Strahlenbüschel durch verschiedene Transversalen geschnitten werden oder perspectivisch sind, haben gleiches Doppelverhältniss. Alle vierstrahligen Büschel, die über derselben Reihe von vier Punkten an verschiedenen Scheitelpunkten erzeugt werden oder perspectivisch sind, haben gleiches Doppelverhältniss. Also auch: Ein Strahlenbüschel in der Originalebene und sein Bild haben gleiches Doppelverhältniss — und alle die Punktreihen und Strahlenbüschel, welche durch beliebige Gerade und Ebenen aus einem Büschel von (projicierenden) Ebenen geschnitten werden (vergl. § 6) haben gleiches Doppelverhältniss; es ist dem entsprechenden Doppelverhältniss dieses Ebenenbüschels, d. h. dem aus den sinus seiner entsprechenden Flächenwinkel gebildeten, selbst gleich. Denn (Fig. 26) für T als einen beliebigen Punkt der Scheitelkante t des Ebenenbüschels $\mathbf{A}$, $\mathbf{B}$, $\mathbf{C}$, $\mathbf{D}$ und g als eine beliebige Transversale desselben mit den Schnittpunkten A, B, C, D in den vier Ebenen ist das Strahlenbüschel T. $ABCD$ oder $abcd$ der Querschnitt mit einer beliebigen Ebene des Raumes. Führt man nun durch einen beliebigen Punkt T_n der Scheitelkante den Normalschnitt a_n, b_n, c_n, d_n des Ebenenbüschels und ist g_n die Schnittlinie der Ebene desselben mit der Ebene Tg, so sind die Schnittpunkte A_n, B_n, C_n, D_n derselben mit den vier Ebenen des Büschels zugleich ihre Schnittpunkte mit den gleichnamigen Strahlen des Büschels in Tg. Man hat also

$$(\mathbf{ABCD}) = (a_n b_n c_n d_n) = (A_n B_n C_n D_n) = (abcd) = (ABCD).$$

Die Ebenenbüschel, welche vier Punkte einer Geraden mit beliebigen sie nicht schneidenden Geraden im Raume bestimmen, haben dasselbe Doppelverhältniss, wie diese vier Punkte. Alle diese Sätze lassen sich, wenn man dem Schnitt mit Ebenen und Geraden den Schein aus Punkten und Geraden gegenüberstellt, in der Aussage zusammenfassen: Doppelverhältnisse werden durch Schnitt- und Schein-Bildung nicht geändert. Und wir bemerken, dass die drei Elementargebilde: Die Punkte in einer Geraden, die Ebenen durch eine Gerade und die Geraden durch einen Punkt in einer Ebene durch Schnitt- und Schein-Bildungen nur in einander übergeführt werden, in Bezug auf Projectionsprocesse eine in sich abgeschlossene Gruppe bilden.

1) Den ersten Formeln des Textes analog hat man

$$AC = k^2 \cdot \frac{A'C'}{Q'A' \cdot Q'C'}, \text{ etc.;}$$

daraus sodann entsprechend den zweiten

$$\frac{AC}{BC} = (ABC\infty) = (A'B'C'Q'), \quad \frac{AD}{BD} = (ABD\infty) = (A'B'D'Q')$$

und durch Division von beiden Formeln

$$(ABCD) = (A'B'C'Q') : (A'B'D'Q') = (A'B'C'D').$$

2) Nach der zweiten Formelgruppe des Textes kann niemals $\frac{A'C'}{B'C'} = \frac{AC}{BC}$ werden; aber immer $\frac{A'C'}{B'C'} = -\frac{AC}{BC}$, nämlich für $AR = -BR$. Aus $(ABC\infty) = (A'B'C'Q')$ folgt als äquivalente Bedingung auch $Q'A' = -Q'B'$.

3) Wenn der Punkt C der Originalgeraden die Mitte zwischen den Punkten A und B derselben ist, so dass $AC = -BC$, so liefern die Relationen

$$A'C' = k^2 \frac{AC}{AR \cdot CR}, \quad B'C' = k^2 \frac{BC}{BR \cdot CR}$$

$$A'C' : B'C' = \frac{k^2}{AR} : -\frac{k^2}{BR} = Q'A' : -Q'B'$$

oder

$$\frac{A'C'}{B'C'} : \frac{A'Q'}{B'Q'} = -1.$$

Ist im Original C die Mitte zwischen A und B, so haben die Paare A', B' und C', Q' im Bilde das Doppelverhältniss -1, oder wie man sagt C' und Q' sind conjugiert harmonisch zu A', B'. Da im Original die Strecke AB durch den Mittelpunkt C und den unendlich fernen Punkt Q in den Verhältnissen -1 und $+1$ getheilt. wird, so ist das Doppelverhältniss der Gruppen AB, CQ gleichfalls — 1 und das gewonnene Ergebniss ein Specialfall des Hauptsatzes im Texte. (Vergl. Fig. 28.)

Ebenso die Halbierung der Bildstrecke SQ' durch das Bild M' von M für S als die Mitte zwischen R und M. **Harmonische Theilung wird durch Projection nicht gestört.**

Man erhält hiernach z. B. das Bild vom Schwerpunkt S eines Dreiecks ABC aus seinem Bilde und der Fluchtlinie q' seiner Ebene; man bestimmt zu den Fluchtpunkten von zwei Seiten $B'C'$ und $C'A'$ die vierten harmonischen in denselben und erhält S' als Schnittpunkt ihrer Ecktransversalen. Der Umstand, dass die Spur der Ebene nicht gebraucht wird, sagt aus, dass die Schwerpunkte aller parallelen Schnitte derselben dreiseitigen Pyramide in einer Geraden durch ihre Spitze liegen. (Vergleiche 13.)

Fig. 26.

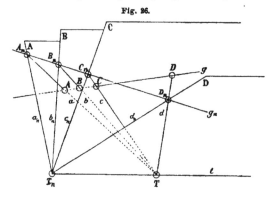

4) Alle Strahlenbüschel über einer Gruppe harmonischer Punkte sind harmonische Büschel; ebenso alle Ebenenbüschel, welche durch dieselbe gehen.

5) Man ziehe durch einen Punkt P in der Ebene des Dreiecks ABC die Geraden $PA_1B_1C_1$, $PB_2C_2A_2$, $PC_3A_3B_3$, in denen P mit den Schnittpunkten in den Dreiecksseiten harmonische Gruppen bildet. (Ausführung nach 13 unten.)

6) Man hat für den Zusammenhang zwischen Bild und Original einer geraden Linie speciell
$$(AB\infty R) = (A'B'Q'\infty')$$
$$BR : AR = A'Q' : B'Q' \quad \text{oder} \quad AR \cdot A'Q' = BR \cdot B'Q',$$
das erste Gesetz des § 15.; ferner
$$(SQ'A'R') = (SQAR) \quad \text{oder} \quad (SQ'A'\infty') = (S\infty AR)$$
d. h.
$$\frac{SA'}{Q'A'} : \frac{S\infty'}{Q'\infty'} = \frac{SA}{\infty A} : \frac{SR}{\infty R} \quad \text{oder} \quad \frac{SA'}{Q'A'} = \frac{SA}{SR} = \frac{y}{d},$$

das Grundgesetz für die Auftragung von Punkten einer Geraden aus ihren Tafelabständen in § 7.

7) Jedes Doppelverhältniss·kann wie oben im Text

$$(ABCR) = (A'B'C'\infty) \quad \text{und ebenso} \quad (A'B'C'Q') = (ABC\infty)$$

auf ein einfaches Verhältniss reduciert, und damit zu drei Elementen einer Reihe oder eines Büschels ein viertes zu gegebenem Doppelverhältniss construiert werden. Sind A, B, C, D Punkte einer Reihe, so bilde man über ihnen ein Strahlenbüschel a, b, c, d aus einem Punkte T und schneide dasselbe durch eine Transversale aus A parallel dem Strahl d in den Punkten B', C', ∞'; dann ist $(ABCD) = (AB'C'\infty')$ d. i. $AC' : B'C'$; man construiert ebenso bequem aus

$$(AB\infty'D') = B'D' : AD';$$

aus $(A\infty C'D') = AC' : AD'$ und aus $(\infty BC'D') = BD' : BC'$.

Soll also z. B. in Fig. 27 D so bestimmt werden, dass

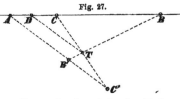

Fig. 27.

$(ABCD) = 5 : 2$ sei, so trage man auf eine durch A gezogene Gerade $AC' = 5$, $B'C' = 2$ für beliebige Einheit auf; dann liefern die Geraden BB', CC' als ihren Schnittpunkt den Scheitel T des Büschels und der zu $AB'C'$ parallele Strahl aus diesem bestimmt in der Reihe ABC den Punkt D.

8) Man verfolge die Bewegung des Punktes D durch die Reihe, unter der Annahme, dass das Doppelverhältniss die Reihe der positiven und negativen Zahlen durchläuft.

Man construiere insbesondere den vierten harmonischen Punkt D zu der Gruppe ABC, z. B. die Centralprojection des Mittelpunktes C' der in $A'B'$ projicierten Strecke der Geraden SQ'. (Vergl. unter 13 die Construction mit Hilfe des Lineals allein.)

9) Da sich die vier Elemente A, B, C, D in 24 verschiedene Gruppen ordnen lassen, so entspringt die Frage nach der Beziehung des Doppelverhältnisses einer Gruppe $(ABCD)$ zu denen der 23 übrigen Gruppen. Sie wird durch das Folgende erledigt. Man erkennt durch Bildung der Doppelverhältnisse unmittelbar die Richtigkeit der folgenden Tafel:

$$(ABCD) = (BADC) = (CDAB) = (DCBA) = d_1,$$
$$(BACD) = (ABDC) = (CDBA) = (DCAB) = d_1^{-1};$$
$$(BCAD) = (CBDA) = (ADBC) = (DACB) = d_2,$$
$$(CBAD) = (BCDA) = (ADCB) = (DABC) = d_2^{-1};$$
$$(CABD) = (ACDB) = (BDCA) = (DBAC) = d_3,$$
$$(ACBD) = (CADB) = (BDAC) = (DBCA) = d_3^{-1}.$$

Ferner die Relation $d_1 d_2 d_3 = -1$.

Betrachtet man aber $(ABCD)$ und $(ACBD)$, so zeigt die Methode von 7) oder die Auswerthung durch Projection von D in's Unendliche, ihre Werthe gleich $A'C' : B'C'$ und $A'B' : C'B'$ oder $B'A' : B'C'$, d. h. ihre Summe ist gleich Eins. Man hat also $d_1 + d_3^{-1} = 1$ und ebenso $d_2 + d_1^{-1} = 1$, $d_3 + d_2^{-1} = 1$.

10) Für d_1 gleich $-1, 0, +1, \infty$ erhält man d_2 und d_3 respective gleich

$$2, \quad \infty, \quad 0, \quad 1;$$
$$\tfrac{1}{2}, \quad 1, \quad \infty, \quad 0.$$

Also ist für die harmonische Gruppe $(CABD) = \dfrac{CB}{AB} : \dfrac{CD}{AD} = \tfrac{1}{2}$ oder

$$\frac{AD}{CD} = \tfrac{1}{2}\,\frac{AB}{CB} \quad \text{und somit} \quad \frac{AC + CD}{CD} = \tfrac{1}{2}\,\frac{AC + CB}{CB} \quad \text{und durch}$$

Division mit AC

$$\frac{1}{CD} + \frac{1}{AC} = \tfrac{1}{2}\left(\frac{1}{CB} + \frac{1}{AC}\right) \quad \text{oder} \quad \frac{1}{CD} = \tfrac{1}{2}\left(\frac{1}{CB} + \frac{1}{CA}\right).$$

Völlig analog entwickelt man

$$(cabd) = \frac{\sin cb}{\sin ab} : \frac{\sin cd}{\sin ad} = \tfrac{1}{2} \quad \text{oder} \quad \frac{\sin ad}{\sin cd} = \tfrac{1}{2}\frac{\sin ab}{\sin cb},$$

d. h.

$$\frac{\sin(ac + cd)}{\sin cd} = \tfrac{1}{2}\,\frac{\sin(ac + cb)}{\sin cb}$$

und also

$$\frac{1}{\tan cd} + \frac{1}{\tan ac} = \tfrac{1}{2}\left(\frac{1}{\tan cb} + \frac{1}{\tan ac}\right)$$

oder

$$\frac{1}{\tan cd} = \tfrac{1}{2}\left(\frac{1}{\tan cb} + \frac{1}{\tan ca}\right),$$

was für unendlich fernen Scheitel des Büschels in die Relation der harmonischen Reihe übergeht.

11) Ist M die Mitte von AB, so folgt dagegen für die harmonische Punktgruppe aus $(ABCD) = -1$ oder

$$AC : BC = -AD : BD$$
$$(AM + MC)(BM + MD) = (DM + MA)(BM + MC)$$

wegen $AM = -BM$ auch $\overline{MA}^2 = \overline{MB}^2 = MC \cdot MD$.

12) Für $d_1 = d_2 = d$ folgt auch $d_3 = d$ und $d^2 - d - 1 = 0$ also

$$d = \tfrac{1}{2} \pm \sqrt{-\tfrac{3}{4}} = \tfrac{1}{2}(1 \pm i\sqrt{3}).$$

13) Da nach den §§ 14. und 15. in der Umlegung einer ebenen Figur alle geraden Reihen derselben mit ihren Bildern für dasselbe Centrum $\mathfrak{C}$ perspectivisch sind, so sind ihre entsprechenden Doppelverhältnisse einander gleich. Man zeigt überdiess leicht, dass zu jedem Viereck $A'B'C'D'$, das als Bild gegeben ist, eine Gegen-

axe q' — nämlich die Verbindungslinie $E'F'$ der Schnittpunkte
von $A'B'$ mit $C'D'$ und von $B'C'$ mit $A'D'$ — und zwei Lagen
des Collineationscentrums $\mathfrak{C}$, $\mathfrak{C}^*$ gefunden werden können, für welche
die entsprechenden Umlegungen Quadrate werden, deren Grösse von
der Lage der Collineationsaxe s abhängt. Die Centra $\mathfrak{C}$, $\mathfrak{C}^*$ sind die
Schnittpunkte der über den Abschnitten $E'F'$ und $G_1'G_1'$ der Gegen-
punkte von $A'B'$ und $B'C'$ resp. von $A'C'$ und $B'D'$ als Durchmessern
beschriebenen Kreise, weil im Quadrat sowohl die Nachbarseiten AB,
BC, als auch die Diagonalen AC, BD auf einander rechtwinklig sind.
Weil also eine solche centrische Collineation immer existiert, so ergeben sich aus den Eigenschaften des Quadrats $ABCD$ allgemeine
projectivische, d. h. durch Projection nicht zerstörbare, **Eigenschaften der Vierecke.** Sind die Schnittpunkte der Linienpaare

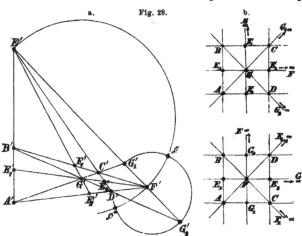

a.   Fig. 28.   b.

$A'B'$, $C'D'$; $B'C'$, $A'D'$; $C'A'$, $B'D'$ respective E', F', G' (Fig. 28 a.),
so liegen von den entsprechenden Punkten E, F, G zwei in unendlicher Ferne, z. B. E, F und der dritte ist der Mittelpunkt des
Quadrats G. (Fig. 28 b.) Durch die erlaubte Veränderung der Ordnung der Buchstaben A, B, C, D kann jeder der drei zum Mittelpunkt
gemacht werden. Im gedachten Falle entsprechen den Geraden
$E'F'$, $F'G'$, $G'E'$ der Reihe nach die unendlich ferne Gerade q
und die Parallelen aus dem Mittelpunkt zu den Seiten des Quadrats.
Die entsprechenden Reihen und Büschel der beiden Figuren sind
projectivisch; nennt man also noch die Punkte $A'C'$, $E'F'$; $B'D'$,
$E'F'$ respective G_1', G_2' (Fig. 28 a.) und ihre entsprechenden im
Unendlichen G_1, G_2 (Fig. 28 b.), so erhält man die Relationen

$$(A'C'G'G_1') = (ACGG_1) = -1,$$
$$(B'D'G'G_2') = (BDGG_2) = -1,$$

weil G die Mitte zwischen A und C, respective B und D ist und G_1, G_2 unendlich fern sind; analog folgt für die Büschel

$$(G' \cdot A'B'E'F') = (G \cdot ABEF) = -1,$$

weil die Seitenrichtungen des Quadrats die Winkel seiner Diagonalen halbieren. Man giebt diesen allgemeinen Eigenschaften aller Vierecke, denen analoge aller Vierseite beizugesellen· sind, zweckmässigen Ausdruck durch die folgende Terminologie:

Vier Punkte A, B, C, D bestimmen ein **vollständiges Viereck** mit drei Paaren von **Gegenseiten** AB, CD; BC, DA; CA, BD, deren Schnittpunkte E, F, G **Diagonalpunkte** desselben und durch die **Diagonalen** EF, FG, GE verbunden heissen sollen.	Vier Gerade a, b, c, d bestimmen ein **vollständiges Vierseit** mit drei Paaren von **Gegenecken** ab, cd; bc, da; ca, bd, deren Verbindungslinien e, f, g **Diagonalen** desselben und sich in den **Diagonalpunkten** ef, fg, ge schneidend heissen sollen.
In jedem Diagonalpunkte bilden die Seiten und die Diagonalen, die durch ihn gehen, ein harmonisches Büschel.	**In jeder Diagonale bilden die Ecken und die Diagonalpunkte, die auf ihr liegen, eine harmonische Reihe.**

Mit Hilfe der vorigen Sätze construiert man zu jedem Punkte C in Bezug auf zwei Punkte A, B derselben Geraden den vierten harmonischen Punkt D und zu jedem Strahle c in Bezug auf zwei Strahlen a, b desselben Büschels den vierten harmonischen Strahl d. Man wählt im ersten Falle auf einer willkürlichen Geraden durch C zwei Punkte E, F, zieht EA und FB, die sich in G und ebenso EB und FA, die sich in H schneiden und erhält D auf GH.

Ebenso zieht man im zweiten Falle durch einen angenommenen Punkt auf c zwei Gerade e, f, bestimmt ea und fb, die auf g, und eb, fa, die auf h liegen und erhält d als durch gh gehend.

Die erste Construction ist aus der Fig. 27, p. 60 zu erhalten, wenn man noch die Gerade AT zieht, die BC' in D' schneidet; dann sind $B'D'D$ in einer geraden Linie.

Hier ist der Gebrauch des Zirkels vermieden, die Construction linear.

14) Welche Gestalt erhalten die Sätze von 13), wenn eine der Ecken D des Vierecks oder eine der Seiten d des Vierseits als unendlich fern gedacht wird?

15) Wenn in der allgemeinen Centralprojection des § 6 zwei gerade Linien g_1 und g_2 dasselbe Bild und vertauschte Bestimmungspunkte S, U haben — also S_1 in U_2' und S_2 in U_1' — so lehrt die im Beisp. zu § 6* gezeigte Umlegung mit der projicierenden Ebene, dass ihr Schnittpunkt in derjenigen Ebene des Büschels von der Scheitelkante u liegt, welche zur Ebene $C\mathfrak{u}$ harmonisch conjugiert ist in Bezug auf die Bildebene **S** und die feste Ebene **U**;

sein Bild ist der vierte harmonische Punkt zu S, U' und dem Schnittpunkt des Bildes der Geraden mit u. Dieselbe Ebene ist somit auch der Ort für die Durchschnittslinien aller der Ebenenpaare, für welche die bestimmenden Geraden s und u' verkehrt auf einander fallen, und die Bilder jener Durchschnittslinien sind harmonisch conjugiert zu u in Bezug auf s und u'. Für U als unendlich fern wird die bezeichnete feste Ebene zur zweiten Parallelebene; etc. Man erläutere die Specialisierung hiervon für die orthogonale Parallelprojection mit einem Bilde und zwei Fix-Ebenen S und U.

17. Sind in zwei Gruppen von gleichem Doppelverhältniss drei Paare entsprechender Elemente gegeben, z. B. in zwei Reihen von Punkten die Paare A, A'; B, B'; C, C', so bestimmt das Gesetz der Doppelverhältnissgleichheit $(ABCX) = (A'B'C'X')$ zu jedem vierten Elemente X der einen Reihe das entsprechende Element X' der andern.

Lässt man X die ganze Gerade ABC durchlaufen, so durchläuft X' gleichzeitig die ganze Gerade $A'B'C'$ und man erhält zwei projectivische oder speciell perspectivische Reihen von unendlich vielen Punkten, sagen wir vollständige projectivische Reihen. Die entsprechenden Gruppen von vier Elementen derselben haben gleiches Doppelverhältniss.

Ihr Zusammenhang werde durch die Formel ausgedrückt

$$(ABCDE\ldots) = (A'B'C'D'E'\ldots).$$

Das Analoge gilt für zwei Strahlenbüschel und für ein Strahlenbüschel und eine Punktreihe, etc., nach den Relationen

$$(abcde\ldots) = (a'b'c'd'e'\ldots), \quad (ABCDE\ldots) = (a'b'c'd'e'\ldots).$$

Wenn zwei projectivische Reihen oder Büschel drei Elemente entsprechend gemein haben, so sind sie identisch. Also auch: Wenn von einer Reihe und einem dazu projectivischen Büschel von Strahlen oder Ebenen — überhaupt von zwei projectivischen und ungleichartigen der Gruppe von Gebilden: Punktreihe, Strahlenbüschel, Ebenenbüschel — drei Elemente des einen in den entsprechenden Elementen des andern liegen, so liegen alle Elemente des einen in den entsprechenden des andern. Und wenn zwei projectivische Reihen den gemeinsamen Punkt, resp. zwei projectivische Büschel in derselben Ebene den gemeinsamen Strahl entsprechend haben, so liegen sie perspectivisch, d. h. sie sind Schnitte eines Strahlbüschels oder die Verbindungsgeraden aller entsprechenden Punktepaare gehen durch ein Centrum; respective sie sind Scheine oder projicierende Büschel derselben Reihe oder die Schnittpunkte ihrer entsprechenden Strahlenpaare liegen in einer Geraden oder Perspectivaxe. In dieser perspectivischen Lage erkennt man, dass zwischen projectivischen Reihen und Büscheln Uebereinstimmung des Bewegungssinnes besteht, d. h. dass die entsprechenden zu vier Elementen des einen, die in einem bestimmten Bewegungssinne auf einander folgen, wiederum in einem bestimmten Bewegungssinne im andern sich folgen. Es ist klar, dass drei Elemente desselben Gebildes durch ihre Aufeinanderfolge einen Bewegungssinn in demselben festsetzen und somit auch die drei entsprechenden im andern den entsprechenden Bewegungssinn; alle übrigen Paare entsprechender Elemente beider Gebilde müssen sich in die so bestimmte Folgeordnung entsprechend einfügen.

Mit Hilfe dieser Characteristik der perspectivischen Lage gleichartiger projectivischer Gebilde, nach welcher die beiden Reihen oder Büschel das gemeinsame Element — bei Ebenenbüscheln ist daher Vorbedingung, dass sie eine gemeinsame Ebene enthalten — entsprechend gemein haben, lassen sich vollständige projectivische Reihen und Büschel einer Ebene in allgemeiner Lage aus drei Paaren entsprechender Elemente linear construiren.

Sind A, B, C in der Geraden t und A', B', C' in t' (Fig. 29) die drei entsprechenden Paare von Punkten, so sollen zu den Punkten D, E, ... die entsprechenden D', E', ... nach dem Gesetze der Projectivität gefunden werden. Denken wir aus einem Paar entsprechender Punkte wie A, A' oder B, B', etc., die Strahlenbüschel über der jedesmaligen andern Reihe gebildet, so hat man nach leichtverständlicher Bezeichnung

$$(A \cdot A'B'C'D' \ldots) = (A' \cdot ABCD \ldots),$$

und diese Büschel sind perspectivisch, weil in ihrem gemeinsamen Strahl AA' zwei entsprechende Strahlen derselben vereinigt sind; sie stehen also über derselben Reihe oder haben eine perspectivische Axe t'', den Ort der Schnittpunkte der Paare von Geraden AB', $A'B$; AC', $A'C$; AD', $A'D$; etc. Dieselbe ist somit aus den Punktepaaren AA', BB', CC' bestimmt und dient ihrerseits zur Bestimmung aller übrigen Paare entsprechender Punkte DD', EE', etc.: Man zieht (Fig. 29) $A'E$,

verbindet den Schnittpunkt mit t'' mit A und erhält in t' den
Punkt E'. Im Schnittpunkt der Geraden t, t' sind zwei nicht
entsprechende Punkte O, P' vereinigt und die Construction
zeigt, dass ihre entsprechenden O' und P in t und t' die Punkte
sind, welche diese mit der perspectivischen Axe t'' gemein
haben. Daraus folgt, dass die perspectivische Axe t'' von der
Wahl der Scheitel (A, A') der Büschel unter den Paaren der
Punkte unabhängig ist, dass also die Geraden BC' und $B'C$
sich gleichfalls in ihr schneiden; man erhält also drei Punkte
der perspectivischen Axe aus den gegebenen Elementen.

Wenn man in der Verbindungslinie zweier entsprechender
Punkte z. B. in AA' ein Paar Punkte T, T' willkürlich
wählt, um aus ihnen über den Reihen in t, t' respective
Büschel zu bilden, so sind dieselben auch perspectivisch und
ihre perspectivische Axe t'' erlaubt dieselbe Benutzung wie
vorher. Sie ist aber nur durch zwei Punkte bestimmt und
liefert nicht mehr unmittelbar durch ihren Schnitt mit t, t' die
Punkte O', P; doch erhält man dieselben leicht nach dem nämlichen Verfahren.

1) Man erhält die Gegenpunkte R, Q' der beiden projectivischen Reihen durch die Constructionen des Textes als die entsprechenden der unendlich fernen Punkte R', Q derselben; man zeige,
dass im Falle der ersten Construction die Gerade RQ' zu t'' parallel ist. In Fig. 29 ist D' aus D mittelst Q' bestimmt.

2) Die Schnittpunkte der Verbindungsstrahlen der Gegenpunkte
mit ihren entsprechenden d. h. von QQ' und RR' mit irgend einem
Verbindungsstrahl BB' entsprechender Punkte sind Scheitel gleicher und paralleler Büschel über den projectivischen
Reihen — weil diese Büschel den Scheitelstrahl als sich selbst
entsprechend haben und somit perspectivisch, aber (wegen zwei
Paaren entsprechender und paralleler Strahlen) mit der unendlich
fernen Geraden als Axe. Die von den Reihen dieser Scheitel B_1',
B_1 (Fig. 29) in QQ' und RR' gebildeten Reihen sind projectivisch.

Wenn die gegebenen Reihen perspectivisch sind, so markiert
jede durch ihren Schnittpunkt S gezogene Gerade in QQ' und RR'
d. i. in $Q'\mathfrak{S}$ und $R\mathfrak{S}$ zwei solche Scheitel paralleler Büschel über
denselben.

3) Mit Hilfe der Gegenpunkte bestimmt man die entsprechend
gleichen Strecken wie in § 15. und insbesondere die entsprechenden Nullstrecken. Die Beachtung des Sinnes $A'Q'R'$ und des
entsprechenden Sinnes AQR beseitigt auch die scheinbare Unbestimmtheit der Construction.

4) Zwei projectivische Reihen t, t' sind vollkommen bestimmt durch die perspectivische Axe t'' oder $O'P$ und ein Paar AA' entsprechender Punkte oder den Gegenpunkt der einen von ihnen; oder auch durch die Gegenpunkte Q', R und ein Paar entsprechender Punkte.

5) Wenn die Gegenpunkte unendlich fern sind, d. i. wenn die unendlich fernen Punkte der Reihen sich entsprechen, so findet A e h n l i c h k e i t oder Proportionalität zwischen denselben statt, man hat $(ABX\infty) = (A'B'X'\infty')$ oder $AX : BX = A'X' : B'X'$. Die Construction zeigt dasselbe; das Verjüngungs- oder Aehnlichkeitsverhältniss ist $OP : O'P'$. Dies ist das Verhalten einer zur Tafel parallelen Geraden g zu ihrem centralprojectivischen Bilde g'

Fig. 29.

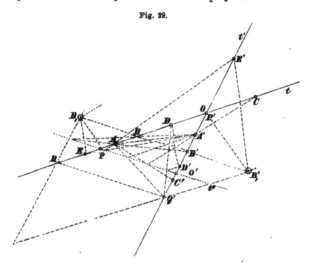

(§ 15., 3); das Aehnlichkeitsverhältniss ist $p : p'$, das Verhältniss der in derselben Geraden gemessenen Abstände des Centrums C von der Geraden und ihrem Bilde. Es ist auch das Verhalten jeder Geraden g zu ihrer Projection g' aus einem unendlich fernen Centrum; die Constante des Aehnlichkeitsverhältnisses ist von der Lage der Geraden gegen die Bildebene und die projicierenden Strahlen abhängig. (Vergl. § 21.) Aehnliche Reihen sind durch z w e i Paare entsprechender Punkte bestimmt; man construiere sie daraus.

6) Wenn die perspectivische Axe t'' einer der Halbierungslinien des Winkels (t, t') parallel geht, so sind die projectivisch ähnlichen Reihen insbesondere projectivisch gleich; $OP : O'P' = \pm 1$. (Vergl. § 21.)

7) Verschiebt man die Reihe t um die Strecke PP' und im

Sinne derselben in sich selbst, oder die Reihe t' um die Strecke $O'O$ und im Sinne derselben, so werden beide Reihen perspectivisch.

8) Man bestimme die Distanz, den Durchstosspunkt S und Fluchtpunkt Q' einer Geraden, wenn für drei Punkte derselben die Bilder A', B', C' und die Tafelabstände y_1, y_2, y_3 gegeben sind. (Fig. 30 a, b.)

Ist C das Centrum der Projection (Fig. 30 a), g die Gerade mit den Punkten A, B, C, D; S ihr Durchstoss-, R ihr Verschwindungspunkt, also Q' ihr Fluchtpunkt, g' ihr Bild, mit den Bildern A', B', C', D' der besagten Punkte; ist C_1 der Hauptpunkt und somit g'', die durch S zu $C_1 Q'$ gezogene Parallele, der Ort der Fusspunkte A'', B'', C'', D'' der Tafelnormalen von A, B, C, D,

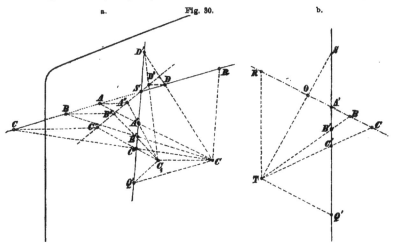

a.   Fig. 30.   b.

so hat man $(ABCD) = (A'B'C'D') = (A''B''C''D'')$, d. h. für y als die Tafelordinate von D

$$\frac{AC}{BC} : \frac{AD}{BD} = \frac{y_1 - y_3}{y_2 - y_3} : \frac{y_1 - y}{y_2 - y}.$$

Legt man (Fig. 30 b.) also durch A' eine Gerade, in der man die y von einem Anfangspunkte O aus mit Rücksicht auf ihren Sinn so abträgt, dass y_1 in A' endigt, so liefern die Ordinaten y_2, y_3 Punkte B, C, die mit B', C' verbunden Strahlen eines Büschels vom Scheitel T liefern, welches die vorige Beziehung abbildet. Die Verbindung von T mit einem beliebigen Punkte D' der Geraden $A'B'C'$ schneidet in $A'BC$ eine Länge OD ab, welche der Ordinate von D (dem Original von D') gleich ist; denn es ist

$$(A'B'C'D') = (A'BCD) = \frac{A'C}{BC} : \frac{A'D}{BD} = \frac{y_1 - y_3}{y_2 - y_3} : \frac{y_1 - y}{y_2 - y}.$$

Der Strahl von T nach dem Anfangspunkte O giebt den Punkt des Bildes S, welchem die Tafelordinate Null entspricht; der zu $A'BC$ parallele Strahl aus T giebt in $A'B'$ den Punkt Q', der der unendlich grossen Ordinate entspricht; der Strahl TR parallel $A'B'$ giebt in dem Abstande OR die Ordinate des Verschwindungspunktes R, d. h. die Distanz d. Man erhält dieselbe auch durch den Strahl TM' nach dem Mittelpunkt M' der Strecke SQ', da dieser die Ordinate von M giebt. (§ 3 f.)

Wenn weitere Data fehlen, so kann der Hauptpunkt C_1 jetzt willkürlich festgesetzt werden, so dass den gegebenen Bestimmungen ein vollständiges Strahlenbüschel vom Scheitel S entspricht. (§ 3; 2.)

9) Es ist ein Specialfall dieser Bestimmung, wenn die Gerade durch ihren Durchstoss- und Fluchtpunkt bei gegebener Distanz bestimmt wird; es sind die Bilder der Punkte von den Tafelordinaten Null, Unendlich und d gegeben. Wie modificiert sich die Construction von Aufg. 8., wenn der Durchstosspunkt S oder der Fluchtpunkt Q' der Geraden bekannt ist; oder der Punkt M'?

10) Alle ebenen Schnitte desselben Ebenenbüschels sind perspectivische Strahlenbüschel, insbesondere gleiche, wenn die Ebenen parallel sind oder wenn eine Halbierungsebene ihres Flächenwinkels zur Scheitelkante des Ebenenbüschels normal ist. Die Reihen, welche dasselbe Ebenenbüschel aus zwei Geraden schneidet, sind projectivisch, insbesondere ähnlich, wenn die Geraden zu derselben Ebene des Büschels parallel sind; wenn sie sich schneiden, perspectivisch für den Schnittpunkt ihrer Ebene mit der Scheitelkante als Centrum. (Vergl. § 16, Schluss und Fig. 26.)

Strahlenbüschel sind also perspectivisch als Scheine derselben Reihe, d. h. wenn sie für dieselbe projicierend sind, und als Schnitte desselben Ebenenbüschels; Reihen sind perspectivisch als Schnitte desselben Strahlenbüschels, oder desselben Ebenenbüschels, falls ihre Geraden sich schneiden; Ebenenbüschel sind perspectivisch als projicierende oder als Scheine desselben Strahlenbüschels und als Scheine derselben Reihe aus sich schneidenden Geraden.

18. In zwei projectivischen Strahlenbüscheln von den Scheitelpunkten T, T' construiert man aus drei Paaren entsprechender Strahlen a, a'; b, b'; c, c' die ferneren entsprechenden Strahlenpaare d, d' etc., indem man die Reihen betrachtet, welche zwei entsprechende Strahlen z. B. a, a' mit dem jedesmaligen andern Büschel bestimmen; man hat in leicht ververständlicher Bezeichnung

$$(a \cdot a'b'c' \ldots) = (a' \cdot abc \ldots)$$

und da diese Reihen, weil sie in aa' einen Punkt entsprechend gemein haben, perspectivisch sind, so erzeugen sie durch die Verbindungslinie der Paare ihrer entsprechenden Punkte ein

Strahlenbüschel d. h. sie haben ein perspectivisches Centrum
T''. Dasselbe ist zunächst nach der getroffenen Wahl der
Reihen durch die Geraden ab', $a'b$; ac', $a'c$ aus den gegebenen
Elementen bestimmt und dient zur Construction aller übrigen
Paare entsprechender Strahlen (Fig. 31); es liefert zu d den
entsprechenden d', weil $a'd$, ad' eine durch T'' gehende Gerade sein muss. Im Verbindungsstrahl der Scheitel TT' sind
zwei einander nicht entsprechende Strahlen o, p' der beiden
Büschel vereinigt; die Construction zeigt, dass die ihnen entsprechenden Strahlen o', p die Geraden $T'T''$, TT'' sind. Es
folgt daraus, dass die Lage des perspectivischen Centrums T''

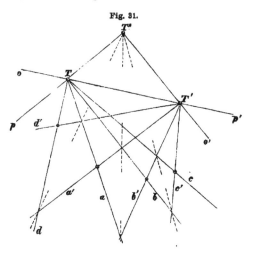

Fig. 31.

von der zufälligen Wahl des Paares entsprechender Strahlen
a, a' für die Reihenbildung unabhängig ist, dass also auch die
dritte durch die Data bestimmte Gerade bc', $b'c$ durch dasselbe
gehen muss. Man erhält dasselbe also als Schnittpunkt von
drei Geraden.

Die Construction projectivischer Ebenenbüschel kann nach
§ 16 Fig. 26 darauf oder auf die projectivischer Reihen zurückgeführt werden.

Wir geben unter den Beispielen die Entwickelung der
Lehre von den entsprechend gleichen Winkeln und bemerken,
dass dieselbe auf die projectivischen Ebenenbüschel ohne wesent-

liche Aenderung übergeht. (5 bis 10, abgesehen von dem Gebrauch der Kreisbüschel bei 9.)

1) Wenn man durch den Schnittpunkt von zwei entsprechenden Strahlen z. B. aa' ein Paar Strahlen t, t' legt, um in ihnen die Reihen der Schnittpunkte mit den gegebenen Büscheln T, T' zu bilden, so sind diese auch perspectivisch und ihr perspectivisches Centrum T'' gestattet die Construction aller übrigen entsprechenden Strahlenpaare der Büschel T, T'. Nur liefert es nicht direct o' und p. (Vergl. § 17., Schluss.) Wie erhält man diese und damit das perspectivische Centrum der Textconstruction?

2) Zwei projectivische Strahlenbüschel von den Scheiteln T, T' sind vollkommen bestimmt durch das perspectivische Centrum im Sinne des Textes und ein Paar entsprechender Strahlen.

3) Wenn die Transversalen t, t' aus dem Schnittpunkt des Paares aa' in 1) zu einem Paar entsprechender Strahlen b, b' parallel gelegt werden, so rückt das perspectivische Centrum T'' der in ihnen entstehenden Reihen in die unendlich ferne Gerade (als Strahl tb, $t'b'$) oder wird zur Richtung von tc, $t'c'$.

Denkt man t festgehalten und t' um aa' gedreht, so rückt das Centrum T'' auf einem Strahle des Büschels T' fort und gelangt auf ihm nach dem Vorigen auch in das Unendliche; den einzelnen Lagen von t entsprechen so die Strahlen aus T' und ebenso analog bei festem t' und drehendem t.

Soll das Centrum T'' in einem beliebigen Punkte der Ebene liegen, so hat man ein Viereck zu zeichnen, dessen Ecken in b, b', c, c' liegen, während T'' und aa' zwei seiner Diagonalpunkte sind; man erhält zwei Lösungen für das Problem. (Vergl. § 21, 7.)

4) Dreht man das Büschel T' um den Winkel (o', o) und im Sinne desselben um seinen Scheitel, so wird es mit dem Büschel T perspectivisch; ebenso T mit T' durch die Drehung (p, p'). Dann wird TT' durch T'' und die perspectivische Axe s harmonisch getheilt. Ebenso bei der perspectivischen Lage der Reihen (§ 17., 7) der Winkel tt' durch t'' und den nach dem Centrum gehenden Strahl.

5) In den projectivischen Strahlenbüscheln T, T' existieren wie in den projectivischen Reihen zwei Paare von Elementen, die das Doppelverhältniss auf ein einfaches Verhältniss reduciren (§ 16., 6, 7); es sind die entsprechenden **Paare der Rechtwinkelstrahlen**, Strahlenpaare qq', rr' (diese Bezeichnung wird kaum Zweideutigkeiten veranlassen) von der Eigenschaft, dass sowohl (q, r) als (q', r') ein rechter Winkel ist. Für sie hat man

$$(abqr) = (a'b'q'r')$$

oder

$$\frac{\sin(a, q)}{\sin(b, q)} : \frac{\sin(a, r)}{\sin(b, r)} = \frac{\sin(a', q')}{\sin(b', q')} : \frac{\sin(a', r')}{\sin(b', r')},$$

d. h. $\tan (a, q) : \tan (b, q) = \tan (a', q') : \tan (b', q')$ oder auch

$\quad\quad \tan (a', q') : \tan (a, q) = \tan (b', q') : \tan (b, q)$,   und

$\quad\quad \tan (a', q') . \tan (a, r) = \tan (b', q') . \tan (b, r)$.

6) Um die entsprechenden Rechtwinkelpaare $q r$, $q' r'$ von zwei projectivischen Strahlenbüscheln T, T' zu construieren, macht man dieselben durch Drehung des einen perspectivisch (4), bestimmt ihre perspectivische Axe und beschreibt den durch T, T' gehenden Kreis, der seinen Mittelpunkt in ihr hat (Fig. 32); derselbe schneidet die perspectivische Axe in den Fusspunkten der Strahlen q, q' und r, r' der entsprechenden Rechtwinkelpaare.

Fig. 32.

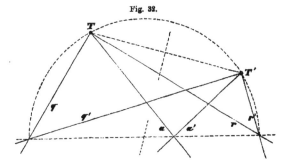

7) Schreibt man die Endgleichung von 5) in der Form

$$\tan b r : \tan a r = \tan a' q' : \tan b' q'$$

und bildet man

$$(\tan a r - \tan b r) : \tan a r = (\tan b' q' - \tan a' q') : \tan b' q';$$

so folgt nach der Formel

$$\tan \alpha - \tan \beta = \tan (\alpha - \beta) (1 + \tan \alpha \tan \beta)$$

$$\tan a b \cdot \frac{1 + \tan a r . \tan b r}{\tan a r} = \tan b' a' \frac{1 + \tan a' q' . \tan b' q'}{\tan b' q'};$$

also insbesondere für $\angle a b = \angle a' b'$ oder $\tan a b = \tan a' b'$

$$\tan b' q' + \tan a r . \tan b' q' . \tan b r = \tan a r + \tan a' q' . \tan a r . \tan b' q',$$

d. h. wegen

$$\tan b' q' . \tan b r = \tan a r . \tan a' q' = k^2$$

$\tan b' q' (1 - k^2) = \tan a r (1 - k^2)$, somit $\tan b' q' = \tan a r$

oder $\angle b' q' = \angle a r$ und daher auch

$$\angle b r = \angle a' q', \quad \angle b q = \angle a' r', \quad \angle b' r' = a q;$$

und dies sind die zu § 15. vollkommen analogen Constructionen für die gleichen entsprechenden Winkel zweier projectivischen Büschel. (Vergl. § 17., 3. und § 20.)

Wenn man den Winkel aq mit b' und $b^{*'}$ an r' und den Winkel $a'q'$ in b und b^* an r anträgt, so dass $\angle ab = \angle a'b'$ und $\angle ab^* = \angle a'b^{*'}$ ist, so wird das eine Paar dieser entsprechend gleichen Winkel nothwendig durch die Rechtwinkelstrahlen getrennt, das andere nicht.

8) Zur Bestimmung der entsprechend gleichen Winkel von vorgeschriebener Grösse in projectivischen Büscheln dient folgendes. Es ist

$$\tan ab = \tan (ar - br) = \frac{\tan ar - \tan br}{1 + \tan ar \tan br} = \frac{k^2 - \tan^2 a'q'}{\tan a'q'(1 + k^2)}$$

und daraus

$$\tan^2 a'q' + (1 + k^2) \tan a'q' . \tan ab = k^2$$

$$\tan a'q' = -\frac{1 + k^2}{2} \tan ab \pm \sqrt{\left(\frac{1 + k^2}{2}\right)^2 \tan^2 ab + k^2}.$$

Für $ab = 0^0$ ist insbesondere

$$\tan a'q' = \pm k.$$

Es ist klar, dass die entsprechend gleichen Winkel Null nur in dem System derjenigen (vergl. 7) vorkommen können, die durch die Rechtwinkelpaare nicht getrennt werden.

Wenn man in zwei projectivischen Ebenenbüscheln die entsprechenden Rechtwinkelpaare **Q**, **R** und **Q'**, **R'** kennt, so liefern dieselben Regeln die Construction der entsprechend gleichen Winkel in denselben; diese bilden zwei Systeme, in deren einem diese Winkel durch die Gegenebenen **Q**, **R** und **Q'**, **R'** getrennt werden oder sie einschliessen, während sie in dem andern ausgeschlossen werden; in dem letzten kommen zwei entsprechende Nullwinkel vor, welche sich bei der einen der durch verkehrte Deckung der Gegenebenenpaare erzielten Zusammenlegungen vereinigen. (Vergl. § 20.) Die practische Construction der entsprechenden Rechtwinkelpaare geschieht durch die der Normalschnitte der Büschel — auch in der allgemeinen Lage gleich einfach.

Ein beliebiger Kreis durch die Scheitel T, T' (Fig. 32) der projectivischen Strahlbüschel, der die Axe derselben schneidet, bestimmt in ihr die Fusspunkte zweier entsprechender Strahlenpaare von gleichen Winkeln; wenn T und T' auf einerlei Seite der perspectivischen Axe liegen, so sind zwei Kreise dieses Büschels (siehe § 9) berührend zu ihr und liefern die entsprechenden Nullwinkel — alle andern Paare sind in der That durch die Rechtwinkelpaare und durch einander ungetrennt. Man erhält auf demselben Wege das zweite System, indem man einen der Scheitel T durch den ihm orthogonal symmetrischen T^*, in Bezug auf die perspectivische Axe, ersetzt; da im Falle der Figur 32 die Punkte T^*, T' auf verschiedenen Seiten der perspectivischen Axe liegen, so giebt es keine berührenden Kreise und keine entsprechenden Nullwinkel in diesem System; seine Paare werden auch sämmtlich durch die Rechtwinkelpaare getrennt und trennen einander..

9) Man zeichne in zwei centrisch collinearen Ebenen die entsprechenden congruenten Dreiecke für gegebene Anfangsecke $B(B')$ und von ihr ausgehende Seitenlage $a(a')$. Man bestimmt die C, C' nach der Regel der entsprechend gleichen Strecken und die Lagen von BA oder $c(c')$ nach der der entsprechend gleichen Winkel, hierauf die Längen von BA wieder nach der der entsprechend gleichen Strecken. Für die Ecke $\mathfrak{C}(\mathfrak{C}')$ tritt Unbestimmtheit ein, die Geraden t, t' sind die Orte der Basisecken; analog für die Seite $s(s')$ mit T, T'.

10) Wenn die betrachteten Büschel gemeinschaftlichen Scheitel $S(S')$ haben und einer centrischen Collineation angehören, so dass die sich selbst entsprechenden Strahlen s (die Collineationsaxe) und c (der Strahl nach dem Collineationscentrum $\mathfrak{C}$) sind (siehe Fig. 35 auf S. 79) so erhält man analog zu § 15, 4

$$1)\ cq' = rs,\ cq = r's;\ cr = q's,\ cr' = qs;$$

sodann aber für Strahlenpaare t_1, t_1' und t_2, t_2' nach den Relationen

$$t_1 c = c t_1',\ t_2 s = s t_2'$$

· die in Regeln der Symmetrie übertragbaren Relationen

$$2)\ t_1 q = cr' = qs,\ t_1 r = cq' = rs,\ cq = t_1'r' = r's,\ cr = t_1'q' = q's;$$
$$t_2 q = sr' = qc,\ t_2 r = sq' = rc,\ sq = t_2'r' = r'c,\ sr = t_2'q' = q'c;$$

sowie durch Verbindung

$$3)\ t_1't_2' = t_1t_2 = sc;\ t_1t_1' = t_2t_2' = 2q'r = 2qr'.$$

19. Die durch die Centralprojection gegebene **Abhängigkeit ebener Systeme** ist nun der Art, dass **jeder** geradlinigen Reihe t der Originalebene eine zu ihr perspectivische aus demselben projicierenden Strahlen-Büschel geschnittene Reihe t' der Bildebene entspricht; **jedem** Strahlenbüschel T der Originalebene ein zu ihr perspectivisches aus demselben Büschel projicierender Ebenen geschnittenes und über derselben Reihe in der Spur s stehendes Strahlenbüschel T' der Bildebene. Durch die Umlegung der Originalebene in die Bildebene (§ 11.) sind alle diese projectivischen Reihen und Büschel in perspectivischer Lage in einer Ebene vereinigt und wir haben schon (§ 16., 13 f.) Nutzen davon gezogen. Die Anwendung der allgemeinen Gesetze der Doppelverhältnissgleichheit auf die entsprechenden Reihen in den vom Collineationscentrum $\mathfrak{C}$ ausgehenden Strahlen und auf die entsprechenden

Büschel aus den in der Collineationsaxe s liegenden Punkten ist jedoch von besonderem Erfolg für die Einsicht in den Zusammenhang beider Ebenen.

Ist t ein Strahl aus dem Collineationscentrum, so dass t' mit ihm zusammenfällt und den Punkten A, B dieses Strahles andere Punkte A', B' desselben Strahls als Bilder entsprechen, (Fig. 33) und ist S der zugehörige Punkt in der Collineationsaxe s, so gilt, weil $\mathfrak{C}$ und S sich selbst entsprechen — wir

Fig. 33.

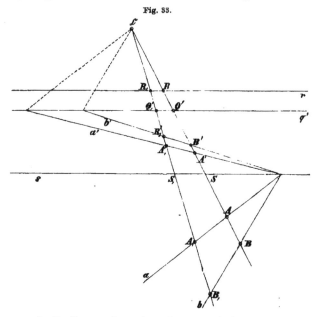

nennen sie die Doppelpunkte der vereinigten projectivischen Reihen — die Relation

$$(\mathfrak{C}SAB) = (\mathfrak{C}SA'B') \quad \text{d. h.} \quad \frac{\mathfrak{C}A}{SA} : \frac{\mathfrak{C}B}{SB} = \frac{\mathfrak{C}A'}{SA'} : \frac{\mathfrak{C}B'}{SB'}$$

oder

$$\frac{\mathfrak{C}A}{SA} : \frac{\mathfrak{C}A'}{SA'} = \frac{\mathfrak{C}B}{SB} : \frac{\mathfrak{C}B'}{SB'}, \quad \text{d. h.} \quad (\mathfrak{C}SAA') = (\mathfrak{C}SBB').$$

Bezeichnen A_1, A_1' entsprechende Punkte für einen andern durch das Collineationscentrum $\mathfrak{C}$ gehenden Strahl t_1, t_1' mit dem Punkt S_1 in der Collineationsaxe, so hat das Doppelverhältniss der Gruppe $\mathfrak{C} S_1 A_1 A_1'$ denselben Werth, wie das Vorige, weil die Geraden $A A_1$, $A' A_1'$ in einem Punkte $T T'$ der Collineationsaxe zusammentreffen und somit die Reihen $\mathfrak{C} S A A'$ und $\mathfrak{C} S_1 A_1 A_1'$ aus diesem Punkte perspectivisch sind. Also: **Entsprechende Paare von Punkten einer centrischen Collineation in der Ebene bestimmen mit dem Centrum und dem Durchstosspunkt des Strahls, auf dem sie liegen, ein Doppelverhältniss, das weder von einem Paar zum andern im nämlichen Strahl, noch von einem Strahl zum andern seinen Werth verändert.** Und wenn $a\,a'$, $b\,b'$ entsprechende Paare von Strahlen der Systeme sind, die von einem Punkte der Axe s ausgehen und c den von da nach dem Centrum gehenden Strahl bezeichnet, so hat man ebenso

$$(c s a a') = (c s b b') = \text{const.};$$

die beiden Constanten für Reihen und Büschel sind **einander gleich**, weil die Reihen aus den Strahlenbüscheln geschnitten werden und umgekehrt. Wir nennen diese constante Zahl das **charakteristische Doppelverhältniss der centrischen Collineation oder der Centralprojection**, aus der sie entspringt und wollen sie mit $\varDelta$ bezeichnen. Unter den Beispielen geben wir seine **Reduction auf einfache Verhältnisse** (1, 9) und seine **geometrische Bedeutung für die zugehörigen Centralprojectionen** (5); wir geben auch die **Construction vereinigter projectivischer Reihen oder Büschel.**

1) Sind Q' und R die Gegenpunkte des betrachteten Strahls $\mathfrak{C} S$ aus dem Centrum $\mathfrak{C}$, so ist für A, A' als ein entsprechendes Paar (Fig. 33)

$$(\mathfrak{C} S A A') = \varDelta = (\mathfrak{C} S R \infty) = (\mathfrak{C} S \infty Q')$$

d. h.

$$\frac{\mathfrak{C} A}{S A} : \frac{\mathfrak{C} A'}{S A'} = \varDelta = \frac{\mathfrak{C} R}{S R} = \frac{S Q'}{\mathfrak{C} Q'},$$

oder das charakteristische Doppelverhältniss der Centralcollineation ist auch das einfache Theilverhältniss, nach welchem auf jedem durch das Centrum gehenden Strahl $S\mathfrak{C}$ durch Q' und $\mathfrak{C} S$ durch R getheilt werden. In Folge dessen ist Q' von S ebensoweit und in demselben Sinne entfernt wie $\mathfrak{C}$ von R, oder q' von s wie $\mathfrak{C}$ von r, wie bekannt. (§ 9.)

2) Man construiere die Centralcollineationen von den Charakteristiken $\varDelta = -\frac{2}{3}$ und $\varDelta = \frac{2}{3}$ aus Centrum und Axe.

3) Auf der Parallelen t durch das Collineationscentrum zur Axe s gilt für entsprechende Punktepaare A, A' die Relation

$$\varDelta = (\mathfrak{C}\infty A A') = \mathfrak{C} A : \mathfrak{C} A'$$

d. h. dieselben bilden zwei ähnliche Reihen mit dem Aehnlichkeitsverhältniss $\varDelta$ und mit $\mathfrak{C}$ als sich selbst entsprechend, sowie dem zweiten sich selbst entsprechenden Punkt, nämlich dem Durchstosspunkt, im Unendlichen.

4) Wie lässt sich die vorher gefundene Aehnlichkeit zur Construction centrisch collinearer ebener Systeme benutzen? (Vergl. § 21 c. und § 30.; auch § 40.)
Je zwei entsprechende zur Collineationsaxe parallele Gerade zeigen gleichfalls die Aehnlichkeit der bezüglichen Reihen.

5) Denken wir vor der Umlegung die Bildebene, die Originalebene und die zu beiden respective parallelen Ebenen durch das Centrum C der Projection (Fig. 34), also die Geraden s, q', r; endlich die Ebene Cs und die zu s normale projicirende Ebene, so schneidet die Letzte die vorbezeichneten fünf Ebenen in

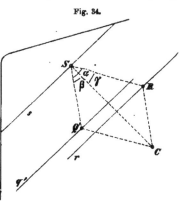

Fig. 34.

den vier Seiten und einer Diagonale SC eines Parallelogramms $CRSQ'$, in welchem der Winkel bei S die Tafelneigung α der Ebene ist und dessen Seiten SQ', SR nach der Umlegung in einen Strahl $S\mathfrak{C}$ aus dem Collineationscentrum fallen. (Vergl. § 14, 5. Q' ist das H von Fig. 10, 16.) Bezeichnen wir $\angle Q'SC$ durch β und $\angle CSR$ durch γ, so ist $\alpha = \beta + \gamma$ und

$$\varDelta = \frac{SQ'}{CQ'} = \frac{\sin \gamma}{\sin \beta} = \frac{CR}{SR};$$

d. h. die charakteristische Constante der Collineation ist das Theilverhältniss des Winkels α für die durch die Spur s bestimmte projicirende Ebene. Sind die Bildebene, die Originalebene und die Charakteristik $\varDelta$ gegeben, so ist der Ort des Centrums diejenige Ebene, welche den Winkel α, um den drehend die Originalebene in die Bildebene übergeführt wird, nach dem Theilverhältniss $\varDelta$ theilt.

6) Wenn für drei Ebenen die Spuren, die Winkel α_1, α_2, α_3

zur Bildebene und die Charakteristiken $\varDelta_1$, $\varDelta_2$, $\varDelta_3$ gegeben sind, so ist dadurch das Centrum der Projection vollständig bestimmt.

7) Wenn die Charakteristik der centrischen Collineation nach der Umlegung um den Winkel α den Werth $\varDelta$ hat, so ist ihr Werth nach Umlegung um den Winkel $(180^0 - \alpha)$ gleich $-\varDelta$.

8) Die Charakteristik $\varDelta = \dfrac{S Q'}{\mathfrak{C} Q'} = \dfrac{\mathfrak{C} R}{S R}$ kann die Werthe 0, $+1$, ∞ nur annehmen, wenn respective 1) $S Q' = \mathfrak{C} R = 0$; 2) $\mathfrak{C} Q' = S Q'$, $\mathfrak{C} R = S R$; 3) $\mathfrak{C} Q' = S R = 0$ ist. (§ 16, 10.)

Dem ersten und letzten entspricht das Zusammenfallen der Bilder respective der Originale auf einem Strahl aus dem Collineationscentrum in diesen einen Punkt bei Vertheilung der Originale respective Bilder über die ganze Reihe; das Centrum der Projection liegt in der einen der beiden Ebenen. Wie sich ihre Punkte und Geraden in diesem Falle entsprechen, ist unschwer weiter auszuführen. Der Fall $\varDelta = +1$ fordert entweder $\mathfrak{C}$ und s unbestimmt (vergl. § 20, 1) oder er fordert $S Q' = \mathfrak{C} Q'$ und $\mathfrak{C} R = S R$, d. h. $\mathfrak{C}$ in s und die Gegenaxen q' und r äquidistant zu beiden Seiten von s; das Centrum der Projection liegt in der Halbierungsebene desjenigen Winkels zwischen Original- und Bild-Ebene, um welchen die Drehung bei der Umlegung nicht erfolgt. Die vereinigten projectivischen Büschel haben in s zusammenfallende Doppelstrahlen, die Reihen in $\mathfrak{C}$ vereinigte Doppelpunkte. Man erhält $\varDelta = -1$, wenn die Drehung um jenen Winkel selbst erfolgt; wir werden aber von diesem wichtigen Fall der harmonischen Projection und Collineation oder der Involution im folgenden § speciell handeln.

Hier gedenken wir noch des Falles, wo $\varDelta$ unbestimmt ist, d. h. das Projectionscentrum in jeder Ebene des durch s gehenden Büschels liegt, oder in s selbst, in der Schnittlinie zwischen Original- und Bild-Ebene. Man kann die Art des Entsprechens zwischen den Punkten und Geraden beider Ebenen leicht ausführen und wir kommen auf sie zurück. (Vergl. § 22, f, g.)

Es ist nützlich, die Veränderung von $\varDelta$ mit dem Centrum $\mathfrak{C}$ für bestimmtes s und q' oder die von q' respective s mit der Werthveränderung des $\varDelta$ bei festgehaltenem $\mathfrak{C}$ und s, resp. $\mathfrak{C}$ und q' zu betrachten.

9) Betrachten wir in den concentrischen entsprechenden Büscheln aus einem Punkte der Collineationsaxe die Paare der entsprechenden Rechtwinkelstrahlen q, q'; r, r', so ist

$$(c s q q') = \varDelta = (c s r r'),$$

d. h. $\varDelta = \tan c q : \tan s q = \tan c q' : \tan s q'$; etc.

Sind $\mathfrak{C}$, s, q' oder r als Data der centrischen Collineation gegeben, so entsprechen jedem Punkte $T T'$ oder S von s als Scheitel bestimmte Rechtwinkelpaare q, r, q', r' oder $S R_1$, $S R_2$, $S Q_1'$, $S Q_2'$ (Fig. 35), die man wie folgt construiert: Man halbiert $\mathfrak{C} S$ in L, errichtet dort die Normale zu ihr und schneidet mit derselben q'

in M_2 und r in M_1; die Kreise, die von M_2 und M_1 als Mittelpunkten aus durch $\mathfrak{C}$ und S gehen, schneiden ihre Durchmesser q'
und r in den Gegenpunkten Q_1', Q_2' und R_1, R_2 der entsprechenden
Paare der Rechtwinkelstrahlen. Man begründet die Construction
durch die Bemerkung, dass von den beiden concentrischen projectivischen Büscheln $csqr$, $csq'r'$ jedes parallel sich selbst nach $\mathfrak{C}$
verlegt mit dem andern perspectivisch sein muss, wo dann die
Gegenaxen q', respective r als die perspectivischen Axen derselben
entstehen (vergl. Fig. 32); dass aber hiernach die Construction des
§ 18., 6 Anwendung finden muss. Das ist, was die angegebene
Construction vollzieht. Die Halbierungslinien der von den Doppelstrahlen c, s gebildeten Winkel halbieren auch die Winkel zwischen
den Rechtwinkelpaaren SR_1, SQ_2'; SR_2, SQ_1'. (Vergl. § 18, 10.)

Fig. 35.

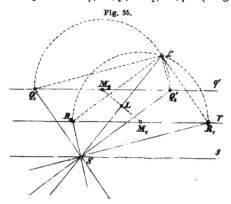

10) Mit Hilfe derselben Betrachtung findet man die entsprechenden Rechtwinkelpaare zu zwei beliebigen entsprechenden Punkten A, A'. Aber die Collineationsaxe bestimmt sie auch, als ihre
perspectivische Axe, mit dem aus ihr beschriebenen Kreise durch
A, A'. (§ 18, 6.)

11) Wenn die Ecken von zwei Dreiecken $A_1 A_2 A_3$, $A_1' A_2' A_3'$
(Fig. 36) in Paaren A_1, A_1' etc. in geraden Linien aus einem
Centrum $\mathfrak{C}$ liegen, so schneiden sich die Paare ihrer entsprechenden Seiten $A_1 A_2$, $A_1' A_2'$; $A_2 A_3$, $A_2' A_3'$; $A_3 A_1$, $A_3' A_1'$ in drei Punkten S_{12}, S_{23}, S_{31} einer geraden Linie s; und umgekehrt.

Betrachtet man nämlich s als die Gerade $S_{23} S_{31}$ und nennt
ihre Schnittpunkte mit den Strahlen $A_1 A_1'$, $A_2 A_2'$, $A_3 A_3'$ respective
S_1, S_2, S_3, so gelten, sofern beide Dreiecke in derselben Ebene
liegen, die Relationen perspectivischer Reihen aus S_{23} und S_{31}

$$(\mathfrak{C}S_2 A_2 A_2') = (\mathfrak{C}S_3 A_3 A_3'), \quad (\mathfrak{C}S_3 A_3 A_3') = (\mathfrak{C}S_1 A_1 A_1')$$

und somit auch $(\mathfrak{C}S_1 A_1 A_1') = (\mathfrak{C}S_2 A_2 A_2')$ d. h. auch diese Reihen
sind in Perspective aus S_{12}, und somit S_{12}, S_{23}, S_{31} in einer Ge-

raden *s*. Dass der umgekehrte Satz gilt, beweist man mit Leichtigkeit, indem man die Characteristik der entsprechenden Centralcollineation durch die Büschel aus S_{12}, S_{23}, S_{31} ausdrückt, welche
paarweise perspectivisch sind für die Strahlen $A_1 A_1'$, etc. als ihre
Axen. Wenn beide Dreiecke nicht in derselben Ebene liegen, so
liefert die Anschauung ihres Verhältnisses zum Centrum $\mathfrak{C}$ als
zweier ebener Schnitte des Mantels einer dreiseitigen Pyramide einen
unmittelbaren Beweis. Darauf lässt sich aber der Beweis für die
Lage in derselben Ebene überdiess zurückführen und der Satz von
den perspectivischen Dreiecken erhält dadurch seine fundamentale
Bedeutung für die Begründung der projectivischen Geometrie. (Vergl.
§ 38, 2 und den 3. Theil dieses Werkes.)

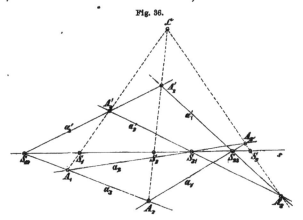

Fig. 36.

12) Wenn von zwei ebenen Systemen das eine die Centralprojection des andern ist, so b l e i b e n sie in solcher Beziehung auch
bei Drehung des einen um ihre Durchschnittslinie. (Vergl. § 15, 5.)
Der Ort, den das Centrum der Projection bei dieser Bewegung
beschreibt, ist ein Kreis K, dessen Ebene zu jener Schnittlinie
normal ist und der seinen Mittelpunkt in der Fluchtlinie der Originalebene hat. Einer gegebenen centrischen
Collineation ebener Systeme $\mathfrak{C} s q'$ (Fig. 37) entsprechen somit unendlich viele Centralprojectionen von verschiedenen Distanzen und
Hauptpunkten; jene haben den Abstand des Collineationscentrums
$\mathfrak{C}$ von q' zu ihrem Maximum, diese liegen innerhalb der Strecke
$\mathfrak{C} \mathfrak{C}^*$, welche durch die beiden Umlegungen des Centrums (§ 9)
begrenzt ist. (Vergl. 5.) Die Entwickelungen des Textes zusammen
mit der geometrischen Deutung unter 5) liefern den Beweis.

13) Zwei durch drei Paare entsprechender Punkte AA', BB',
CC' gegebene vereinigte projectivische Reihen lassen sich vervollständigen, indem man die eine derselben z. B. A', B', C' aus einem

beliebig gewählten Centrum T auf eine willkürlich angenommene Gerade in A'', B'', C'' projiciert. Man erhält in den projectivischen Reihen von allgemeiner Lage ABC und $A''B''C''$ nach § 17 zu jedem Punkte X den entsprechenden Punkt X'' und daraus durch Zurückprojicieren aus T den Punkt X'; und man erhält ebenso aus Y' durch Hinausprojicieren von T aus Y'' und daraus Y.

Legt man die Gerade der $A''B''C''$ durch A', so dass A'' mit A' zusammenfällt, so geht die perspectivische Axe von § 17 durch A.

Ebenso geht man von zwei projectivischen Büscheln am nämlichen Scheitel und in derselben Ebene durch den Schnitt des einen mit einer Transversale t und den Schein der entstandenen Reihe aus einem willkürlichen Punkte zu projectivischen Büscheln von allgemeiner Lage über und construiert sodann nach § 18.

Fig. 37.

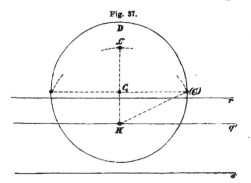

14) Die vorige Construction lässt sich vereinfachen, wenn unter den drei gegebenen Paaren ein sich selbst entsprechendes Element ist, z. B. für Reihen aus AA', BB', S. Man projiciert A', B', S aus einem beliebigen Centrum T auf eine durch S gehende Gerade in A'', B'', S und bestimmt durch AA'', BB'' das Perspectivcentrum T' der Reihen A, .. und A'', ..; dann findet man X' zu X, indem man durch XT' den Punkt X'' bestimmt und ihn mit T verbindet; etc. Offenbar bestimmt die Gerade TT' den zweiten Doppelpunkt $\mathfrak{C}$ der vereinigten Reihen. (Vergl. § 21 u. das. 1, 2.)

20. Die charakteristische Zahl $\varDelta$ giebt nach ihren Werthen eine Classification der Centralprojectionen, deren Sinn aus § 19; 5, 7 und 8 erhellt. Unter diesen Werthen ist der besondere Fall $\varDelta = -1$, der Fall des harmonischen Verhältnisses, namentlich zu beachten. Die projicirende Ebene der Collineationsaxe s halbiert dann den Drehungswinkel α zwischen der Bildebene und Originalebene; man hat wie auch hieraus direct folgt:

$$- 1 = \frac{S Q'}{\mathfrak{C} Q'} = \frac{\mathfrak{C} R}{S R},$$

d. h. die Gegenpunkte Q', R sind in der Mitte zwischen den sich selbst entsprechenden Punkten $\mathfrak{C}$, S oder die Gegenaxen q', r (Fig. 38) in der Mitte zwischen Centrum und Collineationsaxe vereinigt. Als charakteristisch für diese harmonische Centralcollineation ergiebt sich dann allgemein für ein beliebiges Paar entsprechender Punkte

$$(\mathfrak{C} S A A') = - 1 = \frac{\mathfrak{C} A}{S A} : \frac{\mathfrak{C} A'}{S A'} = \frac{\mathfrak{C} A'}{S A'} : \frac{\mathfrak{C} A}{S A} = (\mathfrak{C} S A' A)$$

und ebenso

$$(c s a a') = (c s a' a)$$

für entsprechende Strahlen, d. h. man kann in einer der-

Fig. 38.

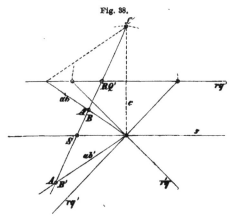

artigen Centralcollineation je zwei entsprechende Punkte und ebenso je zwei entsprechende Strahlen vertauschen — das Bild als Original und das Original als Bild betrachten — ohne das Entsprechen zu stören. Ist $A B C D \ldots$ eine Gruppe von Punkten des Originals — denken wir sie als die aufeinander folgenden Ecken eines Vielecks — und $A'B'C'D' \ldots$ die Gruppe der entsprechenden Punkte des Bildes, so verhalten sich auch als Original und Bild die Gruppen

$$A'B C D \ldots, \quad A B'C'D' \ldots; \quad A B'C D \ldots, \quad A'B C D' \ldots;$$
$$A'B C'D \ldots, \quad A B'C D' \ldots; \text{ etc.}$$

Ebenso für beliebige Gruppen von Geraden und ihre entsprechenden. Weil die Unterscheidung von Bild und Original damit aufgehoben ist, so kann man zur Bezeichnung entsprechender Paare statt der A, A'; a, a' die A, A_1; a, a_1 etc. benutzen.

Zwischen zwei derartigen Systemen besteht projectivisches Entsprechen mit Vertauschbarkeit; man hat in den Reihen entsprechender Punkte auf den Strahlen aus dem Centrum projectivische Reihen mit vertauschbarem Entsprechen und man hat in den Büscheln entsprechender Strahlen aus den Punkten auf der Axe projectivische Büschel mit vertauschbarem Entsprechen. Man nennt solche projectivische Reihen in derselben Geraden, solche Strahlenbüschel in derselben Ebene und vom nämlichen Scheitel, solche ebene Systeme in derselben Ebene und also auch die zugehörigen projicierende Strahlen- und Ebenenbündel mit vertauschbarem Entsprechen involutorische Reihen, Büschel, Ebenen und Bündel. Wir entwickeln die Entstehung solcher Involutionen aus der Vereinigung projectivischer Reihen und Büschel in den Beispielen.

1) Ist im Allgemeinen $(\mathfrak{C}\,SAA') = \varDelta$ die Charakteristik einer centrischen Collineation und entsprechen dem Punkte P als Originalpunkt im Bilde P' und demselben als Bildpunkt im Original P_1, so haben wir $(\mathfrak{C}\,SPP') = \varDelta = (\mathfrak{C}\,SP_1P)$ und man hat $(\mathfrak{C}\,SP_1P') = \varDelta^2$; d. h. wenn man in derselben centrischen Collineation zur Figur F als Original das Bild F' und zur nämlichen Figur F als Bild das Original F_1 construiert, so sind die Figuren F_1 und F' centrisch collinear nach dem Quadrate der gegebenen als Charakteristik. Für $\varDelta = -1$ erhalten wir F_1 und F' als sich deckend mit $\varDelta^2 = +1$; d. h. (vergl. § 19., 8.) congruente Systeme in Deckung sind centrisch collinear mit der Charakteristik Eins; Centrum und Axe sind unbestimmt. Man erläutere die Bedeutung dieser Resultate für den räumlichen Vorgang der Projection.

2) Liegt P entweder in der Mitte zwischen den Doppelpunkten $\mathfrak{C}$ und S oder unendlich fern, so erhält man $SP' : \mathfrak{C}P' = \mathfrak{C}P_1 : SP_1$, d. h. die Mitte zwischen P' und P_1 ist auch die Mitte zwischen den Doppelelementen. (Vergl. § 19., 1 u. § 9.) Man formuliere das entsprechende Resultat für Büschel.

3) Man construiere eine involutorische Centralcollineation, erläutere das vertauschbare Entsprechen an Original und Bild einer ebenen Figur und besonders die Vereinigung der Gegenaxen in der Mitte zwischen $\mathfrak{C}$ und s als die unerlässliche Bedingung seiner Möglichkeit. Wie gestaltet sich die Construction mit Benutzung der Parallelen zu s durch $\mathfrak{C}$ und der symmetrischen Reihen in derselben? (Vergl. § 19; 3, 4.)

4) Die Relationen $(\mathfrak{C}SAA') = -1 = (c\,s\,a\,a')$ sagen aus, dass die Doppelelemente in den involutorischen Reihen und Büscheln einer solchen Collineation mit jedem Paar entsprechender Elemente derselben eine harmonische Gruppe von Punkten oder Strahlen bilden.

5) Man erläutere das Viereck von zwei entsprechenden Punktepaaren A, A' und B, B' oder Geradenpaaren a, a' und b, b' hinsichtlich seiner harmonischen Eigenschaften. Für D in B' ist D' in B und daher die Verbindungslinie der Schnittpunkte von AB, $A'B'$ und von AB', $A'B$ die Axe s der involutorischen Collineation; ihre Durchstosspunkte mit den Strahlen AA', BB' sind die vierten harmonischen zum Schnittpunkt $\mathfrak{C}$ derselben. (§ 16, 13.) Die Parallelen durch $\mathfrak{C}$ zu $A'B'$ und AB, zu AB' und $A'B$ schneiden je die andere dieser Geraden in vier Punkten einer zu s parallelen Geraden — der Gegenaxe $q'\,r$.

6) Man verzeichne ein Sechseck und ein Dreieck in schräger Ebene, dessen Ecken bei der Umlegung mit andern Ecken von ihm selbst zusammenfallen. Eine Ecke in der Axe giebt ein $2n-1$eck.

7) Macht man die entgegengesetzte Umlegung im Falle der Involution oder $\varDelta = -1$, so dass man mit $\varDelta = +1$ zu A_1, B ... die in Bezug auf s orthogonal symmetrischen A_1, B_1, etc. bildet, so liegt $\mathfrak{C}_1$ in der Axe s und r_1 symmetrisch zu q' in Bezug auf s; also gehen $A'A_1$, $B'B_1$, ... durch $\mathfrak{C}_1$ in s und die Parallelstrahlen der Bilder treffen die Originale mit dem Index Eins in r_1.

8) In den involutorischen Büscheln aus den Punkten der Collineationsaxe fallen die entsprechenden Strahlen der Rechtwinkelpaare q, q' mit r', r zusammen (Fig. 38), nämlich in den Halbierungslinien der von den Strahlen c und s gebildeten Winkel. Man beweise dies aus dem charakteristischen Doppelverhältniss (§ 19, 9.) und aus der Construction.

9) Wenn bei zwei in derselben Geraden vereinigten projectivischen Reihen t, t' ein Paar von Punkten sich vertauschungsfähig entsprechen, so thun dies alle Paare und die Reihen sind involutorisch. Jenes erfordert die Vereinigung der Gegenaxen oder Gegenpunkte, und daraus folgt das vertauschbare Entsprechen aller Paare.

Dasselbe folgt aber auch direct aus der Gleichheit der Doppelverhältnisse. Ist $(ABCC') = (A'B'C'C)$ und denken wir D' in B, so muss auch D in B' sein; denn

$$\frac{AC}{BC} : \frac{AC'}{BC'} = \frac{A'C'}{B'C'} : \frac{A'C}{B'C} \ \text{giebt}\ \frac{BC'}{BC} \times \frac{B'C'}{B'C} = \frac{AC'}{AC} \times \frac{A'C'}{A'C},$$

wo die Vertauschung von B mit B' die von B' mit B nach sich zieht. Involutorische Reihen sind durch zwei Paare entsprechender Punkte AA', BB' bestimmt; denn C in A' giebt C' in A oder $A'A$ als drittes Paar.

Legt man also zwei projectivische Reihen so auf einander, dass ein Paar ihrer Punkte sich vertauschbar entspricht, — und man erreicht dies, indem man ihre Gegenpunkte Q', R zur Deckung bringt, in M, dem **Centralpunkt, Mittel- oder Hauptpunkt** der Involution — so sind sie in Involution; denn dann fallen alle die entsprechend gleichen Strecken des einen Systems (§ 15.) zufolge ihrer Construction verkehrt auf einander. Und weil jene Vereinigung in einer zweiten Art möglich ist, die aus der ersten durch Drehung der einen Reihe um 180⁰ hervorgeht, so **kann man zwei projectivische Reihen in zweierlei Weise involutorisch machen**, den zwei Systemen entsprechend gleicher Strecken gemäss; bei der einen kommen die entsprechenden Nullstrecken G mit G', H mit H' zur Deckung und bilden zwei sich selbst entsprechende oder **Doppelpunkte** G und H; bei der andern fällt G auf H', G' auf H, man erhält ein zu M **symmetrisches Paar** und Doppelpunkte existieren nicht. Bei dieser trennen sich die Paare, bei der ersten nicht. Die erste Art entspricht offenbar der Involution ebener Systeme durch Centralprojection oder der harmonischen Collineation; solche Involutionen heissen auch **hyperbolisch**, während man die Involution ohne reelle Doppel-Elemente **elliptisch** nennt.

10) Sowie in den Reihen die entsprechenden unendlich grossen Strecken die involutorische Vereinigung ermöglichen, so in den Büscheln die entsprechenden rechten Winkel. Projectivische Büschel von einerlei Scheitel in derselben Ebene werden involutorisch, wenn man ihre entsprechenden Rechtwinkelpaare verkehrt zur Deckung bringt, q mit r', q' mit r; man sagt, dass diese die **Axen der Involution** bilden. Offenbar können also auch solche Büschel in zweierlei Art involutorisch gemacht werden. Im einen Falle, nämlich bei entgegengesetztem Sinn der beiden Gebilde oder sich nicht trennenden Paaren, hat die Involution reelle **Doppelstrahlen**, die vereinigten entsprechenden Nullwinkel g, g' und h, h' (§ 18, 8.), im andern nicht. Bei der entgegengesetzten Aufeinanderlegung fällt g auf h' und g' auf h und sie bilden ein Paar, welches **zum Rechtwinkelpaar symmetrisch** liegt.

11) Wir könnten auch aus der den Bedingungen des Zusammenlegens entspringenden doppelten Möglichkeit der involutorischen Lage schliessen, dass es in projectivischen **Strahlenbüscheln zwei Systeme entsprechend gleicher Winkel** giebt; aber wir wissen schon, dass dieselben zu den entsprechenden Rechtwinkelstrahlen in analoger Beziehung stehen, wie die gleichen entsprechenden Strecken zu den Gegenpunkten; etc. (Vergl. § 15.; § 18., 5.)

12) Die Relation $(A B M \infty) = (A' B' \infty M)$ giebt:

$$AM \cdot A'M = BM \cdot B'M = \pm k^2 \quad \text{(§ 15. u. § 16., 11.)}$$

für entgegengesetzten respective für gleichen Sinn; und entsprechend für die Büschel in Bezug auf die Rechtwinkelstrahlen aus $(abqr) = (a'b'rq)$, nämlich $\tan aq \cdot \tan a'q = \tan bq \cdot \tan b'q$

setzen wir $= \pm k^2$. Für die Doppelpunkte ist $\overline{GM}^2 = \overline{HM}^2 = \pm k^2$; daher erhält man sie bei entgegengesetztem Sinn, wenn man die Länge k von M aus nach beiden Seiten abträgt. Ebenso ist in den Büscheln $\tan^2 g\,q = \pm k^2$.

13) Weil in der Bildebene zu jedem Punkte derselben die Spur der zum zugehörigen projicierenden Strahl normalen projicierenden Ebene bestimmt ist (§ 10.), so wird in jeder in ihr gelegenen Geraden t durch ihre Punkte $A, B, \ldots$ und durch die Schnittpunkte $A_1, B_1, \ldots$ mit den Spuren $a_n, b_n, \ldots$ der Normalebenen, welche ihnen entsprechen, eine Involution von Paaren AA_1, BB_1, $\ldots$ bestimmt, die den Fusspunkt H der Normale aus dem Hauptpunkt C_1 auf die Gerade zum Mittelpunkt M hat und deren Doppelpunkte nicht reell sind. Denn nach dem Schluss von § 10 bilden die Spuren der Normalebenen ein Büschel, das dem von C_1 nach den Fusspunkten der projicierenden Geraden gehenden gleich also auch projectivisch ist; in der Geraden entstehen also zwei projectivische Reihen. Weil aber aus der Construction die Vertauschbarkeit des Entsprechens von H mit dem unendlich fernen Punkte der Geraden hervorgeht, so bilden sie eine (stets elliptische) Involution mit H als Centralpunkt.

Ebenso entsteht an jedem Punkte T der Bildebene durch die von ihm ausgehenden Geraden $a, b, \ldots$ und durch seine Verbindungslinien $a_1, b_1, \ldots$ mit den zu jenen gehörigen Normalenfluchtpunkten $A_n, B_n, \ldots$ eine stets elliptische Involution von Strahlenpaaren $a\,a_1$, $b\,b_1, \ldots$; der Strahl nach dem Hauptpunkt und der zu ihm senkrechte bilden ihr Rechtwinkelpaar und an ihrem vertauschbaren Entsprechen erkennt man die Involution. Diese Sätze bilden die Zusammenfassung der Lehre von den orthogonalen Elementenpaaren in der Centralprojection.

14) Jeder Punkt der perspectivischen Axe t'' oder $O'P$ (§ 17.) von zwei projectivischen Reihen t, t' bestimmt mit diesen zwei projectivische Strahlenbüschel in Involution; denn dem nach ihrem Schnitt OP' gehenden Strahle entspricht $O'P$ selbst vertauschbar. Jeder Strahl aus ihrem perspectivischen Centrum T'' oder $o'p$ bestimmt mit zwei projectivischen Büscheln T, T' zwei projectivische Reihen in Involution (§ 18.), denn der Schnittpunkt mit dem Scheitelstrahl op' entspricht dem Centrum T'' oder $o'p$ vertauschbar.

In dieser Bemerkung liegt zugleich die einfachste Construction der Involution projectivischer Reihen oder Büschel aus zwei Paaren ihrer Elemente. Wir beschreiben die Bildung der zugehörigen Figuren, die der Leser zu zeichnen nicht versäumen möge. Seien zuerst XX_1, YY_1 zwei Paare einer involutorischen Reihe, so nehme man etwa X_1 als perspectivisches Centrum $o'p$ und wähle auf einer durch X willkürlich gezogenen Geraden op' die Scheitel T, T' der projectivischen Büschel; dann sind TY und $T'Y_1$ und wegen der Vertauschbarkeit des Entsprechens auch TY_1 und $T'Y$

entsprechende Strahlen, und für Z als einen Punkt der Reihe, dessen entsprechenden Z_1 man sucht, erhält man diesen im Schnitt der zu TZ in T' und zu $T'Z$ in T resp. entsprechenden Strahlen. Wenn man also den Schnittpunkt U von TZ und $T'Y$ (oder $T'Y_1$) mit X_1 verbindet, so liegt der Schnitt U' dieser Geraden mit TY (resp. TY_1) auf $T'Z_1$; und wenn man den Schnitt U^* von TY_1 (oder TY) und $T'Z$ mit X_1 verbindet, so liegt der Schnitt $U^{*'}$ dieser Geraden mit $T'Y$ (resp. $T'Y_1$) auf TZ_1. (Wir lassen weiterhin die Verdoppelung der Construction weg, die in den Klammern angegeben ist.) Aus dem Dreieck $TT'U$ (oder auch $TT'U^*$), dessen Seiten durch X, Y_1, Z resp. gehen, erhält man den Punkt U' (resp. $U^{*'}$) und auf beiden Wegen Z_1; oder die Vierecke $TT'UU'$ und ebenso $TT'U^*U^{*'}$ führen zum sechsten Punkt der Involution aus fünf gegebenen Punkten derselben, denn ihre Gegenseitenpaare gehen durch die drei Punktepaare derselben.

Ganz analog bei der Involution im Strahlenbüschel, die wir durch die Paare xx_1, yy_1 gegeben denken. Nimmt man x_1 als perspectivische Axe $O'P$ und legt durch einen Punkt OP' auf x die Geraden t, t' der projectivischen Büschel, so sind ty und $t'y_1$ und wiederum ty_1 und $t'y$ entsprechende Punkte, und für z als den einen Strahl des dritten Paares der Involution erhält man den andern z_1 als Verbindungslinie der zu tz in t' und zu $t'z$ in t entsprechenden Punkte. Wenn man also die Verbindungslinie u von tz und $t'y_1$ mit x_1 schneidet, so geht die Verbindungslinie u' dieses Punktes mit ty durch $t'z_1$; und wenn man die Verbindungslinie u^* von ty_1 und $t'z$ mit x_1 schneidet, so geht die Verbindungslinie $u^{*'}$ dieses Punktes mit $t'y$ durch tz_1; etc. Die Vierseite $tt'uu'$ und $tt'u^*u^{*'}$ führen zum sechsten Strahl der Involution aus fünf gegebenen; ihre Gegeneckenpaare liegen auf den drei Strahlenpaaren derselben.

Wir kommen auf diesen Zusammenhang in Verbindung mit anderer Interpretation (§ 30) zurück (§ 32) und bemerken hier nur noch, dass die Geraden UU^*, $U'U^{*'}$ der ersten Construction durch denjenigen Punkt P von TT' gehen, der von X durch diese harmonisch getrennt ist — nach Anwendung des Satzes von den harmonischen Gruppen (§ 16, 13 links) auf die Vierecke UY, U^*Z und $U'Y U^{*'}Z_1$; während bei der zweiten Construction die Punkte uu^*, $u'u^{*'}$ in einer Geraden p durch tt' liegen, die von x durch diese harmonisch getrennt wird — nach Anwendung des Satzes von den harmonischen Gruppen (§ 16, 13 rechts) auf die Vierseite uy_1u^*z und $u'yu^{*'}z_1$. Nach demselben Satze gehen auch die Geraden von TY, $T'Y_1$ nach TY_1, $T'Y$ und von TZ, $T'Z_1$ nach TZ_1, $T'Z$ durch denselben Punkt P und liegen die Punkte in ty, $t'y_1$ und ty_1, $t'y$, sowie in tz, $t'z_1$ und tz_1, $t'z$ in derselben Geraden p.

15) Ist eine involutorische Reihe durch zwei Paare AA', BB' gegeben, so construiert man sie auch weiter nach der Methode von § 19, 13; man setzt C' in B und C in B' und projiciert B' und B

als C' aus einem Punkte T auf eine durch A gehende Gerade in B'' und C'', so dass man nach § 17 die Gerade TA' als perspectivische Axe für die Reihen A.. und A'' erhält. Damit findet man zu X mittelst XB'' und $X''B$ als sich in $A'T$ durchschneidend X'' und durch TX'' sodann X'. Man hat ein Dreieck gebildet, dessen Seiten durch A, B, X respective gehen und die Verbindungslinien seiner diesen Seiten gegenüberliegenden Ecken mit A', B', X' durch einen Punkt T gehend gezogen, so dass die zwei ersten die letzte und damit X' bestimmen. (Man vergl. § 25, 5, 6.)

Wäre der eine Doppelpunkt G der Involution gegeben, so legt man die Gerade der A''.. durch ihn und erhält den andern Doppelpunkt H (vergl. § 19, 14); nach § 16, 13 offenbar als den vierten harmonischen zu G in Bezug auf das gegebene Paar AA'.

21. Während die centrische Collineation $\varDelta = -1$ für die vereinigten projectivischen Reihen in den Strahlen aus dem Centrum reelle Doppelpunkte $\mathfrak{C}$ und S und in allen vereinigten projectivischen Büscheln aus den Punkten der Axe reelle Doppelstrahlen c und s liefert, hat die Bildung involutorischer Reihen und Büschel durch Aufeinanderlegung projectivischer Reihen und Büschel mit verkehrter Deckung ihrer Maximal(∞)-Strecken resp. ihrer Maximal(90^0)-Winkel uns gezeigt, dass es zweierlei Involutionen in Reihe und Büschel giebt, nämlich solche mit reellen Doppelelementen, aus der Deckung der Systeme entsprechend gleicher Strecken und Winkel, die die Gegenpunkte resp. Rechtwinkelstrahlen ausschliessen oder mit sich nicht trennenden Paaren; und solche mit nicht reellen Doppelelementen, aus der Deckung der Systeme, die die Gegenpunkte resp. Rechtwinkelstrahlen einschliessen oder mit sich trennenden Paaren. Da beide Arten der Zusammenlegung sich durch eine vorhergehende Umwendung bei der einen von einander unterscheiden, so wird in dem einen Falle der Bewegungssinn (§ 17) in beiden vereinigten Reihen resp. Büscheln übereinstimmen, im andern entgegengesetzt sein und man erkennt sofort, dass das Letzte der Fall ist bei den Involutionen mit reellen, das Erste bei denen mit nicht reellen Doppelelementen. Für jenes giebt die Reihe aus RQ' oder M und AB', $A'B$ in Fig 38 und das Büschel aus rq', $r'q$ und ab', $a'b$ daselbst den Typus. Der Bewegungssinn $ABR\infty$ resp. $abqr$ im Original ist dem entsprechenden $A'B'\infty Q'$ resp. $a'b'q'r'$ im Bilde entgegengesetzt und es ist in der That offenbar, dass sich zwei Punkte resp. zwei Strahlen begegnen müssen, wenn

sie sich in derselben Geraden oder in derselben Ebene um denselben Punkt in entgegengesetztem Sinne bewegen. Wenn in Fig. 38 AB auf der entgegengesetzten Seite des RQ' von AB' läge, etc. so wären die Doppelpunkte nicht reell — in der centrischen Collineation $\varDelta = -1$ ist also dieser Fall, wie auch der constructive Zusammenhang lehrt, nicht enthalten — und der Bewegungssinn $ARB\infty$ mit dem $A'\infty B'Q'$ übereinstimmend. Wegen $AM.A'M = -k^2$ (§ 20, 12) wäre $GM = k\sqrt{-1}$.

Vergleichen wir nun hiermit die Collineationen, welche nicht involutorisch sind, so zeigt uns zunächst $\varDelta = +1$, die der Involution entgegengesetzte Umlegung bei der Projection aus einem von Original- und Bild-Ebene gleich entfernten Punkte, die Vereinigung der Doppelpunkte $\mathfrak{C}$, S in der Mitte zwischen den Gegenpunkten Q' und R, oder $\mathfrak{C}$ in s mitten zwischen q' und r, zugleich aber auch die Uebereinstimmung des Bewegungssinnes in den vereinigten projectivischen Reihen und Büscheln. Dies ist natürlich, da ja die in beiden Umlegungen erreichten Endlagen um die Summe der Drehungen α und $180^0 - \alpha$, also um 180^0 von einander abweichen, und die nämlichen Geraden CH und C_1H sowie die zu ihnen resp. normalen Spurparallelen in beiden Fällen zur Vereinigung gelangen. (Die Skizze des Falles, zu der wir einladen, lehrt sofort, dass die Punkte A', B, welche einem gegebenen Punkte AB' entsprechen, durch ihn und das Centrum harmonisch getrennt sind, resp. die Strahlen a', b, welche einem gegebenen Strahl ab' entsprechen, durch ihn und die Axe.)

In Bezug auf die Collineation mit allgemeiner Characteristik $\pm\varDelta$ ergiebt sich offenbar, dass von zwei entgegengesetzten Umlegungen $+\varDelta$ und $-\varDelta$ immer die eine Uebereinstimmung und die andere Gegensatz der entsprechenden Bewegungssinne in den vereinigten Büscheln und Reihen zeigen muss aus denselben Gründen wie im vorerwähnten Specialfalle. Vergleichen wir nun Fig. 33, 35 und in Fig. 10 die Umlegung mit dem Collineationscentrum $\mathfrak{C}$, so finden wir die Gegenaxen zwischen dem Centrum und der Axe der Collineation oder die Gegenpunkte Q' und R auf jedem Collineationsstrahl zwischen den Doppelpunkten, und die entsprechenden Bewegungen im Gegensatz des Sinnes; die Vergleichung derselben an den Gruppen $\mathfrak{C}RS\infty$ und $\mathfrak{C}\infty SQ'$ zeigt,

dass der Gegensatz des Bewegungssinnes mit der Lage
der Gegenpunkte zwischen den Doppelpunkten nothwendig verbunden ist.

Die Anschauung der entgegengesetzten Umlegung in Fig. 10
lehrt weiter, dass wegen der symmetrischen Lage von $\mathfrak{C}^*$ und $\mathfrak{C}$
in Bezug auf q' und von (r^*) und (r) in Bezug auf s mit der eintretenden Uebereinstimmung des Bewegungssinnes die
Lage der Doppelpunkte zwischen den Gegenpunkten
nothwendig verbunden ist, wie dies auch die Vergleichung an
den Gruppen $\mathfrak{C}^*R^*\infty S$ und $\mathfrak{C}^*\infty Q'S$ evident macht. Die analoge Betrachtung der vereinigten projectivischen Büschel können
wir, als auf die der Reihen zurückführbar, ersparen; sie ist
aber zur Uebung zu empfehlen.

Während nun im Gegensatz des Bewegungssinnes ganz wie
im Falle der Involution die Begegnung der entsprechend bewegten Elemente nothwendig eintreten muss, ist augenscheinlich ihr Nichtbegegnen wenigstens möglich, wenn sie sich in
demselben Sinne bewegen; um so mehr, da die einfache Vorstellung der entsprechenden Bewegungen (wir wollen sie immer
für die vereinigten Reihen aussprechen) von entsprechenden
Punkten A, A' aus durch die mittelst der Gegenpunkte Q', R
bestimmten vereinigten Reihen sofort die Richtigkeit des Satzes
lehrt: Bei Gleichheit des Bewegungssinnes kann Begegnung
nur zwischen den Gegenpunkten, bei Ungleichheit desselben
muss sie ausserhalb ihrer endlichen Strecke stattfinden.

Aber in der That liefern die vorigen Ueberlegungen, in
Verbindung mit dem Grundgesetz von der Unveränderlichkeit
des Products der Abstände entsprechender Punkte von ihren
Gegenpunkten (§ 15), sofort die Construction der Doppelpunkte durch Lineal und Zirkel und damit auch die Entscheidung über ihre Realität. Denn für einen Doppelpunkt F
in den durch ein Paar A, A' und die Gegenpunkte Q', R bestimmten vereinigten Reihen hat man bei Gegensatz des Bewegungssinnes neben der stets geltenden Relation

$$FR \cdot FQ' = k^2 = AR \cdot A'Q'$$

noch, wegen der Lage des Doppelpunktes ausserhalb der endlichen Strecke $Q'R$,

$$FR - FQ' = Q'R.$$

Die Bestimmung der beiden Abstände des Doppelpunktes von

den Gegenpunkten mittelst ihres Products und ihrer Differenz führt auf eine quadratische Gleichung, welche stets zwei reelle Werthe liefert. Man construiert sie am einfachsten (Fig. 39 b), indem man in Q' und R die Länge k rechtwinklig zu $Q'R$ aufträgt und durch die vier Endpunkte, also aus der Mitte zwischen Q' und R, einen Kreis beschreibt; er schneidet die sich selbst entsprechenden oder Doppelpunkte F_1, F_2 aus der Reihe und liefert sie stets reell — um so weiter von den Gegenpunkten je grösser k ist. Diese Construction gilt unverändert im Falle der Involution, wo nur Q' und R in M zusammenfallen.

Bei Gleichheit des Bewegungssinnes kennt man aber wegen der Lage der Doppelpunkte zwischen den Gegenpunkten zu dem Producte der Abstände ihre Summe, oder die Relationen

$$RF + FQ' = RQ', \quad FQ' . RF = k^2$$

und erhält die Construction mittelst des Kreises (Fig. 39 a) über dem Durchmesser $Q'R$ durch die Fusspunkte seiner Ordinaten von der Länge k; also nur reell, so lange k nicht grösser ist

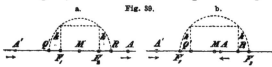

a.　　Fig. 39.　　b.

als $\frac{1}{2}Q'R$. Im Falle der Gleichheit dieser Werthe fallen die Doppelpunkte in der Mitte zwischen Q' und R zusammen; je kleiner k ist, desto mehr nähern sie sich den Gegenpunkten.

Die Involution aus Reihen von entgegengesetztem Sinn kann keine reellen Doppelpunkte haben, weil der Kreis über $Q'R$ ein Punkt ist, es sei denn, dass zugleich k gleich Null ist, wo sie mit M zusammenfallen; in diesem Grenzfall heisse die Involution parabolisch. (Vergl. § 20, 8.)

Wenn man durch Abtragen von k aus den Gegenpunkten Q', R in der Reihe nach § 15, 2. die entsprechenden Nullstrecken G', H' und G, H bestimmt, so greifen die Segmente GG' und HH' nicht übereinander im Falle der reellen Doppelpunkte bei gleichem Sinn, sie haben einen Endpunkt gemein im Falle der vereinigten (eben diesen selbst), und sie greifen übereinander im Falle der nicht reellen Doppelpunkte; mit ähnlichen Unterscheidungen bei entgegengesetztem Sinn. Im Falle der Involution liefern sie bei ungleichem Sinn die Doppelpunkte, bei gleichem Sinn das symmetrische Paar. (§ 20, 9, 10.)

Man sieht leicht, dass die ganz analogen Ueberlegungen zur Ermittelung der Doppelelemente vereinigter projectivischer Büschel führen. Die Gleichungen

$$\tan fr \,.\, \tan fq' = k^2 = \tan ar \,.\, \tan q'a'; \; fr - fq' = q'r; \text{ etc.}$$

für q', r als nicht entsprechende Rechtwinkelstrahlen gelten nach § 18, 5; man findet auch die entsprechenden Nullwinkel durch $\tan a'q' = \pm k$ nach § 18, 8., so dass im Falle der Gleichheit des Sinnes auch die Regel über die Realität der Doppelelemente fortbesteht, die wir soeben gaben, wenn wir sie von Winkeln statt von Segmenten verstehen. Wir wollen zur bequemen Unterscheidung die Doppelelemente vereinigter projectivischer Gebilde durch F_1, F_2 resp. f_1, f_2 — in Ebenenbüscheln, auf die sich alles Vorige leicht überträgt, durch $\mathbf{F}_1$, $\mathbf{F}_2$ — bezeichnen, während sie bei der Involution nach ihrer eben erinnerten Verbindung mit den entsprechenden Nullstrecken und Nullwinkeln durch G, H resp. g, h oder in Ebenenbüscheln $\mathbf{G}$, $\mathbf{H}$ benannt sein sollen. Nach § 18, 10 und § 15, 4 sind die zu den Doppelelementen symmetrischen in Bezug auf die Elemente Q', R resp. q', r entsprechende Paare der Gebilde. Hiernach fallen dieselben in involutorischen Reihen und Büscheln mit den Doppelelementen selbst zusammen (vergl. § 14 Fig. 21 mit § 20); im Falle der vereinigten Doppelelemente sind sie die entsprechenden Nullelemente, die nicht mit jenen zusammenfallen.

Wir werden weiterhin noch andere Constructionsmittel für die Doppelelemente vereinigter projectivischer Reihen und Büschel kennen lernen; die hier verwendeten gewähren den engsten Anschluss an die Elemente und die anschaulichste darstellend-geometrische Entwickelung. Sie fordern die Kenntniss, also eventuell die vorgängige Ermittelung der Elemente Q', R resp. q', r, die nach dem Früheren keine Schwierigkeit bietet; die Ueberführung in perspectivische Lage (§ 15, Fig. 23; § 18, Fig. 32) genügt dazu. Die grosse Wichtigkeit der erlangten Construction erläutern wir durch eine Reihe von Beispielen, denen weiterhin zahlreiche andere folgen werden.

1) Zur Bestimmung einer centrischen Collineation sind zwei vereinigte projectivische Reihen durch ihre Gegenpunkte Q' und R und ein drittes Paar entsprechender Punkte A, A', sowie ein Punkt S der Collineationsaxe gegeben. Man construiert die Doppelpunkte der der

Reihen $A\infty R$, $A'Q'\infty$ nach Ermittelung des Bewegungssinnes aus der Länge k und erhält im Falle ihrer Realität und Verschiedenheit zwei centrische Collineationen, deren Centra F_1, F_2 sie selbst und deren Axen die Geraden von S nach F_2, F_1 resp. sind, während die Gegenaxen durch Q', R zu diesen parallel laufen. Wenn jene imaginär sind, so ist S der einzige reelle Punkt der Axe und $Q'R$ der einzige reelle Collineationsstrahl der gesuchten Collineation.

2) Aus einem Punkt der Axe und zwei vereinigten projectivischen Reihen, die durch drei Paare entsprechender Punkte bestimmt sind, oder aus einem Strahl durch das Centrum und zwei vereinigten projectivischen Büscheln, welche durch drei Paare bestimmt sind, bestimmt man die centrischen Collineationen ebenso.

3) Wenn gefordert wird, dass die Collineation involutorisch sei, so müssen Q' und R vereinigt sein, resp. es können nur zwei Paare von entsprechenden Punkten oder Strahlen in einem Strahl durch das Centrum oder an einem Punkte der Axe gegeben werden, weil aus a, a'; b, b' für c' in b, c in b' und damit das dritte nöthige Paar folgt. (Vergl. § 20, 9.)

4) Man soll ein Dreieck bestimmen aus den Basisecken A, B und der Differenz der entsprechenden Winkel ABC und CAB, wenn seine Spitze C in einer gegebenen Geraden l liegen muss. Wenn man die Seite BC um B gedreht denkt, so dreht sich wegen der constanten Winkeldifferenz AC gleich geschwind um A und die entstehenden gleichen also auch projectivischen Büschel erzeugen auf l zwei projectivische Reihen, deren Doppelpunkte die Aufgabe lösen, d. h. die zwei Lagen der Spitze C in l liefern. Man wird drei der Dreiecke der Serie bilden, darunter die beiden, deren Seiten AC, resp. BC zu l parallel sind, weil die Schnitte der jedesmal andern Seiten BC und AC in l die Gegenpunkte der Reihen liefern. Die nähere Discussion der Construction ist nützlich.

5) Man soll diejenigen n Ecke bestimmen, die einem gegebenen n Seit der Ebene eingeschrieben und einem gegebenen n Eck derselben zugleich umgeschrieben sind oder, deren Seiten der Reihe nach durch n gegebene Punkte gehen, während ihre Ecken ebenso in n gegebenen Geraden liegen.

Denken wir $E_1 E_2 \ldots E_n$ als das gesuchte n Eck und die Seiten $E_1 E_2$, $E_2 E_3$, $\ldots E_n E_1$ der Reihe nach durch S_1, S_2, S_n dirigiert, die Ecken E_1, E_2, $\ldots E_n$ aber ebenso auf den Geraden e_1, e_2, $\ldots e_n$ localisiert, so erkennt man die Lösung in folgender Ueberlegung: Man ziehe eine erste Seite willkürlich durch S_1 und markiere ihre Schnitte A_1, A_2 in e_1 und e_2, ziehe $A_2 S_2$ bis A_3 in e_3, $A_3 S_3$ bis A_4 in e_4, $\ldots A_n S_n$ bis A_1' in e_1; so entstehen bei Drehung der ersten Seite um S_1 bei S_2, S_3, $\ldots S_n$ Büschel, deren jedes mit dem vorhergehenden und dem folgenden perspectivisch, deren erstes daher mit dem letzten projectivisch ist; somit bilden A_1 und A_1', B_1 und B_1', etc. Paare von zwei vereinigten projectivischen

Reihen in e_1, deren Doppelpunkte die zwei dem Problem entsprechenden Lagen der Ecke A_1 sind. Ihre Gegenpunkte erhält man
ohne Schwierigkeit, indem man einmal die Parallele zu e_1 durch
S_1 als Anfangsseite und das andremal die Parallele zu e_1 durch
S_n als Schlussseite benutzt. Man sieht leicht, dass, den Fall des
Dreiecks ausgenommen, die Punkte S auch Ecken eines n Seits der
Geraden e sein können.

6) Man bestimme ein Dreieck, das zu einem gegebenen Dreieck
ähnlich und ähnlich gelegen ist und seine Ecken in drei gegebenen
Geraden der Ebene hat. Ist ABC das gegebene, $A^*B^*C^*$ das gesuchte Dreieck und sind a, b, c die Ortsgeraden seiner Ecken, so
wähle man A_1 und A_2 in a willkürlich, ziehe durch sie Parallelen
zu AB bis B_1, B_2 in b, durch diese Parallelen zu BC bis C_1, C_2
in c und durch diese Parallelen zu CA bis A_1', A_2' in a. Da für
A als unendlich fern in a auch A' dahin fällt, so sind die projectivischen Reihen A, A' in a ähnlich und der im Endlichen liegende
Doppelpunkt derselben liefert die Lage der Ecke A^*, womit sich
B^* und C^* ergeben. Um aber A^* zu finden, zieht man aus einem
willkürlichen Punkte S die Strahlen nach A_1' und A_2' und schneidet
sie mit einer zu a parallelen Geraden a'' in A_1'' und A_2''; man zieht
sodann die Geraden $A_1 A_1''$ und $A_2 A_2''$ bis zu ihrem Schnitt S' und
erhält im Schnitt von SS' mit a den gesuchten Doppelpunkt A^*.

Man entnimmt aus der Construction, dass die unendlich ferne
Gerade als ein den Linien a, b, c eingeschriebenes Dreieck angesehen werden muss, welches mit jedem gegebenen Dreieck ABC
ähnlich und ähnlich gelegen ist.

Wenn in Aufg. 5) die Drehpunkte S_1, ... S_n in einer geraden Linie liegen, so erscheint diese Gerade in gleicher Weise
als eine der beiden Lösungen und die andere wird wie vorher construiert; nur muss man die Hilfslinie a'' durch den Schnittpunkt
von a oder e_1 mit der Linie der Drehpunkte S hindurchlegen.

7) Man soll diejenigen Vierecke $E_1 E_2 E_3 E_4$ construieren, welche
zwei ihrer Gegenseitendurchschnittspunkte $E_1 E_2$, $E_3 E_4$ und $E_2 E_3$,
$E_4 E_1$ in gegebenen Punkten 1 2 und 2 3 der Ebene und ihre vier
Ecken der Reihe nach in gegebenen Geraden e_1, e_2, e_3, e_4 haben.
Nimmt man A_1 in e_1 an, so liefert die Gerade nach 1 2 in e_2 die
Lage A_2, A_2 2 3 in e_3 den Punkt A_3 und A_3 1 2 in e_4 den Punkt
A_4, endlich A_4 2 3 in e_1 einen Punkt A_1'; ebenso erhält man zu
B_1 den Punkt B_1'; insbesondere zur Richtung von e_1 als A_1 respective A_1' die Gegenpunkte Q, R der projectivischen Reihen, die
mit diesen schon durch ein Paar A, A' bestimmt sind und die Lagen
der Ecke E_1 in a_1 für die gesuchten Vierecke als Doppelpunkte
liefern. Wir erinnern an § 18, 3 als ein Beispiel von der Anwendung dieser Aufgabe. Interessante Specialfälle bildet man leicht.

8) Man bestimme in zwei vereinigten projectivischen Reihen diejenigen Paare entsprechender Punkte, welche eine gegebene Mitte M

ihrer endlichen Segmente haben. Die symmetrischen zu den Punkten der zweiten Reihe für M als Centrum bilden eine zur ersten Reihe projectivische, deren Doppelpunkte mit ihr die Endpunkte der fraglichen Segmente in dieser bilden; ebenso mit Vertauschung der ersten und zweiten Reihe für ihre Endpunkte in der zweiten. Sind die Reihen durch die Gegenpunkte Q', R und das Paar A, A' gegeben, so geben die Symmetrischen zu M von A' und Q' sofort A'' und Q'' und die Doppelpunkte für A, A'' mit R und Q'' als Gegenpunkten das erste Paar der Endpunkte; daraus oder direct ebenso folgen die zweiten Endpunkte der Segmente.

9) Man ziehe durch einen gegebenen Punkt P diejenigen Geraden, die in zwei festen Geraden t, t' zu zwei festen Anfangspunkten R, Q' derselben die Endpunkte von Segmenten abschneiden, deren Product constant ist. Sind A und A' ein Paar von Punkten in t resp. t', für welche das Product $RA . Q'A'$ den vorgeschriebenen Werth hat, so liefern die von P aus gehenden Strahlen nach A und A', nach R und in der Richtung von t', in der Richtung von t und nach Q' drei Paare entsprechender Strahlen in projectivischen Büscheln, deren Doppelstrahlen das Problem lösen. (Sectio spatii des Apollonius.)

22. Aus der allgemeinen centrischen Collineation von der Charakteristik $\triangle$ ergeben sich für specielle Lagen des Centrums und der Axe der Collineation, d. h. der Doppelpunkte ihrer vereinigten projectivischen Reihen und der Doppelstrahlen

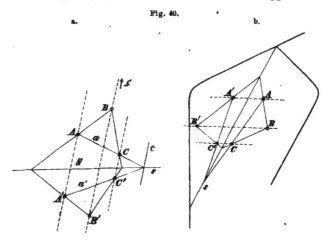

Fig. 40.

ihrer vereinigten projectivischen Büschel, die folgenden besonderen Beziehungen. (Vergl. § 17, 5.)

a) Das Collineationscentrum $\mathfrak{C}$ liegt unendlich fern. Man hat (Fig. 40, a., b.)

$$\triangle = (\infty S A A') = (c s a a');$$

für die entsprechenden Punkte ist also $S A' : S A = \triangle$, die Reihen in den Collineationsstrahlen sind ähnlich mit dem Aehnlichkeitspunkt in der Axe; entsprechende Gerade theilen einen Winkel von constanter Grösse nach dem constanten Doppelverhältniss $\triangle$. Für die Gegenpunkte hat man

$$\triangle = (\infty S \infty\, Q') = (\infty S R \infty)$$

d. h. Q', R müssen gleichzeitig unendlich fern sein, oder entsprechende Reihen sind ähnlich (§ 17, 5.). Die Gegenaxen q', r sind nach der Umlegung in der unendlich fernen Geraden der Bildebene vereinigt und ihre Punkte bilden zwei vereinigte projectivische Reihen, für welche das Centrum und die Richtung der Axe die Doppelpunkte sind. Parallele Gerade des Originals haben parallele Bilder. — Dies ergiebt sich auch aus dem Vorgang des Projicierens mit unendlich fernem Centrum direct.

Diese Charactere bezeichnen die allgemeine Verwandtschaft der parallel-projectivischen Systeme, die man die Affinität nennt.

b) Das Collineationscentrum liegt im Unendlichen und die Characteristik ist $\triangle = -1$, man hat also Affinität und zugleich Involution. Es ist (Fig. 41)

$$(\infty S A A') = -1, \text{ also } S A' = - S A; \quad (c s a a') = -1;$$

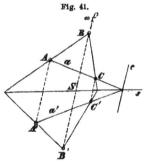

Fig. 41.

d. h. entsprechende Punktepaare liegen in fester Richtung äquidistant von der Axe s, die Reihen in den Collineationsstrahlen sind symmetrisch mit dem Symmetrie-Centrum in der Axe; entsprechende Strahlenpaare bilden stets mit dieser Richtung und der Axe harmonische Büschel. Entsprechende Dreiecke sind flächengleich, wie man sofort erkennt. Diese Charactere bezeichnen die schiefe und die normale Symmetrie in Bezug auf eine Axe. Die projicierenden Strahlen sind parallel einer der Ebenen, welche den

Neigungswinkel α der Bildebene und Originalebene und sein Supplement $(180^0 - \alpha)$ halbieren.

Die vereinigten projectivischen Reihen sind gleiche Reihen mit im Unendlichen vereinigten Doppelpunkten; die Büschel Parallelenbüschel mit in s vereinigten Doppelstrahlen.

Wenn, was $\triangle = +1$ entspricht, die Axe s der Affinität das Centrum $\mathfrak{C}$ zu ihrer Richtung hat, so hat man die besondere Form der Affinität flächengleicher Figuren. (Fig. 42.)

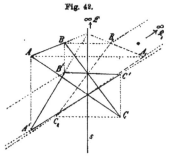

Fig. 42.

Wenn man zu der einen ABC von zwei solchen Figuren die zu ihr für die Axe s orthogonal symmetrische $A_1 B_1 C_1$ verzeichnet, so ist diese mit der andern $A'B'C'$ schief-symmetrisch (Centrum $\mathfrak{C}_1$) für dieselbe Axe. (Vergl. § 19, 8, Fall 2 und § 20, 7.) Wir merken noch an (§ 21), dass für A, B, C als Punkte D', E', F' des Bildes D, E, F in denselben Parallelstrahlen zu s äquidistant mit A', B', C' von A, B, C liegen.

c) Die Collineationsaxe liegt unendlich fern. Man hat (Fig. 43, a., b.) $\triangle = (\mathfrak{C} \infty A A') = \mathfrak{C}A : \mathfrak{C}A' = (c \infty a a'')$;

Fig. 43.

a.   b.

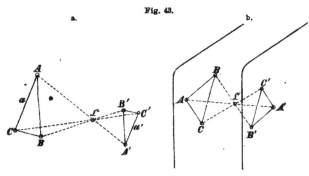

die Abstände entsprechender Punkte vom Centrum sind in constantem Verhältniss, sie bilden ähnliche Reihen; entsprechende Gerade sind einander parallel, die zugehörigen Reihen ähnlich nach demselben Verhältniss. Dies ist der Character von ähnlichen und ähnlich gelegenen Systemen, $\mathfrak{C}$ ist ihr Aehnlichkeitspunkt. Es entspricht (vergl. den Schluss von § 11.) der Centralprojection für jede zur Bildebene parallele Originalebene (vergl. § 17., 5.); den entgegengesetzten Umlegungen $\triangle = \pm k$ entsprechen die directe und die inverse Aehnlichkeit, mit $\mathfrak{C}$ als dem äussern resp. innern Aehnlichkeitspunkt. Man macht von der Verwandtschaft durch Aehnlichkeit fast immer Gebrauch, indem man einen bestimmten Maassstab der Verjüngung für die Darstellung des Objectes wählt, sei dasselbe nun durch Centralprojection oder durch Parallelprojection darzustellen — man zeichnet von der Abbildung, wie sie aus dem Original selbst entstehen würde, ein verjüngtes direct-ähnliches Bild.

d) Die Collineationsaxe liegt im Unendlichen und die Characteristik ist $\triangle = -1$; man hat also Aehnlichkeit in ähnlicher Lage und zugleich Involution. Es ist (Fig. 44)

Fig. 44.

$$\triangle = (\mathfrak{C} \infty A A') = -1 = (c \infty a a');$$

also

$$\mathfrak{C} A = -\mathfrak{C} A',$$

oder entsprechende Punkte liegen gleichweit und in entgegengesetztem Sinne vom Centrum entfernt, sie bilden symmetrische Reihen; entsprechende Gerade sind parallel, bilden also symmetrische Büschel in Bezug auf den gleichgerichteten Centralstrahl. Diess ist der Character von Systemen, die man centrisch symmetrisch nennt; sie entsprechen der Centralprojection für diejenige Ebene, welche der Bildebene parallel und äquidistant vom Centrum mit ihr ist.

Man sieht, die Symmetrien ebener Systeme sind besondere Fälle ihrer Involution.

Und die Centralprojectionen symmetrischer Figuren sind involutorische Figuren. Das Bild der Symmetrieaxe ist die Axe und der Fluchtpunkt der Parallelen das Centrum im einen Falle; das Bild des Centrums ist das Centrum und die Fluchtlinie der Ebene die Axe der Involution im andern Falle.

e) Die Collineationsaxe und das Collineationscentrum liegen im Unendlichen, also auch ineinander, d. h. es findet gleichzeitig **Affinität mit Flächengleichheit und Aehnlichkeit in ähnlicher Lage** statt, man erhält **congruente Systeme.** Die Doppelpunkte der vereinigten Reihen und die Doppelstrahlen der vereinigten projectivischen Büschel liegen sämmtlich im Unendlichen. Dies entspricht der Parallelprojection für Ebenen, welche der Bildebene parallel sind. (Fig. 45, a., b.)

Fig. 45.

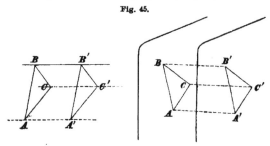

So sind alle gewöhnlichen Specialfälle der Projection des ebenen Systems in der Characteristik $\varDelta$ ausgesprochen.

Endlich characterisieren (§ 19, 8.) die Werthe 0, ∞ und die Unbestimmtheit von $\varDelta$ die Lagen des Centrums C in einer der beiden Ebenen und die in der Schnittlinie beider Ebenen und liefern Fälle der centralprojectivischen oder collinearen Abhängigkeit, in denen nicht jedem Punkte und jeder Geraden der einen Ebene ein bestimmter Punkt und eine bestimmte Gerade der andern Ebene entspricht und die daher auch den praktischen Zwecken der Abbildung nicht mehr genügen, während sie von grossem geometrischen Interesse sind. Wir nennen sie **Collineationen mit singulären Elementen.** Denken wir das Bündel der projicierenden Strahlen und Ebenen aus C, so ergiebt sich im Falle

f) für C in $\mathbf{E}$, dass s und q' in der Geraden $(\mathbf{E}, \mathbf{E}')$ vereinigt sind und $\mathfrak{C}$ in r liegt $(\varDelta = 0)$; dass einem beliebigen Punkte A von $\mathbf{E}$ ein Punkt A' in der Schnittlinie s

7*

beider Ebenen, und zwar allen Punkten der Geraden $\mathfrak{C}A$
oder CA der nämliche, und einer beliebigen Geraden g
diese Schnittlinie selbst entspricht, dem Punkte C aber
jeder beliebige Punkt der Ebene $\mathbf{E}'$; indess einem beliebigen Punkte B' und einer beliebigen Geraden h' von
$\mathbf{E}'$ immer der Punkt C und eine durch ihn gehende Gerade h entsprechen, der Geraden s aber jede beliebige
Gerade in der Ebene $\mathbf{E}$ — natürlich im Falle der Bestimmtheit unter Uebereinstimmung der entsprechenden
Doppelverhältnisse. Es ist das Verhalten der projicierenden Ebenen.

Analog für C in $\mathbf{E}'$ mit den entsprechenden Vertau-
schungen der gestrichenen und ungestrichenen Elemente.

g) für C in der Geraden $(\mathbf{E}, \mathbf{E}')$, dass s, q', r in dieser einen
Geraden liegen, die auch $\mathfrak{C}$ enthält ($\varDelta$ unbestimmt); dass
den Punkten jeder Ebene unterschiedslos der Punkt C der
andern und den Geraden jeder Ebene die Gerade s der
andern, einer durch C gehenden Geraden der einen Ebene
aber immer jede unbestimmte durch C gehende Gerade
der andern Ebene correspondiert. Das Nämliche folgt in
beiden Fällen aus der Construction in der Ebéne.

Wir haben vereinigte Reihen und Büschel, wo einem
Punkte resp. Strahl alle andern entsprechen. Der Fall g)
ist zugleich parabolische Involution. (§ 21.)

Die Verwandtschaften der Affinität, der Flächengleichheit,
der Aehnlichkeit und der Congruenz bestehen auch nach Aufhebung der centrischen Lage fort, indem nur die auf die vereinigten Reihen und Büschel bezüglichen Eigenschaften ent-
fallen. Man sieht leicht, dass zwei entsprechende Dreiseite
die Affinität — bei gleichen Flächen die Flächengleichheit —
bestimmen, wie zwei entsprechende Segmente die Aehnlichkeit
und zwei entsprechende Punkte mit durch sie gehenden Geraden die Congruenz. Ebenso leicht ist die Bestimmung (vergl.
§ 23) in den Fällen der Collineation mit singulären Elementen
in denen auch die zugehörigen aus beliebigen Centren gebildeten projicierenden Bündel (die Scheine) in denselben Relationen stehen, während die Scheine der vorerwähnten speciell
verwandten Systeme wesentlich allgemein sind.

Die Verwandtschaften der Involution und der Symmetrie

erlauben diese Trennung nicht, die beiden verwandten Systeme bilden bei ihnen ein Ganzes; die zugehörigen Bündel aus einerlei Centrum sind involutorisch und zwar auch die den Symmetrien entsprechenden wesentlich allgemein. Sie zeigen einen Hauptstrahl c, den projicierenden des Centrums, und eine Hauptebene $\mathbf{s}$, die projicierende der Axe, und sind von der Charakteristik $\varDelta = -1$ beherrscht: Entsprechende Strahlen a, a' liegen in einer Ebene durch c und werden von c und ihrer Schnittlinie mit $\mathbf{s}$ harmonisch getrennt; entsprechende Ebenen schneiden sich in einer Geraden auf s und werden von $\mathbf{s}$ und deren Verbindungsebene mit c harmonisch getrennt. Die ebenen Querschnitte involutorischer Bündel sind involutorisch collineare ebene Systeme mit dem Schnitt von $\mathbf{s}$ als Axe s und dem von c als Centrum $\mathfrak{C}$. Die zu c parallelen Schnitte liefern Symmetrien mit Axe (wann insbesondere orthogonale?) und die zu $\mathbf{s}$ parallelen solche mit Centrum.

1) Wir heben die besondere Wichtigkeit der Symmetrie noch durch ein Beispiel hervor. Der Kreis ist sowohl für sein Centrum M centrisch-symmetrisch als auch für jeden seiner Durchmesser d orthogonal-symmetrisch. Die Centralprojectionen des Kreises sind daher a) für das Bild M' des Centrums als Centrum und für die Gegenaxe q' des Bildes als Axe in involutorischer Centralcollineation; aber auch b) für das Bild d' eines Durchmessers als Axe und das Bild der zu ihm rechtwinkligen Richtung $D_1{}'$ als Centrum. Wir werden diess in allgemeiner Entwickelung im folgenden Abschnitt in seiner ganzen Wichtigkeit erkennen. Hier wollen wir den zur Tafel parallelen Durchmesser des Originalkreises K betrachten und von der Centralprojection $(K)'$ der Umlegung des Kreises in die ihn enthaltende Parallelebene zur Tafel ausgehen. (Vergl. § 14, 8.) Wir denken diesen Durchmesser durch s, die Gegenaxe oder Fluchtlinie der Ebene durch q' und die beiden Umlegungen des Centrums C für dieselbe durch $\mathfrak{C}$ und $\mathfrak{C}^*$ bezeichnet. Der Schnitt von $\mathfrak{C}\mathfrak{C}^*$ mit q' ist der Fluchtpunkt H der Falllinien zur Tafel, also auch der zum Durchmesser s rechtwinkligen Ordinaten des Kreises $(K)'$. Da nun in Folge der Symmetrie $(K)'$ sowohl in der Umklappung für $\mathfrak{C}$ als in der für $\mathfrak{C}^*$ erhalten wird, so gelangt man zum Bilde K' des Kreises K mit Benutzung der zu s rechtwinkligen Sehnen von den Endpunkten A, A^* und den Mitten B auf s, sowie den Schnitten der zugehörigen Tangenten s auf T, indem man die Geraden $\mathfrak{C}A$, $\mathfrak{C}A^*$ mit den Geraden $\mathfrak{C}^*A$, $\mathfrak{C}^*A^*$ durchschneidet; die Verbindungslinie der Schnittpunkte A', $A^{*\prime}$ ist zugleich die Gerade SH; $A'T$ und $A^{*\prime}T$ sind die Tangenten des Bildes in A', $A^{*\prime}$.

Dies Princip der doppelten Umlegung ist für alle ebenen Figuren anwendbar, die eine zur Tafel parallele Symmetrieaxe haben; es zeigt natürlich das Wesen der Involution, das vertauschbare Entsprechen. (A als B^*, giebt A^* in B auch im Bilde.)

2) Die Anschauung von Fig. 17 zeigt, dass die beiden Projectionen desselben ebenen Systems auf dieselbe Ebene von zwei Centren C, C^* mit gleichen Distanzen zu einander affin sind für die Spur s als Axe und die Richtung der Verschiebung als Centrum. Für $C_1 C_1^*$ parallel s besteht somit zwischen beiden Figuren Flächengleichheit mit centrischer Lage.

3) Fig. 18 zeigt centrische Collineation der beiden Bilder desselben ebenen Systems für seine Spur als Axe und C_1, den Durchstosspunkt der Verbindungslinie der Centra C und C^*, als Centrum. Man bestimme die Gegenaxen dieser Collineation und zeige, dass dieselbe Beziehung die beiden Bilder desselben ebenen Systems bei jeder Transformation des Centrums verbindet.

4) Man kann verlangen, diejenigen Transformationen des Centrums anzugeben, für die die Collineation zwischen beiden Bildern desselben ebenen Systems insbesondere involutorisch ist; der Durchstosspunkt $\mathfrak{C}$ der Verbindungslinie des alten Centrums mit dem neuen kann beliebig gewählt werden.

23.   Durch das Vorhergehende lässt sich endlich auch die allgemeine Bestimmung und Construction der Projectivität ebener Systeme begründen und die Lösung der sogenannten umgekehrten Aufgaben der Perspective gewinnen. Die Bestimmungs-Elemente collinearer ebener Systeme müssen ausreichen, um die Projectivität aller entsprechenden Reihen und Büschel zu bedingen und diess wird offenbar durch vier Paare entsprechender Punkte oder Geraden erreicht, von denen nicht drei in einer geraden Linie liegen, respective durch einen Punkt gehen. Sind A, B, C, D vier solche Punkte im einen und A', B', C', D' die entsprechenden im andern System, so hat man für jedes neue Paar entsprechender Punkte X, X' die Gleichheiten

$$(A . BCDX) = (A' . B'C'D'X'), \quad (C . ABDX) = (C' . A'B'D'X')$$

unter andern analogen. Ist also X gegeben, so construiert man den zu AX entsprechenden Strahl $A'X'$ nach der ersten und den zu CX entsprechenden Strahl $C'X'$ nach der zweiten, durch die Methode des § 18. mit dem Lineal allein, und erhält somit X'. So sind, unabhängig von der centralen Lage, welche die Umlegung der central-projectivischen ebenen Systeme gab, alle Paare entsprechender Punkte von zwei projectivischen ebenen Systemen durch vier von ihnen linear bestimmt. Jede beliebige Gerade des einen Systems kann aus ihrer entsprechenden im andern abgeleitet werden, indem man zu zwei Punkten der letzteren so die entsprechenden sucht, insbesondere zu den Schnittpunkten mit zwei Gegenseiten des Vierecks $ABCD$ oder $A'B'C'D'$.

Sind a, b, c, d und a', b', c', d' vier Paare entsprechender Geraden, so giebt jede neue Gerade x mit ihrer entsprechenden x' unter andern analogen die Gleichheiten

$$(a \cdot bcdx) = (a' \cdot b'c'd'x'), \quad (c \cdot abdx) = (c' \cdot a'b'd'x')$$

und so die lineare Construction des x' zu x mittelst der entsprechenden Punktepaare projectivischer Reihen ax, $a'x'$; cx, $c'x'$ nach § 17.

Die Bestimmung der Systeme in centraler Lage durch das sich selbst entsprechende Centrum $\mathfrak{C}$, durch zwei Punkte S_1, S_2 der Spur oder Axe s, welche mit S_1', S_2' respective zusammenfallen, und einen Punkt Q' der Gegenaxe q' oder R in r, dessen entsprechender Q respective R' die Richtung des nach ihm gehenden Strahls aus dem Centrum ist, lässt sich als specielle Form hiervon betrachten. Zugleich bilden die Strahlen aus dem Centrum $\mathfrak{C}S_1$, $\mathfrak{C}S_2$ und die Geraden s und q' oder r vier Gerade, deren entsprechende bekannt sind, die der drei ersten als mit ihnen sich deckend, die zu q' oder r im Unendlichen.

Wie durch Aufnahme der unendlich fernen Elemente unter die Data die Bestimmung der collinearen ebenen Systeme in den besonderen Fällen $a-e$ des Art. 22. zu specialisieren ist, ergiebt sich leicht. Wir wollen die Fälle f) und g) für die allgemeine Lage characterisieren. Denken wir im Falle f) die centrische Lage der Ebenen $\mathbf{E}$, $\mathbf{E}'$ aufgehoben, so erhalten wir zwei collineare Ebenen, in deren einer ein singulärer Punkt C und in deren anderer eine singuläre Gerade s' liegt; singulär, weil ihnen respective alle Punkte und alle Geraden der andern Ebene entsprechen; jedem Punkte der singulären Linie entsprechen alle Punkte eines bestimmten durch den singulären Punkt der andern Ebene gehenden Strahls — natürlich jenen Punkten diese Strahlen nach gleichem Doppelverhältniss.

Im Falle g) dagegen haben wir in jeder Ebene einen singulären Punkt und eine ihn enthaltende singuläre Linie, in demselben Sinne, dass dem Punkte alle Punkte der andern

Ebene und der Geraden alle Geraden der andern Ebene entsprechen, während jedem Strahl durch den singulären Punkt und jedem Punkt in der singulären Linie der einen Ebene ein unbestimmter Strahl aus dem singulären Punkte und ein unbestimmter Punkt in der singulären Linie der andern Ebene entspricht. Zur Bestimmung solcher Systeme ist natürlich die Angabe der singulären Elemente nöthig.

Wir kehren zum allgemeinen Fall zurück und zeigen, nachdem wir sahen, wie sich aus vier bekannten entsprechenden Elementenpaaren alle andern Paare entsprechender Elemente collinearer Ebenen bestimmen lassen, nun auch, dass die so erhaltenen ebenen Systeme sich zu centrischer Collineation vereinigen und daher auf unendlich viele Arten in die Lage der Centralprojection bringen lassen. Wir sagen: Zwei beliebige Vierecke $ABCD$ und $A'B'C'D'$ lassen sich stets in centrisch-collineare Lage bringen. Sind die Schnittpunkte der Gegenseitenpaare AB, CD mit E, also $A'B'$, $C'D'$ mit E', BC, DA mit F, $B'C'$, $D'A'$ mit F' bezeichnet, so hat man die Projectivitäten von Reihen (Fig. 46, a.)
$$(ABE\ldots) = (A'B'E'\ldots), \quad (DCE\ldots) = (D'C'E'\ldots);$$
man bestimmt in denselben die Paare der Gegenpunkte R_1, R_2 in AB, CD und Q_1', Q_2' in $A'B'$, $C'D'$ und erhält damit in den Geraden $R_1 R_2$ und $Q_1' Q_2'$ die Gegenaxen r und q' der Systeme.

Da die Strahlen vom Centrum $\mathfrak{C}$ der Collineation nach den Punkten R_1, R_2 dieselben Winkel mit der Geraden r bilden, wie die Bilder der zugehörigen Geraden $A'B'$, $D'C'$ in Q_1', Q_2' mit der Geraden q', und die Strahlen von $\mathfrak{C}$ nach Q_1', Q_2' dieselben Winkel mit q' wie die Originale AB, DC in R_1, R_2 mit r (§ 9.), so erhält man durch ein ihre gegenseitige Lage berücksichtigendes Antragen dieser Winkel in jedem der beiden Systeme zwei Lagen, $\mathfrak{C}_1$, $\mathfrak{C}_2$; $\mathfrak{C}_1'$, $\mathfrak{C}_2'$ für das Centrum $\mathfrak{C}$, orthogonal-symmetrisch zu r respective q'. (Man könnte jetzt nach § 15, 5 die symmetrisch gleichen Reihen und Büschel t, t', T, T' sowie die Collineationsaxen s, s' auftragen und zur Weiterconstruction der collinearen Systeme benutzen.) Bringt man die Systeme nun so zur Deckung, dass ein Paar von jenen $\mathfrak{C}_1$, $\mathfrak{C}_1'$; $\mathfrak{C}_2$, $\mathfrak{C}_2'$ auf einander fallen, während zugleich die Gegenaxen q', r zu einander und die Strahlenpaare

$\mathfrak{C}R_1$, $A'B'$; $\mathfrak{C}R_2$, $C'D'$; $\mathfrak{C}Q_1'$, AB; $\mathfrak{C}Q_2'$, CD parallel werden, so sind die Vierecke $ABCD$, $A'B'C'D'$ in centrisch collineare

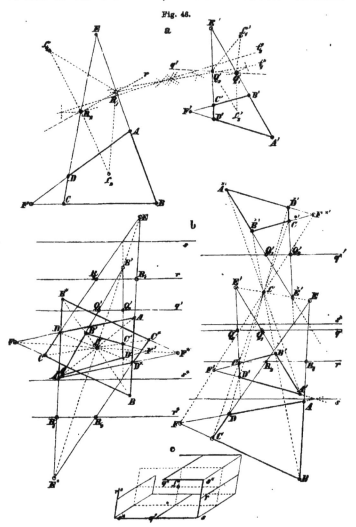

Fig. 46.

Lage gebracht, und man erhält die Collineationsaxe s als den Ort der Schnittpunkte entsprechender Paare von Geraden

AB, $A'B'$, etc. parallel q', r, und ebenso weit im entgegengesetzten Sinne von $\mathfrak{C}$ entfernt, wie die Mitte zwischen q' und r.

Jeder der beiden angezeigten Vereinigungen entsprechen zwei Lagen der Vierecke und in der Fig. 46, b. sind die dem $\mathfrak{C}_1$, $\mathfrak{C}_1'$ entsprechenden rechts, die für $\mathfrak{C}_2$, $\mathfrak{C}_2'$ links dargestellt; dem Paar $ABCD$, $A'B'C'D'$ entsprechen links wie rechts s, q', r, den Paaren $ABCD$, $A^{*'}B^{*'}C^{*'}D^{*'}$ rechts und $A^*B^*C^*D^*$, $A'B'C'D'$ links aber s^*, q', r und s^*, q', r^*. Die Vergleichung der Abstände zwischen den entsprechenden Geraden s, q', r in beiden Figuren macht die Symmetrieverhältnisse der Lagen der Ebenen von Bild und Original ersichtlich.

Eine Skizze c. zeigt endlich, dass sie auf zwei verschiedene räumliche Lagen zurückkommen und die jedesmaligen beiden Umlegungen repräsentieren, nämlich A rechts und links mit $A^{*'}$... rechts, A'... links; und A' rechts und links mit A rechts und A^*... links.

Denken wir einen Kreis durch $\mathfrak{C}$ in der Normalebene zu q' und mit dem Fusspunkt H in q' als Mittelpunkt, so ist seine Peripherie der Ort der möglichen Centra C, von welchen aus das Viereck $A'B'C'D'$ das Bild des Originalvierecks $ABCD$ ist; die Kenntniss des Winkels α, den die Ebene $ABCD$ mit der Bildebene macht, würde die Bestimmung des Centrums und der Distanz liefern, und damit die Lösung des Problems der umgekehrten Perspective vollenden. Für $\alpha = 90^0$ wäre H selbst der Hauptpunkt und $\mathfrak{C}H$ die Distanz. Wenn zu einem perspectivischen Bilde das Centrum gesucht werden soll, so wird also das Bild eines Quadrats oder eines andern regulären Polygons, das man in demselben findet, zur Bestimmung eines solchen Kreises führen, dem das Centrum angehört, die zweifache Wiederholung davon wird es als den Schnitt zweier Kreise in Normalebenen zur Tafel bestimmen. Dann sind die Lagen- und Grössenverhältnisse aller dargestellten Raumformen ableitbar aus den Bestimmungselementen.

1) Welche Specialitäten ergeben sich für die centrische Collineation eines Quadrats mit einem beliebigen Viereck? Wie könnte dieselbe ohne Zuhilfenahme der Projectivitätsgesetze hergestellt werden, auf Grund der Rechtwinkligkeit der Seiten und Diagonalen des Quadrats? (§ 16., 18.)

2) Zwei congruente Vierecke liefern im Allgemeinen unendlich ferne Gegenaxen, die Zusammenlegung zur perspectivi-

schen Lage in der Ebene ist unbestimmt. Im Raum fordert dieselbe den Parallelismus der Ebenen und der Vierecke und liefert
alle unendlich fernen Punkte und alle Punkte der Mittelebene
zwischen ihnen als Centra der Projection, und somit alle Punkte
des Raumes. Wenn zugleich (Fig. 46) $BA = AE$, $CD = DE$
sind, so werden die congruenten symmetrischen Trapeze auch für
s in AD und $\mathfrak{C}$ als seine Mitte perspectivisch (Gegenaxen als AB,
CD resp. AE, DE halbierend); ebenso für. dasselbe s und die
Richtung seiner Normalen als Centrum; etc. Man denke die Axenschnitte des geraden abgestumpften Kegels und die gleichen Kreis-
schnitte eines schiefen Kegels wie in § 11., 5.

3) In zwei collinearen Ebenen ist das Product der Abstände entsprechender Punkte von ihren Gegenaxen
constant; denn es ist in perspectivischer Lage so, also auch in
der allgemeinen. Und für ein Dreieck von gegebener Fläche in
der einen Ebene variiert der Inhalt des entsprechenden Dreiecks nach dem Produkt der Abstände seiner Ecken von der zugehörigen Gegenaxe.

4) In den Vierecken $ABCD$, $A'B'C'D'$ (vergl. Fig. 46, a)
entsprechen sich ausser den Punkten (AB, CD) oder E und E',
und (BC, DA) oder F und F' auch (AC, BD) oder G und $(A'C', B'D')$
oder G'; ebenso weiter (EF, BD) und (EF, AC) mit $(E'F', B'D')$
und $(E'F', A'C')$; (FG, AB) und (FG, CD) mit $(F'G', A'B')$ und
$(F'G', C'D')$; (GE, AD) und (GE, BC) mit $(G'E', A'D')$ und
$(G'E', B'C')$; diese sechs neuen Punktepaare liefern mit den ursprünglichen zwölf und unter einander vier neue Paare entsprechender
Geraden, welche neue Punkte und Linien in stets wachsender Zahl
aber immer in entsprechenden Paaren bestimmen; die unbegrenzte
Fortsetzung dieser Construction bedeckt die Ebenen mit Netzen
entsprechender Elemente; man erhält zwei als Original und Bild
zusammengehörige geometrische Netze. Man sieht, die Bildung
des Netzes ist die Construction harmonischer Gruppen. (§ 16., 13.)

5) Wenn zwei collineare ebene Systeme ein Strahlenbüschel
Strahl für Strahl entsprechend gemein haben, so haben sie auch
eine gerade Reihe Punkt für Punkt entsprechend gemein (und umgekehrt) und sind in perspectivischer oder centrischer Lage
(vergl. § 19., 11).

6) Wenn also insbesondere zwei ebene Systeme (1),
(2) mit demselben dritten System (3) für das nämliche
Centrum $\mathfrak{C}$ centrisch collinear sind, so sind sie es auch
unter einander. Die Collineationsaxen gehen durch
einen Punkt S.

Sind $\varDelta_{13} = (\mathfrak{C}SA_1A_3)$, $\varDelta_{23} = (\mathfrak{C}SA_2A_3)$ die Characteristiken
der gegebenen Collineationen, so ist die Charakteristik der Systeme
(1) und (2)

$$\varDelta_{12} = (\mathfrak{C}SA_1A_2) = \varDelta_{13} : \varDelta_{23}.$$

Man zeige, dass die Gegenaxen der letzten Collineation durch die Punkte gehen, in denen die Collineationsaxe s_2 der ersten von der Gegenaxe $q_1{}'$ der zweiten und die Collineationsaxe s_1 der zweiten durch die Gegenaxe $q_2{}'$ der ersten geschnitten wird.

Für $\varDelta_{13} = \varDelta_{23}$ erhält man $\varDelta_{12} = 1$; die Collineationsaxe s_3 geht durch das Centrum und die Gegenaxen $q_3{}'$, r_3 sind äquidistant von ihr. (§ 20.)

Für $\varDelta_{13} = - \varDelta_{23}$ wird $\varDelta_{12} = - 1$; d. h. es entsteht Involution; s_3 ist parallel zur Verbindungslinie $q_3{}'r_3$ der Punkte $s_2, q_1{}'$ und $s_1, q_2{}'$ und von ihr ebensoweit entfernt wie $\mathfrak{C}$. Man untersuche die den Unterscheidungen des § 22. entsprechenden Specialfälle.

Wenn zwei ebene Systeme mit demselben dritten System für dieselbe Axe s centrisch collinear sind, so sind sie es auch unter einander. Das entsprechende Centrum liegt in der Verbindungslinie c der beiden gegebenen Centra; aus $\varDelta_{13} = (c\,s\,a_1\,a_3)$, $\varDelta_{23} = (c\,s\,a_2\,a_3)$ folgt $\varDelta_{12} = (c\,s\,a_1\,a_2) = \varDelta_{13} : \varDelta_{23}$; etc.

6) Schreibt man $(A\,.\,BCDX) = (A'\,.\,B'C'D'X')$ in entwickelter Form,

$$\frac{\sin BAD}{\sin CAD} : \frac{\sin BAX}{\sin CAX} = \frac{\sin B'A'D'}{\sin C'A'D'} : \frac{\sin B'A'X'}{\sin C'A'X'},$$

so hat man sofort

$$\frac{BA\,.\,DA\,.\,\sin BAD}{CA\,.\,DA\,.\,\sin CAD} : \frac{BA\,.\,XA\,.\,\sin BAX}{CA\,.\,XA\,.\,\sin CAX} = \ldots$$

d. h. die Doppelverhältnissgleichheit entsprechender Dreiecksflächen,

$$\frac{BAD}{CAD} : \frac{BAX}{CAX} = \frac{B'A'D'}{C'A'D'} : \frac{B'A'X'}{C'A'X'};$$

und analog für sechs Punktepaare A, B, C, D, E, F, etc. das Doppelverhältniss der Dreiecksflächen $\dfrac{ACD}{BCD} : \dfrac{AEF}{BEF}$ constant vom Original zum Bild. Denn mit G und H als Schnitten der Geraden AB mit CD, resp. EF hat man

$$\frac{AG}{BG} = \frac{ACD}{BCD}, \quad \frac{AH}{BH} = \frac{AEF}{BEF}$$

und daher $(ABGH)$ ein vom Original zum Bild bleibendes Doppelverhältniss als Ausdruck des geschriebenen Doppelverhältnisses der Dreiecksflächen. Für die Affinität gehen diese Relationen in die einfache Verhältnissgleichheit entsprechender Flächen über. (Vergl. § 21., a.)

Ueberblick. Wir blicken zurück und vorwärts. Die Centralprojection fügt zu dem Punkt als seinen Schein die projicierende Gerade mit der Punktreihe seiner Bilder und zu der geraden Linie oder Punktreihe als Schein das projicierende

Strahlenbüschel oder die projicierende Ebene, die ihre Bilder
erfüllen; und insofern eine Ebene durch ein Strahlenbüschel
bestimmt werden kann, führt die Centralprojection als den
Schein des Letzten das projicierende Ebenenbüschel als die
dritte für die Untersuchung nöthige Anschauung ein; seine
ebenen Querschnitte sind die Bilder des ersten. Diese drei,
die gerade Punktreihe, das ebene Strahlenbüschel
und das Ebenenbüschel, bilden eine in sich abgeschlossene
Gruppe gegenüber dem Prozess des Projicierens, der aus der
Bildung des Scheines und der nachfolgenden des Schnittes
zusammengesetzt ist (vergl. p. 3 unter Methode) und sie sind
im Falle ihres Zusammenhanges durch Centralprojection durch
das nämliche Gesetz verbunden. Jedes der drei Gebilde
geht bei dem Prozess des Projicierens aus jedem
der zwei anderen hervor: Die Punktreihe als Schnitt aus
dem Strahlenbüschel durch eine Gerade seiner Ebene, als Schnitt
aus dem Ebenenbüschel durch eine beliebige Gerade; das Strahlenbüschel als Schein der Punktreihe aus einem Punkte und
als Schnitt eines Ebenenbüschels durch eine Ebene; das Ebenenbüschel als Schein des Strahlenbüschels aus einem Punkte und
als Schein der Punktreihe aus einer Geraden — mit zweck-
mässiger Erweiterung des Ausdrucks. (§ 16.) Diese drei
Gebilde sind, sowie sie paarweise beim Prozess des
Projicierens aus einem Centrum auftreten, in perspectivischer Lage und genügen dem Gesetz der
Doppelverhältnissgleichheit entsprechender Gruppen, oder sie sind projectivisch in perspectivischer Lage; sie
heissen projectivisch — ohne Beifügung — wenn diese specielle
Lage aufgehoben wird. Man nennt diese drei Gebilde die projectivischen Elementargebilde oder die Grundgebilde
der ersten Stufe.

Um die unendliche Mannigfaltigkeit der Figuren einer
Ebene zu projicieren, betrachtete die Centralprojection
das ebene System entweder als eine Vereinigung von
unzählig vielen Punkten oder als eine solche von
unzählig vielen Geraden (§ 11.); jene konnte sie als vertheilt in unzählig viele gerade Reihen, diese als vertheilt in
unzählig viele Strahlenbüschel auffassen, so dass jeder einzelne
Punkt als gemeinsamer Punkt von zwei solchen Reihen und

jede einzelne Gerade als gemeinsamer Strahl von zwei solchen Büscheln bestimmt ist. Das ebene System ist in beiderlei Betracht eine Vereinigung von unendlich vielen Grundgebilden erster Stufe. Es wird nun projiciert durch die Verbindung aller seiner Elemente mit dem Centrum der Projection, also durch die Gesammtheit der projicierenden Strahlen seiner Punkte — man sagt durch ein Strahlenbündel — oder der projicierenden Ebenen seiner Geraden — man sagt durch ein Ebenenbündel; also durch eine Unendlichkeit von projicierenden Strahlenbüscheln seiner geraden Reihen nach der ersten Auffassung und durch eine Unendlichkeit von projicierenden Ebenenbüscheln seiner Strahlenbüschel nach der zweiten. Der Schein des ebenen Systems aus einem Punkte ausserhalb desselben, das projicierende Strahlenbündel oder Ebenenbündel ist auch eine Vereinigung von unendlich vielen Grundgebilden erster Stufe. Man nennt darum das ebene System von Punkten oder Strahlen und das Strahlen- oder Ebenenbündel die Grundgebilde zweiter Stufe. Die constituierenden Grundgebilde erster Stufe im ebenen System und im projicierenden Bündel sind im Falle der Projection perspectivisch und bleiben, wenn ihr Entsprechen bei Aufhebung dieser Lage festgehalten wird, projectivisch — und dies allein macht die Brauchbarkeit der Projectionen aus. Die projectivischen Eigenschaften der Gebilde erster Stufe führen zu denen der Gebilde zweiter Stufe durch Zusammensetzung (§ 15 f., § 23.).

Wenn insbesondere das ebene System, dessen Schein man bildet, die Vereinigung zweier ebenen Systeme zur centrischen Collineation ist (§ 14.), so ist auch das entstehende Bündel aus Strahlen und Ebenen eines Original- und eines Bild-Systems zusammengesetzt, die in centrischer Collineation sind. Je zwei entsprechende Strahlen liegen mit dem Centralstrahl, dem projicierenden des Collineationscentrums, in einer Ebene; und je zwei entsprechende Ebenen schneiden sich in der Collineationsebene, der projicierenden der Collineationsaxe. Zwei entsprechende Strahlen bilden mit dem Centralstrahl und dem Schnitt ihrer Ebene mit der Collineationsebene ein constantes Doppelverhältniss; dasselbe Doppelverhältniss wird auch von

zwei entsprechenden Ebenen mit der nach dem Centralstrahl
gehenden Ebene ihres Büschels und der Collineationsebene
hervorgebracht und kann als Charakteristik $\varDelta$ der Centralcollineation im Bündel bezeichnet werden (§ 19.).
Mit $\varDelta = -1$ ist diese Collineation involutorisch (§ 20.),
alle entsprechenden Elemente entsprechen sich vertauschbar
(§ 22 Schluss).

Es ist die natürliche Fortsetzung dieser Betrachtungsweise,
dass der Raum als die unendliche Menge seiner
Punkte, seiner Ebenen und seiner Geraden betrachtet werden muss. Als Punktsystem ist er z. B. die Vereinigung von unendlich vielen ebenen Punktsystemen, die in
ein Ebenenbüschel gruppiert; als Ebenensystem ist er die Vereinigung von unendlich vielen Ebenenbündeln, deren Scheitel
in eine gerade Reihe geordnet werden können. In beiderlei Betracht setzt er sich aus den Gebilden zweiter
Stufe ebenso zusammen, wie diese aus denen der
ersten zusammengesetzt sind; er wird darum als ein
Grundgebilde dritter Stufe bezeichnet. Ganz analog den
Verhältnissen der centrischen Collineation ebener Systeme, bei
denen die entsprechenden Grundgebilde erster Stufe in perspectivischer Lage für ein Centrum sind, giebt es auch wirklich eine Abbildung des Raumes durch den Raum, bei
welcher die entsprechenden Grundgebilde erster
und zweiter Stufe, aus denen der Originalraum und
der Bildraum sich zusammensetzen, in perspectivischer Lage für ein Centrum sind. (Vergl. § 36 f.) Sie
wird als centrische Collineation räumlicher Systeme
bezeichnet und liefert die Modellierungs-Methoden der
darstellenden Geometrie. Betrachtet man den Raum als
den Inbegriff aller seiner Geraden, so kann man dieselben in
die Strahlenbündel vertheilen, deren Scheitel die sämmtlichen
Punkte einer Ebene sind, und erkennt ihn aus Gebilden
zweiter Stufe ebenso zusammengesetzt, wie diese aus
den Elementen Punkt, Ebene und Strahl; er ist also
in diesem Sinne als Gebilde vierter Stufe zu bezeichnen.
Die Uebertragung der Eigenschaften aus denen der
Gebilde niederer Stufe durch Zusammensetzung
bleibt bestehen.

So entspringt aus den Grundanschauungen und
der Methode der darstellenden Geometrie das natürliche System der Geometrie. In demselben ist die Scheidung der Geometrie in der Ebene von der Geometrie des Raumes
aufgehoben.

Wir sehen den Projectionsprozess raumbildend
wirken in gleicher Weise von der Geraden zur Ebene und von
der Ebene zum Raum; die Punkte der Geraden werden mit
einem Punkte ausser ihr durch Gerade verbunden bei Bildung
der Ebene als ihrer projicierenden; die Punkte der Ebene mit
einem Punkte ausser ihr bei Bildung des projicierenden Bündels, welches den Raum von drei Dimensionen erfüllt. Es ist
die natürliche Fortsetzung dieses Verfahrens, dass man den
drei-dimensionalen Raum von einem Punkte ausser ihm projiciert denkt durch Strahlen, die nur je einen Punkt mit ihm
gemein haben und nun den Raum von vier Dimensionen
bilden, indem alle andern Punkte jedes derselben diesem Raume
angehören. Wir versagen uns die Verfolgung dieser Methode
über den drei-dimensionalen Raum hinaus in diesem Werke;
aber die fundamentalen Gedanken desselben, und selbst der
Aufbau der Entwickelung z. B. der §§ 1—11 im Vorigen bieten
sich für diese Fortsetzung unverändert dar.

Die Beziehung der Doppelverhältnissgleichheit oder Projectivität, welche sich als fundamental ergiebt, gilt für die
drei Grundgebilde der ersten Stufe ganz in gleicher Weise;
in den allgemeinen Eigenschaften der Figuren, welche sich
auf sie gründen, treten daher Beziehungen von geraden Reihen
und von Strahlenbüscheln — vergl. als Beispiel § 23., 5;
§ 17., 18. — und Ebenenbüscheln in gleicher Weise hervor;
die Sätze, Constructionen und Beweise zeigen ein
Gesetz der Symmetrie, das als eine Correspondenz zwischen dem Liegen in Geraden oder in Ebenen und dem Gehen
durch Gerade oder durch Punkte, zwischen Ebene und Punkt,
zwischen der Geraden als Verbindungslinie von zwei Punkten
und der Geraden als Schnittlinie von zwei Ebenen bezeichnet
werden kann. Dasselbe Gesetz zeigt sich auch als Sym-
metriegesetz des Systems, in welchem die Punkte einer
Geraden, die Ebenen durch eine Gerade, die Geraden durch
einen Punkt in einer Ebene als Gebilde erster Stufe, dann

die Punkte einer Ebene und die Ebenen durch einen Punkt, die Geraden in einer Ebene und die Geraden durch einen Punkt nebeneinander als Gebilde zweiter Stufe, die Punkte und die Ebenen des Raums als Gebilde dritter Stufe erscheinen. Wir nennen es das Gesetz der Dualität. Als elementare Beispiele dafür dienen:

1) Die gerade Linie enthält unendlich viele Punkte und liegt in unendlich vielen Ebenen; somit bestimmen

ein Punkt und eine Gerade (als Ebenenbüschel) eine Ebene.	eine Ebene und eine Gerade (als Punktreihe) einen Punkt.

Die Centralprojection beginnt mit der Bestimmung des sich selbst dualen Elements, der Geraden; und geht von ihr ebenso zu den Punkten wie zu den Ebenen.

2) Drei Punkte bestimmen eine Ebene, wenn sie nicht in einer Geraden liegen.	Drei Ebenen bestimmen einen Punkt, wenn sie nicht durch eine Gerade gehen.
3) Wenn von beliebig vielen Graden jede zwei sich schneiden, aber nicht alle durch einen Punkt gehen, so liegen sie alle in einer Ebene.	Wenn von beliebig vielen Geraden jede zwei sich schneiden, aber nicht alle in einer Ebene liegen, so gehen sie alle durch einen Punkt.
4) Die Transversale zu zwei Geraden in einem Punkte ist Schnittlinie der Ebenen, welche jene Geraden mit diesem Punkte bestimmen.	Die Transversale zu zwei Geraden in einer Ebene ist die Verbindungslinie der Punkte, welche jene Geraden mit dieser Ebene bestimmen.
5) Die Transversalen zu drei Geraden sind die Schnittlinien der Ebenen, welche zwei derselben mit den Punkten auf der dritten verbinden.	Die Transversalen zu drei Geraden sind die Verbindungslinien der Punkte, in welchen sich zwei derselben mit den Ebenen durch die dritte schneiden.

Man vergleiche auch die Sätze über die perspectivische Lage der projectivischen Gebilde erster Stufe in § 17, 10.

Man kann, analog zu dem Uebergang von einer Figur zu einer mit ihr collinearen, einen Uebergang durch Construction zwischen solchen dualen oder reciproken Figuren denken.

Zu einer speciellen Correspondenz in der Ebene, welche die Charaktere der Dualität zeigt, wie sie hiernach erwartet werden müssen — also zwischen Punkten und Strahlen derselben — hat in der That die constructive Untersuchung bereits geführt. Jedem Punkte der Bildebene als Spur eines projicierenden Strahls entspricht eine Gerade

in derselben als Spur einer projicierenden Ebene,
welche zu jenem normal ist (§ 10.); die Punkte derselben
Reihe haben in dieser Beziehung zu ihren entsprechenden
Strahlen die Strahlen eines Büschels aus dem der Geraden
der Reihe entsprechenden Punkt und umgekehrt. Solche entsprechende Reihen und Strahlenbüschel haben gleiches Doppelverhältniss — weil nach jener Construction das aus dem Hauptpunkt C_1 über der Reihe ABC... gebildete Büschel zu dem
Büschel der Spuren abc... (Fig. 47) der entsprechenden Normalebenen gleichwinklig, d. h. projectivisch ist. Die so gebildeten Systeme (§ 20., 13) sind eine besondere Art der reciproken Systeme, der wir noch wiederholt, erst in der Ebene

Fig. 47.

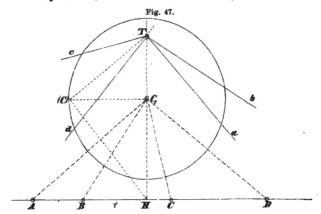

(§ 33.), dann im Raume (Bd. II, § 95. und Bd. III) begegnen
werden; sie sind involutorisch, indem einem ihrer Elemente
stets dasselbe andere entspricht, ob man es zum einen oder
andern System rechnet. Sie gehören daher zu den Polarsyste-
men; man kann sie speciell Orthogonal-Systeme nennen,
indem man den für die projicierenden Bündel genau bezeich-
nenden Ausdruck auf ihre Spuren in der Bildebene überträgt.
In dieser entspricht immer der unendlich fernen Geraden der
Fusspunkt der Normale vom Scheitel des Bündels oder der
Hauptpunkt, und jedem Punkte des Distanzkreises seine Tangente im andern Endpunkt des nach ihm gehenden Durchmessers.

Die allgemeine Correspondenz zweier Ebenen von Punkt
zu Strahl, von Reihe zu Büschel und umgekehrt wird nämlich

Reciprocität genannt, so dass man zwei Formen der Projectivität ebener Systeme unterscheidet als Collineation und Reciprocität, je nachdem die einander entsprechenden Elemente gleichartig oder ungleichartig sind. Wenn zu vier Punkten A, B, C, D der einen Ebene die vier entsprechenden Geraden a', b', c', d' der andern gegeben sind, so dass keine drei von jenen derselben Reihe und daher keine drei von diesen demselben Büschel angehören, so ist die Reciprocität der beiden Ebenen bestimmt, d. h. zu einem beliebigen Punkte X und einer beliebigen Geraden y der ersten Ebene kann die entsprechende Gerade x' und der entsprechende Punkt Y' der zweiten construiert werden und umgekehrt. Denn X bestimmt mit A und B die vierten Strahlen in den Büscheln $A.BCDX$ und $B.ACDX$, denen die Reihen $a'.b'c'd'x'$ und $b'.a'c'd'x'$ respective projectivisch entsprechen, und man erhält so zwei Punkte des Strahles x'; und wenn man zu A, B, C, D als Ecken eines vollständigen Vierecks die Diagonalpunkte (AB, CD) oder E, (BC, AD) oder F und (CA, BD) oder G (Fig. 28) bestimmt, denen im Vierseit der a', b', c', d' die Diagonalen $(a'b', c'd')$ oder e', etc. entsprechen, so erhält man durch y auf irgend zwei der sechs Geraden AB, AC, ... ihrer Ebenen die vierten Punkte von Reihen, deren entsprechende Büschel in der andern Ebene durch die Correspondenten der drei ersten und die Projectivität bestimmt sind, so dass man zwei in Y' sich schneidende Gerade erhält. Man wendet dabei, wie man sieht, ganz wie im Falle der Collineation die Construction projectivischer Gebilde erster Stufe zweimal an. Analog im Raume bei den reciproken Bündeln, die als Scheine von reciproken Ebenen angesehen werden dürfen.

Die vorher bezeichneten besonderen Fälle gehören der involutorischen Reciprocität an, bei welcher das Zusammenliegen zweier reciproken Gebilde in derselben Ebene oder an demselben Punkte (im Falle der Bündel) stattfindet und jedem Element derselben das nämliche andere Element entspricht, gleichviel ob man es zum ersten oder zweiten Gebilde rechnet. (Vergl. § 20.) Wir werden später (in Bd. III) sehen, dass der allgemeine Fall von diesem nur durch die Lage unterschieden ist, so dass, wie wir sagen

8*

wollen, zwei reciproke Gebilde derselben Stufe stets
in involutorische Lage gebracht werden können.

. Wenn zwei Gebilde collinear sind, so wird ein Gebilde,
welches zu dem einen von ihnen reciprok ist, auch zum andern
reciprok sein und zwar in allgemeiner Weise in den Fällen
a) bis e) des § 22 und involutorisch im Falle des § 20. Wir
wollen die Fälle f) und g) der collinearen Ebenen mit singulären Elementen (Art. 22.) in diesem Betracht hervorheben,
weil sie sofort zu den Reciprocitäten der Ebenen mit
singulären Elementen hinführen. Es entstehen aus f)
zwei verschiedene Fälle besonderer Reciprocität, je nachdem
wir das eine oder das andere der beiden ebenen Systeme durch
ein reciprokes ersetzen. Bei Ersetzung des Systems mit dem
singulären Punkt erhalten wir f_1) eine specielle Reciprocität
mit singulären Linien, wo der entsprechende Punkt der
singulären Linie jeder Ebene ein unbestimmter Punkt der
andern Ebene ist und jedem Punkte in der singulären Linie
der einen eine unbestimmte Gerade durch einen bestimmten
Punkt in der singulären Linie der andern entspricht, während
die correspondierenden Punkte der singulären Linien projectivische Reihen bilden.

. Im andern Falle erhalten wir für f_2) eine specielle Reciprocität mit singulären Punkten, wo jedem derselben
eine unbestimmte Gerade der andern Ebene, jeder Geraden
durch den singulären Punkt der einen aber ein unbestimmter
Punkt in einer bestimmten ihr projectivisch zugeordneten Geraden durch den singulären Punkt der andern correspondiert.

Man erhält endlich auf demselben Wege aus der speciellen
Collineation g) Art. 22. den Fall g) einer speciellen Reciproc-
cität, wo jede Ebene einen singulären Punkt und
eine durch ihn gehende singuläre Linie enthält,
denen je eine ganz unbestimmte Gerade und ein ganz unbestimmter Punkt der andern Ebene entsprechen, während
einem vom singulären Punkt verschiedenen Punkte der singulären Linie der einen Ebene ein unbestimmter Strahl durch
den singulären Punkt der andern entspricht.

1) Man zeige, wie die Construction des entsprechenden Elements zu einem gegebenen in collinearen Bündeln aus vier Strahlen
des einen und den vier entsprechenden des andern, von denen keine

drei in einer Ebene liegen, durch zweifache Wiederholung der Construction von Gebilden erster Stufe ausgeführt wird.

2) Man weise dasselbe nach im Falle reciproker Bündel und
erörtere die Construction der projectivischen Beziehung zwischen
Ebene und Bündel, wenn vier Punkte in jener und die entsprechenden Strahlen (andernfalls Ebenen) in diesem gegeben sind.

3) Für centralcollineare Bündel lässt sich aus den Relationen
in § 18, 10 eine Reihe von metrischen Eigenschaften ableiten.

4) Man soll die beiden singulären Collineationen von Bündeln
und die drei singulären Reciprocitäten der Bündel charakterisieren;
ebenso die singulären Projectivitäten zwischen Bündel und Ebene.

Wenn wir im Ueberblick gezeigt haben, wie die darstellend
geometrische Methode in das natürliche System der Geometrie
einführt, so folgen wir doch diesem systematischen Zuge hier
noch nicht weiter; wir wenden aber die Idee der Dualität
auf die Elemente des Projectionsprozesses an und erkennen, dass der Bestimmung der Elemente des Raumes durch
die Elemente d. h. die Geraden und Punkte einer festen Bildebene s unter Benutzung einer zweiten festen Ebene U und
eines festen Punktes C eine andere Bestimmung derselben
durch die Elemente d. h. die Strahlen und Ebenen eines festen
Punktes S correspondiert, unter Benutzung eines zweiten festen
Punktes U und einer festen Ebene C. Auch sie geht von der
Bestimmung der geraden Linie aus; an die Stelle des Schnittpunktes mit der Bildebene tritt ihre Verbindungsebene mit dem
festen Punkte S, an die Stelle des Punktes U', wo der von C
nach ihrem Schnitt U in U gehende Strahl s trifft, tritt die
Ebene, welche die Schnittlinie von C mit der Verbindungsebene
von U mit der Geraden mit S verbindet; etc. Wir können auch
eines der drei, oder S und U, aber nicht U und C zugleich in
unendliche Ferne rücken, ohne die Bestimmung zu verlieren.
Die Methode ist ebenso einfach und richtig gebildet wie die
Centralprojection, verdient daher die Ueberlegung; praktische
Verwendung wird sie nicht finden, weil sie nicht Bilder im
üblichen Sinne liefert. Wenn man dagegen aus zwei verschiedenen Centren auf dieselbe Ebene oder auf zwei verschiedene
Ebenen projiciert, so ist das im Grunde wider das wissenschaftliche Gesetz der Sparsamkeit im Verbrauch von Mitteln; aber
man wird wohl immer eine orthogonale und eine schiefe Parallelprojection auf dieselbe Ebene, als Grundriss und Schatten

für Sonnenlicht von demselben Object, und die Orthogonal-projectionen auf zwei zu einander rechtwinklige Ebenen für natürliche Combinationen ansehen. Doch pflanzt sich die besagte Verschwendung dabei fort, die Constructionen sind in diesen Bestimmungen weitaus nicht so einfach, wie in den betrachteten Hauptfällen.

Die darstellende Geometrie hat es aber ferner mit den speciellen Raumformen, mit Curven, etc. zu thun und ein guter Theil ihrer unentbehrlichen Objecte ist nicht theoretisch und systematisch sondern technisch praktisch bestimmt. Es entspricht dieser Art unserer Disciplin, dass wir die entwickelten Ideen zuerst auf die einfachste und häufigst vorkommende Curve, den Kreis, als ein solches Object der darstellenden Geometrie, anwenden.

B. Die constructive Theorie der Kegelschnitte als Kreisprojectionen.

24. Die Kreislinie oder der Kreis erscheint zunächst als eine stetige Folge von Punkten, die von einem Centrum gleichweit entfernt sind und von denen daher nie mehr als zwei in einer geraden Linie liegen; wenn sich die gerade Linie um den einen ihrer Schnittpunkte mit dem Kreise dreht, so bewegt sich der andere in ihr, und, indem er bei ihrer halben Umdrehung die ganze Kreisperipherie durchläuft und somit von der einen Seite des festen Schnittpunktes auf die andere Seite desselben gelangt, wird die zu seinem Radius normale Grenzlage der Geraden markirt, in der ihre beiden Schnittpunkte mit dem Kreise einander unendlich nahe liegen oder in einen zusammenfallen, die Tangente. Eine gerade Linie, die sich in der Ebene so bewegt, dass sie vom Centrum die feste Entfernung des Radius behält, deckt sich nach einander mit allen seinen Tangenten und erzeugt den Kreis als Enveloppe derselben.

Die Projection eines Kreises ist der Ort der Durchstosspunkte der vom Centrum der Projection nach den Punkten seiner Peripherie gehenden Strahlen mit der Bildebene; sie ist auch die Enveloppe der Spuren derjenigen Ebenen, welche vom Centrum der Projection nach den Tangenten des Kreises gehen. Insofern jene Strahlen wie diese Ebenen gleichmässig den **projicierenden Kegel des Originalkreises** bilden, der durch seinen **Schnitt mit der Bildebene** die Projection erzeugt, nennt man die Centralprojectionen des Kreises **Kegelschnitte**. Die fundamentalen Eigenschaften derselben ergeben sich für beide bezeichnete Anschauungen nach den Grundgesetzen der projectivischen ebenen Systeme aus den beiden Haupteigenschaften des Kreises hinsichtlich seiner Punkte und Tangenten:

I. **Der Peripheriewinkel über demselben Bogen des Kreises ist constant.**

II. **Das von zwei festen Tangenten begrenzte Stück einer beweglichen Tangente des Kreises wird vom Mittelpunkt desselben unter constantem Winkel gesehen.**

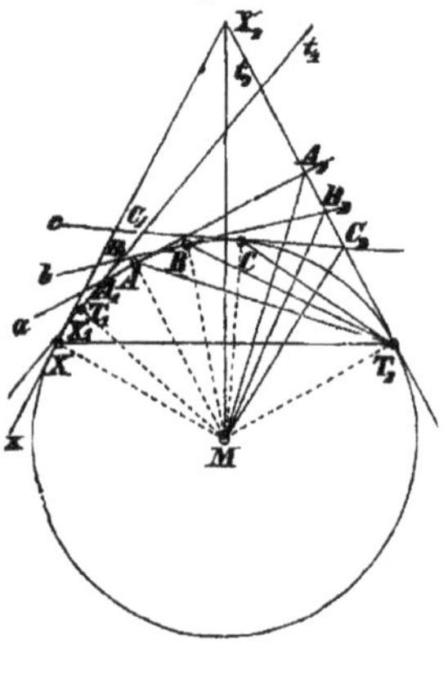

Also für zwei willkürliche Punkte T_1, T_2 und zwei feste Punkte A, B des Kreises vom Mittelpunkt M (Fig. 48)

Fig. 48.

$$\angle A T_1 B = \angle A T_2 B = \tfrac{1}{2} \angle A M B;$$

und für zwei willkürliche Tangenten t_1, t_2 und zwei feste Tangenten a, b desselben mit den respectiven Berührungspunkten T_1, T_2, A, B, und den Schnittpunkten A_1, A_2, B_1, B_2 der letzteren in den ersteren

$$\angle A_1 M B_1 = \angle A_2 M B_2 = \tfrac{1}{2} \angle A M B$$
$$= \tfrac{1}{2} \angle (a, b).$$

Sind A, B, C, X vier Punkte des Kreises und a, b, c, x die zugehörigen Tangenten desselben (Fig. 48), welche die Tangenten zu T_1, T_2 in A_1, B_1, C_1, X_1 und A_2, B_2, C_2, X_2 respective schneiden, so ist wegen der Gleichheit der Peripheriewinkel

$$(T_1 \, . \, A B C X) = (T_2 \, . \, A B C X);$$

nach dem andern Satze aber

$$(M \, . \, A_1 B_1 C_1 X_1) = (M \, . \, A_2 B_2 C_2 X_2) = (A_1 B_1 C_1 X_1) = (A_2 B_2 C_2 X_2)$$
$$= (T_1 \, . \, A B C X), \text{ d. i. auch} = (T_2 \, . \, A B C X)$$

Dieselben Gleichungen gelten in jeder Projection des Kreises, wenn die gleichen Buchstaben die Projectionen der bezüglichen Punkte bezeichnen (Fig. 49 und 50). Denn die Projectivität der Strahlenbüschel

$$(T_1 \,.\, ABC\ldots) \quad \text{und} \quad (T_2 \,.\, ABC\ldots)$$

zieht die der zugehörigen projicierenden Ebenenbüschel nach sich und damit die der Strahlenbüschel in der Projection

$$(T_1' \,.\, A'B'C'\ldots) \quad \text{und} \quad (T_2' \,.\, A'B'C'\ldots).$$

Fig. 49.

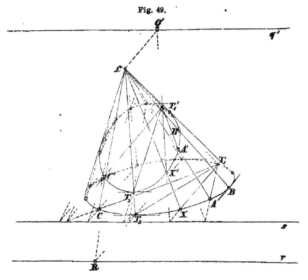

Man hat also die folgenden Gesetze:

Die geraden Linien von vier festen Punkten eines Kegelschnittes nach einem beliebigen fünften Punkte desselben bilden Strahlenbüschel von unveränderlichem Doppelverhältniss.	Die Durchschnittspunkte von vier festen Tangenten eines Kegelschnittes mit einer beliebigen fünften Tangente desselben bilden Punktreihen von unveränderlichem Doppelverhältniss.

Man sagt daher von vier festen Punkten oder Tangenten eines Kegelschnittes, dass sie ein bestimmtes Doppelverhältniss haben, und hat dann den Satz: Das

Doppelverhältniss von vier Punkten eines Kegelschnitts ist dem Doppelverhältniss seiner vier Tangenten in denselben gleich. Damit ist offenbar das Gebiet wesentlich erweitert, in welchem die Doppelverhältnissgleichheiten gelten.

Diese Eigenschaften kommen allen Kreisprojectionen zu, und da sie durch Projection nicht geändert werden, gehören sie wiederum nicht nur ihnen selbst, sondern auch allen ihren

Fig. 50.

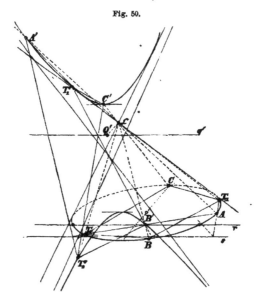

Centralprojectionen an; wir nennen sie **projectivische Eigenschaften** und werden ihre grosse Wichtigkeit für die darstellende Geometrie an diesem Beispiel näher kennen lernen.

1) Man construiere Punkte des durch drei Punkte A, B, C gehenden Kreises bei unzugänglichem Mittelpunkte desselben — vermittelst des perspectivischen Centrums T gleicher Strahlenbüschel, durch die Relation

$$\angle ABC = \angle CAT, \quad \angle BAC = \angle CBT.$$

Oder aus zwei Punkten T_1, T_2 und der Tangente in einem. Wir denken T_1, T_2 als Scheitel, also $T_1 T_2$ als o_1, p_2 und die Tangente in T_1 als p_1 in den erzeugenden Büscheln, in denen das Perpendikel in T_1 zu p_1 und das in T_2 zu $T_1 T_2$ ein Paar a_1, a_2 sind und deren perspectivisches Centrum T die Spitze des gleichschenkligen Dreiecks über $T_1 T_2$ mit der Seite p_1 ist, so dass es durch die Halbierung von $T_1' T_2'$ mittelst des Lineals gefunden werden kann (§ 4, 6). Jeder Strahl aus T schneidet a_2, a_1 in zwei Punkten, die mit T_1, T_2 verbunden entsprechende Strahlen der Büschel und somit einen neuen Punkt des Kreises liefern. Der Kreis entsteht als Ort der Schnittpunkte entsprechender Strahlen in gleichen Büscheln von gleichem Drehungssinn.

2) Der Ort der Schnittpunkte entsprechender Strahlen in gleichen Büscheln von entgegengesetztem Drehungssinn ist eine gleichseitige Hyperbel. Sind T_1, T_2 die Scheitel der Büschel und ist p_1, der $T_2 T_1$ oder p_2 entsprechende Strahl, so ist o_2 aus T_2 zu ihm parallel; die Normalen zu o_1, p_1 in T_1 und die zu o_2, p_2 in T_2 sind entsprechende Strahlenpaare a_1, b_1 und a_2, b_2 und jede Parallele zu p_1 liefert mittelst derselben wie in 1) neue Strahlenpaare und je zwei neue Punkte der Hyperbel. Man sieht sofort dass die Halbierungslinien der Winkel (o_1, p_1) und (o_2, p_2) zwei Paare entsprechender und paralleler Strahlen geben, die also in zu einander rechtwinkligen Richtungen die unendlich fernen Punkte der Hyperbel liefern. Wenn die T_1, T_2 und p_1 der jetzigen mit denen der Construction vom Schluss des vorigen Beispiels übereinstimmen, so haben der Kreis dort und die Hyperbel hier in T_1 Punkt und Tangente, überdies die Punkte T_2 und a_1, a_2 gemein. Ist insbesondere p_1 rechtwinklig zu $T_1 T_2$, so wird der Kreis von 1) in T_1 und in T_2, den Endpunkten eines Durchmessers, von der gleichseitigen Hyperbel in 2) berührt und die Construction zeigt, dass dieser Kreis und diese gleichseitige Hyperbel in centrischer involutorischer Collineation sind für einen der Scheitel T_1, T_2 als Centrum und o_2, resp. p_1 als Axe der Collineation. (Man vergl. die Entwickelungen in den §§ (36) unten.)

25. Die Umkehrung der Hauptsätze des vorigen § führt zu folgenden Erzeugungsarten für unsere Curven:

Der Ort der Schnittpunkte aller entsprechenden Strahlenpaare von zwei projectivischen Strahlenbüscheln in einer Ebene ist eine durch die Scheitelpunkte derselben (als Schnitte der Paare entsprechender Strahlen o, o'; p, p') gehende Curve, welche mit einer Geraden ihrer Ebene nicht mehr als zwei Punkte gemein haben kann,

Die Enveloppe der Verbindungslinien aller entsprechenden Punktepaare von zwei projectivischen Punktreihen in einer Ebene ist eine die Träger dieser Reihen (als Verbindungslinien der Paare entsprechender Punkte O, O'; P, P') berührende Curve, welche mit einem Punkte ihrer Ebene nicht mehr als zwei Tangenten gemein haben

nämlich die sich selbst entsprechenden Punkte der beiden in der Geraden von den erzeugenden Strahlenbüscheln gebildeten projectivischen Reihen. (§ 17.; § 21.) Sie heisst daher **eine Curve zweiter Ordnung und ist durch fünf Punkte bestimmt**, von denen nicht drei in einer geraden Linie liegen.

Wenn wir eine Tangente der Curve als die Verbindungslinie von zwei einander unendlich nahen Punkten derselben betrachten, so erfahren wir: Die dem Scheitelstrahl op' der Büschel entsprechenden Strahlen o', p berühren die Curve in den Scheiteln $o'p'$, op respective, weil jeder Strahl des einen Büschels die Curve ausser dem Scheitel noch in dem Punkte schneidet, wo er den entsprechenden Strahl des andern trifft.

kann, nämlich die sich selbst entsprechenden Strahlen der beiden an dem Punkte durch die erzeugenden Reihen gebildeten projectivischen Strahlenbüschel (§ 17.; § 21.). Sie heisst daher **eine Curve zweiter Classe und ist durch fünf Tangenten bestimmt**, von denen nicht drei durch einen Punkt gehen.

Wenn wir einen Punkt der Curve als den Schnittpunkt von zwei einander unendlich nahen Tangenten derselben betrachten, so erfahren wir: Die dem Schnittpunkt OP' der Reihen entsprechenden Punkte O', P sind die Berührungspunkte der Curve mit den Trägern $O'P'$, OP der Reihen, weil jeder Punkt der einen Reihe mit der Curve ausser dem Träger noch eine Tangente gemein hat, die ihn mit dem entsprechenden Punkte der andern Reihe verbindet.

Daher ist ein Kegelschnitt durch **drei Punkte und die Tangenten in zweien derselben** und ebenso durch **drei Tangenten und die Berührungspunkte in zweien derselben** bestimmt: Projectivische Büschel (Reihen) aus dem perspectivischen Centrum (der perspectivischen Axe) und einem Paar von Elementen. (§ 17., 4; 18., 2.)

Alle Kreisprojectionen sind nach dem Vorigen Curven zweiter Ordnung und zweiter Classe zugleich. **Dass alle eigentlichen Curven zweiter Ordnung auch zweiter Classe** (§ 28., 10 u. § 30.) **und Kreisprojectionen sind**, wird der Verlauf der Untersuchung zeigen.

Wenn fünf Punkte (Tangenten) eines Kegelschnittes gegeben sind, so bestimmen irgend zwei derselben durch ihre

Verbindungslinien (Schnittpunkte) mit den drei übrigen drei entsprechende Paare von Elementen der zwei erzeugenden projectivischen Büschel (Reihen). Dies ist für die Kegelschnitte als Kreisprojectionen evident; für Curven zweiter Ordnung und solche zweiter Classe wäre zu zeigen (vergl. § 27.; 1, a. und § 28.), dass die Curve von der Wahl der Träger der erzeugenden Büschel oder Reihen unter den Bestimmungs-Elementen unabhängig ist.

Wenn drei der Punkte in einer geraden Linie liegen, oder drei der Geraden durch einen Punkt gehen, so sind die projectivischen Gebilde, welche die beiden übrigen mit ihnen bestimmen, in perspectivischer Lage und der erzeugte Kegel-

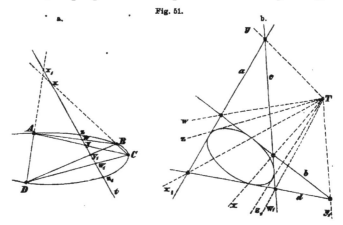

Fig. 51.

schnitt degeneriert in zwei Gerade im einen Falle — Scheitelstrahl und perspectivische Axe — und in zwei Punkte im andern Falle — Schnittpunkt der Reihen und perspectivisches Centrum. Analog, wenn die erzeugenden Reihen oder Büschel singulär sind im Sinne von § 22.

Mit vier festen Punkten oder · Geraden bestimmt jeder fünfte Punkt und jede fünfte Gerade ihrer Ebene einen Kegelschnitt; man nennt die Gesammtheit dieser Kegelschnitte im ersten Falle ein Kegelschnitt-Büschel, speciell mit vier reellen Grundpunkten, und im zweiten eine Kegelschnitt-Schaar, speciell mit vier reellen gemeinsamen oder Grundtangenten. Das Kegelschnitt-Büschel enthält drei Kegelschnitte, welche in Paare von Geraden und die Kegelschnitt-Schaar drei, die in Paare von Punkten degenerieren, nämlich die Gegenseitenpaare des Vierecks der gemeinsamen Punkte, respective die Gegeneckenpaare des Vierseits der gemeinsamen Tangenten. Die wichtigen Beziehungen dieser Gesammtheiten zur Involution der Reihen und der Büschel geben wir unter den Beispielen; die Hervorhebung der degenerierten Kegelschnitte des Büschels und der Schaar führt wieder zur Construction der involutorischen Reihen und Büschel mit dem Lineal allein. (§ 20, 14, 15.)

1) Man construiere einen Kegelschnitt durch vier Punkte A, B, C, D und den Werth des Doppelverhältnisses für das über denselben stehende erzeugende Strahlenbüschel bei gegebener Ordnung seiner Elemente. Man bemerkt, dass $(ABCD) = (D.ABCD)$ ist und construiert den in D berührenden dem Strahl AD entsprechenden Strahl in den projectivischen Büscheln $(A.BCD...) = (D.BCD...)$, welche damit bestimmt sind. Ebenso bestimmt man einen Kegelschnitt zu vier Tangenten und dem Werth ihres Doppelverhältnisses bei gegebener Ordnung der Elemente; bei Unbestimmtheit derselben liefert derselbe Werth mehrere Kegschnitte nach § 16, 9. Insbesondere construiere man die harmonischen Kegelschnitte zu vier Punkten respective Tangenten.

Man sieht, dass ein Kegelschnittbüschel respective eine Kegelschnittschaar einfach unendlich viele Kegelschnitte enthält. Die degenerierten Kegelschnitte derselben entsprechen den Ausnahmewerthen des Doppelverhältnisses 0, 1, ∞. (Art. 16., 10.)

2) Alle durch vier feste Punkte A, B, C, D gehenden Kegelschnitte werden von einer beliebigen Geraden t ihrer Ebene in Punktepaaren Z, Z_1 derselben Involution geschnitten, zu welcher auch die Schnittpunkte W, W_1; X, X_1; Y, Y_1 derselben mit den Paaren der Gegenseiten AB, CD; BC, AD; CA, BD gehören (Fig. 51 a.). Denn es ist

$$(A.CDZZ_1) = (B.CDZZ_1);$$

also in t

$$(YX_1ZZ_1) = (XY_1ZZ_1)$$
$$= \frac{XZ}{Y_1Z} : \frac{XZ_1}{Y_1Z_1} = (Y_1XZ_1Z).$$

Alle vier feste Gerade a, b, c, d berührenden Kegelschnitte werden aus einem beliebigen Punkte T ihrer Ebene in Strahlenpaaren z, z_1 derselben Involution geführt, zu welcher auch die Verbindungslinien w, w_1; x, x_1; y, y_1 derselben mit den Paaren der Gegenecken ab, cd; bc, ad; ca, bd gehören (Fig. 51 b.). Denn es ist

$$(a.cdzz_1) = (b.cdzz_1)$$

also an T

$$(yx_1zz_1) = (xy_1zz_1) =$$
$$\frac{\sin(x, z)}{\sin(y_1, z)} : \frac{\sin(x, z_1)}{\sin(y_1, z_1)} = (y_1xz_1z).$$

Vergl. § 20.

3) $(YX_1ZZ_1) = (Y_1XZ_1Z)$ oder $\dfrac{YZ}{X_1Z_1} \cdot \dfrac{X_1Z_1}{YZ_1} = \dfrac{Y_1Z_1}{XZ_1} \cdot \dfrac{XZ}{Y_1Z}$

ist die Involution von sechs Elementen. Sind X und X_1 im Doppelpunkt G vereinigt, so folgt

$$(YGZZ_1) = (Y_1GZ_1Z) \text{ oder } \frac{YZ}{GZ} \cdot \frac{GZ_1}{YZ_1} = \frac{Y_1Z_1}{GZ_1} \cdot \frac{GZ}{Y_1Z}$$

$$\text{oder } \frac{YZ}{YZ_1} \cdot \frac{Y_1Z}{Y_1Z_1} = \left(\frac{GZ}{GZ_1}\right)^2,$$

die Involution von fünf Elementen. Sind XX_1 in G und YY_1 in H vereinigt, so ist

$$(HGZZ_1) = (HGZ_1Z) \text{ oder } \left(\frac{HZ}{GZ}\right)^2 = \left(\frac{HZ_1}{GZ_1}\right)^2$$

die Involution von vier Elementen, und weil, so lange z und z_1 verschieden sind, beide Brüche nur entgegengesetzt gleich sein können, die harmonische Relation.

4) Unter den Kegelschnitten des Büschels sind zwei, welche eine Gerade t seiner Ebene berühren — in den Doppelpunkten der auf ihr erzeugten Involution. Man construiert sie durch die Bestimmung dieser Doppelpunkte.

Unter den Kegelschnitten der Schaar sind zwei, welche einen Punkt T ihrer Ebene enthalten — mit den Doppelstrahlen der an ihm erzeugten Involution als Tangenten. Man construiert sie durch die Bestimmung dieser Doppelstrahlen.

5) Die Gegenseitenpaare eines vollständigen Vierecks werden von jeder Geraden seiner Ebene in drei Paaren einer Involution geschnitten. (§ 20, 14.)

Die Gegeneckenpaare eines vollständigen Vierseits werden mit jedem Punkte seiner Ebene durch drei Paare einer Involution verbunden. (§ 20, 14.)

Denn die vierpunktige Reihe in einer Seite ist perspectivisch aus den zwei ihr nicht angehörigen Ecken mit der Reihe in der Transversale, und zwar z. B. für E als Schnitt von AB mit CD die Reihe $BAWE$ aus C und D mit $XYWW_1$ und $Y_1X_1WW_1$, d. h. man hat $(XYWW_1) = (X_1Y_1W_1W)$. Ebenso dualistisch für das Vierseit. (Fig. 51, a. b.)

Damit wird die Linealconstruction der Involution nochmals begründet; man formuliert sie bequem durch den Doppelsatz:

Wenn eine Gerade die Seiten AB, BC, CA eines Dreiecks ABC in Punkten W, X, Y schneidet, und Punkte W_1, X_1, Y_1 in ihr so bestimmt werden, dass sie mit jenen drei Paare einer Involution bilden, so gehen die Geraden CW_1, AX_1, BY_1 durch denselben Punkt D.

Wenn ein Punkt mit den Ecken ab, bc, ca eines Dreiseits abc durch Strahlen w, x, y verbunden wird und Strahlen w_1, x_1, y_1 aus ihm so bestimmt werden, dass sie mit jenen drei Paare einer Involution bilden, so liegen die Punkte cw_1, qx_1, by_1 in derselben Geraden d.

6) Man construiere mit dem Lineal allein in einer durch zwei Paare W, W_1; X, X_1 bestimmten Involution in einer Geraden den entsprechenden zu einem bestimmten Punkte Y derselben.

Man construire mit dem Lineal allein in einer durch zwei Paare w, w_1; x, x_1 bestimmten Involution aus einem Punkte den entsprechenden zu einem bestimmten Strahl y derselben.

Aus W, X, Y (w, x, y) zeichnet man das Dreieck (Dreiseit), W, X (w, x) bestimmen $D(d)$ und dieses $Y_1(y_1)$ zu $Y(y)$.

Man bestimme speciell den dem unendlich entfernten Punkte entsprechenden Punkt $Q'R$ oder den Hauptpunkt (Centralpunkt) M (§ 20.; 8, 11) der Involution.

7) Mit Hilfe der vorigen Construction kann man zu fünf Punkten $A B C D Z$ eines Kegelschnittes auf jeder durch einen derselben Z gehenden Geraden den sechsten Punkt Z_1 construieren, und ebenso zu fünf Tangenten $a b c d z$ durch jeden auf einer derselben z liegenden Punkt die sechste Tangente z_1 des Kegelschnittes.

8) Man zeige, dass die Eigenschaften des vollständigen Vierecks und Vierseits bezüglich der harmonischen Theilung (§ 16.; 13) Specialfälle der Sätze unter 5) sind.

9) Als Sätze über ein Viereck und einen umschriebenen Kegelschnitt resp. ein Vierseit und einen eingeschriebenen Kegelschnitt betrachtet, führen die Sätze 2) zu Specialsätzen für die beiden Voraussetzungen, dass zwei Ecken resp. Seiten unendlich nahe zusammen rücken (wo ihre Verbindungsseite zur Tangente, ihre Schnittecke zum Berührungspunkt wird) und dass diess zweimal geschieht. Im letzten Fall erhält man für einen Kegelschnitt, zwei seiner Tangenten a, b und ihre Berührungspunkte A, B den Satz: Die Schnittpunkte des Kegelschnitts und der Tangenten mit einer Geraden sind Paare einer Involution, die in der Berührungssehne $A B$ einen Doppelpunkt hat; die Tangenten des Kegelschnittes aus einem Punkte und die Strahlen nach den Berührungspunkten von zwei Tangenten a, b sind Paare einer Involution, die in der Geraden nach dem Tangentenschnittpunkt $a b$ einen Doppelstrahl hat.

26. Die Centralprojection eines Kreises K oder seine centrisch collineare Figur K' kann durch eine geringe Zahl von Tangenten mit ihren Berührungspunkten praktisch hinreichend markiert und darnach gezeichnet werden. Zieht man im Kreise zwei zu einander rechtwinklige Durchmesser mit den Enden A und B, C und D, so sind die zugehörigen Tangenten a und b, c und d resp. parallel und bilden ein umgeschriebenes Quadrat. Bekanntlich nennt man die Berührungssehne der von einem Punkt ausgehenden Tangenten seine Polare, so dass den Punkten a, c; b, c; b, d; d, a; a, b; c, d die Geraden AC, BC; BD, DA; AB, CD als Polaren entsprechen,

die letzten beiden als Durchmesser die Polaren von zwei unendlich fernen Punkten, den Richtungen des jeweiligen andern. Weil
auch die Verbindungslinie der Pole von zwei Geraden die Polare
ihres Schnittpunktes ist, so ist auch dieGerade von *a, c* nach
b, d die Polare des Schnittes von *AC* und *BD* oder der Richtung von *b, c* nach *a, d* und die unendlich ferne Gerade *q* die
Polare des Mittelpunktes *M*.   Gewöhnlich genügt es praktisch,
die Centralprojection eines einzigen solchen Systems mit Ein-

Fig. 52.

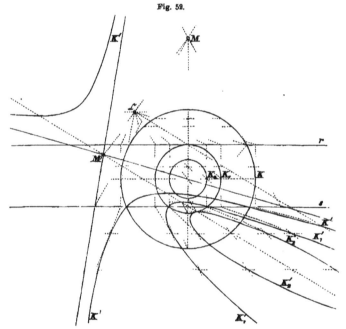

schluss der Schnittpunkte (*ac, bd*) und (*bc, da*) mit dem Kreis
und ihrer paarweise parallelen Tangenten anzugeben.
     Da jeder Pol von seiner Polare durch den Kreis harmo-
nisch getrennt wird — man sehe für die allgemeine Begründung dieser Sätze, die hier aus der Elementargeometrie citiert
werden, § 30 f. — und harmonische Gruppen durch Centralprojection nur wieder harmonische Gruppen liefern, so bilden
die Punkte *a', c'*; *b', c'*; etc. mit *C'*, etc. und dem Fluchtpunkte
von *c'*, etc. harmonische Gruppen; ebenso die Punkte *a', c'*

und M' mit dem zugehörigen Fluchtpunkt und dem Punkte
$A'C'$, $(a'c', b'd')$, etc. Und die Vierecke $A'C'B'D'$, $a_1'c'$, $b_1'd'$;
$A'M'C'(a'c')$ etc. haben die Schnittpunkte ihrer parallelen Seitenpaare in der Fluchtlinie q' und in paarweise zu einander rechtwinkligen Richtungen von $\mathfrak{C}$ aus.

Die Projectionen des Kreises sind Curven von sehr verschiedener Gestalt, je nach der Lage des Kreises zur Gegenaxe
seiner Ebene (vergl. § 14.; 2. 3). Schneidet der Kreis K diese
Gegenaxe — r, wenn wir ihn als Original ansehen, — so hat
sein Bild zwei Punkte, die entsprechenden der Schnittpunkte,
in unendlicher Ferne und zwei zugehörige Tangenten, die ihn
erst in unendlicher Ferne berühren. Man nennt diese Tangenten die Asymptoten und hat jene Punkte als die Asymptotenrichtungen zu bezeichnen. Das Bild zerfällt in zwei
Theile oder Zweige, die erst in diesen unendlich fernen Punkten sich zusammenschliessen, und wird Hyperbel genannt.
In Fig. 52 entspricht dem Kreise K die Hyperbel K' und ihre
Asymptoten sind die Bilder derjenigen Tangenten von K, deren
Berührungspunkte in der Gegenaxe r liegen.

Trifft der Kreis die Gegenaxe r seines Systems nicht, so
hat sein Bild keine unendlich fernen Punkte, sondern ist wie
er eine im Endlichen geschlossene Curve, eine Ellipse. So
K_2', das Bild von K_2 in Fig. 52.

Berührt endlich der Kreis, wie K_1 in Fig. 52, die Gegenaxe r, so hat sein Bild K_1' zwei zusammenfallende Punkte in
unendlicher Ferne; wir sagen, die unendlich ferne Gerade
seiner Ebene, die entsprechende von r, berührt dasselbe; es
besteht aus einem Zweig, der sich erst im Unendlichen
schliesst, und heisst eine Parabel.

Die collinear verwandten Curven des Kreises oder seine
Centralprojectionen (die Kegelschnitte) sind also von dreierlei
Art: Hyperbeln, Ellipsen, Parabeln; speciell ergiebt sich, dass
die Parallelprojectionen des Kreises — oder die ihm affinen Curven (vergl. § 22. a.) — Ellipsen sein müssen, und bekannt ist,
dass die zu ihm ähnlichen Curven (§ 22. c.) wieder Kreise sind.

Und sofort allgemein: Die Collinearverwandten oder
Centralprojectionen eines Kegelschnittes sind Kegelschnitte und zwar Ellipsen, Parabeln oder Hyperbeln, je nachdem er die Gegenaxe seines Systems

nicht trifft, berührt oder schneidet. Denn zwei für
dasselbe Centrum zu einer dritten Curve centrisch collineare
Curven sind selbst centrisch collinear. (§ 23., 6.) Die affinen Curven oder die Parallelprojectionen eines
Kegelschnittes sind Kegelschnitte derselben Art.

Denken wir zwei beliebige Kegelschnitte K, K' (Fig. 53)
und drei beliebige Punkte des einen A, B, C, als entsprechend
drei beliebigen Punk-

Fig. 53.

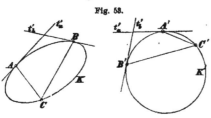

ten A', B', C' des andern, überdies die Tan-
genten t_a, t_a' in A und
A' an K, K' und ebenso
die t_b, t_b' in B, B' an
K, K' als entsprechend,
so sind hierdurch einer-
seits beide Kegelschnitte K, K' aus den erzeugenden projectivischen Büscheln A, B und A', B', andererseits die ebenen
Systeme derselben nach § 23. völlig bestimmt, und jedem vierten Punkt D des Kegelschnitts K entspricht ein vierter Punkt
D' des Kegelschnitts K'. Zwei Kegelschnitte sind also
auf unzählig viele Arten projectivisch oder collinear verwandt.

Sind $A A'$, $B B'$ ein Paar der gemeinsamen Tangenten beider
Kegelschnitte K, K' Fig. 54 mit den Berührungspunkten A, A'

Fig. 54.

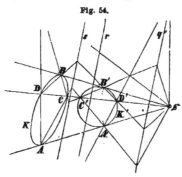

und B, B' respective, und
liegen ihre Punkte C, C' mit
dem Durchschnittspunkt $\mathfrak{C}$
derselben in einer Geraden,
so sind die Büschel
$(A . A'B C \ldots)$, $(A' . A B'C' \ldots)$
nicht nur projectivisch, son-
dern auch perspectivisch;
ihre perspectivische Axe ist
die Collineationsaxe s und
der Punkt $\mathfrak{C}$ das Collineationscentrum zweier ebenen
durch die Data bestimmten collinearen Systeme in centrischer
Lage, in denen nach Vorigem die Kegelschnitte K und K'
einander entsprechen.

Sind analog $a\,a'$, $b\,b'$ die Tangenten von zwei Kegelschnitten K, K' in zweien ihrer gemeinsamen Punkte — deren
sie offenbar, wie auch gemeinsame Tangenten, vier haben
können, weil fünf Punkte ebenso wie fünf Tangenten einen
Kegelschnitt bestimmen (vergl. § 25) — und gehen ihre Tangenten c, c' mit der Verbindungslinie s derselben durch einen
Punkt, so sind die Reihen $(a\,.\,a'b\,c\,\ldots)$ und $(a'\,.\,ab'c'\ldots)$ perspectivisch; sie haben das Perspectivcentrum $\mathfrak{C}$, das Collineationscentrum zur Axe s für zwei ebene Systeme, in denen die
betrachteten Kegelschnitte einander entsprechen.

Man bemerke nun, dass auf einem Strahle durch $\mathfrak{C}$ im
ersten Falle zwei Punktepaare C, C' und D, D' der Kegelschnitte
liegen und dass man nicht bloss C und C' sondern auch C und
D' als entsprechend festsetzen kann, dadurch aber zu demselben Centrum $\mathfrak{C}$ eine andre von der vorigen s verschiedene
Collineationsaxe s^* erhält, und dass das Analoge in dem Falle
der projectivischen Reihen geschieht, indem zu einer Collineationsaxe zwei verschiedene Collineationscentra $\mathfrak{C}$ und $\mathfrak{C}^*$ erhalten werden. So gelangt man zu der Einsicht, dass zwei
beliebige Kegelschnitte derselben Ebene im allgemeinen auf zwölf verschiedene Arten centrisch
collinear sind, nämlich für jede der sechs Verbindungslinien
ihrer vier gemeinsamen Punkte als Axe mit je zwei verschiedenen der sechs Schnittpunkte der vier gemeinsamen Tangenten
als Centrum der Collineation.

Es ist augenscheinlich, dass in den verschiedenen Fällen
der Lage von zwei Kegelschnitten weder die vier Schnittpunkte
noch die vier gemeinsamen Tangenten immer reell sind, und
dass sich daher die ausgesprochene Regel modificiert, insofern
nur von reellen centrischen Collineationen die Rede
sein soll. Dass die centrisch collineare Lage mindestens
auf vier verschiedene Arten stattfindet, führen wir an
und erläutern es für den Fall von zwei Kreisen unter den Beispielen. Die vollständige Erledigung der durch zwei Kegelschnitte der Ebene nahe gelegten Fragen gehört der „Geometrie der Lage" an. (Thl. III dieses Werkes.)

1) Man übertrage die Betrachtungen am Anfang dieses § auf
das Bild des Kreises und zeige ihre Gültigkeit, sowie die Modi-
fication der Erscheinungsformen ihrer Resultate in den Fällen des

hyperbolischen und parabolischen Bildes; man erweitere sie sodann auf die centralcollinearen Figuren zu gegebenen Ellipsen, Hyperbeln und Parabeln und leite namentlich Regeln für die Bestimmung ihrer Mittelpunkte her. (Vergl. § 33.)

2)· In Figur 49, § 24. sind die Gegenaxen q' und r eingetragen für den Fall des elliptischen Bildes, in Fig. 50, § 24. die entsprechenden für das hyperbolische Bild; man erläutere daran die correspondirende Umlaufsbewegung eines Punktes der Curve in Original und Bild.

3) Man thue dasselbe für das parabolische Bild des Kreises und für das parabolische Bild der Hyperbel.

4) Wenn in zwei Hyperbeln die Asymptoten a_1, a_2 der einen denen der andern a_1', a_2' und ein Paar ihrer Punkte P, P' respective ihrer Tangenten t, t' (als wodurch sie bestimmt sind) einander entsprechen, so sind sie zu einander affin; denn die unendlich fernen Geraden entsprechen einander (§ 22, a). Die Mittelpunkte entsprechen einander auch.

5) Zwei Kreise in derselben Ebene K, K' haben zwei Aehnlichkeitspunkte (vergl. § (7) für ihre Bedeutung im Sinne der Cyklographie) A und J oder $\mathfrak{C}$ und $\mathfrak{C}^*$. Wenn man einen Radius des einen mit dem Endpunkte P und den parallelen Durchmesser des andern mit den Endpunkten P' und $P^{*\prime}$ zieht, so gehen die Geraden PP' und $PP^{*\prime}$ respective durch $\mathfrak{C}$ und $\mathfrak{C}^*$; die zugehörigen Tangenten in P' und $P^{*\prime}$ an K' und in P an K sind parallel, oder die unendlich ferne Gerade ist die Collineationsaxe für die beiden Collineationscentra $\mathfrak{C}$ und $\mathfrak{C}^*$ in Uebereinstimmung mit § 22, c). Da aber die Gerade $\mathfrak{C}PP'$ die Kreise noch in P_1, P_1' resp. und die Gerade $\mathfrak{C}^*PP^{*\prime}$ sie noch in P_1^*, $P_1^{*\prime}$ schneidet, so sind die Kreise für dieselben Centra $\mathfrak{C}$, $\mathfrak{C}^*$ noch mit einer im Endlichen gelegenen Axe s etc. erhält, indem man z. B. die Tangenten von K und K' in P und P_1', P_1 und P', in P und $P_1^{*\prime}$, P_1^* und $P^{*\prime}$ zum Schnitt bringt. Sie steht zur Centrale rechtwinklig und ist, wenn die Kreise sich reell schneiden, ihre gemeinsame Sehne, wenn sie sich berühren, ihre zugehörige gemeinsame Tangente, wenn sie sich nicht treffen, der Ort der Schnittpunkte gleich langer Tangentenpaare (denn $\triangle SPP_1'$ ist gleichwinklig bei P und P_1', also $SP = SP_1$). Dadurch ist sie als die Radicalaxe oder Potenzlinie derselben definirt.

27.   Haben wir einen durch zwei projectivische Strahlenbüschel von den Scheiteln A und B bestimmten Kegelschnitt und sind C, A_1, B_1, C_1 vier weitere Punkte desselben, so ist nach § 24. (Fig. 55)

$$(A \,.\, A_1 B_1 C_1 C) = (B \,.\, A_1 B_1 C_1 C).$$

Schneiden wir diese Büschel respective mit den Geraden A_1C und B_1C und nennen wir die Punkte A_1B, B_1C und AB_1, A_1C

respective D und E, dazu die Punkte AB_1, A_1B; BC_1, B_1C; CA_1, C_1A respective C_2, A_2, B_2, so ist deshalb $(A_1EB_2C) = (DB_1A_2C)$, d. h. diese Reihen sind perspectivisch für das Centrum A_1D, B_1E oder C_2; d. h. C_2, B_2, A_2 liegen in einer Geraden.

Fig. 55.

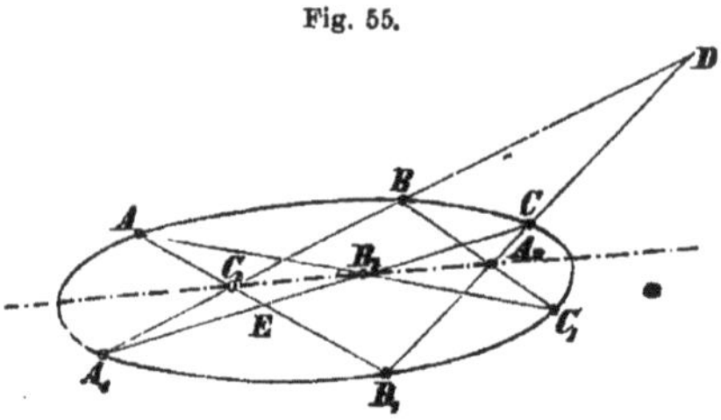

Dies ist die Construction projectivischer Büschel in besonderer Form: C_2 ist das zu den beiden Büscheln A und B perspectivische Büschel nach den von C ausgehenden Transversalen CA_1 und CB_1.

Die betrachteten sechs Punkte bilden in der Ordnung $AB_1CA_1BC_1$ ein der Curve eingeschriebenes Sechseck, für welches die Punkte A_2, B_2, C_2 als die Schnittpunkte der drei Paare gegenüberliegender Seiten erscheinen; man hat also den Satz: Sechs Punkte eines Kegelschnittes bilden in jeder Aufeinanderfolge ein Sechseck, für welches die drei Schnittpunkte seiner Gegenseitenpaare in einer geraden Linie liegen. (Pascal's Satz und Sechseck; Pascal'sche Linie $A_2B_2C_2$.) •

1) Man construiere den durch fünf Punkte A, B_1, C, A_1, B bestimmten Kegelschnitt, d. h. man bestimme beliebig viele Lagen des sechsten Punktes C_1 eines Pascal'schen Sechsecks. (Fig. 56.)

a) Die Geraden AB_1, A_1B schneiden sich im Punkte C_2 der Pascal'schen Linie p; jeder Lage der um C_2 drehenden Geraden p entspricht ein sechster Punkt C_1 des Kegelschnittes. Dieselbe schneidet B_1C in A_2, CA_1 in B_2 und BA_2, AB_2 schneiden sich in C_1.

Man erkennt darin deutlich die Erzeugung des Kegelschnittes durch projectivische Büschel aus A und B wieder, von der der Pascal'sche Satz nur eine andere Ausdrucksform ist. Insofern in dieser Ausdrucksform der Charakter der sechs Punkte ununterscheidbar der nämliche ist, erfüllt sie die in § 25. p. 124 angedeutete Forderung der Strenge.

b) Der gesuchte Punkt C_1 ist im Sechseck Nachbar von A und von B; zieht man also (Fig. 56) durch A oder B, sagen wir durch A, eine beliebige Gerade als AC_1, so liefert sie mit A_1C den Schnittpunkt B_2, welcher mit dem Schnitt von AB_1, A_1B oder C_2 die Gerade p giebt; schneidet B_1C sie in A_2, so geht BA_2 durch C_1, d. h. BA_2 schneidet die gewählte Gerade aus A in C_1.

So construiert man linear den zweiten Schnittpunkt einer Geraden mit einem Kegelschnitt durch fünf Punkte, unter denen ihr erster Schnittpunkt mit ihm ist.

2) Man construiere die Tangente des durch fünf Punkte bestimmten Kegelschnittes in einem dieser Punkte. (Vergl. § 25.)

Da die Tangente als die gerade Verbindungslinie von zwei unendlich nahen d. h. zusammenfallenden Punkten der Curve zu betrachten ist, so legen wir dem bezeichneten Punkte die Buchstaben zweier Nachbarecken des Sechsecks bei, z. B. AC_1. (Fig. 56.) Sind dann A_1, B, C, B_1 die vier übrigen gegebenen Punkte, so bestimmen B_1C, BC_1 den Punkt A_2, AB_1, A_1B den Punkt C_2, die Punkte A_2, C_2 die Gerade p und diese mit A_1C den Punkt B_2, durch welchen auch die Tangente AC_1 gehen muss. Darin liegt der Satz: Die Schnittpunkte von zwei Paaren nicht benachbarter Seiten eines der Curve eingeschriebenen Fünfecks liegen mit dem Schnittpunkt der fünften Seite mit der Tangente in der Gegenecke in einer Geraden. Ferner folgt ebenso: Die Schnittpunkte der Paare

Fig. 56.

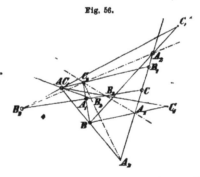

der Gegenseiten eines der Curve eingeschriebenen Vierecks liegen mit den Schnittpunkten der Tangenten in den Paaren der Gegenecken in einer· Geraden.

3) Man construiere in zweien der fünf Bestimmungspunkte eines Kegelschnittes die Tangenten desselben. (Vergl. § 25.)

Man fasse (Fig. 57) diese Punkte als Scheitel T, T_1 von zwei projectivischen Strahlenbüscheln, die durch die Strahlenpaare nach den drei andern gegebenen Punkten aa', bb', cc' bestimmt sind, und construiere das perspectivische Centrum T_2 für dieselben; dann sind die Geraden TT_2, T_1T_2 die gesuchten Tangenten p und o_1.

Man construiert auch jeden sechsten Punkt des Kegelschnittes auf einem Strahl von T_1 oder T, indem man mittelst T_2 den entsprechenden Strahl von T oder T_1 bestimmt.

4) Man construiere den durch drei Punkte und die Tangenten in zweien derselben bestimmten Kegelschnitt, insbesondere·seine Tangente im dritten Punkt. Sind A, B, C (Fig. 58) die Punkte,

so betrachten wir die Tangente in A als die Gerade AB_1 — die Verbindungslinie der sich deckenden Punkte A und B_1 ⟵, die in

Fig. 57.

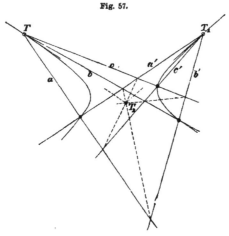

C als die Gerade CA_1, und suchen C_1 auf AC_1 oder BC_1 auf nach 1^b oder 1^a. Die Construction ist in Fig. 58 für mehrere Punkte ausgeführt, wenn auch nur für einen bezeichnet.

Fig. 58.

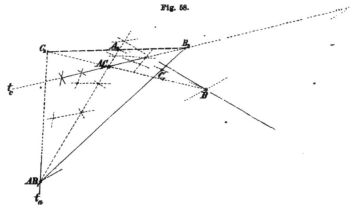

Um die Tangente im dritten Punkt zu finden, nennen wir die Tangente in A wieder AB_1, die in C aber CA_1 und die gesuchte in B, BC_1; dann bestimmen AB_1 und A_1B den Punkt C_2, AC_1 und A_1C den Punkt B_2, die Punkte C_2 und B_2 die Gerade p, die von CB_1 in demselben Punkte A_2 geschnitten wird, durch den die

gesuchte Tangente gehen muss. In jedem einem Kegelschnitt eingeschriebenen Dreieck werden die Seiten von den Tangenten der
Curve in den respectiven Gegenecken in Punkten einer Geraden
geschnitten.

5) Man vollziehe die Construction des Kegelschnittes unter denselben Voraussetzungen durch projectivische Büschel — indem man
die Punkte mit bekannten Tangenten zu Scheiteln wählt und durch
ihre Tangenten das perspectivische Centrum T'' erhält. (Vergl. § 25.)

6) Man construiere den durch vier Punkte und die Tangente
in einem derselben bestimmten Kegelschnitt nach denselben beiden
Methoden des Pascal'schen Sechsecks und der projectivischen Büschel.

Sind A, B, C, D die vier Punkte und ist a die Tangente in
A, so begründet man leicht die bequeme Constructionsregel: Man
bestimme die Gegenseitenschnittpunkte AB, CD oder E, BC, DA
oder F und CA, BD oder G von $ABCD$; dann schneiden sich die
Diagonalen FG, EF, GE mit den Tangenten in B, C, D auf a.

Wenn man zu fünf Punkten die Tangente in einem derselben
construiert, so liefern die vier Tripel aus den vier übrigen Punkten
mit ihm vier Vierecke, deren Diagonalen zu drei in denselben vier
Punkten der ersten Tangente convergieren müssen, weil sie dort
die Punkte der vier übrigen Tangenten bestimmen. Dasselbe, für
alle Tangenten wiederholt gedacht, zeigt, dass die so erhaltenen
Punkte fünf mal zu vier in geraden Linien liegen; etc.

7) Man construiere nach denselben beiden Methoden einen
Kegelschnitt a) durch vier Punkte und die eine Asymptotenrichtung
und bestimme dabei insbesondere die andre Asymptotenrichtung
und die Asymptoten selbst — die erste nach 1[b], die letzten nach 3);
b) durch drei Punkte und beide Asymptotenrichtungen;
c) durch drei Punkte und die eine Asymptote (Specialfall von 6);
d) durch einen Punkt und beide Asymptoten.

In jedem Falle ist die zweckmässigste Constructionsform
zu suchen.

8) Man construiere eine Parabel durch drei Punkte und die
Richtung ihres unendlich fernen Punktes — d. h. aus vier Punkten
und der Tangente in einem derselben als der unendlich fernen Geraden (also Specialfall von 6) — oder durch zwei Punkte, die Tangente des einen und jene Richtung.

9) Man beweise den Satz: Das Parallelogramm, welches die
von einem Punkte der Hyperbel ausgehenden Parallelen zu den
Asymptoten derselben mit diesen selbst bestimmen, hat constante
Fläche. (Vergl. § 16, 6.)

Denn die Hyperbel wird aus den projectivischen Parallelbüscheln
erzeugt, die die Richtungen der Asymptoten zu Scheiteln T, T'
und ihren Schnittpunkt zum perspectivischen Centrum T'' haben,
so dass den Asymptoten die unendlich ferne Gerade als der Scheitel-

strahl entspricht. Schneidet man jedes dieser Büschel mit der andern
Asymptote, so hat man in der That das erste Gesetz des § 15.

28. Haben wir einen durch zwei projectivische Reihen
in den Geraden a und b bestimmten Kegelschnitt und sind
c, a_1, b_1, c_1 vier weitere Tangenten desselben, so ist (Fig. 59)
nach § 24.

$$(a \cdot a_1 b_1 c_1 c) = (b \cdot a_1 b_1 c_1 c);$$

projicieren wir diese Reihen respective aus den Punkten $a_1 c$,
$b_1 c$ und nennen wir die Geraden $a_1 b$, $b_1 c$ und $a b_1$, $a_1 c$ re-

Fig. 59.

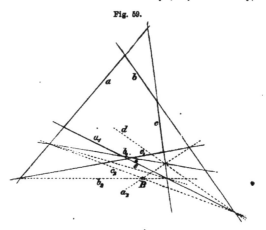

spective d und e, dazu die Geraden $a b_1$, $a_1 b$; $b c_1$, $b_1 c$; $c a_1$,
$c_1 a$ respective c_2, a_2, b_2, so ist deshalb

$$(a_1 e b_2 c) = (d b_1 a_2 c),$$

diese Büschel sind also perspectivisch mit der Axe $a_1 d$, $b_1 e$
oder c_2, d. h. die beiden Strahlen b_2 und a_2 schneiden sich
in einem Punkte B der Geraden c_2. Es ist die Construction
projectivischer Reihen in besonderer Form, c_2 ist die dritte
Reihe, die zu den beiden ersten a und b perspectivisch ist,
aus $c a_1$, $c b_1$ respective.

Die betrachteten sechs Geraden bilden in der Ordnung
$a b_1 c a_1 b c_1$ ein der Curve umgeschriebenes Sechsseit, für welches die Geraden a_2, b_2, c_2 als die Verbindungslinien der drei
Paare gegenüberliegender Ecken $b c_1$, $b_1 c$; $c a_1$, $c_1 a$; $a b_1$, $a_1 b$
erscheinen; man hat also den Satz: Sechs Tangenten eines

Kegelschnittes bilden in jeder Folge ein Sechsseit,
für welches die drei Verbindungslinien der Gegeneckenpaare durch einen Punkt gehen. (Brianchon's
Satz und Sechsseit; Brianchon'scher Punkt $a_2 b_2 c_2$ desselben.)

Unter den Anwendungen geben wir auch den Beweis
der Identität der aus projectivischen Strahlbüscheln und der
aus projectivischen Punktereihen erzeugten Curven mit einander
und dieser Curven mit den Projectionen des Kreises, wobei sich
natürlich die Ausnahmen von diesem Gesetze mit ergeben.

1) Man construiere den durch fünf Tangenten a, b_1, c, a_1, b
bestimmten Kegelschnitt, d. h. man bestimme beliebig viele Lagen
der sechsten Seite c_1 eines Brianchon'schen Sechsseits.

a) Die Punkte $a b_1$, $a_1 b$ (Fig. 59) liegen in der Geraden c_2
des Brianchon'schen Punktes B; jeder Lage desselben als eines in
c_2 beweglichen Punktes entspricht eine sechste Tangente c_1 des
Kegelschnittes; B giebt mit $b_1 c$ die Gerade a_2, mit $c a_1$ die Gerade
b_2 und $b a_2$, $a b_2$ haben c_1 zur Verbindungslinie. Die Erzeugung
des Kegelschnittes durch projectivische Reihen auf a und b ist darin
deutlich erkennbar, der Satz von Brianchon ist nur ein anderer Ausdruck derselben. (Vergl. § 27.; 1ª.)

b) Die gesuchte Tangente c_1 ist Nachbarin von a und b;
wählen wir also in a einen beliebigen Punkt als $a c_1$, so liefert er
mit $a_1 c$ 'die Verbindungslinie b_2, die mit $a b_1$, $a_1 b$ oder c_2 den
Punkt B bestimmt; verbindet a_2 diesen mit $b_1 c$, so liegt $a_2 b$ in c_1.
So construiert man linear die zweite Tangente eines Kegelschnittes
aus einem Punkte, der einer bekannten Tangente desselben angehört. (Vergl. § 27.; 1.)

2) Man construire den Berührungspunkt des durch fünf Tangenten bestimmten Kegelschnittes in einer derselben. (Für diese
und die folgenden Aufgaben bis mit 8 vergleiche man die entsprechenden Nummern des § 27.)

Die Diagonalen, welche zwei Paare nicht benachbarter Ecken
eines umschriebenen Fünfseits verbinden, schneiden sich auf der
Geraden von der fünften Ecke nach dem Berührungspunkt der
Gegenseite.

3) Man construire für zwei der fünf einen Kegelschnitt bestimmenden Tangenten die Berührungspunkte. Die Reihen in ihnen
haben die Sehne der Berührungspunkte zur perspectivischen Axe
d. h. die Diagonalen eines umschriebenen Vierseits
schneiden sich auf der Berührungssehne der Gegenseiten.

Man construiert somit aus dem Berührungspunkt in einer Seite
a die Berührungspunkte in den drei andern Seiten b, c, d eines

umgeschriebenen Vierseits, indem man ihn mit den Diagonalpunkten *fg*, *ef*, *eg* desselben verbindet. Die Figur enthält dann zugleich die Construction der Tangenten eines Kegelschnittes in drei Punkten aus der Tangente in einem vierten Punkte desselben. Einen Specialfall bildet die Bestimmung der Berührungspunkte von drei Tangenten einer Parabel, wenn ihre Axenrichtung bekannt ist. Man ermittelt dann ebensoleicht die Scheiteltangente und den Scheitel.

4) Man construire den durch drei Tangenten und die Berührungspunkte in zweien derselben bestimmten Kegelschnitt, insbesondere den Berührungspunkt der dritten Tangente.

In jedem einem Kegelschnitt umgeschriebenen Dreiseit schneiden sich die Verbindungslinien der Ecken mit den Berührungspunkten der Gegenseiten in einem Punkte.

5) Die fünfzehn Diagonalpunkte der aus fünf Geraden gebildeten fünf vollständigen Vierseite (§ 16, 13.) liegen zehn mal zu dreien in den Verbindungslinien der Berührungspunkte des durch jene als Tangenten bestimmten Kegelschnittes.

6) Man construire den Kegelschnitt unter denselben Voraussetzungen, sowie aus vier Tangenten und dem Berührungspunkt in einer derselben, durch projectivische Reihen.

7) Man construire eine Hyperbel durch drei Tangenten und eine Asymptote; oder durch eine Tangente und beide Asymptoten.

Zu zwei durch die Tafelnormale CC_1 gehenden Ebenen construire man die Gesammtheit derjenigen projicierenden Ebenen, welche mit denselben rechtwinklige Schnittlinien hervorbringen. Sind t_1, t_2 die Spuren der Ebenen (durch C_1), so erhält man für einen Punkt A_1 in t_1 als Fusspunkt eines Strahles den Fusspunkt A_2 des entsprechenden in t_2 als den Schnitt dieser Linie mit der Fluchtlinie der Normalebene für A_1 als Fluchtpunkt. Die Gesammtheit der fraglichen Ebenen umhüllt also einen projicierenden Kegel, dessen Spur in der Tafel eine Hyperbel mit den Geraden t_1, t_2 als Asymptoten ist.

8) Man construire eine Parabel durch vier Tangenten oder durch zwei Tangenten und ihre Berührungspunkte, oder den Berührungspunkt der einen von ihnen und die Richtung ihrer Axe.

9) Man beweise die Sätze: Das Dreieck, welches eine Tangente der Hyperbel mit ihren Asymptoten bestimmt, hat constante Fläche. (§ 16, 6.) Die Verbindungsstrahlen von zwei festen Punkten der Hyperbel mit einem veränderlichen Punkte derselben erzeugen in den Asymptoten zwei projectivisch gleiche Reihen.

Die Tangenten der Parabel bestimmen auf zwei festen unter ihnen projectivisch ähnliche Reihen.

Eine vielseitig interessante Anwendung des ersten Satzes bietet die Betrachtung der Geraden, die ein gegebenes Dreieck hälften; die drei Hyperbeln, welche sie umhüllen, sind paarweise in doppelter Berührung und die sechs Berührungspunkte sind die

Ecken eines vollständigen Vierseits mit einer unendlich fernen Seite; etc. Man löst leicht die Aufgabe, die Geraden des Systems durch einen Punkt oder von gegebener Richtung zu bestimmen und unterscheidet nach Zahl und Art der Lösungen Regionen der Ebene.

10) Hier ergiebt sich endlich leicht die Identität der Curven zweiter Ordnung und der Curven zweiter Classe. Wir zeigen, dass die aus zwei projectivischen Reihen erzeugte Curve (zweiter Classe) auch aus zwei projectivischen Strahlenbüscheln erzeugt wird, also zweiter Ordnung ist, und empfehlen dem Leser den entsprechenden Beweis des umgekehrten Satzes aus der nämlichen Figur als eine treffliche Uebung in dem Gebrauch des Princips der Dualität. (Vergl. den Ueberblick; analog zu §§ 27., 28.)

Sind t und t_1 die Träger von zwei projectivischen Reihen und A, B, C; A_1, B_1, C_1 drei Paare entsprechender Punkte derselben (Fig. 60), so sind t, t_1, AA_1, BB_1, CC_1 fünf Tangenten einer Curve

Fig. 60.

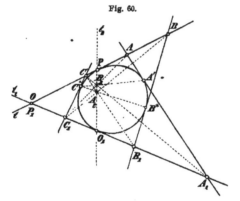

zweiter Classe; die Schnittpunkte der Geraden BC_1, B_1C oder A_2 und AC_1, A_1C oder B_2 sind Punkte der perspectivischen Axe t_2 der Reihen, die in t, t_1 respective die Berührungspunkte mit der Curve P, O_1 oder die entsprechenden zum Schnittpunkt P_1, O von t mit t_1 bestimmt. Aus demselben Grunde oder nach dem Schlusssatze von 3) liegen die Berührungspunkte C^* und A^* der Curve mit CC_1, AA_1 mit B_2, und die Berührungspunkte C^* und B^* mit CC_1, BB_1 mit A_2 in je einer Geraden; denn in den projectivischen Reihen auf CC_1, AA_1 sind C, A; C_1, A_1 entsprechende Paare, sodass B_2 ein Punkt ihrer perspectivischen Axe oder der Berührungssehne ihrer Träger C^*A^* ist — ebenso für CC_1, BB_1 und A_2 die C^*B^*.

Denken wir nun CC_1 als bewegliche Tangente der Curve und C, C', C'', C''', respective C_1, C_1', C_1'', C_1''' als vier Lagen ihrer Punkte in den erzeugenden Reihen, und sei $(CC'C''C''') = (C_1C_1'C_1''C_1''') = d$; verbinden wir die ersteren mit A_1 oder B_1 und die letzteren mit

A oder B_1 so entstehen perspectivische Büschel, deren Axe t_2 aus ihnen die Reihen B_2, B_2', B_2'', B_2'''; A_2, A_2', A_2'', A_2''' herausschneidet, und man hat offenbar $(B_2 B_2' B_2'' B_2''') = (A_2 A_2' A_2'' A_2''') = d$. Bilden wir aber über diesen Reihen die Strahlenbüschel aus A^* und B^* respective, so schneiden sich die entsprechenden Strahlen derselben stets in dem zugehörigen Berührungspunkt C^*, $C^{*'}$, etc. der bewegten Tangente. Dieselbe Curve ist somit auch das Erzeugniss von zwei projectivischen Büscheln; die Verbindungslinien der Berührungspunkte A^*, B^* von zwei festen Tangenten mit den Lagen des Berührungspunktes C^* einer beweglichen Tangente bilden dieselben und das Doppelverhältniss von vier Tangenten ist dem Doppelverhältniss ihrer vier Berührungspunkte gleich. (§ 24.)

11) Für die perspectivische Lage der erzeugenden Reihen und analog für die der erzeugenden Strahlenbüschel wird der Beweis hinfällig, d. h. zwei perspectivische Reihen erzeugen eine Cuve zweiter Classe, die nicht von der zweiten Ordnung ist — ein Punktepaar, nämlich den gemeinsamen Punkt und das perspectivische Centrum der Reihen; und zwei perspectivische Büschel erzeugen eine Curve zweiter Ordnung, die nicht von der zweiten Classe ist — ein Paar von Geraden, nämlich den gemeinsamen Strahl und die perspectivische Axe der Büschel. Für ein Punktepaar gilt der Brianchon'sche Satz, für ein Strahlenpaar der Pascal'sche, für jenes hat der letzte, für dieses der erste keine Bedeutung mehr.

Man kann mit Hilfe dessen die Verbindungslinie eines Punktes A_2 mit dem unzugänglichen Schnittpunkt C_2 von zwei Geraden construieren, indem man diese als Gegenseiten eines Pascal'schen Sechsecks in einem in zwei Gerade degenerierten Kegelschnitte und jene gesuchte Gerade als Pascal'sche Linie desselben denkt. Man nimmt also die Punkte A, B_1 auf der einen und A_1, B auf der andern Geraden an, zieht $A_1 B_1$ bis zum Schnitt C_1 mit $A_2 B$, und ebenso AB bis zum Schnitt C mit $A_2 B_1$ und erhält im Schnittpunkt von AC_1 mit $A_1 C$ einen neuen Punkt B_2 der gesuchten Geraden $A_2 C_2$. Man wähle speciell A_1, B_1 als unendlich fern und bilde die Figur. Wie lautet die entsprechende Aufgabe, die der Satz von Brianchon löst?

12) Dass die Erzeugnisse von zwei projectivischen Büscheln oder Reihen Kreisprojectionen sind, ergiebt sich auch leicht. Sind die Büschel T, T_1 durch a, b, p und a_1, b_1, p_1 oder ist die erzeugte Curve durch vier Punkte T, T_1, A, B und die Tangente in T gegeben, so verzeichnen wir einen in T an p und folglich die Curve berührenden Kreis und markieren seine Schnitte A', B', T' mit a, b, p_1; dann sind die Büschel $T_1 . TAB$ und $T_1' . TA'B'$ perspectivisch, weil beide den Scheitelstrahl entsprechend gemein haben und zu dem Büschel $T . pab$ projectivisch sind; ihre Perspectivaxe s ist die Axe der Collineation mit dem

Centrum T, in welcher der Kreis dem Kegelschnitt aus den Büscheln T und T_1 entspricht; man bestimmt leicht ihre Gegenaxen, aber Centrum und ·Axe und das Paar T_1, T_1' bestimmen sie.

Für die Reihen A, B, P in s und A_1, B_1, P_1 in s_1 (der letzte Punkt als Schnittpunkt von s mit s_1) als erzeugende legen wir einen die erste in P berührenden Kreis und ziehen von A, B, P_1 an ihn die Tangenten. Dieselben bestimmen auf s_1', der zweiten Tangente von P_1 an den Kreis eine zu s und folglich auch zu s_1 projectivische, wegen P_1 als sich selbst entsprechend aber mit ihr perspectivische Reihe; das zugehörige Perspectivcentrum $\mathfrak{C}$ ist das Centrum der Collineation mit der Axe s, in welchem der Kreis der Enveloppe der Verbindungslinien entsprechender Paare der projectivischen Reihen entspricht, indem sie durch s_1, s_1' als ein Paar bestimmt ist.

In diesen Collineationen erscheint die gegebene Curve zweiter Ordnung oder Classe als dem Kreise entsprechend, d. h. als Kegelschnitt. Man construire die Figuren und vergleiche sie mit Fig. 49, 50. Man sieht, wenn Kreis und Kegelschnitt in einem Punkte einander berühren, so liegen sie, wenn nicht in einer Ebene, in demselben projicierenden Kegel und wenn in einer Ebene, centrisch collinear für die gemeinsame Tangente als Axe oder den Berührungspunkt als Centrum. (Vergl. § 35.)

29. Die vorhergehenden Untersuchungen zeigen, dass jeder Kegelschnitt durch projectivische Constructionen mit dem Lineal bestimmt ist, sobald man fünf Punkte oder Tangenten desselben kennt oder was dem äquivalent ist. (Vergl. § 27. und 28.; 4—8.)

Sind also fünf Punkte oder Tangenten des zu betrachtenden Kegelschnittes in Projection gefunden, so erhält man aus ihnen durch dieselben Constructionen sein vollständiges Bild, und aus ebenso vielen Punkten oder Tangenten in wahrer gegenseitiger Lage·ebenso die wahre Gestalt des Ganzen.

Der Werth der entwickelten und benutzten Eigenschaften wird aber dadurch erhöht, dass sie auch erlauben,

        a) die Schnittpunkte einer Geraden mit dem Kegelschnitt, und

        b) die Tangenten aus einem Punkte an denselben

aus seinen Bestimmungsstücken allein durch projectivische Constructionen zu finden, ohne die Curve selbst verzeichnen zu müssen. (Vergl. auch § 21.)

Wir denken fünf Punkte eines Kegelschnittes gegeben	Wir denken fünf Tangenten eines Kegelschnittes gegeben

und fordern, die Schnittpunkte desselben mit einer gegebenen Geraden t zu bestimmen. Die erzeugenden projectivischen Strahlenbüschel, welche aus zweien T, T' (Fig. 61) jener fünf Punkte durch Strahlen nach den drei übrigen 1, 2, 3 bestimmt sind, schneiden die Geraden t in zwei projectivischen Reihen, von denen drei Paare entsprechender Punkte A, A'; B, B'; C, C' gegeben sind; es handelt sich darum, die sich selbst entsprechenden oder Doppelpunkte dieser Reihen zu construieren.

Berührt ein Kreis K die Gerade t (Fig. 61), so geht von jedem Punkte A derselben eine Tangente α an den Kreis und also von A, A'; B, B'; C, C' die Tangenten α, α'; β, β'; γ, γ'. Nun folgt aus der Relation

$$(ABC\ldots) = (A'B'C'\ldots)$$

nach den Grundeigenschaften der Kegelschnitte

$$(\alpha\beta\gamma\ldots) = (\alpha'\beta'\gamma'\ldots)$$

d. i. jene sechs Tangenten bestimmen zwei projectivische Systeme von Tangenten (p. 120) des Kreises. Dann ist auch

$$(\alpha'.\alpha\beta\gamma\ldots) = (\alpha.\alpha'\beta'\gamma'\ldots)$$

und diese Reihen sind perspectivisch und haben somit in dem Punkte $\alpha'\beta$, $\alpha\beta'$; $\alpha'\gamma$, $\alpha\gamma'$ ihr perspectivisches Cen-

und fordern, die Tangenten desselben aus einem gegebenen Punkte T zu bestimmen. Die erzeugenden projectivischen Punktreihen, welche auf zweien t, t' (Fig. 62) jener fünf Tangenten durch ihre Schnittpunkte mit den drei übrigen a, b, c bestimmt sind, liefern durch Verbindung mit dem Punkte T zwei projectivische Büschel, von denen drei Paare entsprechender Strahlen a, a'; b, b'; c, c' gegeben sind; es handelt sich darum, die sich selbst entsprechenden oder Doppelstrahlen dieser Büschel zu construieren.

Geht ein Kreis K durch den Punkt T (Fig. 62), so liegt in jedem Strahle a desselben ein Punkt A des Kreises und also in a, a'; b, b'; c, c' die Punkte A, A'; B, B'; C, C'. Nun folgt aus der Relation

$$(abc\ldots) = (a'b'c'\ldots)$$

nach den Grundeigenschaften der Kegelschnitte

$$(ABC\ldots) = (A'B'C'\ldots),$$

d. h. jene sechs Punkte bestimmen zwei projectivische Systeme von Punkten (p. 120) des Kreises. Dann ist auch

$$(A'.ABC\ldots) = (A.A'B'C'\ldots)$$

und diese Büschel sind perspectivisch und haben somit in der Geraden $A'B$, AB'; $A'C$, AC' ihre perspectivische

trum. Ebenso entspricht den Reihen in β, β' das Centrum $\beta\alpha'$, $\beta'\alpha$; $\beta\gamma'$, $\beta'\gamma$ und den Reihen in γ, γ' das Centrum $\gamma\beta'$, $\gamma'\beta$; $\gamma\alpha'$, $\gamma'\alpha$. Weil endlich $\alpha\beta'\gamma\alpha'\beta\gamma'$ ein Brianchon'sches Sechsseit ist, so fallen diese drei Centra in einen Punkt B zusammen.

Axe. Ebenso entspricht den Büscheln aus B, B' die Axe BA', $B'A$; BC', $B'C$ und den Büscheln aus C, C' die Axe CB', $C'B$; CA', $C'A$. Weil endlich $AB'CA'BC'$ ein Pascal'sches Sechseck ist, so fallen die drei Axen in eine Gerade p zusammen.

Fig. 62.

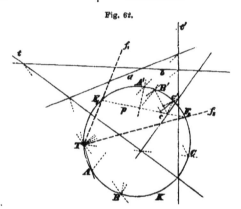

Mit Hilfe des Punktes B construiert man zum Punkte D der Reihe den entsprechenden Punkt D' derselben; denn jener giebt die Tangente δ des Kreises und da die Gerade $\alpha'\delta$, $\alpha\delta'$ durch B gehen muss, so erfährt man $\alpha\delta'$, somit δ' und D'.

Die Tangenten von B an den Kreis K (Fig. 61) sind zwei Strahlen φ_1, φ_2, die sich in den projectivischen Tangentensystemen selbst entsprechen, und ihre Schnittpunkte mit t sind die Doppelpunkte F_1, F_2 der

Mit Hilfe der Geraden p construiert man zum Strahle d des Büschels den entsprechenden Strahl d' desselben; denn jener giebt den Punkt D des Kreises und da der Punkt $A'D$, AD' in p liegen muss, so erfährt man AD' und somit D' und d'.

Die Punkte in p auf dem Kreise K (Fig. 62) sind zwei Punkte F_1, F_2, die sich in den projectivischen Punktesystemen selbst entsprechen, und ihre Verbindungslinien mit T sind die Doppelstrahlen f_1, f_2

projectivischen Reihen A, B, C..., $A', B', C', \ldots$ d.h. die Schnittpunkte der Geraden t mit dem Kegelschnitt.

der projectivischen Büschel $a, b, c \ldots, a', b', c', \ldots$ d. h. die Tangenten vom Punkte T an den Kegelschnitt.

Offenbar würde jeder andere vollständig verzeichnete Kegelschnitt dieselbe Verwendung erlauben, wie der Kreis K; ein solcher löst aber die Probleme am bequemsten und schärfsten; man benutzt die Eigenschaften des Kreises von der gleichen Länge der Tangenten von einem Punkte bis zum Berührungs-

Fig. 64.

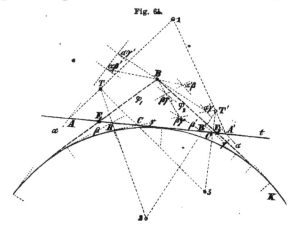

punkte und von der Halbierung der Sehne durch den zu ihr normalen Radius zur Erhöhung der Genauigkeit der Construction.

Vereinigte projectivische Büschel oder Reihen sind offenbar durch ein Paar und die Pascal-Linie resp. den Brianchon-Punkt im Hilfskegelschnitt bestimmt. Berührt jene den Kegelschnitt, resp. liegt dieser auf ihm, so haben sie vereinigte Doppelelemente (§ 19, 8), und wenn noch ein Element des bestimmenden Paares mit diesen zusammenfällt, so sind sie von singulärer Projectivität. (§ 21, f u. g.)

Dieselben Betrachtungen führen auch noch:

c) zur Bestimmung der übrigen Schnittpunkte von zwei Kegelschnitten K, K^*, wenn zwei derselben bekannt sind. Denken wir P_1, P_2 als diese gemeinsamen Punkte, und ist der erste Kegelschnitt durch die ferneren Punkte

P_3, P_4, P_5, der zweite durch P_3^*, P_4^*, P_5^* bestimmt, so sind die Strahlenbüschel $(P_1 \cdot P_3^* P_4^* P_5^* \ldots)$ und $(P_2 \cdot P_3^* P_4^* P_5^* \ldots)$ projectivisch und bestimmen auf dem ersten Kegelschnitt K zwei projectivische Reihen, deren Doppelpunkte offenbar die weiteren Schnittpunkte sind. Damit ist die Aufgabe auf die vorige zurückgeführt.

Man folgert daraus leicht, wie:

d) zu drei gemeinsamen Schnittpunkten von zwei Kegelschnitten der vierte gefunden werden kann, natürlich durch lineare Construction. Sind P_1, P_2, P_3 die gemeinsamen, P_4, P_5 und P_4^*, P_5^* die andern bestimmenden Punkte, so mache man $(P_5 \cdot P_1 P_2 P_3 P_4^{**}) = (P_5^* \cdot P_1 P_2 P_3 P_4^*)$ und bestimme den zweiten Schnitt von $P_4^* P_4^{**}$ mit den Kegelschnitten; es ist P, der vierte Schnittpunkt derselben, weil man hat

$$(P \cdot P_1 P_2 P_3 P_4^{**}) = (P \cdot P_1 P_2 P_3 P_4^*)$$
$$= (P_5 \cdot P_1 P_2 P_3 P_4^{**}) = (P_5^* \cdot P_1 P_2 P_3 P_4^*).$$

1) Zwei in demselben Träger vereinigte projectivische Punktreihen oder Strahlenbüschel besitzen im Allgemeinen zwei Doppelelemente, welche reell und verschieden, zusammenfallend, oder nicht reell (imaginär) sein können. (§ 21.) Sind sie reell, so ist für F_1, F_2 als die Doppelelemente der Reihen und f_1, f_2 als die der Büschel $(F_1 F_2 A B) = (F_1 F_2 A' B')$ oder $(F_1 F_2 A A') =$ const, ebenso $(f_1 f_2 a a') =$ const. (Vergl. § 21.)

Im Hinblick auf die Erzeugung der Curven zweiter Ordnung und Classe können wir sagen, dass zwei in einanderliegende projectivische Gebilde erster Stufe ein Elementenpaar erzeugen, welches reell, vereinigt oder imaginär ist.

2) Man construiere einen Kegelschnitt durch vier Punkte 1, 2, 3, 4, der eine gegebene Gerade t berührt. (Fig. 63.) Man betrachtet den Berührungspunkt in der Geraden als die Vereinigung der beiden Schnittpunkte mit derselben und erkennt, dass die projectivischen Reihen in der Geraden, welche der Kegelschnitt bestimmt, vereinigte Doppelpunkte F_1, F_2 besitzen müssen; da man zwei Paare A, A'; B, B' derselben erhält, indem man aus zweien der vier Punkte 1, 2 als Scheitel die Büschel nach den beiden andern 3, 4 bildet, so sind sie und die Lagen der vereinigten Doppelpunkte bestimmt: Die Gerade $\alpha\beta'$, $\alpha'\beta$ ist die eine Diagonale des Brianchon'schen Sechsseits und ihre Schnitte mit dem Hilfskreis sind die möglichen Lagen des Brianchon-Punktes, deren Tangenten jene liefern. Man erhält zwei Lösungen, nämlich einen Kegelschnitt 1, 2, 3, 4, der t im Punkte 5 6 und einen, der es im Punkte 5 6* berührt. (Man zeige die Identität der Construction mit § 31.; 3.)

3) Man construire die beiden Parabeln durch vier gegebene Punkte 1, 2, 3, 4 d. i. in einem Kegelschnittbüschel. Weil die Reihen auf der unendlich fernen Geraden entstehen, so ersetzt man sie durch die über ihnen stehenden Büschel aus 1, von denen man zwei Strahlenpaare 1 3, 1 4 in einen und die Parallelen aus 1 zu 2 3, 2 4 als die entsprechenden im andern hat. Man erhält einen Punkt der Pascal-Linie im Hilfskreis, die Lagen der Pascal-Linien als die Tangenten aus ihm und damit die unendlich fernen Punkte der beiden Parabeln.

4) Man bestimme die Kegelschnitte zu vier Tangenten durch einen gegebenen Punkt nach demselben Princip.

Fig. 63.

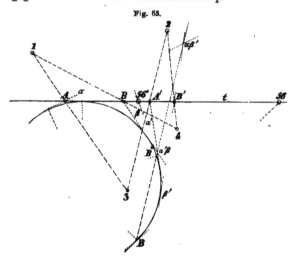

5) Man construire die Tangenten einer durch zwei Tangenten a, b und ihre Berührungspunkte A, B bestimmten Parabel vom Punkte T aus — als Doppelstrahlen der projectivischen Büschel aus T über den erzeugenden ähnlichen Reihen in den beiden Tangenten. (Die den Tangenten parallelen Strahlen entsprechen einander und die nach ihren Berührungspunkten entsprechen dem Strahl nach ihrem Schnittpunkte.)

6) Man bestimme die Schnittpunkte einer Geraden t mit der durch ihre Asymptoten und einen Punkt bestimmten Hyperbel als Doppelpunkte der projectivischen Reihen auf t in den erzeugenden Parallelenbüscheln. (Die Schnittpunkte mit den Asymptoten sind die Gegenpunkte Q', R, die mit den Parallelstrahlen aus dem Punkte zu den Asymptoten geben ein Paar; man lege den Hilfskreis in der Mitte von $Q'R$ berührend an t.)

7) Man ermittele die Gattung eines durch fünf Punkte be-

10*

stimmten Kegelschnittes, eventuell die Asymptotenrichtungen desselben. Die Gerade *t* ist unendlich fern, man bildet von zweien
der fünf Punkte die projectivischen Büschel über den drei andern,
verlegt durch Parallelverschiebung das eine an den Scheitel des
andern und bestimmt die Doppelstrahlen der so gebildeten concentrischen projectivischen Büschel. Man sieht daraus, dass zwei
projectivische Büschel von ungleichem Bewegungssinn stets eine
Hyperbel erzeugen.

Wählt man unter den fünf gegebenen Punkten vier solche,
die ein convexes Viereck bilden, so gehen durch dieselben zwei
Parabeln, die nach 3) bestimmt werden; der Kegelschnitt der fünf
Punkte ist nur dann eine Parabel, wenn der fünfte Punkt auf einer
dieser Parabeln liegt; er ist Hyperbel, wenn der fünfte Punkt im
Innern oder ausserhalb beider Parabeln liegt, und also Ellipse,
wenn innerhalb der einen und ausserhalb der andern; die drei Paare
von geraden Linien durch die vier Punkte gehören zu den Hyperbeln, ausgenommen wenn zwei Parallelen unter ihnen sind, die
dann die eine Parabel repräsentieren, und also auch, wenn die
vier Punkte die Ecken eines Parallelogramms bilden, dessen parallele Seitenpaare beide Parabeln repräsentieren.

8) Zwei gleiche Strahlenbüschel von gleichem Drehungssinn
in derselben Ebene erzeugen einen Kreis, zwei gleiche Strahlenbüschel von entgegengesetztem Drehungssinn eine gleichseitige Hyperbel (vergl. die Beispiele des § 24), insofern sie nicht perspectivisch sind (§ 24, 1, 2); in diesem Falle erzeugen sie dagegen die
unendlich ferne Gerade und den Scheitelstrahl, resp. diesen und die
ihn senkrecht halbierende perspectivische Axe. Die durch Parallelverschiebung an demselben Centrum vereinigten Büschel bestimmen
mit einem Hilfskreis die unendlichferne Gerade (vergl. § 31, 10) resp.
einen seiner Durchmesser als Pascal-Linie; die Asymptoten der erzeugten Hyperbel sind rechtwinklig zu einander. Der Höhenschnittpunkt eines Dreiecks liegt auf jeder gleichseitigen Hyperbel, die
seine Ecken enthält. Durch vier Punkte 1, 2, 3, 4 geht im Allgemeinen eine gleichseitige Hyperbel; zieht man 1 3, 1 4 und die
Parallelen von 1 zu 2 3, 2 4, so hat man zwei Strahlenpaare vereinigter projectivischer Büschel, und durch die geforderte Rechtwinkligkeit der Doppelstrahlen sind dieselben mittelst des Hilfskreises
bestimmt. Durch drei Punkte und eine Asymptotenrichtung, durch
zwei Punkte und eine Asymptote erfolgt die Bestimmung ebenso.

9) Man erörtere die Bestimmung der übrigen gemeinsamen
Tangenten zu zwei Kegelschnitten, wenn zwei oder drei derselben
gegeben sind — d. i. die zu c), d) im Texte dualistisch entsprechenden Constructionen; speciell im Falle von Parabeln mit
einer oder zwei gemeinsamen Tangenten im Endlichen.

30. Die vorigen Constructionen ermöglichen zwar auch
die constructive Behandlung involutorischer Reihen

und Büschel, weil diese nur eine durch Besonderheit der Lage ausgezeichnete Art vereinigter projectivischer Reihen und Büschel sind; sie zeigen auch, dass eine Involution im Allgemeinen zwei Doppelelemente besitzen muss, die insbesondere zusammenfallen oder auch nicht reell werden können. Man entnimmt dies aber schon aus § 20.; 9. und an derselben Stelle (§ 20.; 12.) erkennen wir nun auch den Zusammenhang der Involution mit der projectivischen Erzeugung der Kegelschnitte. (§ 32.)

Aus den Bedingungen der Involution von drei Paaren am Kegelschnitt

$$(CC'A'B) = (C'CAB') = (CC'B'A)$$

erhalten wir durch Verbindung der projectivischen Gruppen $CC'A'B$ und $CC'B'A$ mit A resp. B perspectivische Büschel, deren Strahlenpaare AC, BC; AC', BC'; AA', BB' sich in der Geraden CC' schneiden, oder AA', BB', CC' gehen durch einen Punkt, den Pol der Involution. Man erkennt ebenso für die Involution der Tangenten aa', bb', cc', dass ihre Paare sich in einer Geraden, ihrer Polare schneiden. Beide gehören zusammen und werden in dieser Verbindung durch die folgende Betrachtung erhalten.

Am einfachsten gelangen wir zur besten Form der die Involution betreffenden Constructionen und zugleich zur Quelle zahlreicher wichtiger Eigenschaften der Kegelschnitte durch die Verbindung der Lehre von der involutorischen Centralcollineation mit den vorigen Betrachtungen.

In einer involutorischen Centralcollineation bilden zwei Paare entsprechende Punkte A, A', B, B' auf verschiedenen Strahlen aus dem Centrum $\mathfrak{C}$ immer ein vollständiges Viereck, von dessen Diagonalpunkten zwei, nämlich AB', $A'B$; AB, $A'B'$ in der Axe der Collineation s gelegen sind, der dritte im Centrum $\mathfrak{C}$. Ebenso bilden zwei Paare entsprechende Gerade a, a'; b, b' in ihr aus verschiedenen Punkten der Axe ein vollständiges Vierseit, von dessen Diagonalen zwei, nämlich ab', $a'b$; ab, $a'b'$ durch das Centrum der Collineation $\mathfrak{C}$ hindurchgehen, während die dritte in der Axe liegt. Diese Vierecke und Vierseite entsprechen sich selbst in der involutorischen Centralcollineation. Man findet solche Vierecke und Vierseite in Fig. 64 a. b. c. p. 151.

Geht man zu drei Paaren entsprechender Elemente A, A'; B, B'; C, C' respective a, a'; b, b'; c, c' weiter, so erkennt man, dass dieselben stets ein Pascal'sches Sechseck, mit der Collineationsaxe s als seiner Pascal'schen Linie, respective ein Brianchon'sches Sechsseit mit $\mathfrak{C}$ als seinem Brianchon'schen Punkt bilden. Drei solche Elementenpaare bestimmen also einen Kegelschnitt, der in der involutorischen Centralcollineation sich selbst entspricht. (Fig. 64 a. b. c.)

Eine Gerade durch das Centrum $\mathfrak{C}$ schneidet den Kegelschnitt in zwei Punkten, die durch das Centrum und die Axe s harmonisch getrennt sind.

Wenn unter diesen Geraden zwei Tangenten des Kegelschnitts sind, so berühren dieselben ihn in den Punkten, die er mit der Axe s gemein hat.

Durch einen Punkt auf der Axe s gehen zwei Tangenten an den Kegelschnitt, die durch den nach dem Centrum gehenden Strahl und die Axe harmonisch getrennt sind.

Wenn unter diesen Punkten zwei Punkte des Kegelschnitts sind, so gehen die zugehörigen Tangenten desselben nach dem Centrum $\mathfrak{C}$.

Wir nennen das Centrum der involutorischen Collineation und die Axe derselben respective Pol und Polare in Bezug auf den Kegelschnitt; denn man hat sofort die Sätze:

Jeder Kegelschnitt ist für jeden Punkt seiner Ebene als Centrum mit sich selbst in involutorischer Centralcollineation.

Jeder Kegelschnitt ist für jede Gerade seiner Ebene als Axe mit sich selbst in involutorischer Centralcollineation.

Nach § 26 ist der Kegelschnitt Ellipse, Parabel oder Hyperbel, je nachdem die Mittellinie zwischen Pol und Polare — die Vereinigung der Gegenaxen der involutorischen Collineation — ihn nicht trifft, berührt oder schneidet.

(Vergl. § 26 über die centrische Collineation zweier beliebigen Kegelschnitte der Ebene und das Beispiel über die Symmetrie in § 22.)

Die involutorischen Punkt- und Tangenten-Systeme für dieselben sind elliptisch, parabolisch oder hyperbolisch, je nach-

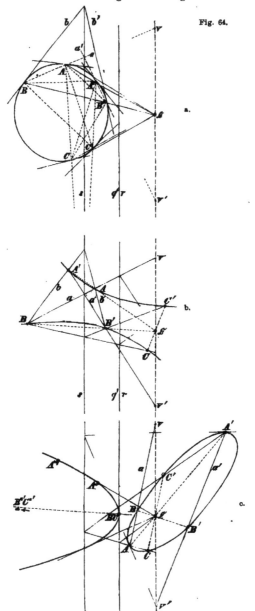

Fig. 64.

dem der Pol im Innern, auf oder ausserhalb des Kegelschnittes gelegen ist. (§ 20, 8; 21, 22.)

Die zugehörige Collineationsaxe geht durch alle nachfolgend bezeichneten Punkte oder ist der Ort derselben (Fig. 64 a. b. c.); nämlich der Ort der vierten harmonischen dem Centrum conjugierten Punkte zu den Punkten $A, A'; B, B'$; etc. des Kegelschnittes auf jedem durch das Centrum gehenden Strahl; der Ort der Schnittpunkte der Geraden, welche jene Paare von Punkten kreuzweis verbinden, wie $AB', A'B$; etc.; ferner der Ort der Schnittpunkte von $AB, A'B'$; etc. und der Ort der Schnittpunkte der Tangenten a, a'; etc. des Kegelschnittes in den entsprechenden Punkten wie A, A'; etc.

Das zugehörige Collineationscentrum liegt auf allen nachfolgend bezeichneten Geraden oder ist die Enveloppe derselben (Fig. 64 a. b. c.); nämlich die Enveloppe der vierten harmonischen der Axe conjugierten Strahlen zu den Tangenten $a, a'; b, b'$; etc. des Kegelschnittes aus jedem auf der Axe liegenden Punkte; die Enveloppe der Verbindungslinien der Punkte, in welchen jene Paare von Tangenten kreuzweis sich schneiden, wie $ab', a'b$; etc.; ferner die Enveloppe der Verbindungslinien von $ab, a'b'$; etc. und die der Verbindungslinien der Berührungspunkte A, A'; etc. in entsprechenden Tangenten a, a'; etc.

Darin liegen die constructiven Hilfsmittel für den Uebergang vom Centrum der Involution zur Axe derselben, d. i. vom Pol zur Polare, so wie für den umgekehrten von der Polare zum Pol. Die Gerade durch die Halbierungspunkte aller der Strecken zwischen Pol und Polare auf den verschiedenen durch den Pol gehenden Strahlen ist — als Vereinigung der Gegenaxen der involutorischen Systeme — der Ort der freien Ecken aller der Parallelogramme, welche die vom Pol ausgehenden Parallelen entsprechender Geradenpaare — speciell entsprechender Tangentenpaare des Kegelschnitts — mit diesen selbst bilden. (§ 20.) Diese Paare der entsprechenden Geraden erzeugen auf der durch den Pol gezogenen Parallelen zur Polare symmetrisch gleiche projectivische Reihen V, V' (Fig, 64 a. b. c.), die den Pol zum einen und den unendlich fernen Punkt zum andern Doppelpunkt haben. (§ 20.; 3. Vergl. § 19.; 3. sowie § 40.)

Sonach besitzt eine Involution von Punkten A, A'; B, B'; ... auf einem Kegelschnitt nicht nur eine Axe oder Polare, in welcher sich die Paare der Geraden $AB', A'B$; $AC', A'C$; $AB, A'B'$; etc. schneiden (§ 29.), sondern auch ein Centrum oder einen Pol, in welchem alle Geraden $AA', BB', CC', ...$ convergieren. Und eine Involution von Tangenten a, a'; b, b'; ... an einem Kegelschnitt besitzt ausser einem Centrum oder Pol, in welchem die Verbindungslinien der Punktepaare $ab', a'b$; $ac', a'c$; $ab, a'b'$; etc. convergieren (§ 29.), auch eine Axe oder Polare, in welcher alle die Punkte $aa', bb', ...$ liegen.

1) Man bestimme die gerade Linie von einem Punkte S nach dem unzugänglichen Schnittpunkt zweier Geraden g und g' durch Punkte ohne Hilfe des Zirkels (Fig. 65). Man zieht durch S zwei Gerade a, a' und betrachtet g, g'; a, a' als entsprechende Paare einer involutorischen Perspective; sie geben $\mathfrak{C}$ als Centrum derselben, damit weitere Paare wie b, b' und damit neue Punkte ihrer Axe, welche durch S und g, g' gehen muss. (Vergl. § 28., 11; § 57., 1.)

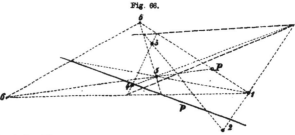

Fig. 65.

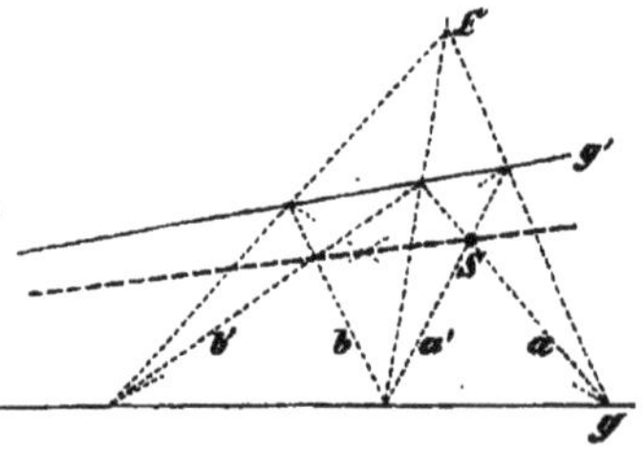

Nach demselben Principe, jedoch nicht mit einer involutorischen Collineation, kann man auch die Verbindungslinie der unzugänglichen Schnittpunkte von zwei Paaren gerader Linien innerhalb des Blattes bestimmen.

2) Man bestimme die Polare p eines Punktes P in Bezug auf denjenigen Kegelschnitt, welcher durch fünf andere Punkte 1, 2,

Fig. 66.

3, 4, 5 der Ebene bestimmt ist — indem man (Fig. 66) die Verbindungslinien von P mit zweien jener Punkte (1, 5) und ihre ferneren Schnittpunkte (6) mit dem Kegelschnitt benutzt. Die beiden stärkeren vom Punkte (1, 2; 4, 5) ausgehenden Geraden sind die bezüglichen Pascal'schen Linien. Die beiden von P verschiedenen Diagonalpunkte des Vierecks 1665 bestimmen die Polare.

Speciell, wenn der Punkt P der unendlich ferne Punkt einer gegebenen Geraden ist, wird p (§ 34., 1) ein Durchmesser des Kegelschnittes.

3) Man construire den Pol P einer Geraden p in Bezug auf die durch ihre Asymptoten und eine andere Tangente bestimmte Hyperbel; insbesondere den Pol der unendlich entfernten Geraden· für den durch fünf Tangenten bestimmten Kegelschnitt. Die Construction des letzteren in Fig. 67 ist dahin zu erklären, dass die

Fig. 67.

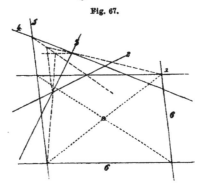

Tangenten 6, 6 aus den beiden unendlich fernen Punkten der Tangenten 1 und 5 mittelst der beiden in der Geraden (1, 2) (4, 5) gelegenen Brianchon'schen Punkte construiert sind. Der im Endlichen liegende Diagonalpunkt des Parallelogramms 1665 ist der Pol der unendlich fernen Geraden oder (§ 34., 2) der Mittelpunkt des Kegelschnittes.

4) Die Projectionen P' und p' des Pols P und der Polare p für einen Kegelschnitt K sind Pol und Polare für die Projection des Kegelschnittes K'.

5) Man soll einen Kegelschnitt aus einem Pol $\mathfrak{C}$ und seiner Polare s durch drei seiner Punkte A, B, C resp. drei seiner Tangenten a, b, c bestimmen; ferner ebenso durch zwei Punkte A, B und die Tangente a des einen von ihnen resp. durch zwei Tangenten a, b und den Berührungspunkt A der einen.

Man construiert die durch C und s harmonisch von A, B, C resp. a, b, c getrennten Elemente A', B', C' resp. a', b', c' und hat damit sechs Elemente des Kegelschnittes; und man construiert die durch $\mathfrak{C}$ und s harmonisch getrennten zu den Elementen A, B, a und resp. zu a, b, A, also A', B', a' und a', b', A' resp., was wieder je sechs Elemente repräsentiert. Natürlich kann man sich dazu der Mittellinie $q'r$ zwischen $\mathfrak{C}$ und s und der Constructionsweise der centrischen Collineation bedienen.

6) Ein Kegelschnitt ist aus zwei Polen P_1 und P_2 und ihren Polaren p_1 und p_2 durch einen Punkt A, resp. mit einer Tangente a zu zeichnen.

Wenn wir den Schnittpunkt von p_1 und p_2 mit P_3 benennen, so ist die Verbindungslinie von P_1 mit P_2 seine Polare p_3; ebenso ist die Gerade $P_1 P_3$ die Polare p_4 des Punktes $p_1 p_3$ oder P_4 und die Gerade $P_2 P_3$ oder p_5 die Polare des Punktes $p_2 p_3$ oder P_5. Betrachten wir dann jeden dieser Pole als Centrum und die entsprechende Polare als Axe einer involutorischen Centralcollineation, in der der gesuchte Kegelschnitt sich selbst entspricht, so erhalten wir die entsprechenden Elemente zu A resp. a in diesen fünf Collineationen als fünf neue Punkte resp. Tangenten des Kegelschnittes. (Vergl. § 32, 11.)

31. Durch das Vorige sind die Mittel zur Behandlung der Probleme über die involutorischen Büschel und Reihen gewonnen, welche denen des § 29. analog sind. Wir entwickeln unter den Beispielen besonders die wichtigen Anwendungen der Involution rechter Winkel und die Bestimmung des gemeinsamen Paares von zwei vereinigten Involutionen.

1) Zwei Paare von Punkten einer Geraden t oder zwei Paare von Strahlen eines Punktes T, welche sich entsprechen, A, A_1; B, B_1 oder a, a_1; b, b_1 bestimmen eine Involution von Punkten oder Strahlen. Man construiert

a) für einen Kreis K, welcher t berührt — respective durch T geht — das System involutorischer Tangenten aus A, A_1; B, B_1, nämlich α, α_1; β, β_1 (Fig. 68 a.) — respective das System invo-

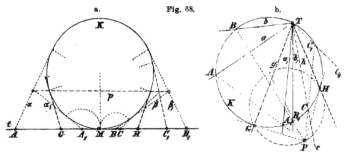

a.   Fig. 68.   b.

lutorischer Punkte auf a, a_1, b, b_1, nämlich A, A_1, B, B_1 (Fig. 68 b.) — und zu diesem die Polare p — respective den Pol P;

b) ein Viereck (Vierseit), von dessen Gegenseiten(ecken)paaren das eine durch A, A_1 (in a, a_1) das andere durch B, B_1 (in b, b_1) geht (liegt). (§ 25.; 5—7.)

Man bestimme zum Punkte C, respective Strahl c, den entsprechenden Punkt C_1 — Strahl c_1 — der Involution; sowohl nach a) als nach b), d. h. a) nach der Bemerkung, dass $\gamma\gamma_1$ auf der Polare p (Fig. 68 a.) liegt, respective CC_1 durch den Pol P(Fig. 68 b.) geht; und b) nach der andern, dass C, C_1 im dritten Gegenseitenpaar liegen, c, c_1 durch das dritte Gegeneckenpaar gehen.

2) Man ermittele die Doppelpunkte G, H einer involutorischen Reihe in t und die Doppelstrahlen g, h eines involutorischen Büschels aus T — mittelst des Pols respective der Polare der Involution in 1, a). (Fig. 68.)

3) Man bestimme die durch vier feste Punkte gehenden — oder vier feste Gerade berührenden — Kegelschnitte mit einer gegebenen Geraden als Tangente — respective durch einen gegebenen Punkt (§ 25, 2); speciell die Parabeln durch vier Punkte.

Für die Identität der Constructionen hier und in § 29, 2 bemerke man: Die Pascal'sche Linie am Hilfskreis dort ist die Polare der Involution im selben Hilfskreis hier; und analog im Falle der Kegelschnitte zu vier Tangenten durch einen Punkt.

4) Wie bestimmt man den Centralpunkt der Involution von Punkten A, A_1, B, B_1 in der Geraden t mittelst des Kreises?

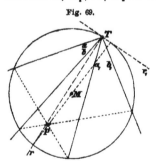

Fig. 69.

5) Man construiere das Paar r, r_1 entsprechender rechtwinkliger Strahlen des involutorischen Strahlenbüschels a, a_1, b, b_1 (§ 20, 9) Fig. 69 und zeige, dass sie im Fall reeller Doppelstrahlen die von diesem gebildeten Winkel halbieren.

Wenn die Involution elliptisch ist — wie in der Figur — so giebt es ein symmetrisches Paar, das die Rechtwinkelstrahlen zu den Halbierungslinien seiner Winkel hat; seine Sehne ist die Senkrechte durch P zur Geraden MT. (Vergl. § 20, 9.) Der Scheitel und der Pol in einem gegebenen Hilfskreis bestimmen das involutorische Büschel, ebenso der Träger t und die Polare p im Hilfskreis K die involutorische Reihe. (Vergl. § 29.)

6) Jede Involution von Strahlen, in welcher zwei Paare entsprechender Strahlen rechte Winkel einschliessen, ist eine Involution rechter Winkel, d. h. besteht aus lauter rechtwinkligen Paaren.

7) Die über den drei Diagonalen eines vollständigen Vierseits als Durchmesser beschriebenen Kreise gehen

durch dieselben zwei Punkte. Denn die Involution von drei
Strahlenpaaren aus einem Schnittpunkt von zweien dieser Kreise
nach den Gegeneckenpaaren enthält zwei, also lauter Rechtwinkelpaare. Die Mittelpunkte liegen in einer Geraden.

Alles dies überträgt sich auf eine Kegelschnittschaar: Die Kreise
der Punkte rechtwinkliger Tangentenpaare für die Kegelschnitte
einer Schaar bilden ein Büschel. Man construiert sofort den besagten Kreis für den durch fünf Tangenten etc. gegebenen Kegelschnitt durch Punktepaare. Die Tangenten 2345 geben ein Paar
I, I^* und die Mittelpunktslinie 1, die Tangenten 1345 ein Paar
II, II^* und die Mittelpunktslinie 2; der Schnitt dieser Geraden
1 und 2 ist der Mittelpunkt des Orthogonal-Kreises und natürlich
des Kegelschnittes. Auch wenn eines der Punktepaare nicht reell
ist, wird der Kreis so bestimmt.

Zugleich hat man den Satz: Für die fünf Vierseite aus fünf
Geraden gehen die Verbindungslinien der Mittelpunkte der Diagonalen durch einen Punkt; etc. Für vier Gerade 1234 mit der
unendlich fernen als der fünften erhält man die Parabel und den
Satz: Die Höhenschnittpunkte der vier aus vier Geraden entstehenden Dreiseite liegen in der Directrix der von ihnen berührten Parabel. Wie für die Gerade und die zugehörige Parabelschaar?

8) Alle Rechtwinkel-Involutionen sind einander
gleich; wir legen daher, sofern sie derselben Ebene angehören,
ihren nicht reellen Doppelstrahlen, die nach den Schnittpunkten
des Hilfskreises mit der unendlich fernen Geraden als der Polare
der Involution gehen, einerlei feste Richtungen bei; d. h. alle
Kreise derselben Ebene gehen durch zwei feste nicht
reelle Punkte J_1, J_2 in der unendlich fernen Geraden.
Wir nennen sie die Kreispunkte der Ebene.

9) Weil sie durch den Begriff Kreis bestimmt sind, so lässt
sich durch drei Punkte nur ein Kreis legen; es ist ein durch
fünf Punkte definierter Kegelschnitt.

Die centrale Projection der Involution rechter Winkel mit ihrem
Hilfskreis ist eine allgemeine Involution ohne reelle Doppelstrahlen
mit ihrem Pol und ihrer Polare in einem Hilfskegelschnitt.

10) Die Doppelstrahlen gleichwinkliger Büschel von einerlei
Scheitel und von gleichem Sinn gehen nach den Kreispunkten der
Ebene. (Vergl. 9 und die Construction in § 29, 8.) Man construiere gleichwinklige Büschel von einerlei Sinn aus den Scheiteln
und Anfangsstrahlen mit Hilfe eines Kreises durch den Scheitel des
einen.

Winkel von einerlei Halbierungslinie oder entsprechende Strahlen concentrischer gleichwinkliger Büschel von entgegengesetztem
Sinn bilden eine symmetrische Involution (§ 22; b.), welche jene
zu ihren Doppelstrahlen hat; der Pol derselben im Hilfskreis ist
unendlich fern, die Polare ein Durchmesser. Ihre Centralprojection

ist eine allgemeine Involution mit reellen Doppelstrahlen. Man
construiert daher gleichwinklige Büschel von entgegengesetztem
Sinn aus den Scheiteln und Anfangsstrahlen mittelst eines Hilfskreises durch einen der Scheitel.

11) Nach dem Vorigen ist in der Punktreihe die symmetrische
Involution (wo der eine Doppelpunkt unendlich fern und der andere
die Mitte aller ihrer Paare ist), und in dem Strahlen- und Ebenen-
Büschel die symmetrische Involution (mit rechtwinkligen Doppelstrahlen resp. Doppelebenen) und die Rechtwinkel-Involution ausgezeichnet; und man darf erwarten, dass durch Schnitt- oder
Schein-Bildung jede gegebene elliptische Involution in
eine rechtwinklige und jede hyperbolische in eine symmetrische übergeführt werden könne. Von den beiden in
dieser Bezeichnung hervortretenden Hauptaufgaben ist die erste bestimmt, während die zweite einfach unendlich viele Auflösungen
gestattet, wie sich dies durch folgende Betrachtung ergiebt. Sind
g, h die Doppelstrahlen der gegebenen hyperbolischen Strahlen-
Involution, so ist die Schnittlinie s von zwei zu einander normalen
Ebenen, deren eine durch g und die andere durch h geht, immer
die Scheitelkante einer symmetrischen Ebenen-Involution, die durch
die gegebene hindurch geht; die Gesammtheit solcher Scheitelkanten bildet also nach § 11, 5. die Mantellinien eines Kegels K_2,
der von jeder zu g oder h normalen Ebene in einem Kreise über
den Schnitten derselben mit g und h als Endpunkten eines Durchmessers geschnitten wird. Und wenn die hyperbolische Ebenen-
Involution durch ihre Doppel-Ebenen G, H gegeben ist, so schneidet
jede Ebene, die mit diesen ein rechtwinkliges Strahlenpaar bestimmt, aus ihr ein symmetrisch-involutorisches Büschel; d. h. die
Gesammtheit aller durch einen Punkt von G, H gehenden Ebenen
dieser Art bildet die Tangentialebenen eines Kegels (§ 28, 7) K^2,
der die Ebenen G, H in den Schenkeln des von ihnen gebildeten
Linienwinkels berührt. Man kann somit im ersten Falle noch die
Orthogonalprojection der Scheitelkante innerhalb des spitzen Winkels
gh willkürlich wählen und dann den Neigungswinkel β derselben
gegen die Ebene gh finden; ebenso im zweiten Falle die Spur
der Schnittebene im Normalschnitt des Ebenenbüschels, so dass sie
mit den Spuren von G, H ein stumpfwinkliges Dreieck bildet, mit
nachheriger Bestimmung ihres Neigungswinkels α gegen jenen. Man
erhält z. B. den letzteren aus der Spur s im Normalschnitt g, h für
G als s, g und H als s, h, sowie T als g, h, indem man vom
Endpunkt (T) der Senkrechten TT' durch T zu s im Kreis über
GH als Durchmesser die Tangente (T)A an den mit dieser Senkrechten um T' beschriebenen Kreis zieht; $\angle TT'A$ ist gleich α.

Die Aufgabe, aus einer hyperbolischen Strahlen- oder Ebenen-
Involution eine symmetrische Reihe zu schneiden, ist gleichfalls
unbestimmt; alle Transversalen in der Ebene des Strahlenbüschels,

welche entweder zu g oder zu h parallel sind, lösen die erste; alle Geraden im Raum, welche zu G oder zu H parallel sind, liefern Lösungen der zweiten. Man kann die verlangte symmetrische Reihe durch weitere Bedingungen bestimmen.

Endlich gehören zu einer gegebenen hyperbolischen Punkt-Involution, die wir durch ihre Doppelpunkte G, H geben, die Punkte der über GH als Durchmesser gebildeten Kugelfläche als Scheitel symmetrisch involutorischer Büschel und die in Normalebenen zu GH gelegenen Tangenten dieser Kugel als Scheitelkanten symmetrisch involutorischer Ebenenbüschel.

Die Auflösung der bestimmten Probleme von den elliptischen und Rechtwinkel-Involutionen knüpft sich hieran.

12) Eine elliptische Involution kann durch ihr symmetrisches Paar und ihren Centralpunkt bestimmt werden (5 oben), wenn sie eine Reihe ist, durch ihr symmetrisches Paar und ihr Rechtwinkel-paar, wenn ein Büschel; oder in allgemeiner Form durch zwei sich trennende Paare.

Denken wir zunächst die Reihe mit dem Centralpunkt M und dem symmetrischen Paar $\mathfrak{S}$, $\mathfrak{S}_1$, so ergeben sich nach dem Schluss von 11) die Scheitel rechtwinklig involutorischer Strahlenbüschel und die Scheitelkanten rechtwinklig involutorischer Ebenenbüschel über dieser Punkt-Involution als die Punkte und Tangenten des Kreises, in welchem die Normalebene durch M zu $\mathfrak{S}\mathfrak{S}_1$ die Kugel mit $\mathfrak{S}$, $\mathfrak{S}_1$ als Enden eines Durchmessers durchschneidet; denn sie müssen mit M und der Richtung von $\mathfrak{S}\mathfrak{S}_1$ ebenso wie mit $\mathfrak{S}$ und $\mathfrak{S}_1$ je ein Paar rechtwinkliger Strahlen resp. Ebenen bestimmen. (Vergl. § (35ᵇ).)

13) Wie in 12) mit zwei Kugeln, oder Ebene und Kugel, so haben wir es mit zwei Kegeln K_2, resp. K^2 (11) etc. zu thun, wenn es sich um die Rechtwinkel-Involutionen von Ebenen durch ein elliptisch-involutorisches Strahlenbüschel vom Scheitel T und um die rechtwinkligen Strahlenbüschel aus einer elliptischen Ebenen-Involution von der Scheitelkante t handelt. Im ersten Falle entspringen aus zwei beliebigen Paaren x, x_1; y, y_1 zwei Kegel (§ 11, 5.) K_2^x, K_2^y, deren gemeinsame Mantellinien das Problem lösen; für das Rechtwinkelpaar r, r_1 als y, y_1 erhält man statt des Kegels K_2^r das Paar der Normalebenen zu rr_1 durch r, resp. r_1; die durch x, x_1 gehenden und zu einander normalen Ebenen, die sich in einer diesen beiden Ebenen schneiden, liefern die fraglichen Scheitel-kanten. Ist r die Halbierungslinie des spitzen Winkels vom symmetrischen Paar σ, σ_1, so dient ein Kreisschnitt des Kegels K_2^σ zur Bestimmung; man zieht die Normale $\mathfrak{S}\mathfrak{S}_1$ zu σ zwischen σ und σ_1, zeichnet die Ordinate ihres Schnittes T' mit r im Kreis über $\mathfrak{S}\mathfrak{S}_1$ als Durchmesser und bildet aus ihr und TT' als Katheten das rechtwinklige Dreieck, um in seinem Winkel bei T den Neigungswinkel β der gesuchten Scheitelkante zu erhalten.

Welche Beziehung besteht zwischen dem Winkel β und dem Winkel $r\,\sigma$?

Im zweiten Falle bilden wir ʼfür das rechtwinklige Paar der elliptischen Ebenen-Involution an einem beliebigen Punkte der Scheitelkante t den Kegel K_t^2, die Schnittlinien des Paares mit der Normalebene zu t und legen durch sie die Tangentialebenen an den Kegel K^2, der aus dem symmetrischen Ebenenpaar entspringt; oder nach der offenbaren Symmetrie derselben gegen die Normalschnitt-ebene durch ihre Schnittlinie: Wir ziehen im Normalschnitt die zu einem Rechtwinkelstrahl parallele Gerade zwischen den Schenkeln des vom symmetrischen Paar gebildeten stumpfen Winkels und beschreiben über ihr als Durchmesser den Kreis; seine zu jenem parallele Halbsehne durch den Scheitel des Normalschnittbüschels giebt die Höhe, in welcher der Scheitel des rechtwinklig involutorischen Schnittes über oder unter dem betrachteten Normalschnitt liegt. Für α als den Winkel zwischen beiden Ebenen und σ als den halben stumpfen Winkel des symmetrischen Paares hat man $\cos\alpha = \cot\alpha\,\sigma$. Man vergleiche die Constructionen beider Probleme für das nämliche σ mit einander und mit dieser Relation die von § (7).

14) Man construiere eine Involution von Strahlen aus den Doppel-Elementen; speciell eine ·involutorische Reihe aus einem Paare und dem Centralpunkt; etc.

15) Zwei Involutionen in derselben Geraden oder um denselben Punkt haben im Allgemeinen ein gemeinschaftliches Paar von Elementen. Dasselbe ist nur dann nicht reell, wenn beide Involutionen Doppelelemente haben und diese sich trennen. Man bestimme es, wenn die Doppel-Elemente der Involution gegeben sind. Wenn ein Doppel-Element der ersten Involution mit einem der zweiten zusammenfällt, so ist in diesem auch das gemeinsame Paar vereinigt. Man findet damit den Kegelschnitt, der durch vier gegebene Punkte geht und ein gegebenes Segment harmonisch theilt.

Man bestimme ein Elementenpaar, das zu zwei gegebenen Elementen desselben Trägers harmonisch conjugiert und zu einem dritten symmetrisch gelegen ist; es giebt also insbesondere in einer Involution im Allgemeinen ein Paar, welches mit zwei Elementen desselben Trägers (gleichviel ob Paar oder nicht) eine harmonische Gruppe bildet. Man findet sie im Falle des Büschels, wenn man dasselbe so wie jene Elemente auf einen Hilfskreis überträgt, mittelst der Sehne durch den Pol der Involution, die den Schnittpunkt der Tangenten des ·Hilfskreises für diese Elemente enthält. Sie sind also stets reell, wenn die Involution elliptisch ist, und für das Elementenpaar als Paar der Involution selbst nie reell, wenn sie byperbolisch ist; sie sind dagegen für das Elementenpaar als nicht zur Involution gehörig reell, so lange es durch das Paar der Doppelelemente nicht getrennt wird.

Mit Hilfe dieses zu zwei Elementen desselben Trägers harmonischen Paares einer Involution löst man die Aufgabe, **zwei involutorische Büschel durch eine Gerade zu schneiden, resp. zwei involutorische Reihen aus einem Punkte zu projicieren, so dass die entsprechenden Involutionen identisch sind.** Denn für zwei Büschel T, T' ist zunächst der Schnittpunkt der Strahlen x_1, y_1', die dem gemeinsamen Strahl xy' entsprechen, ein Punkt der zu suchenden Transversale; einen zweiten erhält man im Schnittpunkt zweier Strahlen von T, T', welche den zu xx_1, $y'y_1'$ respective harmonischen Paaren von T, T' angehören; diese zwei Strahlenpaare bilden ein vollständiges Vierseit dessen von TT' verschiedene Diagonalen die beiden Lagen der Transversalen liefern, welche sich in jenem Punkte x_1y_1' durchschneiden. Es ist eine Combination der Linealconstruction mit der Benutzung des Hilfskreises.

Die Lösungen sind nur für elliptische Involutionen reell. Man führe sie für zwei gegebene involutorische Reihen aus.

16) Man construiere diejenigen Kegelschnitte von zwei Büscheln (§ 25.; 2.) $ABCD$, $A^*B^*C^*D^*$, welche sich in der Geraden t ihrer Ebene durchschneiden; ebenso diejenigen Kegelschnitte zweier Schaaren (ibid.) $abcd$, $a^*b^*c^*d^*$, welche die nämlichen Tangenten aus einem Punkte T ihrer Ebene haben. Speciell die Hyperbeln mit parallelen Asymptoten, etc.

Man construiere die Schnittpunkte einer Geraden g mit dem durch fünf Punkte $ABCDE$ bestimmten Kegelschnitt als gemeinsames Paar der durch die Vierecke $ABCD$ und $ABCE$ auf g bestimmten Involutionen. Der Schnittpunkt der Polaren beider Involutionen im berührenden Hilfskreis ist der Brianchonpunkt der projectivischen Tangentensysteme an demselben nach § 29, Fig. 61; die Constructionen sind also identisch.

17) Alle Hyperbeln mit denselben Asymptoten bestimmen in einer beliebigen Geraden Punktepaare einer symmetrischen Involution, in welcher die Schnittpunkte mit den Asymptoten ein Paar bilden. Die Centralprojection der Figur liefert einen allgemeinen Satz, der auch direct evident ist als Folge des Satzes über ein Büschel von Kegelschnitten, das eingeschriebene Viereck und eine Transversale in § 25., 2. 4.

Man construiert nach dem vorigen speciellen Satze eine Hyperbel aus den Asymptoten und einem ihrer Punkte — mittelst der Segmente in den Strahlen durch diesen.

18) **Man construiere zu zwei vereinigten projectivischen Gebilden erster Stufe, z. B. zu zwei Strahlenbüscheln, die Involution, welche dieselben Doppelelemente mit ihnen hat.** Denken wir die Projectivität nach § 29 durch ein Paar x, x' und die Pascal-Linie p im Hilfskreis K gegeben, so ist offenbar diese zugleich die Polare der gesuchten Involution. Um

aber zwei Paare dieser Involution zu ermitteln, betrachte man x' als y und construiere mittelst der Pascal-Linie p den Strahl y', also in analoger Bezeichnung zu Fig. 55 mittelst der Geraden $X'Y'$ und der Tangente $X'Y$ von K, die jene auf p in Z'' schneidet; man construiert zu $x'y$ den harmonisch conjugierten z in Bezug auf x und y', indem man von Z'' die zweite Tangente zu K zieht und ihren Berührungspunkt mit dem Scheitel T verbindet; endlich durch ZY' und $Z'Y$, die sich in p schneiden, den entsprechenden Strahl z'. Dann sind y, z' und y', z die gewünschten Paare der Involution, weil YZ', $Y'Z$ und YY, ZZ zwei Punkte ihrer Polare p sind. Man führe die Construction für vereinigte projectivische Reihen durch, die durch die Gegenpunkte Q', R und ein Paar A, A' gegeben sind. Man specialisiere sie für X als Q und Y' als R', etc. Dies sind die wichtigsten speciellen Formen der Construction. Im Allgemeinen ist die Construction unbestimmt, die Pascal'sche Linie als Polare der Involution liefert durch ihren Pol im Hilfskreis den Pol der Involution, mit Hilfe dessen man sofort auch ihre symmetrisch harmonische Darstellung findet, etc.

32. Die Constructionen des § 30. für den Uebergang vom Pol zur Polare und umgekehrt enthalten eine Reihe wichtiger Sätze für die ebenen involutorisch collinearen Systeme.

a) In jedem einem Kegelschnitt eingeschriebenen Viereck ist die gerade Verbindungslinie von zwei Diagonalpunkten (§ 16.; 13.) die Polare des dritten Diagonalpunktes in Bezug auf den Kegelschnitt.

Man nennt die Diagonalpunkte ein Tripel harmonischer Pole in Bezug auf den Kegelschnitt.

In jedem einem Kegelschnitt umgeschriebenen Vierseit ist der Durchschnittspunkt von zweien seiner Diagonalen (§ 16.; 13.) der Pol der dritten Diagonal ein Bezug auf den Kegelschnitt.

Man nennt die Diagonalen ein Tripel harmonischer Polaren in Bezug auf den Kegelschnitt.

Die von solchen Tripeln gebildeten Dreiecke und Dreiseite heissen auch sich selbst conjugiert in Bezug auf den Kegelschnitt. Zwei Kegelschnitte mit vier reellen gemeinsamen Punkten oder Tangenten haben ein gemeinsames Tripel harmonischer Pole und Polaren.

b) Die Polaren aller Punkte einer Geraden p in Bezug auf einen Kegelschnitt gehen durch den Pol P dieser Geraden.

Die Pole aller Geraden aus einem Punkte P in Bezug auf einen Kegelschnitt liegen in der Polare p dieses Punktes.

Die Reihe der Pole in der Polare und das Büschel der entsprechenden Polaren aus dem Pol sind projectivisch; jene bestimmen mit dem Pol ein Büschel, dessen Strahlen denen des Büschels der Polaren projectivisch und involutorisch d. i. vertauschungsfähig entsprechen; diese bestimmen mit der Polare eine Reihe, deren Punkte den Polen projectivisch und involutorisch entsprechen d. h.:

c) Alle Strahlen eines ebenen Strahlenbüschels ordnen sich in Bezug auf einen festen Kegelschnitt seiner Ebene so in Paare, dass die eine Gerade jedes Paares den Pol der andern in Bezug auf denselben enthält.

Diese Paare bilden eine Involution, die Involution harmonischer Polaren um den betrachteten Punkt.

Sind a, a' zwei Tangenten mit entsprechenden Berührungspunkten, also aus einem Punkt von s, so giebt jedes andere Paar x, x' in den Verbindungslinien von ax, $a'x'$ und ax', $a'x$ zwei verkehrt auf einander fallende Strahlen aus $\mathfrak{C}$, d. h. ein Paar der Involution.

Die Doppelstrahlen derselben sind die Tangenten des Kegelschnitts aus dem Punkte.

Alle Punkte einer geradlinigen Reihe ordnen sich in Bezug auf einen festen Kegelschnitt ihrer Ebene so in Paare, dass der eine Punkt jedes Paares in der Polare des andern in Bezug auf denselben liegt.

Diese Paare bilden eine Involution, die Involution harmonischer Pole in der betrachteten Geraden.

Sind A, A' zwei Punkte mit entsprechenden Tangenten, also auf einem Strahl aus $\mathfrak{C}$, so giebt jedes andere Paar X, X' in den Schnittpunkten von AX, $A'X'$ und AX', $A'X$ zwei verkehrt auf einander fallende Punkte in s, d. h. ein Paar der Involution.

Die Doppelpunkte derselben sind die Schnittpunkte des Kegelschnitts mit der Geraden.

Die Involution harmonischer Polaren um einen Punkt und die Involution harmonischer Pole auf der Polare dieses Punktes sind perspectivisch.

Diese wichtigen Sätze lassen sich auch direct aus der Erzeugung der Kegelschnitte durch projectivische Gebilde erster Stufe ableiten. Denn nach § 20., 14. bestimmt jeder Punkt mit zwei projectivischen Reihen, deren perspectivische Axe ihn enthält, projectivische Büschel in In-

11*

volution, und jede Gerade schneidet aus zwei projectivischen
Büscheln, deren perspectivisches Centrum auf ihr liegt, zwei
projectivische Reihen in Involution. Wir verbinden hier nur
diese Bemerkung mit der Betrachtung des aus den projectivischen Reihen resp. Büscheln erzeugten Kegelschnitts; die Punkte
U, U^* etc. resp. die Geraden u, u^* etc. a. a. O. gehören dem
Kegelschnitt an. Wenn man also durch den Punkt P eine
Gerade zieht, die den Kegelschnitt zweimal schneidet und aus
demselben Punkte die ihn erzeugenden projectivischen Reihen
in den Tangenten der Schnittpunkte projiciert, so entsteht
hierdurch ein involutorisches Büschel; und wenn P ausserhalb
des Kegelschnittes liegt, so ist die Unabhängigkeit dieser Involution von der Wahl der Transversale aus P schon durch
die harmonische Relation ihrer Paare zu den Tangenten aus P

Fig. 70.

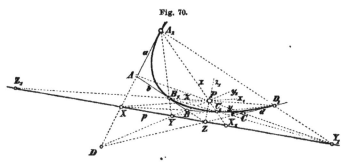

evident. Ebenso für die Involution in der Geraden p, falls
diese den Kegelschnitt schneidet; man wählt auf ihr einen
Punkt von welchem aus zwei Tangenten an den Kegelschnitt
gehen und denkt den Kegelschnitt durch die Strahlenbüschel
erzeugt, die die Berührungspunkte derselben zu Scheiteln
haben; jedes Paar entsprechender Strahlen derselben bestimmt
in p ein Paar der Involution und nach der harmonischen Trennung jedes Paares durch die Schnittpunkte von p mit dem Kegelschnitt ist die Involution von der Wahl des Anfangspunktes der
Construction in p unabhängig. Demnach sind dies die Involutionen harmonischer Polaren aus P und harmonischer Pole auf p.

Dieselbe Unabhängigkeit beweist man aber auch im andern
Falle, dem Falle nicht reeller Doppelelemente, sehr einfach;
z. B. für den innerhalb des Kegelschnitts liegenden Pol P wie

folgt. Zieht man (Fig. 70) durch P zwei Gerade, die den Kegelschnitt in A_1, C_1 und in B_1, D_1 respective schneiden, und bezeichnet
man die Schnittpunkte von $A_1 B_1$, $C_1 D_1$ mit Y, von $A_1 D_1$, $B_1 C_1$
mit Y_1, die Schnittpunkte der entsprechenden Tangentenpaare
a, c und b, d respective durch X und Z, so liegen diese vier
Punkte X, Z, Y, Y_1 in einer Geraden p. (§ 27., 2.) Bezeichnet
man die Ecken des Vierseits der Tangenten $abcd$ aber durch
A, B, C, D, so ist unter Benutzung der Transversale $A_1 C_1$ die
Involution durch die Paare $PA_1 C_1$, PX oder x, x_1 und PAC,
PBD oder y, y_1 bestimmt; für $B_1 D_1$ aber durch $PB_1 D_1$ und
PZ oder z, z_1 und y, y_1 bestimmt.

Aber diese Paare gehören zur nämlichen Involution. Denn
im eingeschriebenen Viereck $A_1 B_1 C_1 D_1$ ist PYY_1 das Dreieck
der Diagonalpunkte und am Scheitel P folglich $(xzyy_1) = -1$.
Zugleich ist im umgeschriebenen Vierseit $abcd$ pyy_1 das Diagonal - Dreiseit und man erhält somit wegen

$$(XZYY_1) = -1 \quad \text{auch} \quad (x_1 z_1 y_1 y) = -1 = (xzyy_1),$$

d. h. die drei Paare x, x_1; y, y_1; z, z_1 gehören zur nämlichen
Involution. Geht man aber in derselben Figur von den Punk-
ten X und Z in p aus, so werden für X_1 und Z_1 als Schnitte
von p mit $A_1 C_1$ und $B_1 D_1$ X, X_1 und Y, Y_1 Paare der ersten
und Z, Z_1; Y, Y_1 solche der zweiten Involution, d. h. die Involution harmonischer Pole in p ist perspectivisch zur Involution harmonischer Polaren um P. Auch sind P und p in
allen Strahlen aus P durch die Punkte und an allen Punkten
von p durch die Tangenten des Kegelschnitts harmonisch getrennt; kurz, P ist der Pol der Involution von Punkten und p
die Polare der zugehörigen Involution von Tangenten im
Kegelschnitt. Die Geraden vom Paare Y, Y_1 nach einem Punkte
D_1 des Kegelschnitts schneiden ihn noch in Punkten A_1, C_1
einer durch P gehenden Sehne. Die Punkte im Paare y, y_1 auf
einer Tangente d des Kegelschnitts liegen noch in Tangenten
a, c desselben aus einem Punkte in p. Oder mit einem
Tripel harmonischer Pole bestimmt jeder Punkt des
Kegelschnittes drei ihm eingeschriebene Dreiecke,
deren Seiten durch jene gehen. Sie haben paarweise noch eine
Ecke gemein und bilden zusammen ein eingeschriebenes Viereck
mit jenem Tripel als dem der Diagonalpunkte. Und mit
einem Tripel harmonischer Polaren bestimmt jede

**Tangente des Kegelschnittes drei ihm umgeschrie-
bene Dreiseite, deren Ecken in jenen liegen, die paarweis
eine Seite gemein haben und zusammen ein umgeschriebenes
Vierseit mit dem Tripel als dem der Diagonalen bilden. Für
identische Tripel und Punkt und Tangente als zusammengehörig
gehören auch jenes Viereck und dieses Vierseit zusammen.**

1) Man construiere die Involution harmonischer Pole auf einer
Geraden p und die der harmonischen Polaren um ihren Pol P für
einen Kegelschnitt, der durch fünf Punkte bestimmt ist; speciell
das Rechtwinkelpaar der letztgenannten Involution.

Man hat von zwei Punkten A, B der Geraden die Polaren
a, b zu ermitteln (§ 30.; 2.). Die Construction in Fig. 71 ist zu
erklären. (Vergl. Fig. 66, p. 153.)

Man bestimme den Centralpunkt M der ersten Involution —
mittelst der Polare der Richtung der Geraden.

Fig. 71.

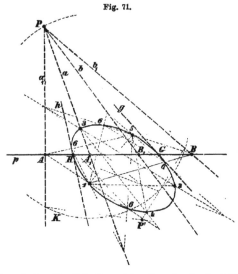

2) Man finde die Schnittpunkte des durch fünf Punkte bestimmten Kegelschnitts mit einer Geraden p als Doppelpunkte der
ihr angehörigen Involution harmonischer Pole; ebenso die Tangenten aus einem Punkte P an denselben (Fig. 71). (Vergl. § 31, 16.)

3) Denkt man in Fig. 70 bei festgehaltenen B_1, C_1, D_1 den
Punkt A_1 auf dem Kegelschnitt bewegt (oder bei festen b, c, d
die Tangente a), so rückt P in $B_1 D_1$ nach $P' ..$, A in b nach
$A' ..$ und D in d nach $D' ..$ und die Reihen A und D sind Pro-

jectionen der Reihe P von C resp. B aus; d. h. man hat den Identitätsbeweis von § 28, 10 wieder

$$(C_1 \,.\, A_1 A_1' A_1'' \,.\,.) = (PP'P'' \,.\,.) = (AA'A'' \,.\,.) = (DD'D'' \,.\,.).$$

4) Die projectivischen Büschel von (den Asymptoten) parallelen Strahlen, welche eine Hyperbel erzeugen, werden durch jede Gerade aus dem Centrum in einer Involution harmonischer Pole geschnitten, die dasselbe zum Centralpunkt hat.

5) Man erläutere die Construction von Pol und Polare für den Kreis und den Satz, dass die Polare zum Durchmesser des Pols rechtwinklig ist, vom Standpunkte der involutorischen Central-Collineation. Das Rechteck aus den Abständen des Pols und der Polare vom Centrum ist dem Quadrat des Halbmessers gleich. (§ 20., 11; § 16., 11.)

6) Nennen wir P^* (Fig. 72) den Schnittpunkt des nach einem Punkte P gehenden Durchmessers PM mit der Polare desselben in Bezug auf einen Kreis K vom Halbmesser r, so ist für jeden durch P, P^* gehenden Kreis K^*

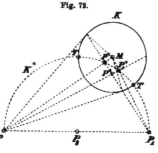

Fig. 72.

$$MP \,.\, MP^* = r^2 = \overline{MT}^2$$

für MT als die vom Mittelpunkt M an K^* gehende Tangente; d. h. jeder durch zwei Punkte P, P^* gehende Kreis K^* ist orthogonal zum Kreise K. Zwei Paare solcher radial conjugierter Punkte liegen auf einem zu K orthogonalen Kreis.

7) Sind dann P und P_1 zwei in Bezug auf den Kreis K conjugierte Punkte und entsprechen ihnen P^*, P_1^* in der angegebenen Art, so ist $P_1 P^*$ die Polare von P und PP_1^* die Polare von P_1, also ihr Schnittpunkt P' der Pol von PP_1. Ein über PP_1 als Durchmesser beschriebener Kreis K^* geht durch P^* und P_1^*, weil $\angle PP^*P_1 = \angle PP_1^*P_1 = 90^0$ ist, und schneidet K rechtwinklig, weil er durch P, P^* oder auch weil er durch P_1, P_1^* geht. Und wenn umgekehrt ein Kreis K^* einen gegebenen Kreis K rechtwinklig schneidet, so sind die Endpunkte P, P_1 jedes Durchmessers desselben conjugiert in Bezug auf K. Denn für P^*, P_1^* als Schnittpunkte desselben mit PM, $P_1 M$ sind P^*P_1, P_1^*P die Polaren von P respective P_1 in Bezug auf K. Man sieht, dass die Punkte P, P_1 in Bezug auf den Kreis K conjugiert bleiben, wenn man die Strecke PP_1 um ihren Mittelpunkt P_2 dreht; dass mit der Distanz von zwei in Bezug auf einen Kreis conjugierten Punkten auch der Abstand ihres Mittelpunktes vom Centrum desselben bestimmt ist und umgekehrt; dass für einen Kreis K^*, der zu mehreren Kreisen K, K', K'', ... zugleich ortho-

gonal ist, die Endpunkte eines Durchmessers in Bezug auf alle diese Kreise zugleich conjugiert sind. In Folge dessen gehen die zu einem Kreise K orthogonalen Kreise, deren Centra in einer festen Geraden g liegen, durch zwei feste Punkte in dem zu g senkrechten Durchmesser. Das letzte sagt auch, dass der Orthogonalkreis K^* zu drei Kreisen K, K', K'' der Ort solcher Punktepaare ist, von denen jeder Punkt dem andern in Bezug auf K, K', K'' zugleich conjugiert ist, und dass diese Paare die Endpunkts-Paare seiner Durchmesser sind. Vergl. die §§ (35^b), (35^d), wo eine ganz andere Entwickelung zu diesen Ergebnissen führt und sie in den Zusammenhang einer Geometrie der Kreissysteme stellt.

8) Durch einen Punkt P, einen Kreis K und eine Gerade g ist ein Kreis K^* bestimmt, der den ersten enthält, zum zweiten orthogonal ist und seinen Mittelpunkt in der dritten hat; denn derselbe geht auch durch P^*, den Schnittpunkt der Polare von P mit dem nach P gehenden Durchmesser; die zu PP^* normale Halbierende schneidet g in seinem Mittelpunkt. Oder auch, weil er ausser P die zwei vorerwähnten festen Punkte in dem zu g normalen Durchmesser enthält, welche man leicht ermittelt. Vergl. § 33., 14.

9) Wenn zwei Kegelschnitte durch vier Punkte A, B, C, D gehen und eine Tangente t berühren, so haben sie noch drei andere reelle Tangenten gemein; wenn t die Seiten des gemeinsamen Tripels EFG oder AB, CD; BC, AD; CA, BD in E_1, F_1, G_1 resp. schneidet, so bilden jene die Verbindungslinien von E_2, F_2, G_2, wenn

$$(EFG_1G_2) = (FGE_1E_2) = (GEF_1F_2) = -1$$

ist. Wenn GG_1, EE_1, FF_1 sich in F^*, G^*, E^* schneiden, so liefern also auch EE^*, FF^*, GG^* mit FG, GE, EF geschnitten die Punkte E_2, F_2, G_2. Wie lautet der entsprechende Satz für zwei Kegelschnitte mit vier gemeinsamen Tangenten?

10) Die Polare eines Punktes des Kegelschnittes ist die Tangente desselben in ihm und der Pol einer Tangente ist ihr Berührungspunkt. Die Reihe der Punkte A, B, C, ... in der Tangente t und das Büschel der ihnen entsprechenden Polaren a, b, c, ... sind projectivisch, oder das Doppelverhältniss von vier Punkten eines Kegelschnittes ist dem der entsprechenden Tangenten desselben gleich. Vergl. § 24., p. 120.

Die Involution harmonischer Pole in der Tangente t ist parabolisch (§ 21.), die entsprechenden A_1, B_1, ... aller Punkte A, B, ... sind im Berührungspunkte T vereinigt. Ebenso ist die Involution harmonischer Polaren aus einem Punkte des Kegelschnittes parabolisch. Es theilen sich also nach der Natur der zugehörigen Involutionen die Geraden resp. die Punkte in der Ebene eines Kegelschnittes in drei Gruppen; die Punkte speciell nennt man innerhalb, ausserhalb des Kegelschnittes und auf demselben liegend, jenachdem ihre Polarinvolutionen elliptisch, hyperbolisch oder parabolisch

sind. Man darf dieselbe Ausdrucksweise auf die Geraden anwenden.

11) Durch ein sich selbst conjugiertes Dreieck und zwei Punkte
resp. zwei Tangenten eines Kegelschnittes ist derselbe bestimmt.
Denn man construiert zu den zwei gegebenen Elementen des Kegelschnittes sechs neue als ihre entsprechenden in den drei involutorischen Centralcollineationen, die durch je eine Ecke des Dreiecks
und die gegenüberliegende Seite desselben als Centrum und Axe
bestimmt sind. Erhält man dabei für die Centra P_1, P_2, P_3 aus
A, B die respectiven Punktepaare A_1, B_1; A_2, B_2; A_3, B_3, so
entsprechen einander aus denselben Centren und für dieselben resp.
Axen auch die Paare B_2, B_3; A_2, A_3; sodann B_3, B_1 und A_3, A_1
und endlich B_1, B_2 und A_1, A_2; analog im Falle der gegebenen
Tangenten. Die Punkte A_1, A_2, A_3 bilden also mit A ein Viereck, für welches $P_1 P_2 P_3$ das Dreieck der Diagonalpunkte ist, etc.
Die acht Ecken von zwei solchen Vierecken liegen immer auf einem
Kegelschnitt. Ein sich selbst conjugiertes Dreieck und ein Punkt
mit der zugehörigen Tangente liefern dieselbe Bestimmung.

12) Wenn für einen Kegelschnitt ein sich selbst conjugiertes
Dreieck XYZ und ein Pol P mit seiner Polare p gegeben ist, so
wird der Kegelschnitt ebenfalls durch acht Elemente im Allgemeinen
bestimmt. Denn in der Geraden YZ sind die Punkte Y, Z ein
erstes Paar und ihre Schnittpunkte mit den Geraden XP und p
ein zweites Paar der durch den Kegelschnitt in ihr bestimmten
Involution harmonischer Pole; die Doppelpunkte derselben sind
zwei Punkte des Kegelschnittes und ihre Verbindungslinien mit der
Gegenecke X die zugehörigen Tangenten derselben. Man erhält
auf einer zweiten Seite des Dreiecks wiederum durch die Doppelpunkte und die Doppelstrahlen der Involution Elemente des Kegelschnittes, und erkennt leicht, dass für einen reellen Kegelschnitt
dieselben in zwei Seiten und an ihren Gegenecken reell sein müssen,
dagegen in und an der dritten nicht reell sein können.

Auch kann man, ohne den Kegelschnitt erst zu zeichnen, zu
jedem Punkt A der Ebene seine Polare a in Bezug auf denselben
bestimmen; denn die Geraden XA und YA liefern durch die entsprechenden zu ihren Schnittpunkten mit YZ, ZX resp. zwei
Punkte von a. Man erkennt daraus zugleich, dass die Construction
des Pols A zur gegebenen Polare a in derselben Weise erfolgt.
Auf diesen Zusammenhang kommen wir mehrfach und besonders
im dritten Theil dieses Werkes zurück.

13) Ein Pol P, seine Polare p, die Involution harmonischer Polaren um jenen oder harmonischer Pole
auf dieser und ein Punkt T, respective eine Tangente t
des Kegelschnittes bestimmen denselben. Man entwickle
die Construction: Ist T^* der Schnitt von TP mit p, so bestimmt
man den vierten harmonischen Punkt T' zu T in Bezug auf PT^*,

und dieser gehört dem Kegelschnitt an. Dem Punkte T' entspricht in der Involution der Punkt T'', der das perspectivische Centrum der den Kegelschnitt erzeugenden Büschel T, T' ist und sich daher aus den bekannten Paaren derselben ergiebt.

Die Punkte T, T' liefern mit jedem Paare Z, Z_1 der Involution durch TZ, $T'Z_1$; TZ_1, $T'Z$ zwei Punkte des Kegelschnittes, die auf einer durch P gehenden Geraden liegen.

Zur Tangente t construiert man zuerst die zweite Tangente t' aus ihrem Schnittpunkt mit p, als vierte harmonische Gerade zu t in Bezug auf p und den nach dem Pol P gehenden Strahl t^*. Ist dann z, z_1 ein Paar der Polar-Involution um P, so ist das Linienpaar tz, $t'z_1$; tz_1, $t'z$ ein neues Tangentenpaar des Kegelschnittes, das sich auf p schneidet. Hat man zu T und T' mittelst des entsprechenden Strahles in der Polar-Involution die Tangenten t, t' construiert, so erhält man auch weiterhin immer Punkte- und Tangentenpaare zugleich.

Lässt man den Punkt T oder die Tangente t variieren, so erhält man ein Büschel von Kegelschnitten, das zugleich eine Schaar ist, nämlich mit reeller oder nicht reeller doppelter Berührung — in den Doppelpunkten der Pol-Involution auf p mit den von ihnen nach T gehenden Strahlen.

Durch jeden Punkt der Ebene wie an jede Gerade derselben geht ein Kegelschnitt dieses Systems.

In der Aufg. 6 des § 30 bilden die Pole P_1 und P_4, P_2 und P_5 in der Geraden p_3 zwei Paare der zugehörigen Involution harmonischer Pole; die damit bestimmten Doppelpunkte derselben sind zwei Punkte des Kegelschnittes, sowie ihre Verbindungslinien mit dem Pol P_3 die zugehörigen Tangenten derselben. Auch wenn sie nicht reell wären, kann man sie die genannte Aufg. als Construction aus Pol, Polare und zugehöriger Involution mit einem Punkt resp. einer Tangente behandeln.

14) Durch drei Punkte A, B, C und die Involution harmonischer Pole in einer Geraden p ist ein Kegelschnitt bestimmt. Seien X und Y die Punkte von p, welche den Geraden AB, BC angehören und X_1, Y_1 ihre entsprechenden in der Involution, sowie X' und Y' ihre harmonisch conjugierten in Bezug auf A, B und B, C, so ist der Schnittpunkt von $X'X_1$ mit $Y'Y_1$ der Pol P von p; man erhält somit durch CY_1 und AX_1 den Punkt B' des Kegelschnittes, der mit B auf einer Geraden durch den Pol liegt. Damit aber findet man durch BZ, $B'Z_1$ und BZ_1, $B'Z$ stets Punkte des Kegelschnittes in einer durch P gehenden Geraden.

Man zeige, wie die Construction des Kreises durch drei Punkte A, B, C hiervon ein Specialfall ist: Man kennt die Pol-Involution der rechtwinkligen Richtungen auf der unendlich fernen Geraden. Dabei folgt, dass sich die halbierenden Perpendikel von AB, BC, CA in einem Punkte schneiden.

Durch drei Tangenten a, b, c und die Involution harmonischer Polaren um einen Punkt P ist ein Kegelschnitt bestimmt. Die Construction entspricht der vorigen nach dem Princip der Dualität (Ueberblick S. 112 f.): Seien x und y die Strahlen aus P, welche die Punkte ab, bc enthalten und x_1, y_1 ihre entsprechenden in der Polar-Involution, ferner x' und y' ihre harmonisch conjugierten in Bezug auf die Paare ab und bc respective, so ist die Verbindungslinie von $x'x_1$ mit $y'y_1$ die Polare p von P; man erhält durch cy_1 und ax_1 die Tangente b' des Kegelschnittes, die sich mit b auf der Polare p schneidet (ebenso natürlich a' aus bx_1, $b'x$ und c' aus by_1, $b'y$), und damit aus bz, $b'z_1$ und bz_1, $b'z$; etc. Tangenten des Kegelschnittes aus einem Punkte von p.

Die Constructionen eines Kegelschnittes aus vier Punkten und einem Paar harmonischer Pole, resp. aus vier Tangenten und einem Paar harmonischer Polaren, kommen nach den Sätzen des § 25 auf die Bestimmung des gemeinsamen Paares von zwei vereinigten Involutionen zurück, deren eine durch das Viereck resp. Vierseit der gegebenen Punkte resp. Tangenten geliefert wird, während das gegebene Paar die Doppelelemente der andern bildet; wenn das gemeinsame Paar nicht reell ist, so ist doch immer die Involution harmonischer Pole resp. Polaren bestimmt, die es mit dem gegebenem Paar bildet, und der Kegelschnitt kann wie vorher construiert werden.

15) Durch einen Punkt A und die Involutionen harmonischer Pole in zwei Geraden p, p' ist ein Kegelschnitt bestimmt. Ist X, Y' im Schnittpunkt beider Geraden und sind X_1, Y_1' die ihm entsprechenden in beiden Involutionen, so ist $X_1 Y_1'$ die Polare desselben und die Pole P, P' beider Geraden liegen in ihr. Wären dann B und B' die Schnittpunkte derselben mit dem Kegelschnitt, so geben die Strahlen AB und AB' sowohl in p als in p' ein Paar der bezüglichen Involution harmonischer Pole, und man findet somit AB, AB' als das gemeinsame Paar der beiden involutorischen Büschel, welche aus A über den Involutionen in p und p' stehen. Dann sind XB, XB' die Tangenten des Kegelschnitts in B und B', etc.

Die Bestimmung eines Kegelschnitts aus einer Tangente a und den Involutionen harmonischer Polaren für zwei Punkte P, P' geschieht durch die nach dem Princip der Dualität entsprechende Construction: Sind xy' im Verbindungsstrahl beider Punkte und entsprechen ihnen x_1 und y_1' in beiden Polar-Involutionen, so ist $x_1 y_1'$ der Pol von jenem Scheitelstrahl. Die Tangenten b, b' von ihm an den Kegelschnitt schneiden in a das gemeinsame Paar der Involutionen aus, in welchen diese Tangente von beiden Polar-Involutionen geschnitten wird, und sind dadurch bestimmt; xb, xb' sind die zugehörigen Berührungspunkte; etc. Man construiere die Parabel aus den durch sie in zwei Punkten bestimmten Involutionen harmonischer Polaren.

16) Aus 14) erhellt die Construction von Kegelschnitten durch vier Punkte, von denen zwei nicht reell und als Doppelpunkte einer Involution bestimmt sind; aus 15) die Construction der Kegelschnitte durch zwei Paare nicht reeller Punkte. Die zu K orthogonalen Kreise aus Punkten von r in 8) bilden ein Büschel der ersten Art, falls K von r nicht geschnitten wird; ein Büschel der letzten Art im Falle des Schneidens. Im Falle der Berührung haben wir die Uebergangsform zwischen jenem und diesem auch im Büschel der Kreise.

In allen Fällen wird ein Kegelschnitt des durch vier Punkte gehenden Büschels durch einen Punkt bestimmt und ein Kegelschnitt der an vier Tangenten gehenden Schaar durch eine Tangente.

Auf den beigegebenen Tafeln I und II sind diese Haupttypen der Kegelschnittbüschel und resp. Kegelschnittschaaren dargestellt; wir verweisen auf die Beschreibung dieser Tafeln im Verzeichniss der Figuren.

17) Die Involution harmonischer Polaren aus dem Centrum $\mathfrak{C}$ und die der harmonischen Pole auf der Axe der Collineation s sind zwei Kegelschnitten K, K' gemein, von denen der eine in der bezüglichen centrischen Collineation dem andern entspricht. Dies Verhalten ist von der Realität der Doppelelemente jener Involutionen, d. h. von der Existenz gemeinschaftlicher Tangenten aus $\mathfrak{C}$ und gemeinschaftlicher Punkte auf s, unabhängig. Die sechs Centra und die sechs Axen der Collineation zwischen zwei Kegelschnitten sind also Träger identischer Polar- resp. Pol-Involutionen für beide. (Siehe die Ausführung in Bd. III dieses Werkes.)

18) Geht von zwei zu einander centrisch collinearen Kegelschnitten der eine durch das Centrum $\mathfrak{C}$, so thut dies auch der andere und beide haben in ihm dieselbe Tangente (10.)

Die Verbindungslinie ihrer zwei übrigen gemeinsamen Punkte ist die Collineationsaxe für dieses Centrum und für noch ein zweites $\mathfrak{C}^*$, in welchem sich die beiden übrigen gemeinsamen Tangenten der Kegelschnitte schneiden.

33. Einige Specialfälle der allgemeinen Gesetze des § 32. sind von besonderer Wichtigkeit; zuerst solche, in welchen der Träger der Involution harmonischer Polaren oder Pole eine specielle, nämlich unendlich ferne Lage hat; sodann solche, in denen die Involution harmonischer Polaren selbst von besonderer Art, nämlich eine Involution rechter Winkel ist (§ 36). Wir entwickeln in Form von Beispielen zunächst hier die Lehre von der Involution der conjugier-

ten Durchmesser und ihre Anwendungen, sodann die Constructionen der Kegelschnitte aus Punkten und Polar-Involutionen, resp. aus Tangenten und Pol-Involutionen, welche in
den Beispielen des vorigen § fehlen, und schliessen mit einem
Ueberblick der einfachen Kegelschnittsysteme.

1) Ist der Pol P unendlich entfernt, so halbiert die Polare
alle durch ihn gehenden, unter einander parallelen Sehnen des
Kegelschnittes; der Kegelschnitt entspricht sich selbst in einer Axensymmetrie, für welche diese Polare die Axe ist (§ 22.; b.). Man
nennt diese einem unendlich fernen Centrum entsprechende Axe
der Involution am Kegelschnitt den der Richtung des Centrums
also auch der von ihr halbierten Sehnen conjugierten Durchmesser des Kegelschnittes. Die Tangenten des Kegelschnittes in
den Schnittpunkten dieses Durchmessers mit ihm sind parallel diesen
Sehnen (Fig. 73) und die Berührungspunkte der zu ihm selbst

Fig. 73.

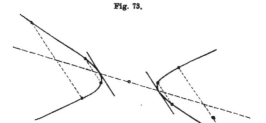

parallelen Tangenten liegen auf dem gleichgerichteten Durchmesser.
Dieser letzte halbiert als die Polare der Richtung des ersten Durchmessers diesen so wie alle zu ihm parallelen Sehnen. Man nennt
ihn den dem ersten conjugierten Durchmesser. Ihre Richtungen bilden ein Paar in der dem Kegelschnitt entsprechenden
Involution harmonischer Pole auf der unendlich fernen Geraden
oder in der zu ihm gehörigen Involution harmonischer Richtungen.

2) Wenn AB ein Durchmesser mit den zugehörigen Tangenten
a, b und C ein Punkt des Kegelschnittes ist, so geht die zugehörige
Tangente c durch die Mitte E des von BC auf a abgeschnittenen
Segments AD. Denn für das Sechsseit $bbaacc$ ist BE die erste
und die Parallele durch C zu a die zweite Brianchon-Diagonale,
ihr Schnittpunkt **B** giebt mit A verbunden in b einen Punkt von
c; von diesem und von B aus wird das Segment **B**C in gleicher
Länge auf a projiciert in AE und ED. Beim Kreis ergiebt sich
der Satz aus der Gleichschenkligkeit der Dreiecke ACE und CDE.

3) In jedem Durchmesser liegt eine Involution harmonischer
Pole, die ihre Doppelpunkte in der Peripherie des Kegelschnittes

hat; der Centralpunkt *M* dieser Involutionen ist allen gemeinsam und heisst der **Mittelpunkt des Kegelschnittes**. (§ 32., 4.) Die Involution in einem Durchmesser wird bestimmt durch die Schnittpunkte einer Tangente und der durch ihren Berührungspunkt gehenden Parallelen zum conjugierten Durehmesser.

Ist die Polare *p* unendlich fern, so werden alle durch ihren Pol gehenden Sehnen in demselben halbiert und sind Durchmesser des Kegelschnittes. Der Pol der unendlich fernen Geraden ist der Mittelpunkt des Kegelschnittes, oder in Bezug auf den Mittelpunkt entspricht der Kegelschnitt sich selbst in einer centrischen Symmetrie (§ 22.; d.). Die centrische Collinearfigur (§ 26) eines Kegelschnittes hat daher zu ihrem Mittelpunkt den entsprechenden Punkt zum Pol der Gegenaxe in seinem System.

4) In jedem einem Kegelschnitt eingeschriebenen Parallelogramm sind die Diagonalpunkte ein Tripel harmonischer Pole, also die Parallelen zu den Seiten aus dem Mittelpunkt conjugierte Durchmesser. In jedem einem Kegelschnitt umgeschriebenen Parallelogramm sind die Diagonalen ein Tripel harmonischer Polaren, also die aus dem Mittelpunkt zwei conjugierte Durchmesser. (§ 32.; a.)

5) Alle die Durchmesser eines Kegelschnitts bilden die **Involution harmonischer Polaren aus dem Mittelpunkt** desselben; die Paare der **conjugierten Durchmesser** sind die Paare der Involution. Ihre Doppelstrahlen sind reell und verschieden, zusammenfallend oder nicht reell, je nachdem die unendlich ferne Gerade den Kegelschnitt in reellen und verschiedenen, vereinigten oder nicht reellen Punkten schneidet, d. h. reell und verschieden in der Hyperbel, zusammenfallend — in der unendlich fernen Geraden — für die Parabel, nicht reell für die Ellipse. Sie sind die **Asymptoten des Kegelschnitts**. (Man vergleiche die Benennungen des § 20.; 9 u. § 21.) In der **Ellipse** trennen sich die Paare der conjugierten Durchmesser, in der **Hyperbel** trennen sie sich nicht; in der **Parabel** fällt von einem Paare derselben immer der eine mit der unendlich fernen Geraden zusammen. In der Hyperbel wird jedes Paar der conjugierten Durchmesser von den **Asymptoten** harmonisch getrennt. Von zwei conjugierten Durchmessern der Hyperbel schneidet sie also der eine; die Involution harmonischer Pole auf dem andern ist ohne reelle Doppelpunkte (3.).

Man **construiert die Paare conjugierter Durchmesser, die einen gegebenen Winkel mit einander einschliessen**, indem man den Pol der Durchmesser-Involution in einem Hilfskreis verzeichnet und seine Tangenten zu dem concentrischen Kreis angiebt, welcher die Sehne eines Peripheriewinkels von der vorgeschriebenen Grösse in jenem berührt: Unter den Durchmesserpaaren der **Hyperbel** begegnen alle **Winkel von 0⁰ bis 90⁰** je zweimal; unter denen der **Ellipse** giebt es ein Paar **vom Minimalwinkel**, der im Pol halbierten Sehne des Hilfskreises entsprechend.

6) Das Rechtwinkelpaar der Involution der conjugierten Durchmesser nennt man die A x e n des Kegelschnittes; die Tangenten desselben in ihren Schnittpunkten mit ihm, die man seine S c h e i t e l nennt, sind orthogonal zu ihnen. In der die Curve nicht schneidenden Axe der Hyperbel kann man das Paar der vom Mittelpunkt gleich weit abstehende Punkte als i d e a l e S c h e i t e l der H y p e r b e l bezeichnen. Der Kegelschnitt ist in Bezug auf jede seiner Axen mit sich selbst in orthogonaler Axensymmetrie. Die Axen halbieren den Winkel der Asymptoten bei der Hyperbel und die Winkel der conjugierten Durchmesser vom Minimalwinkel bei der Ellipse; diese Durchmesser sind also gleich lang. Die Involutionen harmonischer Polaren für die Punkte einer Axe haben diese und den Parallelstrahl zur andern Axe zum Rechtwinkelpaar.

7) Die Parabel hat nur e i n e Axe u n d e i n e n Scheitel; man construiere beide, wenn vier Tangenten oder zwei Tangenten und ihre Berührungspunkte bekannt sind — zuerst die Richtung der Axe, dann die Scheiteltangente und den Scheitel (mittelst des Satzes von Brianchon).

Die Involution harmonischer Pole in der Axe einer P a r a b e l ist symmetrisch in Bezug auf den Scheitel; ebenso für jeden Durchmesser und seinen Endpunkt. (Vergl. oben 3.)

8) Man construiere aus den fünf einen Kegelschnitt bestimmenden Punkten A, B, C, D, E zwei Paare conjugierter Durchmesser desselben, seine Axen, etc. Man zieht AB und dazu parallel DF, dessen zweiten Schnittpunkt F man nach dem Pascal'schen Satze bestimmt, und halbiert beide Sehnen; ebenso für BC und etwa das dazu parallele DG. Damit sind zwei Paare conjugierter Durchmesser erhalten, also die Axen, eventuell die Asymptoten zu bestimmen. Es ist leicht zu sehen, dass man (§ 28, 12) zu gegebenen Bestimmungsstücken auch einen Kreis bestimmen kann, von welchem der durch sie gegebene Kegelschnitt das Bild ist; dann erhält man aus diesem nach 14), die Axen des Bildes.

9) Ist also T ein Punkt und t die zugehörige Tangente eines Kegelschnittes und macht diese in zwei conjugierten Durchmessern desselben die Abschnitte MX_1 und MY_1 (vom Mittelpunkte gemessen), während die zu ihnen Parallelen durch T die Abschnitte MX und MY bestimmen, so ist

$$MX : MX_1 = Y_1 T : Y_1 X_1, \quad MY : MY_1 = X_1 T : X_1 Y_1$$

und somit durch Addition

$$\frac{MX}{MX_1} + \frac{MY}{MY_1} = 1;$$

weil aber auch für die Pol-Involutionen in den Durchmessern für a_1^2, b_1^2 als die Quadrate ihrer Längen

$$MX_1 . MX = a_1^2; \quad MY_1 . MY = \pm b_1^2$$

sind, so folgt gleichmässig

$$\frac{\overline{MX}^2}{a_1{}^2} \pm \frac{\overline{MY}^2}{b_1{}^2} = 1 \quad \text{und} \quad \frac{a_1{}^2}{\overline{MX_1}^2} \pm \frac{b_1{}^2}{\overline{MY_1}^2} = 1.$$

Diese Gleichungen des Kegelschnittes schreibt man gewöhnlich

$$\frac{x^2}{a_1{}^2} \pm \frac{y^2}{b_1{}^2} = 1, \quad a_1{}^2 \xi^2 \pm b_1{}^2 \eta^2 = 1;$$

für a, b als die halben Axenlängen also insbesondere auch

$$\frac{x^2}{a^2} \pm \frac{y^2}{b^2} = 1, \quad a^2 \xi^2 \pm b^2 \eta^2 = 1,$$

und somit für die Gleichheit derselben resp.

$$x^2 \pm y^2 = a^2, \quad a^2 (\xi^2 \pm \eta^2) = 1.$$

Mit $x - a_1$ statt x würde die erste der obigen Gleichungen zu

$$\frac{x^2}{a_1{}^2} - \frac{2x}{a_1} \pm \frac{y^2}{b_1{}^2} = 0,$$

oder für das obere Zeichen $y^2 = \dfrac{2 b_1{}^2}{a_1} x - \dfrac{b_1{}^2}{a_1{}^2} x^2$, was wir speciell für die Hauptaxe und den Scheitel schreiben wollen:

$$y^2 = \frac{2 b^2}{a} x - \frac{b^2}{a^2} x^2.$$

Durch Einführung von $m = a - \sqrt{(a^2 - b^2)}$ d. h. $b^2 = 2 a m - m^2$ wird die Gleichung $y^2 = \left(4m - \dfrac{2 m^2}{a}\right) x - \left(\dfrac{2m}{a} - \dfrac{m^2}{a^2}\right) x^2$, so dass für unendlich wachsendes a die Glieder rechts bis auf das erste verschwinden und die Scheitelgleichung der Parabel entsteht $y^2 = 4 m x$. Die Grösse m ist der Abstand des Scheitels vom benachbarten Brennpunkt des Kegelschnittes — siehe § 36.

10) Man construiert eine Ellipse aus zwei conjugierten Durchmessern AB, CD durch Tangenten und deren Berührungspunkte entweder mittelst der Involution harmonischer Pole oder Polaren oder nach den Sätzen von Pascal-Brianchon. Für das erste ist die Richtung des einen Durchmessers der Pol und der andere Durchmesser die Polare; seine Endpunkte bestimmen als Doppelpunkte und die zugehörigen Tangenten als Doppelstrahlen die zugehörigen Involutionen, und die Endpunkte des andern resp. die zugehörigen Tangenten sind das Paar TT' resp. tt' von § 32, 13, aus welchem man durch jedes Paar der Involution zwei neue Punkte und Tangenten findet. Diese Construction bleibt auch für die Hyperbel brauchbar, die durch zwei conjugierte Durchmesser mit den Endpunkten des einen und dem symmetrischen Paar des andern bestimmt ist; dabei ist natürlich die elliptische Involution zu be-

nutzen und die reellen Punkte und Tangenten dienen als Paar T, T' und t, t'. Man sieht leicht, dass das Parallelogramm der Construction dann die Asymptoten der Hyperbel zu seinen Diagonalen hat.

Für die Construction nach dem Brianchon'schen Satze betrachtet man von den zwei, Tangenten in den Enden eines Durchmessers die eine als Vereinigung der ersten und zweiten (12), die andere als dritte Seite (3), die Tangente in einem Endpunkt des andern Durchmessers als Vereinigung der vierten und fünften Seite (45) des Brianchon'schen Sechsseits (Fig. 74). Man erhält dann

Fig. 74.

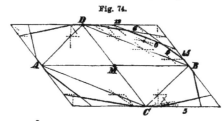

BD als erste Diagonale des Sechsseits; ist dann der Schnitt einer neuen Tangente 6 mit 12 gegeben, so liefert die von ihm nach 34 gehende Gerade in BD den Brianchon'schen Punkt und die Parallele durch ihn zu MB in 45 einen zweiten Punkt von 6. Die Berührungspunkte findet man nach § 28, 4. Man disponiert so, dass nur der im Inneren des Parallelogramms der gegebenen Tangenten gelegene Raum für die Construction benutzt wird.

Will man zuerst die Punkte des Kegelschnittes construieren, so benutze man den Pascal'schen Satz in der Form, wo 1 in C, 23 in B, 4 in A und 5 in D sind. Dann ist die Pascal'sche Linie parallel BC und AD als durch 12, 45 gehend; zieht man also durch einen zwischen M und B gelegenen Punkt E eine solche Parallele bis F zur Tangente in B, so schneiden sich die Geraden, die von diesem Endpunkt F nach D und von jenem Anfangspunkt E nach C gehen, stets in einem Punkte P der Ellipse zwischen B und D.

Construiere die Ellipse speciell aus den Axen durch den Schnittpunkt der vom einen Endpunkte der Hauptaxe ausgehenden Geraden und die bezügliche Tangente. Natürlich als Specialfall nach der vorigen Construction. Wir geben aber eine andere ebenso praktische Anordnung, die auch für beliebige conjugierte Durchmesser gilt: Man fasse diesen Axenendpunkt als 5, den anderen Endpunkt derselben Axe als 34 und den einen Endpunkt der anderen als 12, den gesuchten Punkt als 6, für die Bestimmung seiner Tangente als 56.

11) In der gleichseitigen Hyperbel, deren Asymptoten rechtwinklig zu einander sind, besteht die Involution der conju-

gierten Durchmesser aus zwei gleichwinkligen Strahlenbüscheln mit
entgegengesetztem Drehungssinn oder sie ist eine symmetrische
Involution. Die aus den Endpunkten eines Durchmessers über
den Punkten der gleichseitigen Hyperbel gebildeten Strahlenbüschel
sind gleich. (§ 29, 8.)

Wenn es in einem Kegelschnitt zwei Paare von rechtwinkligen conjugierten Durchmessern giebt, so sind alle Paare der Durchmesserinvolution rechtwinklig; der Kegelschnitt ist somit ein Kreis.

12) Weil die Involution conjugierter Durchmesser
und ein Punkt respective eine Tangente einen Kegelschnitt bestimmen (§ 32, 13), so ist eine Hyperbel durch die
Asymptoten und einen Punkt (vergl. § 27, 7 d.; 28, 7) und der
Kreis durch das Centrum M und einen seiner Punkte T respective
eine seiner Tangenten t bestimmt.

Man construiert den Kreis aus Punkten, nachdem man in der
Geraden TM als den vierten harmonischen zu T in Bezug auf M, ∞
den Punkt T' angegeben hat, für welchen $TM = MT'$ ist, als den
Ort der Scheitel rechter Winkel, deren Schenkel durch T und T'
gehen; man construiert ihn aus Tangenten, nach Ermittelung der
zu t in Bezug auf M symmetrischen Tangente t', als die Enveloppe
der Geraden, deren Schnittpunkte mit t und t' von M aus gesehen
unter rechten Winkeln erscheinen.

13) Wir knüpfen hieran die darstellend geometrische
Behandlung des Kreises, den wir durch Ebene E, Mittelpunkt
M und Radius r bestimmt denken. Seien s, q' Spur und Fluchtlinie von E, sowie M' das Bild des Mittelpunktes, so bestimmen wir
zunächst aus dem Distanzkreis D die Umlegung von C mit Cq'
oder das Collineationscentrum $\mathfrak{C}$ und markieren die Fusspunkte der
Paare der Rechtwinkelinvolution um $\mathfrak{C}$ in q' (H ist ihr Centralpunkt), was auch durch die aus Punkten von q' durch $\mathfrak{C}$ (und $\mathfrak{C}^*$)
beschriebenen (paarweis gleichen) Kreise geschehen kann. Ziehen
wir HM' bis S in s, tragen den Radius r in s von da nach beiden
Seiten ab, so erhalten wir in den Strahlen von den Endpunkten
nach H auf der Parallelen zu s durch M' die Bilder von zwei
Punkten A', A_1' des Kreises, welche auf einem Strahl durch M',
den Pol von q', liegen. Die Strahlen $A'H$, $A_1'H$ sind selbst die
zugehörigen Tangenten; wir construieren also aus diesen Paaren
mittelst Pol, Polare und Involution nach § 32, 13 das Kreisbild
durch seine Punkte und Tangenten.

Es wäre leicht, den Kreis durch drei Punkte oder durch zwei
Punkte und die Tangente des einen ebenso zu ermitteln (§ 32, 14);
auch die vier Kreise zu drei Tangenten, oder die zwei zu zwei Tangenten mit dem Berührungspunkt der einen nach 22 unten. Auch
verbinden sich damit sehr einfach die centralprojectivische Behandlung des geraden oder Rotations-Cylinders und -Kegels
und der Kugel; wir empfehlen zur Uebung die Durchführung

folgender Aufgaben: a) Von einem geraden Cylinder ist die Ebene
des Basiskreises, der Mittelpunkt und Radius desselben sowie die
Höhe bekannt; man soll beide Grundkreise projicieren. b) Von
einem geraden Kegel kennt man die Axe a, die Spitze K in derselben und die Höhe h, sowie den Radius der Basis r; man verzeichne das Bild seiner Basis. c) Man soll den Querschnitt einer
Ebene $\mathbf{E}$ mit der durch Mittelpunkt K und Radius r bestimmten
Kugel projicieren — als einen Kreis, dessen Mittelpunkt M der
Fusspunkt der vom Kugelmittelpunkt K auf $\mathbf{E}$ gehenden Normale
und dessen Radius die zweite Kathete eines rechtwinkligen Dreiecks ist, das die Länge dieser Normale zur ersten Kathete und
den Kugelradius zur Hypothenuse hat. d) Man soll den Kreis der
Berührungspunkte der von einem Punkte P an die Kugel gehenden
Tangenten darstellen — indem man seinen Mittelpunkt M in dem
nach P gehenden Kugeldurchmesser PK, sowie seinen Radius aus
der Bemerkung bestimmt, dass jener der Höhenfusspunkt in einem
rechtwinkligen Dreieck aus PK als Hypothenuse und r als Kathete
an der Ecke K und dieser die zugehörige Höhe selbst ist.

Wir gehen im folgenden Abschnitt und sodann im II. Theil
dieses Werkes weiter auf diese Formen ein.

14) In der Centralprojection K' eines Kreises K wird das Bild
vom Pol der Gegenaxe r im Kreise zum Mittelpunkt. (Vergl.
§ 30, 4.) Die in Bezug auf K conjugierten Punktepaare der Gegenaxe r bestimmen mit $\mathfrak{C}$ die Richtungen der conjugierten Durchmesser von K'. Nach § 32, 7) werden diese Paare durch die zu
K orthogonalen Kreise aus Punkten von r bestimmt, die alle die
zwei Punkte des zu r normalen Durchmessers von K enthalten, in
denen der mit der Tangentenlänge von K aus seinem Fusspunkte
in r beschriebene Kreis ihn schneidet. Im Falle des hyperbolischen
Bildes sind diese letzten Punkte nicht reell. Die Involution der
conjugierten Punkte in r oder der Durchmesserenden der Orthogonalkreise zu K ist aber durch den Centralpunkt in der Normalen
zu r vom Mittelpunkte und durch ein Paar bestimmt. Einer dieser
Kreise (§ 32, 8) geht durch $\mathfrak{C}$ und durch den ihm radial conjugierten Punkt $\mathfrak{C}^*$ und liefert die Richtungen der Axen des Kegelschnitts K'; die von seinen Punkten in r nach dem Pol von r in
K gehenden Sehnen des Kreises liefern die Axen des Kreisbildes. (Vergl. Bd. II, § 98, wo eine andere Betrachtung zur
nämlichen Construction leitet.)

Die Parallelen der Axen aus dem Centrum sind dasjenige Paar
einer Rechtwinkelinvolution, welches die Gegenaxe r in einem Paar
ihrer Involution harmonischer Pole in Bezug auf den Kreis K
schneidet. Man construiert sie also auch nach § 31, 15. Damit
löst man dann die allgemeinere Aufgabe ebenso leicht: Man soll
die Axen des Kegelschnittes construieren, der die Centralprojection eines gegebenen Kegelschnittes ist.

15) Wenn eine Ellipse und ein Kreis einen Durchmesser
gemein haben, so sind sie als affine Figuren für diesen Durchmesser als Axe der Affinität anzusehen; die Verbindungslinien der
Endpunkte derjenigen Durchmesser von beiden, welche dem gemeinsamen Durchmesser conjugiert sind, geben die Richtung der
Affinitätsstrahlen. Sie sind zur Affinitätsaxe rechtwinklig, wenn diese
eine Axe für die Ellipse ist. Man bezeichne die für zwei Ellipsen
oder zwei Hyperbeln erforderlichen Modificationen.

Von einer Ellipse (Fig. 75) sind die Endpunkte von zwei
conjugierten Durchmessern AB, CD gegeben; man soll ihre Durchschnittspunkte E, F mit einer Geraden g und ihre Tangenten e, f
von einem Punkte P ihrer Ebene construiren — indem man sie

Fig. 75.

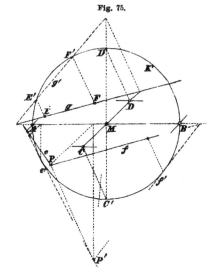

als affin zu dem über einem jener Durchmesser beschriebenen concentrischen Kreise K' betrachtet, und durch Bestimmung der im
Kreissystem entsprechenden Geraden g' und des dort entsprechenden Punktes P' von den Schnittpunkten E', F' und Tangenten e', f'
dieser Letzten mit dem Kreise K' zu den Geforderten übergeht.
Die Figur 75 enthält die Ausführung; auch die Berührungspunkte
der Tangenten e und f; man wird leicht die Tangenten für die
Punkte E, F hinzufügen.

16) Die Axen eines durch fünf Punkte gehenden Kegelschnittes
können auch mittelst eines Kreises bestimmt werden, der durch
drei von diesen fünf Punkten A, B, C geht und dessen vierter
Schnittpunkt D' mit demselben daher nach § 29, d. linear be-

stimmt ist. In der durch diesen Kreis und den Kegelschnitt nach
§ 25, 2 in der unendlich fernen Geraden bestimmten Involution
von Schnittpunkten, zu der auch die Richtungen der Gegenseitenpaare des Kreisvierecks der gemeinsamen Punkte als Paare gehören,
sind die Axenrichtungen des Kegelschnittes zu den Kreispunkten
und den Asymptotenrichtungen des Kegelschnittes zugleich harmonisch, d. h. sie sind die Doppelpunkte jener Involution. Bildet man
aber ferner im Viereck *A B C D* die Durchschnittspunkte der Gegenseitenpaare *E*, *F*, *G* und die Halbierungslinien der von diesen gebildeten Winkel, so sind ihre Richtungen als zu drei Paaren der
vorbetrachteten Involution zugleich harmonisch identisch unter einander und mit den Doppelpunkten jener Involution. Nachdem durch
diese Bemerkungen die Richtungen der Axen bestimmt sind, erhält
man leicht die Axen selbst; denn man erfährt ihre Endpunkte als
Doppelpunkte der bezüglichen Involution harmonischer Pole, welche
offenbar durch den Schnitt einer Tangente mit der Axe und den
der Normale zur Axe vom bezüglichen Berührungspunkte bestimmt
wird. (3.)

Wenn zwei conjugierte Durchmesser nach Lage und Grösse
gegeben sind, so construiert man nach 4) und 5) auch die Axen
der Ellipse; ebenso die Lagen und Längen aller andern Paare der
conjugierten Durchmesser. Die Construction führt zu den Sätzen
von der Constanz der Fläche des Parallelogramms, welches zwei conjugierte Durchmesser bestimmen und von
der Constanz der Summe ihrer Quadrate.

17) Zwei Kegelschnitte sind ähnlich und ähnlich gelegen,
wenn die zu den Paaren conjugierter Durchmesser des einen parallelen Durchmesser des andern wieder conjugiert sind — oder
wenn sie parallele Asymptoten haben und in entsprechenden Winkeln derselben liegen; sie sind ähnlich, wenn sie gleiche Involutionen conjugierter Durchmesser haben, oder wenn ihre Asymptotenwinkel gleich sind. Im ersten Falle zeigt man leicht, dass
diese Kegelschnitte durch gleiche und parallele Paare erzeugender
Büschel entstehen können.

18) Wenn ein Kegelschnitt *K* und ein Punkt *M* seiner Ebene
gegeben sind, so geht derselbe durch jede Centralprojection, die
die Polare dieses Punktes in Bezug auf ihn zur Gegenaxe *r* hat,
in einen Kegelschnitt *K'* über, der das Bild *M'* von *M* zu seinem
Mittelpunkt hat. Nach dem Vorigen ist *K'* eine Ellipse, wenn *M*
im Innern liegt und somit die Involution harmonischer Pole auf *r*
elliptisch ist (§ 32, 10); eine Hyperbel für *M* ausserhalb *K* und
eine Parabel für *M* auf *K* selbst. Die Festsetzung von ℭ unter
den Punkten der Ebene bestimmt die elliptische, resp. hyperbolische und parabolische Involution der conjugierten Durchmesser
von *K'*, während die Wahl von *s* nur über die Grösse des entstehenden Bildes *K'* und über die Realität der ihm mit *K* gemein-

samen sich selbst entsprechenden Punkte entscheidet. Sind die Involutionen um M und auf r elliptisch, so kann durch die Wahl
von $\mathfrak{C}$ in einem der Grundpunkte des Büschels von Kreisen, die
über den Strecken zwischen den Paaren auf r als Durchmessern
beschrieben werden, die Durchmesserinvolution des Bildes K' rectangulär und dieses daher zum Kreis gemacht werden; den verschiedenen Lagen von s entsprechen verschiedene Kreise K', die
das Collineationscentrum $\mathfrak{C}$ zum gemeinsamen Aehnlichkeitspunkt
haben. Sind die Involutionen um M und auf r aber hyperbolisch,
so macht die Annahme von $\mathfrak{C}$ in einem Punkte des Kreises, der
das Segment der Doppelpunkte in r zum Durchmesser hat, die
Durchmesserinvolution des Bildes symmetrisch und das Bild K' zur
gleichseitigen Hyperbel; für jede Lage des Centrums entsprechen den verschiedenen Lagen von s verschiedene gleichseitige
Hyperbeln, die es zum gemeinsamen Aehnlichkeitspunkt haben. Der
Uebergang wird erst bestimmt, wenn von der verlangten gleichseitigen Hyperbel etwa die eine Asymptote gegeben ist; im Falle
des Kreisbildes kann der Radius z. B. gegeben werden.

19) Für die Parallelprojection eines Kegelschnittes gilt der
Satz: Das Bild des Mittelpunktes ist der Mittelpunkt des Bildes;
Ellipsen können in Kreise, Hyperbeln in gleichseitige Hyperbeln,
Parabeln nur wieder in Parabeln projiciert werden. Man erörtere
die Modalitäten für schiefe und für orthogonale Parallelprojection
getrennt.

20) Wenn man die sämmtlichen Kegelschnitte eines Büschels
betrachtet, so hängt die Möglichkeit ihrer gleichzeitigen Projection
in gleichseitige Hyperbeln oder in Kreise von der Realität ihrer
Grundpunkte ab. Die Kegelschnitte durch vier reelle Punkte
(§ 25) können nicht in Kreise, wohl aber in gleichseitige Hyperbeln projiciert werden, umgekehrt die Kegelschnitte durch vier nicht
reelle Punkte (§ 32, 16) in Kreise, aber nicht in gleichseitige
Hyperbeln; nur bei den Kegelschnitten durch zwei reelle und zwei
imaginäre Punkte (§ 32, 16) ist beides möglich. In dem Fall von
vier reellen Grundpunkten giebt es sechs Lagen von r, Verbindungsgerade der Grundpunkte in Paaren, und sechs Kreise über ihren
Abständen als Durchmessern mit Centren $\mathfrak{C}$ für diesen Uebergang;
in dem Fall von vier nicht reellen Grundpunkten sind die beiden
Träger der bestimmenden elliptischen Polinvolutionen die Geraden
r, und jeder von ihnen entsprechen nach 18) zwei Lagen von $\mathfrak{C}$ für
die Projection der Kegelschnitte des Büschels in Kreise; für zwei
reelle und zwei imaginäre Grundpunkte ist die Verbindungsgerade
der ersten die Gegenaxe r und die zugehörige Strecke der Durchmesser
des Ortskreises der $\mathfrak{C}$ zur Projection in gleichseitige Hyperbeln;
dagegen sind die Verbindungsgerade der letzten, der Träger der bestimmenden elliptischen Involution, die Gegenaxe r und die beiden
Scheitel der zu dieser Involution gehörigen rechtwinkligen Scheine

nach 18) die Lagen der Centra ℭ für die Projection in Kreise. Man erläutere die besondere Bedeutung der reellen Grundpunkte für den Uebergang zu gleichseitigen Hyperbeln. (Vergl. § 22, f.)

21) Eine Tangente und die Involutionen harmonischer Pole in zwei Geraden, oder ein Punkt und zwei Involutionen harmonischer Polaren bestimmen zwei Kegelschnitte. Die zwei Geraden oder Punkte bestimmen in der Tangente (am Punkte) ein Paar der Involution und indem man den zweiten Schnitt oder die zweite Tangente des durch einen Punkt in der Tangente oder an eine Tangente aus dem Punkte gehenden Kegelschnittes des Büschels oder der Schaar construirt, erhält man ein zweites Paar. Die Doppelelemente der Involution bestimmen zwei Kegelschnitte als Lösungen.

22) Drei Punkte und eine Involution harmonischer Polaren (d. h. auch drei Punkte und zwei Tangenten) oder drei Tangenten und eine Involution harmonischer Pole (d. h. auch drei Tangenten und zwei Punkte) bestimmen einen Kegelschnitt. Im Allgemeinen entsprechen vier Kegelschnitte dem Problem: Man ermittelt die Polare des Scheitels des involutorischen Büschels (den Pol der Geraden der involutorischen Reihe) mittelst ihrer Schnittpunkte mit den Verbindungslinien der gegebenen Punkte (mittelst seiner Verbindungslinien mit den Schnittpunkten der gegebenen Tangenten); sie sind das gemeinsame Paar, welches die gegebene Involution in jener Geraden oder an diesem Schnittpunkte und die durch jene Punkte oder Tangenten als Doppelelemente bestimmte Involution besitzen.

Die drei so erhaltenen Punktepaare liegen viermal zu dreien in einer Geraden und die drei Strahlenpaare des andern Falles gehen viermal zu dreien durch einen Punkt; d. h. man erhält vier Polaren respective vier Pole des Trägers der Involution. Jedes dieser Elemente liefert nach dem Früheren (§ 32, 13) einen Kegelschnitt.

23) Man construire speciell die Kegelschnitte zu drei Tangenten und den gegebenen Richtungen von zwei Paaren conjugierter Durchmesser und zeige, wie insbesondere die vier Kreise zu drei Tangenten sich ergeben. Man erläutere die für zwei Tangenten und den Berührungspunkt der einen oder zwei Punkte und die Tangente des einen eintretenden Modificationen.

24) Durch die entwickelten Constructionen sind fünf einfach unendliche Systeme von Kegelschnitten hervorgetreten, nebst ihren Beziehungen zu den Punkten und geraden Linien ihrer Ebenen. Zuerst (§ 25, 1 und 4; § 32, 14) die Büschel und die Schaaren von Kegelschnitten; im Büschel geht einer durch jeden Punkt, in der Schaar einer an jede Gerade, dagegen (§ 25, 4; § 32, 14) im Büschel zwei an eine Gerade und in der Schaar zwei durch einen Punkt. Sodann die Kegelschnitte mit drei gemeinsamen Punkten und einer gemeinsamen Tangente, davon zwei

durch einen Punkt und (21) vier an eine Gerade gehen, und die
Kegelschnitte mit drei gemeinsamen Tangenten und
einem gemeinsamen Punkte, von denen vier durch einen
Punkt gehen und zwei eine Gerade berühren; endlich die Kegelschnitte durch zwei Punkte und an zwei Tangenten, von
denen vier durch einen Punkt und vier an eine Gerade gehen —
genauer gesprochen zweimal zwei, da sie in zwei Systeme zerfallen.
Ueberall können zwei gleichartige gemeinsame Elemente durch eine
Involution ersetzt, also auch conjugiert imaginär werden; überall
können solche auch einander unendlich nahe gedacht werden unter
Angabe ihres Verbindungs-Elements, so dass z. B. unter den Büscheln die einfach- und die zweifachberührenden, sowie die osculierenden speciell hervortreten. (Vergl. § 35.)

34. Jeder aus Punkten und Geraden zusammengesetzten
Figur in der Ebene eines Kegelschnittes K entspricht eine aus
den Polaren jener Punkte und den Polen jener Geraden ganz
gleich zusammengesetzte Figur, in der jedem Strahlenbüschel
der ersten eine ihm projectivische Punktreihe der zweiten, und
umgekehrt, entspricht — die Polarfigur der ersten in Bezug
auf K; gleichzeitig ist nach § 32 die erste Figur die Polarfigur
der zweiten in Bezug auf K. Man nennt daher zwei solche Figuren reciproke Polar-Figuren in Bezug auf K und bezeichnet
diesen Kegelschnitt als die Directrix der Reciprocität.

Sie bilden einen besonderen Fall der in einanderliegenden
reciproken ebenen Systeme (Ueberblick, S. 115), der dadurch
charakterisiert ist, dass jedem Element das nämliche andere
Element entspricht, ob man es dem einen oder dem andern
der beiden Systeme zuzählt, d. h. durch das vertauschbare Entsprechen der Elemente. Der Directrix-Kegelschnitt ist der Ort
der Punkte, die in ihren entsprechenden Geraden liegen, und
zugleich die Enveloppe dieser Geraden, welche ihre entsprechenden Punkte enthalten; denn der Pol liegt nur in der Polare,
wenn er ein Punkt des Kegelschnittes ist und diese ist seine
Tangente. Dass dieser Kegelschnitt nicht nothwendig reell sein
muss, wissen wir schon aus § 32, 12. Man überträgt zuweilen
die Ausdrucksweise dieses speciellen Falles auf den allgemeinen
Fall der reciproken Systeme, indem man vom entsprechenden
Punkt einer Geraden als ihrem Pol und von der entsprechenden
Geraden eines Punktes als seiner Polare auch dann spricht. Wir
kommen auf diesen allgemeinen Fall später (Thl. III dieses Werkes) zurück und verweilen hier beim speciellen; in Erinnerung an

§ 20, 12 erkennen wir, dass die Spuren orthogonaler Elementenpaare im projicierenden Bündel der Centralprojection eine besondere Form desselben bilden, und wir berücksichtigen denselben unten.

In jedem Falle giebt die Figur eines projectivischen geometrischen Satzes oder Problems der eines neuen Satzes oder
Problems den Ursprung; das Princip der Reciprokal-
figuren oder der Reciprocität erlaubt, die Menge
der geometrischen Wahrheiten ohne neue Beweisarbeit
zu vermehren; aus dem Satze von Pascal lässt es z. B. so
den Satz von Brianchon hervorgehen, etc. In den vorhergehenden Entwickelungen liefern alle die parallel neben einander gestellten Sätze und Aufgaben Beispiele für diesen Uebergang. Ihre Nebeneinanderstellung im Vorhergehenden ist aber
von diesem Princip unabhängig schon aus ·der dualistischen
Natur des Prozesses der Projection, und des ihn beherrschen-
den Gesetzes der Doppelverhältnissgleichheit hervorgegangen;
so wie jener sich aus der Bildung des Scheines oder des projicierenden Bündels und der seines Schnittes mit der Bildebene
zusammensetzt, so erstreckt sich dieses gleichmässig auf Reihen
von Punkten und auf Büschel von Strahlen und Ebenen. Unsere
Entwickelung giebt jene Sätze als Folgen jenes allgemeinen
Gesetzes der Dualität, das die geometrischen Formen und ihre
Eigenschaften beherrscht (Ueberblick); im Besondern entsprechen
sie einander auch nach dem Princip der Reciprocität. Wir
geben unter den Beispielen die Behandlung des Normalenproblems der Kegelschnitte unter diesem Gesichtspunkte.

1) Der Directrix-Kegelschnitt degeneriert in ein Paar von Geraden, respective in ein Paar von Punkten, wenn die reciproke
Beziehung der beiden ebenen Systeme die im Ueberblick, S. 116
mit f_2) und f_1) bezeichnete ist.

2) Welche Degenerationsform des Kegelschnittes entspricht der
besonderen Reciprocität g) a. a. O.?

3) Die Polarfigur eines Kreises (oder Kegelschnittes) in
Bezug auf einen Kreis als Directrix der Reciprocität ist ein Kegelschnitt; und zwar eine Ellipse, Parabel oder Hyperbel, je nachdem
der Mittelpunkt des Directrixkreises in dem gegebenen Kreise, auf
seiner Peripherie oder ausserhalb desselben liegt. Weitere Beziehungen für denselben würden sich in Anwendung der folgenden
Entwickelungen ergeben; z. B. der Mittelpunkt der Directrix ist ein
Brennpunkt desselben nach § 36.

4) Die Punkte der Bildebene und die Spuren der projicierenden Normalebenen zu den durch sie bestimmten projicierenden Strahlen bilden zwei polarreciproke Systeme mit einem nicht reellen Directrixkegelschnitt (6) oder, wie man sagt, ein Orthogonalsystem.

5) Die Spuren von drei projicierenden Ebenen, von denen jede auf den beiden andern rechtwinklig ist, so dass für jede von ihnen der Schnittpunkt der beiden andern der Durchstosspunkt des zu ihrer Ebene normalen projicierenden Strahles ist, bilden ein sich selbst conjugiertes Dreieck 'des Systems und bestimmen dasselbe. Nach § 10 ist der nothwendig in seinem Innern gelegene Höhenschnittpunkt eines solchen Dreiecks der Hauptpunkt C_1 und die mittlere geometrische Proportionale zwischen den durch ihn bestimmten Abschnitten der Höhen die Distanz d für den Scheitel C des projicierenden Bündels. Somit bestimmt ein solches Dreieck das Orthogonalsystem; in der That ist wie in § 20, 12 durch dasselbe das eine zur Bestimmung des Directrixkegelschnittes und aller übrigen Paare nothwendige Paar eines Pols und seiner Polare mit gegeben, da der Hauptpunkt C_1 die unendlich ferne Gerade der Ebene zur Polare hat. Sind X, Y, Z die Ecken eines solchen Dreiecks, so bilden zu den Paaren YZ, ZX, XY die Höhenfusspunkte X_1, Y_1, Z_1 die Mittelpunkte der bezüglichen Involutionen, respective $X_1 Y . X_1 Z$, $Y_1 Z . Y_1 X$ und $Z_1 X . Z_1 Y$ also ihre Potenzwerthe k^2. Ist nun P ein Punkt der Ebene und schneiden die Geraden XP, YP, ZP die Gegenseiten YZ, ZX, XY des Dreiecks in P_x, P_y, P_z resp., so erhält man nach § 10 die zu diesen gehörigen Spuren der Normalebenen in den von X, Y, Z resp. zu den Geraden $C_1 P_x$, $C_1 P_y$, $C_1 P_z$ gehenden Perpendikeln, und man erkennt sofort, dass auf Grund dieser Construction für P_{1x}, P_{1y}, P_{1z} als die Schnittpunkte derselben mit YZ, ZX, XY resp.

$$k^2 = X_1 Y . X_1 Z = X_1 P_x . X_1 P_{1x}, \text{ etc.}$$

ist. Die Punkte P_{1x}, P_{1y}, P_{1z} liegen also in der Polare p von P und die Construction des Orthogonalsystems stimmt mit der von § 32, 12 überein.

6) Der Hauptpunkt C_1 als Pol der unendlich fernen Geraden ist der Mittelpunkt der nicht reellen Directrix. Da die Polare eines unendlich entfernten Punktes d. h. einer Richtung die zu dieser normale Gerade durch den Hauptpunkt ist, so ist die Involution der conjugierten Durchmesser für die Directrix des Orthogonalsystems rectangulär und wir bezeichnen dieselbe daher als einen nicht reellen Kreis mit dem Hauptpunkt als Mittelpunkt. In der That haben die Involutionen harmonischer Pole auf allen durch C_1 gehenden Geraden nach § 10 die nämliche Potenz $- d^2$, so dass die Abstände ihrer Doppelpunkte vom gemeinsamen Mittel- oder Centralpunkt gleich gross, nämlich gleich $d \sqrt{-1}$ sind. Wir dürfen diese Grössen als den Halbmesser des imaginären Directrixkreises bezeichnen. Der Distanzkreis ist der Ort der Paare symmetrischer

entsprechender Punkte in den Polinvolutionen seiner Durchmesser
und die Enveloppe der Paare solcher Strahlen in den Polarinvolutionen aus Parallelen.

7) Jedem Kegelschnitt in der Bildebene entspricht ein anderer
Kegelschnitt derselben als Enveloppe der Polaren seiner Punkte,
d. h. als Enveloppe der Spuren der projicierenden Normalebenen
zu den nach seinen Punkten gehenden projicierenden Strahlen. Zugleich entsprechen den Punkten des zweiten Kegelschnittes die Tangenten des ersten in derselben Art, also seine unendlich entfernten
Punkte den von C_1 aus an diesen gehenden Tangenten als die Richtungen ihrer Normalen. Insbesondere entsprechen zwei zum Distanzkreis concentrische d. h. zwei Neigungskreise (§ 1, 2) einander, wenn
die zugehörigen Winkel einander zu 90⁰ ergänzen; der Distanzkreis entspricht sich selbst in der Art, dass jedem seiner Punkte
die Tangente im diametral gegenüberliegenden Punkte entspricht.
(Vergl. 3 oben.)

8) Die im Berührungspunkte einer Tangente des Kegelschnittes
auf ihr errichtete Normale nennt man die zugehörige Normale
des Kegelschnittes. Wenn der Punkt und die Tangente den
Kegelschnitt umlaufen, so umhüllt die Normale eine Curve, die
man die Evolute des Kegelschnittes nennt. Die von einem
Punkte P der Ebene an diese Curve gehenden Tangenten sind die
von ihm ausgehenden Normalen des Kegelschnittes. Zu ihrer Construction führen zwei einander dualistisch gegenüberstehende Betrachtungen. Ist X der Fusspunkt einer solchen Normale mit der
Tangente x, so ist PX normal auf dem Durchmesser, der zu dem
nach X gehenden conjugiert ist; schneidet man also jeden der
Strahlen des Büschels um P mit dem Durchmesser, welcher conjugiert ist zu dem zu ihm normalen Durchmesser des Kegelschnittes,
so ist der als Ort der Schnittpunkte entstehende Kegelschnitt eine
durch X gehende Curve. Anderseits ist x eine Gerade, die die Polare
p von P in einem Punkte schneidet, dessen Polare zu ihr normal ist;
verbindet man also die Punkte von p mit den zu ihren Polaren durch
P normalen Richtungen, so hat der durch die Verbindungsgeraden
entstehende Kegelschnitt, die reciproke Polarfigur des vorigen in Bezug auf den gegebenen Kegelschnitt als Directrix, x zu seiner Tangente. Von beiden Kegelschnitten liefert der erste die Fusspunkte
der Normalen aus P als seine gemeinschaftlichen Punkte, der zweite
die zugehörigen Tangenten als seine gemeinschaftlichen Tangenten
mit dem gegebenen Kegelschnitt; im Allgemeinen sind es also vier.

Da nun die zu den Axen parallelen Strahlen aus P zu den
conjugierten der zu ihnen normalen Durchmesser die ihnen parallelen
Axen selbst haben, so ist der erste Kegelschnitt eine den Mittel-
punkt enthaltende gleichseitige Hyperbel, deren Asymptoten den
Axen parallel sind; sie berührt in P das Perpendikel auf den zum
Durchmesser von P conjugierten Durchmesser und im Mittelpunkt

den conjugierten zu dem auf dem Durchmesser von P senkrechten. Es ist klar, dass diese gleichseitige Hyperbel den gegebenen Kegelschnitt zweimal oder viermal reell schneiden wird, und dass ein Uebergangsfall eintritt, wenn der den Mittelpunkt nicht enthaltende Ast derselben den Kegelschnitt berührt, ein Fall in welchem die der Berührungsstelle entsprechende Normale als doppelt zu zählen ist. Sie ist die Tangente der Evolute für P als Berührungspunkt.

Der zweite Kegelschnitt, die Polarfigur des ersten, ist eine Parabel, welche die Axen des Original-Kegelschnitts, das Rechtwinkelpaar der Polar-Involution von P und die Polare p berührt; der Berührungspunkt an p ist der Pol der Normalen von P zu p; der unendlich ferne Punkt der Parabel ist die Richtung der Normalen zum Durchmesser von P.

9) Ist der gegebene Kegelschnitt eine Parabel, so ist ihr unendlich ferner Punkt sowohl ein Schnittpunkt mit der Hyperbel (die Parabelaxe ist Asymptote derselben) als auch Berührungspunkt einer gemeinsamen Tangente mit der Hilfsparabel, d. h. der Parabeldurchmesser aus P ist die eine Normale; von den drei andern ist nothwendig eine reell. Man specialisiere die Betrachtung für den Kegelschnitt als Kreis und als Linienpaar; für den Punkt P als auf dem Kegelschnitt, in einer seiner Axen und als in unendlicher Ferne gelegen.

35. Die centrische Collineation eines Kreises mit einem Kegelschnitt ist auch in dem Falle von Wichtigkeit, wo das Centrum $\mathfrak{C}$ der Collineation ein Punkt der Kreisperipherie ist

Fig. 76.

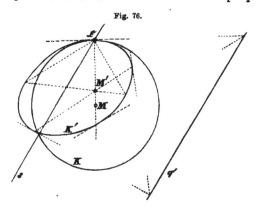

und die Collineationsaxe s durch diesen Punkt selbst hindurchgeht. Es ist schon in § 32, 18 bemerkt, dass die Lage des Collineationscentrums in der Peripherie des Kreises oder

Kegelschnittes die Berührung desselben mit dem collinearverwandten Kegelschnitt in ihm bedingt. Wenn dann die entsprechenden Punkte der centrischen Collineation auf einerlei
Seite des Centrums liegen, so können beide Curven zwei weitere
Punkte mit einander gemein haben, die in der Collineationsaxe gelegen sind. Berührt diese den Originalkegelschnitt, so
ist der Bildkegelschnitt mit demselben in doppelter Berührung,
in ℭ und nach *s* — ein Fall, der eine besondere eingehende
Behandlung verdiente.

Geht die Collineationsaxe durch das Centrum, so fällt von
jenen beiden weiteren gemeinsamen Punkten noch einer mit den
zwei schon in ℭ vereinigten gemeinsamen Punkten zusammen,
und es muss ein vierter gemeinsamer Púnkt der Curven existieren, ihr zweiter Schnittpunkt mit der Collineationsaxe. Die Beziehung zweier Kegelschnitte, welche in diesem Falle im Punkte
ℭ stattfindet, bezeichnet man als eine Berührung zweiter
Ordnung; ist der eine Kegelschnitt ein Kreis, so nennt man
denselben den Krümmungs- oder Osculations-Kreis des
Kegelschnittes in jenem Punkte und seinen Halbmesser
den entsprechenden Krümmungshalbmesser desselben —
denn es giebt nur éinen Kreis dieser Art, weil er in ℭ drei unendlich nahe Punkte mit dem Kegelschnitt gemein haben und
durch die Kreispunkte der Ebene gehen oder eine Rechtwinkel-
Involution conjugierter Durchmesser haben muss. Macht man
die Collineationsaxe *s* zur Tangente des Kegelschnittes in ℭ, so
erhält man durch die Wahl der einen Gegenaxe unter ihren Parallelen einen der einfach unendlich vielen Kegelschnitte, die den
gegebenen in ℭ vierpunktig oder in der dritten Ordnung
berühren, und man sieht sofort, dass durch jeden Punkt der
Ebene einer dieser Kegelschnitte geht, und wie man ihn construiert.
Die Collinearfiguren eines Kreises für einen Punkt seiner Peripherie als Centrum und eine durch diesen gehende Gerade als
Axe liefern also die zweifach unendlich vielen von diesem Kreise
in ℭ osculierten Kegelschnitte; die Lage der Collineationsaxe
und einer Gegenaxe, welche zur Bestimmung der Collineation
erforderlich ist, individualisieren dieselben. Wir wollen daraus
die Construction des Osculationskreises für einen durch
fünf Punkte (etc.) bestimmten Kegelschnitt in einem gegebenen
Punkte desselben ableiten. Da der Mittelpunkt *M* des Kreises

der Pol der unendlich fernen Geraden q in ihm ist, so ist sein
Bild M' der Pol der Gegenaxe q' im System des Kegelschnittes; .
drehen wir um jenen einen Durchmesser, so dreht sich um diesen
die Sehne, welche sein Bild ist, und die entsprechenden Endpunkte beider liegen nothwendig in einerlei Strahl aus dem Centrum $\mathfrak{C}$. Beide Punkte sind also die Pole rechtwinkliger Involutionen aus $\mathfrak{C}$, respective im Kreis und im Kegelschnitt; oder man
erhält den Punkt M' im Kegelschnittsystem als den Pol der Involution rechter Winkel aus $\mathfrak{C}$, und aus ihm die Gegenaxe q' als
seine Polare in Bezug auf den Kegelschnitt. Damit ist die centrische Collineation bestimmt, in welcher dem als gegeben gedachten Kegelschnitt ein Kreis entspricht und die Axe s durch
das Centrum geht; — man erhält s und r für dieselbe. (Fig. 76.)

1) Von einem Kegelschnitt sind fünf Punkte A, B, C, D, E
gegeben; man soll für einen derselben A den Krümmungsmittelpunkt construieren. Man bestimmt die Schnittpunkte B_1, C_1 der
zu AB, AC normalen Geraden aus A mit dem Kegelschnitt und
dadurch den Pol M' der Rechtwinkel-Involution aus A; seine Polare (§ 30, 2) ist die Gegenaxe q', die Parallele zu derselben durch
A die Collineationsaxe s. Ihr zweiter Schnittpunkt F mit dem
Kegelschnitt bestimmt den Krümmungskreis, die halbierende Normale zu AF schneidet die Normale des Kegelschnittes in A im
Krümmungsmittelpunkt. Noch mehr direct findet man denselben
als den entsprechenden zu M'. Man erläutere die Construction für
A als einen Punkt der gleichseitigen Hyperbel, die durch ihre
Asymptoten bestimmt ist.

Die benutzte centrische Collineation ist von der Charakteristik
$\varDelta = +1$ und wird bei entgegengesetzter Umlegung zur Involution.

2) Man construiere einen Kegelschnitt aus dem Krümmungs-
kreis K in einem gegebenem Punkte $\mathfrak{C}$ und zwei Punkten A', B'
seiner Peripherie. Man wird die in den Strahlen $\mathfrak{C}A'$, $\mathfrak{C}B'$ gelegenen Punkte A, B des Kreises bestimmen und im Schnitt der
Geraden AB, $A'B'$ einen zweiten Punkt der Collineationsaxe erhalten; etc. Ebenso kann man offenbar den einen gegebenen Kegelschnitt K in $\mathfrak{C}$ osculierenden Kegelschnitt durch zwei Punkte A', B'
construieren.

3) Man construiere den Krümmungsmittelpunkt für den
Scheitel eines Kegelschnittes bei gegebenen Bestimmungsstücken.
(In der Fig. 77 die Scheitel der Hauptaxe und ein Punkt 3.) Es
ergiebt sich, dass die Collineationsaxe mit der Scheiteltangente zusammen fällt, dass also alle dem Krümmungskreis und der Curve
gemeinsamen Punkte im Scheitel vereinigt sind; es findet also
zwischen beiden eine Berührung dritter Ordnung statt. Eine

andere Construction wird die Untersuchung der Schraubenlinie liefern. (§ 77, 6.)

4) Man construiere eine **Parabel aus ihrem Krümmungskreis im Scheitel.**

5) Zu einer Hyperbel ist die andere Hyperbel zu construieren, die sie in einem ihrer unendlich fernen Punkte osculiert und für die eine Tangente und der Berührungspunkt gegeben ist. Man zeige, dass für alle diese Hyperbeln die Dreiecke gleich gross sind, welche die Tangenten mit ihren Asymptoten bilden.

6) Man construiere den in ℭ vierpunktig osculierenden Kegelschnitt eines gegebenen mit einer vorgeschriebenen Tangente. Die von ihrem Schnittpunkte mit *s* an den Kegelschnitt gehende von *s* verschiedene Tangente ist ihre entsprechende, womit die Gegenaxen und die Collinearfigur bestimmt sind. Man findet speciell für die vierpunktig berührende Parabel, dass ihre Axenrichtung die vom Durchmesser des Punktes ist.

Fig. 77.

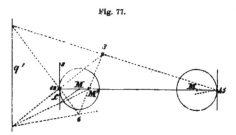

7) Wenn die Axenrichtungen des Kegelschnittes bekannt sind (vergl. für ihre Bestimmung aus fünf Punkten § 33; 16, 18), so kann der Krümmungskreis für einen Punkt desselben auch mittelst des Satzes construiert werden, dass die gemeinsamen Sehnenpaare zwischen einem Kreis und einem Kegelschnitt die Axenrichtungen zu den Richtungen der Halbierungslinien ihrer Winkel haben. Er ergiebt sich aus unserer Construction durch die Benutzung der von ℭ ausgehenden Parallelen zu den Axen, deren Sehne der durch *M'* gehende Durchmesser ist, deren Tangenten also einander parallel und zur Tangente in ℭ symmetrisch in Bezug zu den Axenrichtungen liegen. Man verzeichnet also die Tangente des Kegelschnittes im gegebenen Punkte und erhält als Collineationsaxe *s* die Linie unter gleicher Neigung mit derselben zu den Axen, also in ihrem zweiten Schnittpunkt mit der Curve einen Punkt des Krümmungskreises. Diese Construction ist auf die Scheitel der Curve nicht anwendbar.

Wären die Scheitel einer Axe und ein Punkt gegeben, so combinieren sich die erwähnten Constructionsmittel in verschiedener Weise.

8) Nach § 34, 8 ist der **Krümmungsmittelpunkt** der **Berührungspunkt der Normale mit der Evolute** oder ihr Schnittpunkt mit der nächstbenachbarten Normale; seine Construction kann daher an die Behandlung des Normalenproblems angeknüpft werden, die wir dort gegeben haben, nämlich an die der Parabel, welche die Tangenten in den Normalenfusspunkten berühren. Ist P ein Punkt des Kegelschnittes und also seine Polare p die zugehörige Tangente, und fällen wir von jedem Punkte der Tangente p das Perpendikel auf seine durch P gehende Normale, so wird durch diese Perpendikel jene Parabel umhüllt, und wir erkennen hier, dass ausser den beiden Axen des Kegelschnittes auch die Tangente p und die Normale n von P als Rechtwinkelpaar von seiner Polar-Involution, und zwar p insbesondere im Pol von n in dieser Parabel, berührt werden. (Vergl. § 35.) Offenbar ist der Berührungspunkt dieser Parabel mit der Normale n der Krümmungsmittelpunkt des Kegelschnittes für den Punkt P.

Man erhält hiermit zunächst Constructionen des Krümmungsmittelpunktes bei bekannten Axen in der Form des Brianchon'schen Satzes; offenbar aber können die Axen immer durch zwei andere Tangenten der Parabel ersetzt werden, d. h. durch die Normalen aus zwei Punkten der Tangente zu ihren durch den Berührungspunkt gehenden Polaren; wenn der Kegelschnitt bestimmt ist, so lassen sich solche immer leicht in verschiedener Weise ableiten. Man bestimmt z. B. für die vier Punkte A, B, C, D und die Tangente a in einem derselben A das Krümmungscentrum für diesen in der zugehörigen Normale n als Berührungspunkt mit der Parabel durch Angabe von zwei weiteren Tangenten derselben, indem man in zweien der Punkte B, C die Tangenten des Kegelschnittes b, c nach Pascal construiert und von ihren Schnittpunkten mit a auf AB, AC resp. die Perpendikel fällt.

Die Beziehungen des Krümmungsmittelpunktes zu den Brennpunkten (§ 36), den Asymptoten bei der Hyperbel, etc. sind zahlreich, kommen aber, weil diese Elemente nicht projectivisch sind, in den Formen darstellend geometrischer Anwendung seltener vor.

9) Wenn man die Krümmungsradien eines gegebenen Kegelschnittes jeden nach der entgegengesetzten Seite von diesem aus um sich selbst verlängert und über den Verlängerungen als Durchmessern Kreise beschreibt, so schneiden alle diese Kreise rechtwinklig den Kreis von § 31, 7, welcher der Ort der Schnittpunkte rechtwinkliger Tangentenpaare des Kegelschnittes ist; bei den Hyperbeln mit stumpfem Asymptotenwinkel tritt an dessen Stelle ein Symmetriekreis, welcher nach § (36 b, e) diametral geschnitten wird und der Orthogonalkreis der ihr conjugierten spitzwinkligen Hyperbel ist.

36. Schon in § 31, 7 haben wir gesehen, dass der Ort der Punkte, von denen Paare rechtwinkliger Tangenten an den Kegelschnitt gehen, ein Kreis um den Mittelpunkt desselben

ist; natürlich vom Radiusquadrat gleich $a^2 + b^2$; derselbe wird
für die gleichseitige Hyperbel zum Mittelpunkt und für die
Parabel zur Directrix, wie wir unten (10) sehen werden. Wir
bemerken hier, dass die diesen Punkten angehörigen Polar-
Involutionen symmetrische Involutionen (§ 31, 10) sind.
Die Involutionen rechter Winkel fanden wir als die andre
metrisch specialisierte Art der Involutionen im Strahlenbüschel
und ihre Bedeutung als Polarinvolution ist noch zu untersuchen.

Wenn das Centrum $\mathfrak{C}$ der Collineation zwischen einem
Kreise K und dem Kegelschnitt K' in den Mittelpunkt des
Kreises fällt, so ist es ein Brennpunkt des Kegelschnitts
K'; denn man nennt die Punkte in der Ebene eines Kegelschnittes, deren Polarinvolutionen in Bezug auf ihn rechtwinklig
sind, Brennpunkte und ihre Polaren Directrixen desselben.

Da aber nach § 32, 17 die Involution harmonischer Polaren
aus dem Centrum der Collineation $\mathfrak{C}$ einem beliebigen Originalkegelschnitt und seinem Bilde gemeinsam ist, so erhält man
in der centrisch collinearen Figur zu einem Kreise K, dessen
Mittelpunkt das Collineationscentrum $\mathfrak{C}$ ist, einen Kegelschnitt
K', der diesen Punkt zum Brennpunkt hat (Fig. 78; a. b. c.);
die zugehörige Directrix, als die Polare des Brennpunkts im
Bilde, ist das Bild der Polare von $\mathfrak{C}$ oder der unendlich fernen
Geraden im Original, d. h. die Gegenaxe q' im Bilde. Ein
zweiter Brennpunkt und seine Directrix ergeben sich dann aus
der Symmetrie des Kegelschnittes in Bezug auf das Centrum.
Wenn die Gegenaxe r den Originalkreis K nicht schneidet, so
ist der Kegelschnitt K' eine Ellipse (Fig. a.); wenn sie ihn
berührt, eine Parabel (Fig. c.), und wenn sie ihn schneidet,
eine Hyperbel (Fig. b.). In jedem Falle ist für P als einen
Punkt des Kreises und P' als den entsprechenden des Kegelschnitts auf dem Strahl mit den Gegenpunkten Q' und R
(Fig. 78)

$$(\mathfrak{C} \infty P R) = (\mathfrak{C} Q' P' \infty) \quad \text{oder} \quad \mathfrak{C} P : \mathfrak{C} R = \mathfrak{C} P' : Q' P'.$$

Da nun das Verhältniss $\mathfrak{C} R : Q' P'$ gleich dem Verhältniss der
Abstände von $\mathfrak{C}$ bis zur Gegenaxe r — schreiben wir $(\mathfrak{C}, r)$ —
und von der Gegenaxe q' oder der Directrix bis P' — schreiben
wir (q', P') — ist, der erste Abstand aber ebenso wie $\mathfrak{C} P$ eine
Constante ist, so folgt

$$\mathfrak{C} P' : (q', P') = \mathfrak{C} P : (\mathfrak{C}, r),$$

die Definition des Kegelschnittes als Ort eines Punktes, für
den das Verhältniss der Abstände von einem Brennpunkte und der entsprechenden Directrix constant
ist. Der Werth *e* dieses Verhältnisses ist offenbar für die
Ellipse kleiner, für die Hyperbel grösser als Eins, für
die Parabel gleich Eins. Der zu q' normale Durchmesser
AB des Kreises wird zum Durchmesser und zwar zur Axe
$A'B'$ des Kegelschnitts, weil er den Pol von r im Kreise enthält (§ 34, 5) und zu seinem conjugierten Durchmesser rechtwinklig ist; nach § 15. wird sein Bild zugleich der längste
Durchmesser im Falle der Ellipse und der kürzeste im Falle
der Hyperbel — als solchen nennt man ihn die Hauptaxe
der Curve, auch Brennpunkts-Axe. Unmittelbar fliessen
dann aus derselben Construction die Sätze in 6, 7, 9 unten.

Fasst man aber den Kegelschnitt nicht als Centralprojection des Kreises, sondern als Erzeugniss projectivischer Gebilde, so erhält man die Construction und die
Eigenschaften der Brennpunkte auch direct aus derselben
Definition — als Scheitel rechtwinkliger Involutionen harmonischer Polaren; die Directrixen findet man als ihre Polaren.

Da die Involution rechter Winkel keine reellen Doppelstrahlen hat, so liegen die Brennpunkte im Innern des
Kegelschnittes, d. h. in dem Theile seiner Ebene, durch
welchen keine Tangenten an ihn gezogen werden können, und
die Directrixen haben also keine reellen Punkte mit dem Kegelschnitt gemein. Da ferner die Involution rechter Winkel keine
schiefwinkligen Paare zulässt, so können die Brennpunkte nur
in den Axen liegen, weil sonst der entsprechende Durchmesser und die conjugierte Sehne ein schiefwinkliges Paar bilden. Man findet sie wie folgt: Einem Büschel T_∞ (Fig. 79)
von parallelen zu den Axen geneigten Geraden a, b, c, $\ldots$
entspricht die ihm projectivische Reihe der Pole A', B', C', $\ldots$
in dem seiner Richtung T conjugierten Durchmesser; dem Durchmesser m unter ihnen die Richtung M' dieses conjugierten
Durchmessers; der unendlich fernen Geraden, insofern sie jenem
Büschel T_∞ angehört, der Mittelpunkt M des Kegelschnittes.
Fällt man nun von den Punkten A', B', C', $\ldots M$, $\ldots$ die Normalen a_1, b_1, c_1, $\ldots m_1$, $\ldots$ zu den Sehnen a, b, $\ldots$ so ist
das Büschel T_1 derselben dem der letzten projectivisch und die

Schnittpunkte beider unter einander bilden eine **gleichseitige
Hyperbel**; die Schnittpunkte mit den Axen des Kegelschnittes

Fig. 78.

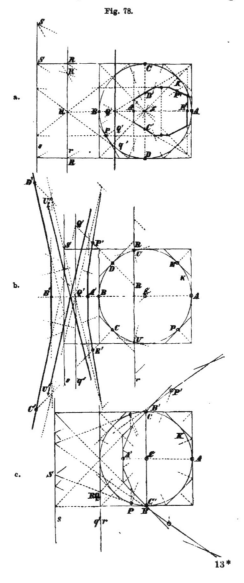

aber zwei projectivische Reihen A, B, ...; A_1, B_1, ... in diesen, in welchen der Mittelpunkt M und der bezügliche unendlich ferne Punkt M_1 sich vertauschbar entsprechen, also

Fig. 79.

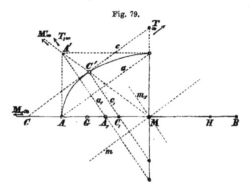

eine Involution in jeder Axe. (M ist das perspectivische Centrum der Büschel T, T_1 § 32, 3.) Ist G ein Doppelpunkt in einer dieser Involutionen oder ein Schnittpunkt einer Axe mit besagter Hyperbel, so bilden der durch ihn gehende Strahl

Fig. 80.

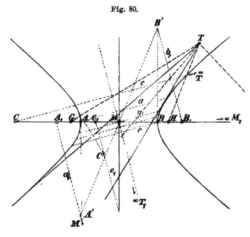

g des Strahlenbüschels T und der entsprechende g_1 des Normalenbüschels T_1 ein Paar in der Involution harmonischer Polaren, die der Kegelschnitt an ihm bestimmt; dieselbe ist

also rechtwinklig, weil sie zwei rechtwinklige Paare enthält
(§ 31, 6). (Vergl. auch Fig. 80.)

Wenn die Richtung T aus der der einen in die der andern
Axe übergeht — in welchen Grenzlagen die Axen selbst als
die gleichseitige Hyperbel der Construction erscheinen —, so
dreht sich diese Hyperbel um die Brennpunkte des Kegelschnitts,
indem ihre Pol-Involutionen in den Axen dieselben bleiben;
da sie dabei durch jeden Punkt der Ebene geht, so ist das
Rechtwinkelpaar der Involution harmonischer Polaren des Kegelschnittes an jedem Punkt der Ebene das gemeinsame Paar der
über den Brennpunkts-Involutionen in den Axen stehenden
Büschel (siehe unten 5).

Die Involutionen $A, A_1, \ldots$ in den Axen bestimmt — weil
ihr Centralpunkt M bekannt ist — je ein einziges Paar, welches durch eine Tangente t (c in Fig. 79) des Kegelschnittes
und die Normale t_1 (c_1 in der Fig.) zu derselben im Berührungspunkte erhalten wird. Von den Involutionen beider Axen
hat immer die eine sich trennende und die andere sich nicht
trennende Paare; nur die letzte hat reelle Brennpunkte G, H,
die vom Mittelpunkt M respective von den Scheiteln A, B gleichweit entfernt liegen. An diese Entwickelung schliessen sich
unmittelbar die Sätze in 4 und 5, etc.

1) Dem Kreise entspricht für einen Peripheriepunkt als Centrum und den zum Radius desselben rechtwinkligen Durchmesser
als Gegenaxe seines Systems eine gleichseitige Hyperbel, mit
einem Scheitel im Centrum; ist die Collineation involutorisch, so
entsprechen den Durchmessern des Kreises die zur Hauptaxe parallelen Sehnen der gleichseitigen Hyperbel, so dass die Schnittpunkte solcher Sehnen in der Hyperbel am Scheitel rechte Winkel
bestimmen. Oder wenn zwei rechte Winkel in einer Ebene sich
so um ihre Scheitel drehen, dass zwei Schnittpunkte ihrer Schenkel-
paare in der senkrechten Halbierungslinie zwischen ihren Scheiteln
liegen, so beschreiben die beiden andern die gleichseitige Hyperbel
mit diesen Scheiteln.

Die Collinearfiguren einer gleichseitigen Hyperbel für ihren
Mittelpunkt als Centrum sind Kegelschnitte, für die der Ortskreis
der Schnitte rechtwinkliger Tangentenpaare durch jenen geht. Wie
speciell für q', r als die Scheiteltangenten der Hyperbel? Man
betrachte auch im gleichen Falle die Collinearfigur des Kreises und
erläutere die Beziehungen der beiden Parabeln, die sich für dieselben $\mathfrak{C}$, q' und r ergeben.

2) Ihrer Definition gemäss können die Brennpunkte angesehen

werden als die beiden andern Paare der Gegenecken des nicht reellen
Vierseits, welches die **Tangentenpaare von den Kreispunkten der Ebene an den Kegelschnitt** mit einander bilden; die
zugehörige Directrix ist die Berührungssehne der jedesmal entsprechenden beiden Tangenten (§ 31, 8 und § 30).

Wenn der Kegelschnitt die Kreispunkte der Ebene enthält, so
fallen die Brennpunkte in seinem Mittelpunkt zusammen; die Involution seiner conjugierten Durchmesser ist rechtwinklig, er ist ein
Kreis. Die Tangente des Kreises ist rechtwinklig zum Radius des
Berührungspunktes — weil parallel zum conjugierten Durchmesser,
oder weil die Normale zum Mittelpunkt gehen muss als der Vereinigung der beiden Doppelpunkte der Brennpunkts-Involution in
einem Durchmesser.

Fig. 81.

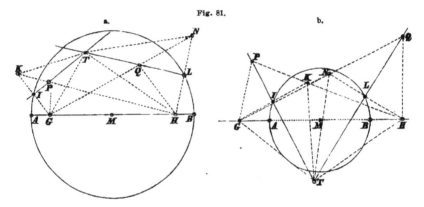

3) Die Brennpunkts-Involution der Parabel ist eine symme-
trische Involution mit dem Brennpunkt als Symmetriemittelpunkt.
Der Radius vector ist somit bei ihr dem durch die Tangente in der
Axe bestimmten Abschnitt vom Brennpunkt gleich.

Man kennt von einer Parabel vier Tangenten und bestimme
daraus ihre Axenrichtung (d. h. den Berührungspunkt der unendlich
fernen Tangente), die Scheiteltangente und den Scheitel (d. h. die
zur Axenrichtung normale Tangente und den Berührungspunkt derselben), die Axe und den Brennpunkt.

4) Die Brennpunkts-Involution in der Nebenaxe erscheint von
jedem reellen Brennpunkte aus durch eine rechtwinklige Involution
von Strahlen projiciert.

5) Ist T ein Punkt in der Ebene eines Kegelschnittes, so gehen
die Rechtwinkelstrahlen der ihm entsprechenden Involution harmonischer Polaren durch zwei entsprechende Punkte der Brennpunkts-
Involution; sie halbieren also zugleich die von den Doppelstrahlen
der Involution harmonischer Polaren, d. i. den Tangenten von T aus,

gebildeten Winkel und die Winkel der Strahlen, welche von T nach den Brennpunkten G und H gehen, weil sie mit diesen ein harmonisches Büschel bilden müssen. Also: Die Tangenten von einem Punkte an einen Kegelschnitt und die Verbindungslinien desselben mit seinen Brennpunkten bilden Winkel von denselben Halbierungslinien oder jene machen mit diesen gleiche Winkel. Die Tangentenpaare aller Kegelschnitte mit denselben Brennpunkten aus einem Punkte ihrer Ebene bilden also eine symmetrische Involution (§ 31, 10). Ihre rechtwinkligen Doppelstrahlen sind die Tangenten der den Punkt enthaltenden confocalen Kegelschnitte. Die Tangente und die Normale in einem Punkte des Kegelschnittes halbieren die Winkel der Brennstrahlen (Radien vectoren) des Punktes. (Vergl. 2.) Zwei Tangenten des Kreises bilden gleiche Winkel mit demjenigen Durchmesser, der nach ihrem Schnittpunkt geht.

6) Das Stück einer Kegelschnitttangente zwischen ihrem Berührungspunkt und der Directrix erscheint vom zugehörigen Brennpunkt aus unter rechtem Winkel; denn die dasselbe von da aus projicierenden Strahlen sind conjugiert in der Rechtwinkel-Involution harmonischer Polaren, weil der Pol des Brennstrahls im Schnitt der Tangente mit der Directrix liegt. Die Centralcollineation nach Maassgabe des Textes lässt diesen Satz hervorgehen aus dem Satze, dass der Radius des Berührungspunktes normal ist zu dem der Tangente parallelen Durchmesser. (Vergl. Fig. 78, p. 195.) Man leite ferner aus ihr ab, dass die algebraische Summe der Reciproken conjugierter Sehnen des Kegelschnittes durch einen seiner Brennpunkte constant ist; also speciell, dass zu einander rechtwinklige Focalsehnen der gleichseitigen Hyperbel gleich lang sind.

7) Durch die Centralcollineation im Text wird aus dem Schluss von 5), wonach die Radien der Berührungspunkte von zwei Kreistangenten gleichgeneigt sind zu dem Radius ihres Schnittpunktes, der Satz: Die Strahlen, welche die Berührungspunkte von zwei Kegelschnittstangenten mit einem Brennpunkt verbinden, machen gleiche Winkel mit dem Strahl von diesem nach ihrem Schnittpunkt. Dieselbe liefert ferner den Zusatz: Der Schnittpunkt der Berührungssehne zweier Tangenten mit der Directrix und der Durchschnittspunkt der Tangenten selbst bestimmen mit dem entsprechenden Brennpunkt zwei zu einander rechtwinklige Gerade. — Strahlen seiner Polar-Involution.

8) Wenn man von den Brennpunkten G, H eines Kegelschnittes mit der Hauptaxe AB und dem Mittelpunkt M auf seine ihn in P und Q berührenden Tangenten vom Schnittpunkte T aus die Normalen GJ und HL fällt, und dieselben nach K und N um ihre eigene Länge verlängert (Fig. 81, a. b.), so ist $\triangle HKT \backsim \triangle NGT$ wegen

$$TH = TN, \ TK = TG \ \text{ und } \ \angle HTK = \angle NTG; \quad \text{also}$$

$HK = NG$ oder $HP + GP = GQ + HQ$ in Fig. a. und
$$HP - GP = GQ - HQ \text{ in Fig. b.}$$

Lässt man den Punkt T die Tangente TP durchlaufen, so erhellt der Satz: Die Summe der Radienvectoren eines Punktes der Ellipse, respective die Differenz derselben für einen Punkt der Hyperbel, ist constant; nämlich

$$= 2MJ = 2ML = HA \pm GA = AB,$$

also der Hauptaxe gleich.

Dasselbe folgt aus der Fundamental-Eigenschaft der Brennpunkte im Text so: Nehmen wir die Sehne PQ des Kegelschnittes parallel AB, so ist für P und Q respective $PG = QH$, $PH = QG$ und für g und h als die den Brennpunkten G, H entsprechenden Directrixen

$$GP = e.(g, P), \ PH = e.(P, h) \ \text{ d. h. } \ GP + PH = \text{const.} = e.(g, h).$$

Daraus folgt aber die Gleichheit der Winkel, welche die Radienvectoren des Berührungspunktes mit der Tangente bilden. Denn für P und P' als zwei benachbarte Punkte der Curve ist

$$GP + PH = GP' + P'H;$$

trägt man nun GP in GR auf GP' und HP' in HR' auf GP ab, so ergiebt sich durch Subtraction von $GP = GR$ und $P'H = R'H$, $PR' = P'R$; und wegen PP' als gemeinschaftlicher Seite, und weil in der Grenze $\angle PRP' = \angle PR'P' = 90^0$ sind, ist $\angle PP'R = \angle P'PR'$.

9) Aus den Figuren der vorigen No. folgt sofort $\angle PGT = \angle TGQ$, der erste Satz von 7). Fügt man eine dritte Tangente hinzu, so folgt der Satz: Das zwischen zwei festen Tangenten enthaltene Stück einer beweglichen Tangente desselben Kegelschnittes erscheint vom Brennpunkt aus unter constantem Winkel — ein Satz, der durch die Central-Collineation des Textes unmittelbar erhalten wird aus dem zweiten Fundamentalsatz über den Kreis in § 24.

Mit andern Worten: Die projectivischen Reihen, welche in zwei Tangenten eines Kegelschnittes von den übrigen gebildet werden, bestimmen mit den Brennpunkten projectivisch gleiche Büschel von gleichem Sinn; in der That gehen die Doppelstrahlen solcher Büschel, d. i. die Tangenten vom Brennpunkt aus, nach den Kreispunkten der Ebene. (§ 31, 11.)

10) Die Fusspunkte der Normalen von den Brennpunkten auf die Tangenten eines Kegelschnittes liegen in der Peripherie eines Kreises (Hauptkreis), der seine Hauptaxe zum Durchmesser hat; denn $MJ = ML = MA = MB$. Für die Parabel wird der Hauptkreis zur Tangente im Scheitel.

Man construiert nach diesen Relationen die Tangenten aus einem Punkt an den durch die Hauptaxenlänge und die Brennpunkte bestimmten Kegelschnitt.

Da im Falle der Parabel r den Originalkreis berührt, also das Segment von r zwischen zwei parallelen Kreistangenten von $\mathfrak{C}$ als Kreismittelpunkt aus unter rechtem Winkel erscheint (§ 24), während ihre diesen Collineationsstrahlen parallelen Bilder in q' convergieren, so ist die Directrix der Parabel der Ort der Schnittpunkte rechtwinkliger Tangentenpaare derselben. Die Directrix im Endlichen bildet mit der unendlich fernen Geraden als der Directrix des unendlich fernen Brennpunkts (als Parabeltangente in ihm) zusammen den Ortskreis der Scheitel symmetrischer Polar-Involutionen.

11) Man construiere den Kegelschnitt von gegebenen Brennpunkten zu einer gegebenen Tangente — durch Tangenten und deren Berührungspunkte.

Es kann nach 10) geschehen, indem man aus der Mitte M zwischen den Brennpunkten G, H durch die Fusspunkte der von ihnen zur Tangente t gefällten Perpendikel den Hauptkreis beschreibt; jedes Paar durch die Brennpunkte gezogener paralleler Sehnen in diesem bestimmt ein Rechteck, dessen neue Seiten Tangenten des Kegelschnittes sind, und die orthogonal-symmetrischen eines Brennpunktes in Bezug auf sie bestimmen ihre Berührungspunkte durch Verbindung mit dem andern Brennpunkt. Nach dem Früheren ist die Aufgabe aber die Bestimmung aus den Involutionen harmonischer Polaren um G, H und einer Tangente t. Zunächst ist die Richtung der Normalen zu GH der Pol dieser Geraden und die Polaren g und h von jenen gehen durch sie; sodann erhält man das gemeinschaftliche Paar der in t durch beide Rechtwinkel-Involutionen erzeugten Involutionen mittelst des Kreises durch G, H, der seinen Mittelpunkt in t hat, also im Schnitt mit der Nebenaxe des Kegelschnittes; die Perpendikel aus den Punkten des gemeinsamen Paares zur Hauptaxe GH sind die Scheiteltangenten, etc.

Man erhält hiernach umgekehrt die Brennpunkte bei gegebenen Scheiteln der Hauptaxe und einer Tangente als die Schnittpunkte der Hauptaxe mit dem Kreise, der das zwischen den Hauptaxenscheiteln enthaltene Segment der Tangente zum Durchmesser hat.

12) Durch einen Punkt gehen zwei Kegelschnitte von gegebenen Brennpunkten (Ellipse und Hyperbel), die sich rechtwinklig durchschneiden. Es ist Construction aus vier Tangenten und einem Punkte. (§ 25, 4 und § 31, 3.)

13) Man construiere den durch drei Tangenten und einen Brennpunkt bestimmten Kegelschnitt (9); man construiere den Kegelschnitt aus Brennpunkt und zwei Tangenten nebst dem Berührungspunkt der einen; insbesondere aus Scheitel, Brennpunkt und Tangente. Die Angabe eines Brennpunktes ist äquivalent der Angabe von zwei Tangenten (9) und man construiert daher in den vorigen Fällen aus fünf Tangenten.

Der besondere Fall der Parabel aus Brennpunkt und zwei Tangenten ist bemerkenswerth. Der sich nach 9) um den Brenn-

punkt drehende Winkel, dessen Schenkel aus den Tangenten die
Schnittpunkte mit neuen Tangenten ausschneiden, ist hier dem
Winkel der gegebenen Tangenten selbst gleich; daher schneidet
jeder den Brennpunkt und den Schnittpunkt der Tangenten enthaltende Kreis aus diesen zwei Punkte einer neuen Tangente aus
und man erhält sämmtliche Tangenten der Parabel durch die Kreise
dieses Büschels. Umgekehrt geht der einem aus Tangenten
der Parabel gebildeten Dreieck umgeschriebene Kreis
durch den Brennpunkt der Parabel; man findet also den
Brennpunkt der Parabel zu vier Tangenten als den gemeinschaftlichen Schnittpunkt der vier Kreise, welche den aus den
vier Tripeln der Tangenten gebildeten Dreiecken umgeschrieben sind. Die Fusspunkte der Perpendikel von
diesem Punkte auf die vier Geraden liegen in der Scheiteltangente unserer Parabel. (Für eine Gruppe von drei
Parabeltangenten ist jeder Punkt des ihrem Dreieck umschriebenen
Kreises Brennpunkt und die Verbindungslinie der Fusspunkte der
von ihm auf sie gefällten Perpendikel Scheiteltangente einer zugehörigen Parabel.) Zugleich liegen die Höhenschnittpunkte der
vier Dreiecke in der Directrix der Parabel und die Diagonalenmitten
des Vierseits in einer Parallelen zu ihrer Axe; das letzte nach
§ 31, 7; das erste als ein Specialfall des Brianchon'schen Satzes,
weil zu drei Parabeltangenten t_1, t_2, t_3 zwei der mit ihnen in der
Directrix sich schneidenden normalen Tangenten t_1', t_2', t_3' und die
unendlich ferne Gerade u ein umgeschriebenes Sechsseit $t_1 t_2 t_3 t_3' u t_1'$
bilden, so dass die Geraden $t_1 t_2$, $t_3' u$; $t_2 t_3$, $t_1' u$; $t_3 t_3'$, $t_1 t_1'$ d. h.
zwei Höhen und die Directrix sich in einem Punkte schneiden.

(13.) Die Kegelschnitte einer Ebene, die einen Brennpunkt
gemein haben, können als das dualistische Gegenbild der Kreise
der Ebene angesehen werden; den Kreisen durch einen Punkt entsprechen diejenigen unter ihnen, die eine gemeinsame Tangente
haben, speciell die Parabeln, etc. Die Angabe der Directrix entspricht der Angabe des Mittelpunktes beim Kreise. Sowie die concentrischen Kreise der Ebene die zur Tafel symmetrischen Punktepaare in der Tafelnormale durch den Mittelpunkt darstellen, so
dass ihr Tafelabstand dem Radius des Bildkreises gleich ist, so
können die Kegelschnitte mit dem festen Brennpunkt und gemeinsamer Directrix die tafelsymmetrischen Paare der durch diese Directrix gehenden Ebenen repräsentieren, deren Excentricität mit dem
Modul der Ebene übereinstimmt — mit mannigfachen nützlichen
Ergebnissen. Die vollständige dualistische Umbildung der Methode
der Cyklographie würde eine Abbildung der Ebenen des Raums
durch die Elemente eines Bündels liefern, die von geringerer Anschaulichkeit ist als diese selbst.

14) Aus einem Brennpunkte G, der zugehörigen Directrix g und einem Punkte P oder einer Tangente t

construiert man den Kegelschnitt nach § 32, 18. Man erhält insbesondere P' auf PG mittelst des zur Normale von G auf g d. h.
zur Hauptaxe symmetrischen P^* zu P in der Geraden von ihm nach
dem Schnittpunkt der Hauptaxe mit g; daraus auch $P^{*\prime}$ in P^*G.
Jedes Punktepaar der Directrix in zwei zu einander rechtwinkligen
Strahlen durch G giebt damit zwei neue Paare auf dem Kegelschnitt
in Strahlen durch G. Aehnlich aus t und am besten in Verbindung
von Punkten und Tangenten, wie schon § 32, 13 angegeben ward.

Eine P a r a b e l ist daher durch Brennpunkt und Directrix allein
bestimmt; die Mittellinie zwischen beiden ist die zur unendlich
fernen Geraden harmonisch conjugierte Tangente im endlichen
Scheitel; wenn man durch ihre Schnittpunkte mit zwei zu einander
rechtwinkligen Strahlen aus dem Brennpunkt Parallelen zu diesen
zieht, so sind diese zwei neue auf der Directrix sich durchschnei-
dende Tangenten, und in den aus ihren Schnittpunkten mit der
Directrix zu derselben errichteten Perpendikeln liegen ihre Berührungspunkte.

Nach unserem Ausgangspunkt im Texte kann man aber den
Kegelschnitt auch construieren als die centrische Collineation zu dem
um G durch T beschriebenen Kreise für g als die Gegenaxe im
Bilde und die Parallele durch T zu derselben als Collineationsaxe; oder indem man mit K als einem um G mit beliebigem Radius
beschriebenen Kreise für g als q' zu T als Punkt des Bildes einen
seiner Schnitte mit dem Durchmesser GT als Original festsetzt;
respective zur Geraden t als Tangente des Bildes eine der beiden
Tangenten von K als Original wählt, die dem Strahl aus G nach
ihrem Schnitt mit q' parallel sind.

15) D r e i   P u n k t e A', B', C' u n d   e i n   B r e n n p u n k t G b e-
s t i m m e n   v i e r   K e g e l s c h n i t t e; nach § 33, 22 construiert man
die vier Lagen der zugehörigen Directrix. Nimmt man dagegen
einen Kreis K aus dem Brennpunkt als Original, so ermittelt man
die Collineationsaxe s und die Gegenaxe q' der entsprechenden Collineation, diese letzte in vier-, die erste in achtfacher Art — und
construiert die gesuchten Kegelschnitte als die vier entsprechenden
Kreisbilder. (Die zwei Collineationsaxen für jedes derselben liefern
die beiden conjugierten Sehnen des Kreises und seines Bildes, welche
zur Axe des letzten normal sind.) Es ist leicht, diese Constructionen auf die Fälle anzupassen, wo statt dreier Punkte zwei Punkte
mit der Tangente des einen, also z. B. für die Parabel ein Punkt
und die Axenrichtung, für die Hyperbel eine Asymptote und ein
Punkt, für die gleichseitige Hyperbel die eine Asymptote neben
dem Brennpunkt gegeben sind.

16) Die involutorischen Centralcollineationen eines Kreises,
dessen Mittelpunkt das Centrum derselben ist, sind Kegelschnitte,
die dieses zum Brennpunkt und die Linie der Gegenaxen $q'r$ zur
entsprechenden Directrix haben; der ihr parallele Durchmesser des

Kreises hat seine Endpunkte im Kegelschnitt (§ 20, 3) und die zugehörigen Kegelschnitttangenten schneiden sich im Fusspunkt des Perpendikels vom Brennpunkt zur Directrix.

Die Collinearverwandten eines Kegelschnittes für einen Brennpunkt desselben als Centrum sind Kegelschnitte, die denselben auch zu ihrem Brennpunkt haben. Je zwei Kegelschnitte mit einem gemeinsamen Brennpunkt sind in centrischer Collineation für diesen als Centrum.

(36.) Die Eigenschaften der Kegelschnitte in Beziehung zu den Brennpunkten und Directrixen werden nach der Methode der Cyklographie — vergl. § (7) — in einfacher und lehrreicher Art abgeleitet, wie hier kurz entwickelt werden soll. Nach dieser Methode ist der Distanzkreis **D** der Centralprojection nicht nur der Basiskreis eines gleichseitigen Rota-

Fig. 82.

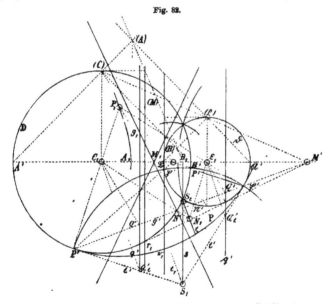

tionskegels von der Axe CC_1, sondern auch der Bildkreis seiner Spitze oder seines Mittelpunktes C, während zugleich die ihn berührenden Kreise in der Tafel die Punkte seiner Oberfläche abbilden; nämlich jeder solche Kreis denjenigen Punkt, welcher auf der nach seinem Berührungspunkt gehenden Mantellinie des Kegels und zugleich in dem auf der Tafel in seinem

Mittelpunkt errichteten Perpendikel liegt. Eine Reihe von
Kreisen, welche D berühren und deren Mittelpunkte zugleich
mit ihren Berührungspunkten stetig auf einander folgen, stellt
daher eine auf dem Mantel des Kegels C, D liegende Curve
dar; und diese Curve ist speciell ein e b e n e r Querschnitt des
Kegels, wenn die bezeichneten Kreise eine gerade Linie oder
einen andern festen Kreis unter constantem Winkel schneiden. Wir erörtern hier zunächst das Schneiden unter be-
stimmtem Winkel mit einer Geraden und die Berührung mit
einem zweiten festen Kreis, weil diese den Eigenschaften von
Brennpunkt und Directrix entsprechen; weiterhin — § (36°) —
werden wir sehen, dass die Bedingung, ein Kreis solle zwei
feste Kreise der Ebene unter vorgeschriebenen Winkeln schneiden, ebenfalls auf Kegelschnitte führt, etc.

Eine durch Spur s und Fluchtlinie q' bestimmte Ebene
(Fig. 82) bestimmt mit dem Kegel C, D einen Kegelschnitt,
dessen Bildkreissystem und Tangentensystem wir construieren,
indem wir von jedem in einem Punkte P' des Distanzkreises
central projicierten Punkte P desselben und seiner in der zugehörigen Tangente t' von D projicierten Tangente t desselben
das Perpendikel und die.Normalebene zur Tafel mit dem Fusspunkt P_1 resp. der Spur t_1 ermitteln und den Kreis P aus P_1
durch P' beschreiben; ziehen wir also in P' an D die Tangente t mit dem Fluchtpunkt Q_t in q' und dem Durchstosspunkt S_t in s, so ist t_1 die durch S_t zu $C_1 Q_t$ gezogene Parallele
und P_1 ihr Schnittpunkt mit dem Strahl $C_1 P'$. Der Ort von
P_1 und die Enveloppe von t_1 ist der zum Kreis D. für seinen
Mittelpunkt C_1 als Centrum und die Spur s der Ebene als Axe
der Collineation sowie ihre Fluchtlinie q' als Gegenaxe im System
des Kreises correspondierende Kegelschnitt; C_1 ist also ein Brennpunkt desselben nach § 36. Der Kreis P um P_1 und durch P' ist
der Bildkreis von P und da das Verhältniss des senkrechten Abstandes von P_1 von der Spur s zu seinem Radius die cotan.
des Neigungswinkels α der Ebene zur Tafel ist, so schneiden
nach § (7) die Bildkreise des Kegelschnittes diese Spur unter
constantem Winkel σ mit $\cos \sigma = \cot \alpha$. Man erhält insbesondere für $\alpha = 45^0$ und die P a r a b e l, weil q' den Distanzkreis berührt, $\sigma = 0^0$ oder 180^0, d. h. die Bildkreise der Pa-
rabelpunkte berühren die Spur; dagegen für $\alpha > 45^0$ oder q'

den Distanzkreis schneidend die Hyperbel, wie es die Figur 82 zeigt, und σ reell weil $\cos \sigma < 1$; endlich für $\alpha < 45^0$ oder q' den Distanzkreis nicht treffend die Ellipse und σ nicht reell, weil $\cos \sigma > 1$ ist. Für die Grenzfälle $\alpha = 0$ und $\alpha = 90^0$ entspringt der zu D concentrische Kreis als der Ort der Mittelpunkte gleicher Kreise, welche D auf bestimmte Art berühren, und daher sämmtlich von einem zweiten Kreise in der andern Art berührt werden, und die gerade Linie s als Ort der Centra von Kreisen, welche D berühren und s orthogonal durchschneiden oder, wie unmittelbar ersichtlich, welche zwei gleiche Kreise (D und den für s als Axe zu ihm orthogonal symmetrischen D[1]) gleichartig berühren. Die Gerade ist die Orthogonalprojection der gleichseitigen Hyperbel mit zur Tafel normaler Hauptaxe in der Ebene sq'.

Verschiebt man die Tafel parallel zu sich selbst bis C, so dass C_1 in ihr unverändert bleibt, so ist dies auch mit allen P_1 und t_1 der Fall, indess die Spur s der Schnittebene in die Gegenaxe r_1 oder die Orthogonalprojection ihrer Verschwindungslinie übergeht, der Basiskreis des Kegels C, D zum Punkte C_1 wird und die Radien aller Bildkreise P um die Distanz d ab- oder zunehmen, je nachdem sie zu Punkten gehören, die ursprünglich auf derselben Seite der Tafel mit dem Centrum lagen oder nicht. Dann gehen alle Bildkreise der Punkte des Kegelschnittes durch seinen Brennpunkt C_1 und schneiden die Gerade r_1 unter dem constanten Winkel σ, oder für alle Punkte P_1 besteht dasselbe Verhältniss ihrer Abstände von der festen Geraden r_1 und von dem festen Punkte C_1 (§ 36c), $\cot \alpha = \cos \sigma$; für Ellipse, Parabel, Hyperbel resp. grösser, gleich oder kleiner als Eins. Die Gerade r_1 ist die Directrix zum Brennpunkte C_1, als entsprechende der unendlich fernen Geraden im System des Kreises; das Stück der Kegelschnittstangente vom Berührungspunkt bis zur Directrix erscheint am Brennpunkt unter rechtem Winkel, etc. (Vergl. § 36, 6. 7. 9.) Für $\alpha = 0^0$ erhält man den Kreis als Ort der Centra gleicher Kreise, die durch einen Punkt gehen, mit diesem als Brennpunkt und der unendlich fernen Geraden als Directrix; und für $\alpha = 90^0$ die gerade Linie als Ort der Centra der durch zwei Punkte gehenden Kreise und als Orthogonalprojection und cyklographische Darstellung der zur Tafel orthogonalsymmetrischen gleichseitigen Hyperbel, welche den Abstand jener Punkte zu ihrer zur Tafel normalen Hauptaxe hat. (Vergl. für die weitere Bedeutung dieses Specialfalls § (36ᵇ)).

Erinnert man sich, dass dem Pol M' von q' im Kreise **D** der Mittelpunkt M_1 des Kegelschnittes entspricht, so kann man statt der Tangenten t von **D** die durch M' gehenden Sekanten $P'N'$ des Kreises desselben benutzen. Man erhält aus dem S und Q' einer solchen als Parallele zu $C_1 Q'$ durch S die Gerade, auf welcher im Schnitt mit den Strahlen $C_1 P'$ und $C_1 N'$ die Punkte P_1 und N_1 liegen; da die Tangenten von **D** in P' und N' sich in einem Punkte von Q' schneiden, so werden ihre entsprechenden, die Tangenten des Kegelschnittes in P_1 und N_1, parallel. Aus zwei Sekanten von **D** aus M', deren eine den Pol der andern enthält, entspringen zwei conjugierte Durchmesser, etc.; für q' als **D** reell schneidend, entsprechen den von M' an **D** gehenden Tangenten die sich selbst conjugierten Durchmesser; d. h. die Asymptoten, und jene Tangenten sind die Bildkreise der zugehörigen Kegelschnittspunkte und zeigen den Winkel σ. Die Scheitel A_1, B_1 des Kegelschnittes, als den Punkten A', B' in dem zu s normalen Durchmesser $C_1 M'$ entsprechend, erhält man durch Umlegung mit der zugehörigen projicierenden Ebene aus (A) und (B) in $(C) A'$ und $(C) B'$ auf der Parallelen durch sein S zu der Geraden von (C) nach seinem Q'.

Man wende die vorigen Constructionen auf den Fall der Parabel oder $\alpha = 45^0$, auf den des Kreises $\alpha = 0^0$ und der geraden Linie oder $\alpha = 90^0$ an.

(36ᵃ.) Im Allgemeinen, nämlich den Fall der Parabel allein ausgenommen, geht durch den betrachteten Kegelschnitt aus **E** und C, **D** noch ein zweiter gleichseitiger Rotationskegel mit zur Tafel normaler Axe. Denn zieht man in der eben betrachteten Umlegung zu $(C)(A)$ und $(C)(B)$ die Parallelen aus (B) und (A), so schneiden sich diese in der Umlegung $(\mathfrak{C})$ seiner Spitze; in dem Falle der Parabel, wo (B) unendlich fern ist, wird $\mathfrak{C}$ eine in der Ebene derselben enthaltene Richtung, die Ebene selbst ist ($\alpha = 45^0$) ein gleichseitiger Rotationskegel mit zur Tafel normaler Axe bei unendlich ferner Spitze. Und zwei solche Kegel können sich in der That, weil sie den unendlich fernen Querschnitt gemein haben, nur noch in einem ebenen Querschnitt schneiden, der wegen ihrer

orthogonalen Symmetrie zur Ebene ihrer beiden Axen auf dieser
Ebene normal sein muss und also, weil (A) und (B) ihm noth-
wendig angehören, von dem betrachteten Querschnitt nicht
verschieden sein kann. (Vergl. § (36ᶜ).) In den besondern
Fällen $\alpha = 0^0$ und $\alpha = 90^0$ haben wir den Basiskreis dieses
zweiten Kegels in der Erörterung des vorigen § schon auftreten sehen; im allgemeinen Falle hat der Kegelschnitt der
Punkte P_1 zur Orthogonalprojection $\mathfrak{C}_1$ von $\mathfrak{C}$ und zu dessen
Bildkreis $\mathfrak{D}$ die gleiche Beziehung, wie zu C_1 und $\mathbf{D}$. Die
Parallelebenen zu seiner Ebene und zur Tafel durch $\mathfrak{C}$ schneiden die Tafel in q' und diese Ebene in r von der Orthogonalprojection r_1; aus $\mathfrak{C}_1$, s und q' wird der Ort der P_1 als centrisch collinear zu $\mathfrak{D}$ wieder erhalten, r_1 ist seine Directrix
für den Brennpunkt $\mathfrak{C}_1$ und das nämliche feste Verhältniss der
Abstände; die vorher bestimmten Bildkreise berühren auch den
Kreis $\mathfrak{D}$. Man sieht auch, dass M' ein Aehnlichkeitspunkt der
Kreise $\mathbf{D}$ und $\mathfrak{D}$ wie in § (7) und der Durchstosspunkt der Verbindungslinie der Kegelspitzen in der Ebene derselben ist; dass
also die durch M' gehenden Geraden mit den Schnitten N', P'
auf $\mathbf{D}$ und $\mathfrak{N}'$, $\mathfrak{P}'$ auf $\mathfrak{D}$, welche diametral gegenüberliegende
Punkte N_1, P_1 und parallele Tangenten des Kegelschnittes liefern,
Aehnlichkeitsstrahlen und zugleich die Spuren von Hilfsebenen
für die Construction der Durchdringung der Kegel sind, welche
beide in geraden Linien schneiden. (Vergl. Bd. II.) In Folge
dessen sind die Strahlen $C_1 P'$ und $\mathfrak{C}_1 \mathfrak{N}'$ und wieder $C_1 N'$ und
$\mathfrak{C}_1 \mathfrak{P}'$, die Orthogonalprojectionen jener geraden Mantellinien,
parallel und $P_1 N_1$ ist die neue Diagonale des aus ihnen gebildeten
Parallelogramms, parallel zu $C_1 Q'$ und zu $\mathfrak{C}_1 \mathfrak{Q}'$; die Tangenten
in P_1 und N_1 sind normal zu dem gegen die Radien vectoren
$C_1 P_1$ und $\mathfrak{C}_1 P_1$ und also auch gegen die zugehörigen Tangenten t und t' der Kreise $\mathbf{D}$, $\mathfrak{D}$ (oder die im Durchstosspunkt S_t
der Tangente der Durchdringung auf der Spur s der Ebene sich
schneidenden Spuren der Tangentialebenen der Kegel längs
jener Mantellinien) gleichgeneigten Aehnlichkeitsstrahl, halbieren daher die Winkel der Radien vectoren, und man hat

$$C_1 N_1 - \mathfrak{C}_1 N_1 = C_1 N' - \mathfrak{C}_1 \mathfrak{N}'$$

die Differenz der Radien vectoren ist gleich der Radiendifferenz der Kreise $\mathbf{D}$ und $\mathfrak{D}$, also auch gleich der
Hauptaxe $A_1 B_1$ des Kegelschnittes. (§ 36, 8; auch den

Satz § 36, 10 liest man aus der Figur ab, etc.) Den Grenzlagen der schneidenden d. h. den berührenden Aehnlichkeitsstrahlen mit dem Winkel σ gegen s entsprechen die Asymptoten.

Es ist klar, dass die Kreise D und $\mathfrak{D}$ für M' als Centrum und s als Axe zu einander centrisch collinear sind.

Verschiebt man die Tafel parallel sich selbst nach C, so erhält man die durch C_1 gehenden, r_1 unter σ schneidenden Bildkreise der P, welche den mit $A_1 B_1$ als Radius um $\mathfrak{C}_1$ beschriebenen Kreis berühren; ebenso mit der Verschiebung nach $\mathfrak{C}$ die, welche durch $\mathfrak{C}_1$ gehen, r_1 unter σ schneiden und den mit $A_1 B_1$ um C_1 beschriebenen Kreis berühren.

Wenn man den Kegelschnitt als Ort vom Mittelpunkte eines veränderlichen Kreises bezeichnet, der zwei gegebene feste Kreise gleichartig oder ungleichartig berührt, so hat man ein Hauptergebniss unserer Discussion hervorgehoben; aber sie ist damit keineswegs erschöpft. Schneiden sich die beiden festen Kreise, so entspricht dem äussern Aehnlichkeitspunkt und der gleichartigen Berührung eine Hyperbel von der Differenz der Radien als Hauptaxe, und dem innern Aehnlichkeitspunkt unter ungleichartiger Berührung die confocale Ellipse von der Summe der Radien. Wenn die Kreise einander ausschliessen, so liefert der äussere wie der innere Aehnlichkeitspunkt bei gleichartiger resp. ungleichartiger Berührung eine Hyperbel von der Differenz resp. der Summe der Radien als Hauptaxe. Wenn endlich der eine der Kreise den andern umschliesst, so entspringen für beide Aehnlichkeitspunkte Ellipsen mit der Radiendifferenz resp. -summe als Hauptaxenlänge — bei concentrischer Lage speciell zwei neue concentrische Kreise. Wie bei den Grenzfällen der umschliessenden und ausschliessenden Berührung der Kreise zusammenfallende Gerade als Kegelschnitte auftreten, sei zu näherer Erläuterung empfohlen; eine Reihe von Beispielen giebt Anwendungen der entwickelten Anschauungen auf verschiedene Constructions-Aufgaben.

1) Man bestimmt die Schnittpunkte des durch die Brennpunkte C_1, $\mathfrak{C}_1$ und die Hauptaxenlänge $A_1 B_1$ gegebenen Kegelschnittes mit einer Geraden g_1, indem man den Kegelschnitt als Orthogonalprojection der Durchdringung des gleichseitigen zur Tafel symmetrischen Rotationskegels vom Mittel-

punkt $\mathfrak{C}_1$ mit einem der beiden gleichseitigen Rotationskegel über dem Kreise aus C_1 und vom Radius $A_1 B_1$ betrachtet; aus der Spur s und Fluchtlinie q' oder der Gegenaxe r_1 der Ebene dieser Durchdringung erhält man die zur Orthogonalprojection g_1 gehörige Centralprojection der gesuchten Schnittpunkte auf dem Kreis, also jene selbst. (Die Fig. 82 enthält das nur für einen Durchmesser und Aehnlichkeitsstrahl.)

2) Für die Kegelschnitte, welche einen gegebenen Brennpunkt haben und durch drei gegebene Punkte gehen, erhält man, durch Combination des Vorigen mit der Lehre von den Aehnlichkeitsaxen von drei Kreisen in § (7), die folgende mit § 36, 15 zu vergleichende Construction: Man beschreibt um die drei gegebenen Peripheriepunkte als Centren und durch den gegebenen Brennpunkt die drei Kreise; die vier Aehnlichkeitsaxen derselben sind die diesem Brennpunkt in den vier möglichen Kegelschnitten zugehörigen Directrixen, die r_1 der Ebenen, welche sie aus dem um den Brennpunkt als Mittelpunkt oder Spitze gebildeten gleichseitigen Rotationskegel ausschneiden.

3) Wenn von einem Kegelschnitt die Bildkreise von dreien seiner Punkte gegeben sind, so erhält man zunächst vier Ebenen durch diese Punkte mit den Aehnlichkeitsaxen der Kreise als Spuren; sodann die vier Paare von Grundkreisen der sich in dem Kegelschnitt im Raum durchdringenden Kegel als die diesen Aehnlichkeitsaxen conjugierten vier Paare Apollonischer Kreise zu den drei gegebenen Kreisen.

4) Die Bestimmung der vier Paare Apollonischer Kreise zu drei Kreisen 1, 2, 3 derselben Ebene ist aber nichts anderes als die Angabe der Bildkreise der gemeinsamen Punkte der Tripel von gleichseitigen Rotationskegeln I und I^*, II und II^*, III und III^*, welche durch diese Kreise 1, 2, 3 resp. gehen; also der Punktepaare

$$I\ II\ III,\quad I\ II\ III^*,\quad I\ II^*\ III,\quad I\ II^*\ III^* \text{ (oder } I^*\ II\ III).$$

Man wird den Kreis 1 zum Distanzkreis oder den Kegel I zum projicierenden machen und so in ihm den Fluchtkreis $\mathbf{Q}'$ aller zu betrachtenden Kegel sowie den Spurkreis $\mathbf{S}_1$ des ersten haben, indess die beiden andern Kreise die Spuren $\mathbf{S}_2$ und $\mathbf{S}_3$ der beiden Kegelpaare zwei und drei sind. Insofern wir dann annehmen, dass die Kegel II und III ihre Spitzen mit der von I auf derselben Seite der Tafel haben, erscheinen ihre Spitzen als in den äussern Aehnlichkeitspunkten der Kreise 1, 2 und 1, 3 resp. projiciert, während die innern Aehnlichkeitspunkte derselben Paare die Bilder der Spitzen der Kegel II^* und III^* oder die Durchstosspunkte der Verbindungslinien ihrer Spitzen mit der Spitze von I oder dem Projectionscentrum sind. Die vier neuen Verbindungslinien dieser Punktepaare sind die Aehnlichkeitsaxen der drei Kreise, nach dem Texte und Fig. 82 sind die Polaren der Bilder der Spitzen der zweiten Kegel im Distanzkreis jeweilen die Fluchtlinien der respectiven Ebenen der Durchdringungskegelschnitte. So sind z. B. die Polaren der bezeichneten äusseren Aehnlichkeitspunkte die Fluchtlinien der Ebenen der Kegelschnitte *I II* und *I III*; ihr Schnittpunkt also, der Pol der äusseren Aehnlichkeitsaxe im Distanzkreis, ist der Fluchtpunkt der Durchschnittslinie beider Ebenen, deren Durchschnittspunkte mit dem Kegel *I*, als die Schnittpunkte ihres Bildes mit dem Distanzkreis 1 projiciert, die gemeinsamen Punkte der Kegel *I, II, III* sind. Wir erhalten also die Mittelpunkte ihrer Bildkreise sofort, wenn wir erinnern, dass der Schnittpunkt der drei Collineationsaxen oder Potenzlinien der gegebenen Kreise in Paaren der gemeinsame Durchstosspunkt der Schnittlinien der Durchdringungsebenen ist. Man findet also genau als den Ausdruck der Bestimmung der fraglichen acht Durchdringungspunkte die Gergonne'sche Construction des Apollonischen Problems; und man übersieht zugleich, dass diese stereometrische Behandlung der Aufgabe keinerlei Schwierigkeiten in Specialfällen zulässt, wie sie bekanntlich bei der planimetrischen Behandlung existieren; sowie dass sie alle Grenzfälle mit Kreisen von verschwindendem oder unendlich grossem Radius unter den gegebenen umfasst. Die nähere Ausführung darf dem Leser überlassen werden.

(36ᵇ.) Die nächste Reihe wichtiger Resultate liefert ein Specialfall. Die Gesammtheit der Bildkreise der Punkte einer zur Tafel symmetrischen gleichseitigen Hyperbel mit zu ihr normaler Hauptaxe, der wir in § (36) als Specialfall begegneten, oder die Gesammtheit der durch zwei reelle Punkte gehenden Kreise, die man auch das Kreisbüschel mit reellen Grundpunkten nennt, verdient eine weitere Untersuchung. Die Grundpunkte oder Kegelspitzen sind zugleich die Scheitel *A, B* der mit ihrer Ebene in die Tafel niedergelegten Hyperbel (Fig. 83 p. 225), und die Endpunkte der zu *AB* parallelen Durchmesser in allen durch sie gehenden also aus Punkten ihrer senkrecht halbierenden Geraden $C_1 O$ beschriebenen Kreisen gehören der Umlegung der Hyperbel an. Für $AB = 2r$ und für x und y als die senkrechten Abstände eines Punktes P dieser Umlegung von den Axen AB und $C_1 O$ ist

$$y^2 = x^2 + r^2 \quad \text{oder} \quad y^2 - x^2 = r^2$$

der Ausdruck dieser Beziehung, die Gleichung der gleichseitigen Hyperbel. (Vergl. § 33, 9.) Da für einen zweiten Punkt P' mit den Abständen x', y'

$$y'^2 = x'^2 + r^2$$

ist, so folgt durch Subtraction $y^2 + x'^2 = y'^2 + x^2$. Wir inter pretieren das, indem wir bemerken, dass die gleichseitige Hyperbel APP'... ebenso wohl durch Umlegung aus der durch die Nebenaxe gehenden Normalebene zur Tafel — wie in der bisherigen Entwickelung — wie auch durch Umlegung aus der Normalebene zur Tafel durch ihre Hauptaxe entstanden gedacht werden kann, und dass im letzten Falle dem Punkte P' der um den Fusspunkt O^* der Normale von P' auf AB mit ihrer Länge $O^* P' = x'$ beschriebene Kreis als Bildkreis entspricht, welcher den Kreis über AB rechtwinklig schneidet, weil $y'^2 = x'^2 + r^2$ ist. Die durch Subtraction erhaltene Relation enthält aber links die Summe der Quadrate der Radien der Bildkreise von P aus $C_1 O$ oder x und von P' aus AB oder y, rechts das Quadrat der Distanz ihrer Centra, spricht also aus, dass jeder Kreis des ersten Systems von jedem Kreise des zweiten rechtwinklig geschnitten wird. Man nennt die Gesammtheit der Kreise des zweiten Systems nach den Bildkreisen der Hyperbelscheitel A und B, welche diese Punkte selbst sind, ein Kreisbüschel mit reellen Grenzpunkten oder Nullkreisen, und in Bezug auf das erste insbesondere das zu ihm conjugierte Büschel. Es wird ebenfalls ein Büschel genannt, weil es mit dem ersten die fundamentalen Eigenschaften (§ 33, 24) gemein hat, dass durch jeden Punkt der Ebene einer seiner Kreise geht und dass jede gerade Linie der Ebene von zweien seiner Kreise berührt wird. Beide sind Kegelschnittbüschel, von deren Grundpunkten zwei, die imaginären Kreispunkte im Unendlichen, imaginär sind; und zwar sind bei dem erstbetrachteten die beiden andern Grundpunkte reell, bei dem zuletzt erhaltenen sind auch sie imaginär, während ihre gerade Verbindungslinie stets reell und die gemeinsame Linie gleicher Potenzen oder die Collineationsaxe der Paare aus den Kreisen des Büschels ist. Zwei Kreise bestimmen das Büschel und die durch dasselbe repräsentierte gleichseitige Hyperbel; die zu ihrer Centrale normalen Durchmesser liefern vier Punkte und die Richtungen der 45⁰ Linien gegen die Centrale die Asymptotenrichtungen der Hyperbel, und die Bestimmung der einen Asymptote nach § 27, 2, 3 u. 7 giebt den Mittelpunkt und die andere Axe der Hyperbel, die Potenzlinie des Büschels.

Wenn wir die Gleichung $y^2 = x^2 + r^2$ oder $y^2 - x^2 = r^2$ und $x^2 - y^2 = - r^2$ in den äquivalenten Formen

$(y + x)(y - x) = r^2$ und $(x + y)(x - y) = -r^2$
schreiben, so sagt sie aus, dass die Centrale des Büschels mit
Grenzpunkten die Kreise derselben in Paaren einer Involution
schneidet, die diese zu Doppelpunkten hat; dass hingegen die
Kreise des Büschels mit Grundpunkten von seiner Centrale in
Paaren einer Involution geschnitten werden, welche im Abstand r vom Mittelpunkt ein symmetrisches Paar enthält.

Wenn man — um eine Anwendung zu geben — zu vier
Tangenten das Büschel der Orthogonalkreise nach § 31, 7 bestimmt, so liefern die Grenzpunkte desselben die Centra der
beiden gleichseitigen Hyperbeln, welche in der durch sie bestimmten Kegelschnittschaar vorkommen.

Wenn überhaupt ein Kreis vom Radius R einen festen
Kreis vom Radius r, mit dem er die Centraldistanz c hat, in
den Endpunkten eines Durchmessers schneidet, so ist nothwendig $R^2 = c^2 + r^2$; wenn beide einander orthogonal schneiden, dagegen $R^2 = c^2 - r^2$ oder die letzte Relation geht in
die erste über durch Vertauschung von r mit ri. Das orthonale
Schneiden eines reellen Kreises mit einem nicht reellen Kreis
vom Radius ri wird ersetzt durch das diametrale Schneiden desselben mit dem zu ihm concentrischen Kreis vom Radius r,
wir wollen sagen durch das diametrale Schneiden mit seinem
Symmetriekreis. (Vergl. § 34, 6.) Eben dieser Uebergang entspricht der Vertauschung der Rollen als Centrale und Potenzlinie zwischen den beiden Axen derselben gleichseitigen Hyperbel
und damit auch, wie wir sehen werden, der Bestimmung derselben und des Büschels durch zwei Kreise, je nachdem dieselben reell oder imaginär sind.

Denkt man in jedem der beiden Fälle die aus der Tafel
aufgerichtete gleichseitige Hyperbel um ihre nun zur Tafel
normale Axe gedreht, bis sie in ihre ursprüngliche Lage zu-
rückkehrt, so beschreibt sie eine zur Tafel orthogonalsymmetrische Oberfläche, die im Falle des Büschels mit Grundpunkten
oder der zur Tafel normalen Axe als Hauptaxe der Hyperbel der
Ort aller der Punkte des Raumes ist, deren Bildkreise den Kreis
über AB als Durchmesser je in den Endpunkten eines Durchmessers oder diametral durchschneiden; während sie im Falle des
Büschels mit Grenzpunkten oder der zur Tafel normalen Axe
als Nebenaxe den Ort derjenigen Punkte bildet, deren Bild-

kreise denselben Kreis rechtwinklig durchschneiden. Man nennt
die erste Gesammtheit von Kreisen der Ebene das Netz mit
Diametralkreis, die zweite das Netz mit Orthogonalkreis, und die beiden durch sie cyklographisch repräsentierten
Oberflächen die Netzhyperboloide, nämlich das zweifache resp. das einfache gleichseitige Rotationshyperboloid. Im ersten System ist offenbar der Kreis über AB
oder vom Radius r der kleinste aller ihm angehörigen reellen
Kreise oder die beiden durch ihn repräsentierten Raumpunkte
sind die der Tafelebene nächsten Punkte der Oberfläche, so
dass diese aus zwei im Endlichen getrennten Theilen besteht;
das zweite System enthält dagegen Kreise von allen Grössen,
und den unendlich kleinen Radien entsprechen insbesondere die
Punkte des Grundkreises r selbst als Nullkreise des Systems.
Dagegen gehört offenbar zu jedem Punkte der Ebene als Mittelpunkt ein Kreis des ersten Systems, indess nur zu denjenigen
Punkten der Ebene reelle Kreise des zweiten Systems gehören,
die nicht vom Grundkreis r eingeschlossen werden; oder die
Orthogonalprojection des zweifachen Hyperboloids bedeckt die
ganze Ebene, die des einfachen nur den vom Grundkreis nicht
umschlossenen Theil derselben. In jedem Falle heisst die zur
Tafel normale Axe der erzeugenden Hyperbel die Axe der
Fläche und die Tafel ihre Hauptebene; im Falle des zweifachen Hyperboloids heissen auch die beiden durch den Grundkreis repräsentierten Punkte die Scheitel der Fläche, wonach
wir diesen Kreis auch als den Scheitelkreis bezeichnen können;
im Falle des einfachen Hyperboloids wird derselbe Kreis auch der
Umriss- oder Kehlkreis desselben genannt. Die Anschauung
lehrt, dass jede solche Fläche rücksichtlich ihrer Hauptebene
orthogonalsymmetrisch mit sich selbst ist, so dass zu
jedem ihrer Punkte ein zweiter Punkt in demselben Perpendikel
zur Hauptebene und in derselben Entfernung von ihr auf ihrer
entgegengesetzten Seite entspricht, beide Punkte aber durch
denselben Kreis des zugehörigen Netzes repräsentiert werden.
Jede solche Fläche wird aber auch, ganz ebenso wie das System der zugehörigen Netzkreise, durch eine beliebige die Axe
enthaltende Ebene in zwei bezüglich dieser orthogonalsymmetrische Hälften getheilt, die den Querschnitt dieser Ebene mit
der Fläche, eine Lage der erzeugenden gleichseitigen Hyperbel,

gemein haben, resp. diejenigen Kreise des Netzes, deren Mittelpunkte in dem zugehörigen Durchmesser des Grundkreises liegen.

Wenn man alle die Kreise denkt, welche von dem festen Kreise
vom Radius r im Durchmesser geschnitten werden, so besteht
zwischen Centraldistanz c und Radius R des unveränderlichen Kreises
mit dem Radius r des festen die Relation $r^2 = c^2 + R^2$. Die Gesammtheit dieser Kreise repräsentiert die sämmtlichen Punkte der
Kugelfläche, von welcher der feste Kreis der Hauptkreis der Tafel
ist. Sie geht für R^2 als negativ aus der des einfachen gleichseitigen Rotationshyperboloids und für r^2 und R^2 als zugleich negativ
aus der des zweifachen gleichseitigen Rotationshyperboloids hervor.

(36ᶜ.) Denken wir nun zwei solche Netze in derselben
Ebene, also die zugehörigen Netzhyperboloide mit derselben Hauptebene, so ist zunächst im Falle einfacher Hyperboloide, oder von Netzen mit reellen Orthogonalkreisen, das
cyklographische Bild ihrer Durchdringung die Gesammtheit der
Kreise, welche diese beiden Orthogonalkreise rechtwinklig durchschneiden, d. h. das conjugierte Büschel zu dem Büschel dieser
Kehlkreise; die Durchdringung selbst ist daher die gleichseitige
zur Tafel orthogonalsymmetrische Hyperbel in der durch die
Potenzlinie der Kehlkreise gehenden Normalebene. Nach dem
Vorigen gilt aber dasselbe Resultat auch für die beiden andern
möglichen Fälle, weil der Diametralkreis im Netz ein imaginärer Orthogonalkreis ist; wir dürfen kurz sagen, zwei Netze
von Kreisen in derselben Ebene haben ein Büschel
und zwei Netzhyperboloide mit derselben Hauptebene eine zu dieser orthogonalsymmetrische gleichseitige Hyperbel gemein, deren Ebene die Potenzlinie
ihrer Orthogonalkreise enthält. Das bezeichnete Büschel ist
immer durch die Grundkreise der Netze als zwei Kreise des
conjugierten Büschels bestimmt; wenn sie reell sind, als die
Gesammtheit der zu ihnen orthogonalen Kreise; wenn beide
Vertreter imaginärer Kreise oder Symmetriekreise sind, als die
Gesammtheit der zu ihnen diametralen Kreise; und für nur
einen als reell als die Gesammtheit der Kreise, die diesen
Kreis orthogonal und den andern diametral durchschneiden.

Wir sehen daraus auch, dass ein Netzhyperboloid von allen
zu seiner Hauptebene normalen Ebenen in tafelsymmetrischen
gleichseitigen Hyperbeln geschnitten wird, oder dass die
Kreise eines Netzes mit einerlei Centrale ein Bü-

schel bilden. Es ist insbesondere ein Büschel mit Grenzpunkten im Falle des Netzes mit reellem Orthogonalkreis, wenn dieser
von der Ebene geschnitten wird; speciell im Falle ihrer Berührung eine lineare Reihe berührender Kreise, deren Berührungspunkt der Punkt des Orthogonalkreises und deren Centrale seine
Tangente ist, das cyklographische Bild des zu einander symmetrischen Paares von 45^0 Linien; woraus wir schliessen, dass das
einfache gleichseitige Rotationshyperboloid zwei
Systeme von 45^0 Linien enthält, die sich in Paaren
in den Tangenten seines Kehlkreises orthogonal projicieren. Und allgemein folgt, dass ein Netzhyperboloid von
einer geraden Linie immer, wie die gleichseitige Hyperbel in
der durch sie gehenden Normalebene zur Hauptebene, in zwei
Punkten geschnitten wird, welche entweder reell und verschieden, oder zusammenfallend oder conjugiert imaginär sind; also
auch, dass jeder ebene Querschnitt eines Netzhyperboloids eine
Curve zweiten Grades oder ein Kegelschnitt ist; man hat dasselbe daher als eine Fläche zweiten Grades zu bezeichnen,
die an Einfachheit der Eigenschaften der Kugel analog ist.

   Wir stellen dem noch eine andere Ueberlegung zur Seite.
Irgend zwei unserer Hyperboloide mit parallelen — nicht blos
mit zusammenfallenden — Hauptebenen haben denselben unendlich fernen Querschnitt, so dass dieser ein Theil ihrer
Durchdringungscurve ist; denn man weiss, dass die Asymptoten einer Hyperbel ihre unendlich fernen Punkte mit dieser
gemein haben, dass daher der unendlich ferne Querschnitt
der durch Rotation von zwei gleichseitigen Hyperbeln um ihre
parallelen Axen entstehenden Hyperboloide von dem eines
gleichseitigen Rotationskegels um eine gleichgerichtete Axe,
den für eine Normalebene zur Axe als Bildebene der Distanzkreis projiciert, nicht verschieden sein kann. Der Querschnitt
eines solchen Hyperboloids mit einer zur Axe parallelen Ebene
hat daher seine unendlich fernen Punkte in den Schnittpunkten
derselben mit diesem unendlich fernen Querschnitt, oder sie
sind central projiciert in den Durchschnittspunkten des Distanzkreises mit demjenigen seiner Durchmesser, welcher die Fluchtlinie der besagten Ebene ist, d. h. sie bilden zwei zu einander
rechtwinklige Richtungen, deren Mittelrichtungen resp. zur
Tafel normal und parallel sind — das schon begründete Re-

sultat. Weil aber zwei beliebige Hyperboloide dieser Art mit
parallelen aber nicht vereinigten Hauptebenen in jeder Ebene
nicht mehr als vier gemeinsame Punkte haben können — nämlich die Schnittpunkte der zugehörigen Querschnitte oder Curven
zweiten Grades — und weil zwei dieser Punkte die zugehörigen
Punkte des gemeinsamen unendlich fernen Querschnittes sind
(oder jene Querschnitte nach § 33, 17 ähnliche und ähnlich
gelegene Kegelschnitte bilden), so fallen nur die zwei andern im
Allgemeinen in's Endliche oder der in's Endliche gehende
Theil der Durchdringung von zwei solchen Hyperboloiden ist immer ein Kegelschnitt. Nach der orthogonalen Symmetrie beider Flächen zur Verbindungsebene ihrer
Axen ist der Kegelschnitt orthogonalsymmetrisch zu dieser Ebene,
d. h. seine Ebene steht normal zu ihr und schneidet sie nach
der einen seiner Axen als ihrer Falllinie gegen die Hauptebene.

1) Wenn die Neigung α der Ebene der Durchdringung von
zwei Netzhyperboloiden mit parallelen Hauptebenen zu diesen grösser
ist als 45⁰, so ist der Kegelschnitt, der sie bildet, eine Hyperbel;
weil seine im Schnitt des Distanzkreises mit der Fluchtlinie der
Ebene projicierten unendlich fernen Punkte reell und verschieden
sind. Für $\alpha = 45^0$ erhält man die Parabel mit dem Berührungspunkt zwischen der Fluchtlinie der Ebene und dem Distanzkreis
als Bild der Axenrichtung; für $\alpha < 45^0$ eine Ellipse.

2) Der Ort der Centra von Kreisen, welche einen festen Kreis
orthogonal resp. diametral und eine gegebene Gerade unter vorgeschriebenem Winkel schneiden, ist ein Kegelschnitt, dessen
eine Axe in dem zur Geraden normalen Durchmesser des Kreises
liegt; im Falle der Berührung mit der Geraden eine Parabel. Der
cosinus des zugehörigen Schnittwinkels giebt die Neigung der Ebene
durch die Gerade an, welche sein Original aus dem durch den
Kreis bestimmten Netzhyperboloid heraus schneidet.

3) Die Potenzlinie zweier Kreise ist die Verbindungslinie ihrer im Endlichen liegenden reellen oder conjugiert imaginären Schnittpunkte, die Axe ihrer centrischen Collineationen (§ 26, 5).
Somit ist die Spur der Ebene des Durchdringungskegelschnittes
zweier Netzhyperboloide mit parallelen Hauptebenen in einer Normalebene ihrer Axen stets die Potenzlinie der zugehörigen Spurkreise derselben im Sinne des Textes.

Denkt man die beiden Kreise als Haupt- und Kehlkreise zweier
einfachen Netzhyperboloide, so ist jeder Punkt der tafelsymmetrischen gleichseitigen Hyperbel, in der sie sich durchdringen, Schnitt
zweier gerader Mantellinien derselben; und da diese 45⁰ Linien
sind und sich als Tangenten der Kehlkreise auf die Tafel orthogonal

projicieren, so erkennt man die Potenzlinie zweier reellen Kreise als den Ort der Punkte, von welchen aus gleichlange Tangenten an dieselben gehen. Die Potenzlinie halbiert also insbesondere die zwischen den Berührungspunkten liegenden Strecken ihrer gemeinsamen Tangenten; die vier Berührungspunkte der äussern, und die vier Berührungspunkte der innern gemeinsamen Tangenten liegen in zwei concentrischen Kreisen.

4) Die Potenzlinien von drei Kreisen K_1, K_2, K_3 derselben Ebene schneiden sich in einem Punkt. Denn der Durchschnitt der Potenzlinien der Paare K_1, K_2 und K_1, K_3 ist der Mittelpunkt eines Kreises, der K_1, K_2, K_3 orthogonal schneidet, und gehört somit wegen der Orthogonalität zu K_2, K_3 auch der Potenzlinie dieser Kreise an. Jener Kreis ist der gemeinsame Kreis der drei Netze, welche K_1, resp. K_2 und K_3 zu ihren Orthogonalkreisen haben, und der Bildkreis der beiden zur Tafel symmetrischen gemeinsamen Punkte der zugehörigen Hyperboloide. Sind diese Punkte nicht reell, so wird sein Symmetriekreis von den gegebenen Kreisen, als reell vorausgesetzt, im Durchmesser geschnitten. Man erörtere die verschiedenen Fälle der Realität und Nicht·Realität der Kreise; etc. Anderseits bestimmen drei Kreise ein Netz; ihr Orthogonalkreis ist sein Orthogonalkreis, der gemeinsame Kreis der Büschel, welche zu den Büscheln aus ihren Paaren conjugiert sind.

5) Wenn drei Kreise durch denselben Punkt gehen, so ist dieser der gemeinsame Punkt ihrer Potenzlinien in Paaren und zugleich der zu ihnen orthogonale Kreis. Man erhält das Netz aller durch diesen Punkt gehenden Kreise der Ebene, die Grenzform zwischen den Netzen mit Orthogonalkreis und den Netzen mit Scheitelkreis. Es ist das cyklographische Bild des zur Tafel symmetrischen gleichseitigen Rotationskegels um diesen Punkt als Spitze und Mittelpunkt, das konische Netz neben den hyperboloidischen.

6) Wenn der Mittelpunkt des Kreises r zum Anfangspunkt rechtwinkliger Coordinaten x, y, z gewählt wird, deren Axe z zur Tafel normal ist, so entstehen für x, y als Coordinaten des Mittelpunkts vom Kreise R und mit z als dritter Coordinate der durch ihn cyklographisch repräsentierten Raumpunkte wegen $c^2 = x^2 + y^2$ aus den Bedingungen des rechtwinkligen resp. diametralen Schnittes mit r in § (36°)

$$x^2 + y^2 - z^2 = r^2, \quad x^2 + y^2 - z^2 = -r^2$$

die Gleichungen des einfachen resp. zweifachen gleichseitigen Rotationshyperboloids.

Aus der Bedingung des Schneidens unter dem Winkel σ für die Kreise r und R d. h. $c^2 = R^2 + r^2 - 2Rr \cos σ$ folgt

$$x^2 + y^2 - z^2 + 2rz \cos φ = r^2,$$

welches durch Ersetzung von z durch $z + r \cos σ$ übergeht in

$$x^2 + y^2 - z^2 = r^2 \sin^2 σ. \quad \text{Vergl. § (36°)}.$$

Die Bedingung des Beispiels im vorigen Art. giebt $x^2 + y^2 + z^2 = r^2$, die Gleichung der Kugel, eigentlich jedoch auch eines Hyperboloids, weil z^2 negativ ist.

Lassen wir durch $c^2 = R^2 + r^2 - 2 R r \cos \sigma$ den Winkel zweier Kreise auch dann definiert sein, wenn sie sich nicht reell schneiden, so ist $\cos \sigma > 1$ und somit $1 - \cos^2 \sigma$ negativ; das Hyperboloid wird ein zweifaches. Seine zur Hauptebene parallelen Schnitte zwischen den Scheiteln sind Kreise mit rein imaginärem Radius $r i$ und man erhält also aus der Grundformel

$$x^2 + y^2 = -r^2 + z^2 - 2 r i z \cos \sigma, \text{ resp. } x^2 + y^2 + z^2 = -r^2 + 2 r z \cos \sigma,$$

wenn man $\cos \sigma$ durch $i \cos \sigma$ ersetzt; durch Verschiebung der Ebene um den Betrag $r \cos \sigma$ wird nun $x^2 + y^2 - z^2 = -r^2 (1 + \cos^2 \sigma)$.

(36ᵈ.) Endlich liefert die Verbindung von zwei Kreisen eines Büschels mit einem beliebigen Kreise des zu ihm conjugierten Büschels noch wichtige Resultate, die wir an Fig. 82 p. 204 anknüpfen können. In derselben bestimmen die Grundkreise $\mathbf{D}$ und $\mathfrak{D}$ ein Büschel von der Potenzlinie s und der Centrale $C_1 \mathfrak{C}_1$; jeder Strahl durch den äussern Aehnlichkeitspunkt M' der Kreise markiert in ihnen Punkte P' und $\mathfrak{P}'$, die einander in der Collineation der Kreise entsprechen und deren Tangenten t' und t' sich in einem Punkte S_t der Axe s schneiden als Radien eines Kreises des conjugierten Büschels, dessen beide andere Schnittpunkte $P^{*'}$ und $\mathfrak{P}^{*'}$ mit den Kreisen $\mathbf{D}$ und $\mathfrak{D}$ ebenfalls in einem äussern Aehnlichkeitsstrahl derselben liegen müssen. Dabei ist das Product der Abschnitte $M' P'$ und $M' \mathfrak{P}'$ unveränderlich für alle Aehnlichkeitsstrahlen und die zugehörigen Kreise S_t, weil M' ein Punkt in der Potenzlinie des conjugierten Büschels ist; mit dem Werthe der Quadratwurzel aus diesem constanten Product kann daher um M' ein Kreis beschrieben werden, der alle Kreise des conjugierten Büschels orthogonal schneidet, also zum Originalbüschel der Kreise $\mathbf{D}, \mathfrak{D}$ gehört.

Und wenn man aus denselben Grundkreisen, aber als Repräsentanten von Punkten auf entgegengesetzten Seiten der Tafel und somit unter Benutzung ihres innern Aehnlichkeitspunktes den Kegelschnitt — im Falle der Fig. 82 eine Ellipse — construiert, so bestimmt der Aehnlichkeitsstrahl durch P' mit t' und S_t denselben Kreis des conjugierten Büschels; oder er enthält auch $\mathfrak{P}^{*'}$, und die Punkte $\mathfrak{P}'$ und $P^{*'}$ liegen in einem zweiten Strahl desselben inneren Aehnlichkeitspunktes. Das Product der von ihm aus gemessenen Abschnitte bis P', $\mathfrak{P}^{*'}$ resp. bis $\mathfrak{P}'$, $P^{*'}$ ist constant, weil der gemeinsamen Potenz

aller Kreise S_i des conjugierten Büschels in einem bestimmten
Punkte seiner Potenzaxe gleich; und der um diesen mit dem
Werthe seiner Quadratwurzel beschriebene Kreis ist, als ortho-
gonal zu allen Kreisen des conjugierten Büschels, der zugehörige
Kreis des Originalbüschels.

Zwei beliebige Kreise derselben Ebene stehen also mit
dem aus einem ihrer Aehnlichkeitspunkte beschriebenen Kreise
ihres Büschels in dem Zusammenhange, dass das Product der
Abschnitte von ihren in der bezüglichen Aehnlichkeit nicht
correspondierenden Punkten eines Aehnlichkeitsstrahles bis zum
Aehnlichkeitspunkt gleich dem Radiusquadrat jenes dritten
Kreises ist; man nennt ihn den äusseren oder innern Potenzkreis der beiden ersten und sein Radiusquadrat die
gemeinschaftliche Potenz beider Kreise in seinem Mittelpunkte oder dem bezüglichen Aehnlichkeitspunkte.

Und wenn man eine gleichseitige Hyperbel und eine ihrer
Axen durch eine gerade Linie schneidet, so ist der zu diesem
Axenschnittpunkt gehörige Kreis des durch sie bestimmten
Büschels mit dieser Axe als Centrale Potenzkreis der beiden zu
den Schnittpunkten mit der Hyperbel gehörigen Kreise desselben
Büschels; und zwar der innere oder äussere, je nachdem der
Schnittpunkt mit der Axe zwischen den Schnittpunkten mit der
Hyperbel liegt oder nicht. Ist die gerade Linie insbesondere
einer Asymptote parallel, so ist die zur Centrale normale Axe
der Hyperbel selbst der endliche Theil vom Bildkreis ihres unendlich fernen Schnittpunktes mit der Hyperbel, die Potenzlinie
vom Bildkreis des anderen Schnittpunktes mit der Hyperbel
und dem zugehörigen Potenzkreis.

Wir betrachten auch diese Correspondenz der Punkte P'
und $\mathfrak{P}'$ eines Aehnlichkeitsstrahles zweier Kreise als eine Abbildung und erkennen, dass die Punkte des zugehörigen Potenzkreises sich selbst entsprechen oder als Originale mit ihren
Bildern zusammenfallen. Weil für den Radius des Potenzkreises
als Längeneinheit die Abstände entsprechender Punkte von
seinem Mittelpunkte das Product Eins haben d. h. zu einander
reciprok sind, so hat man diese Abbildung als die Abbildung
durch reciproke Radien oder als Inversion benannt; der
zugehörige Potenzkreis heisst dann der Grundkreis oder die
Directrix derselben, sein Centrum also, da er als vom Radius

Eins durch dieses allein bestimmt ist, der Anfangspunkt
der reciproken Radien. Wir haben in Fig. 83 den äussern
Potenzkreis P markiert in dem Büschel mit Grundpunkten aus
den Bildkreisen für P und P', die Directrix dieser Kreise als einander entsprechend. Man sieht, in der Abbildung durch reciproke
Radien entspricht einem Kreise, der den Anfangspunkt
derselben nicht enthält, stets wieder ein Kreis, nämlich derjenige Kreis des durch ihn und den Grundkreis bestimmten Büschels, der mit ihm den Anfangspunkt zum Aehnlichkeitspunkt hat; einem durch den Anfangspunkt gehenden
Kreise entspricht dagegen seine Potenzlinie mit dem
Grundkreis. Irgend zwei Punkte entsprechen einander vertauschbar oder die Verwandtschaft der Inversion ist
involutorisch; denn sie sind entsprechend, wenn sie in demselben Aehnlichkeitsstrahle so liegen, dass das Product der Abstände vom zugehörigen Aehnlichkeitspunkt dem Radiusquadrat
des Grundkreises gleich ist — oder wenn sie potenzhaltend
sind. Wenn zwei Kreise und ein Punkt gegeben sind, so bestimmt man den mit ihm potenzhaltenden Punkt auf einem bestimmten durch ihn gehenden Aehnlichkeitsstrahl derselben als
seinen zweiten Schnittpunkt mit dem durch ihn gehenden Kreis
des zu dem der Kreise conjugierten Büschels. Die Kreise dieses
conjugierten Büschels, die auch zu dem Potenz- oder Directrixkreis der reciproken Radien orthogonal sind, entsprechen somit
sich selbst so, dass jedem ihrer Punkte der andere Punkt desselben Kreises entspricht, der mit ihm auf demselben Radius der
Directrix liegt. Denkt man aber irgend zwei Paare potenzhal-
tender oder entsprechender Punkte auf verschiedenen Aehnlichkeitsstrahlen, so liegen auch sie auf einem sich selbst entsprechenden Kreis, der in den Punkten der ihn berührenden Aehnlichkeitsstrahlen den Directrixkreis orthogonal schneidet und,
wie leicht zu sehen, mit den Grundkreisen gleiche Winkel bildet.
Die Gesammtheit der sich selbst entsprechenden
oder zwei gegebene Kreise gleichwinklig schneidenden Kreise setzt sich also zusammen aus den
Kreisen der zwei Netze, welche zu den Potenzkrei-
sen der gegebenen als Orthogonalkreisen gehören.

Denkt man die potenzhaltenden Punkte als zwei Paare
entsprechender und unendlich nahe benachbarter auf den ge-

gebenen Kreisen, so berührt der sie enthaltende sich selbst entsprechende Kreis die beiden gegebenen Kreise, d. h. ist ein Kreis
von dem System des Kegelschnitts, der mit Benutzung des bezüglichen Aehnlichkeitspunktes aus jenen abgeleitet wird (p. 205
§ (36ᵃ), Fig. 82). Die Bildkreise der Punkte eines Kegelschnittes sind also orthogonal zu demjenigen Potenzkreis ihrer Grundkreise, der dem bei der Construction benutzten Aehnlichkeitspunkt entspricht; das
bezügliche Netzhyperboloid geht durch den entsprechenden
Kegelschnitt im Raum, in welchem sich auch die gleichseitigen
Rotationskegel über den Grundkreisen durchdringen, und für
welche der bezeichnete Aehnlichkeitspunkt der Durchstosspunkt
der Verbindungslinie der Spitzen in der Basisebene ist.

1) Wenn die in einer Verwandtschaft oder Abbildung nach reciproken Radien einander entsprechenden Punkte auf entgegengesetzten
Seiten des Anfangspunktes liegen, so ist der Directrixkreis als
imaginär anzusehen und wird wie in § 34, 6 durch seinen Symmetriekreis vertreten — wie es die Anschauung der gleichseitigen Hyperbel lehrt, wenn ihre Hauptaxe die Centrale ist. Zwei
entsprechende Kreise haben reelle Directrixen für beide Aehnlichkeitspunkte, wenn sie sich schneiden; sie haben reelle Directrix
für den äusseren Aehnlichkeitspunkt, wenn sie einander ausschliessen,
und reelle Directrix für den innern Aehnlichkeitspunkt, wenn der
eine den andern umschliesst. Die zugehörigen Netze der gleichwinklig schneidenden sind darnach Netze mit Orthogonalkreis im
Falle der Realität, sonst Netze mit Diametralkreis; die Kegelschnitte
liegen auf einfachem resp. zweifachem Hyperboloid; etc.

2) Dieselben Ergebnisse können als Eigenschaften der elliptischen resp. der hyperbolischen Involution ausgesprochen werden;
in einer elliptischen existiert z. B. nicht nur zu zwei beliebigen
Paaren ein drittes Paar, welches mit beiden zugleich harmonisch
ist (vergl. § 31, 15), sondern auch für jedes Element dieses Paares
ein zu ihm symmetrisches Paar; etc.

3) Entsprechende Winkel in Figuren einer Abbildung nach reciproken Radien sind gleich gross.

4) Die beiden Potenzkreise eines Paares von Kreisen halbieren die von diesen Kreisen gebildeten Winkel
und stehen auf einander rechtwinklig — natürlich, wenn sie reell
sind, sonst mit den nach § (36ᵇ) erforderlichen Modificationen.

5) Es ist die Construction der Kreise auszuführen, welche drei
gegebene Paare von Kreisen in einer Ebene resp. unter gleichen
Winkeln schneiden; insbesondere die der Kreise, welche gleichwinklig sind zu einem Paar und zu einem Tripel von Kreisen.

6) Zu drei Kreisen derselben Ebene gehören vier Büschel gleich-

winklig schneidender Kreise, welche ihre Aehnlichkeitsaxen einzeln enthalten; vier Kreise derselben Ebene liefern acht Kreise, welche sie gleichwinklig schneiden.

7) In einem Büschel giebt es für einen seiner Kreise als Grundkreis unendlich viele Paare von Kreisen, die einander nach reciproken Radien entsprechen, nach den durch den Mittelpunkt des Grundkreises gehenden Sekanten der Hyperbel; für die beiden den Asymptoten parallelen unter ihnen erscheint als der eine Kreis des Paares die Potenzlinie.

In einem Netze giebt es für einen seiner Kreise als Grundkreis zweifach unendlich viele d. i. ∞^2 Paare von Kreisen, die einander nach reciproken Radien entsprechen. Zweimal im vorigen Falle und einfach unendlich oft hier kommt es vor, dass die beiden Kreise sich decken. Welche Punkte der Büschel-Hyperbel resp. des Netz-Hyperboloids sind dadurch bezeichnet?

8) Betrachtet man den Grundkreis und zwei einander entsprechende Kreise als Diametralkreise von Kugeln, so entsprechen die beiden letzten einander nach reciproken Radien für die erste als Grund- oder Directrixkugel; alle drei haben dieselbe Potenzebene in der Normalebene der Tafel durch die Potenzlinie der drei Kreise d. h. sie bilden ein Büschel. Einer Kugel, die den Anfangspunkt enthält, entspricht ihre Potenzebene mit der Directrixkugel; entsprechende Winkel in Figuren, die nach reciproken Radien verwandt sind, sind gleich gross. Sich selbst entsprechende Kugeln schneiden die Directrixkugel orthogonal. Die gleichwinklig schneidenden Kugeln zu zwei gegebenen sind orthogonal zu der einen oder der andern ihrer Potenzkugeln; etc.

9) Wenn von drei Kugeln die zweite aus der ersten und die dritte aus der zweiten durch reciproke Radien abgeleitet wurde, so kann auch die dritte aus der ersten direct durch reciproke Radien erhalten werden. Denn in der Centralebene der drei Kugeln bestimmen ihre Schnittkreise ein Netz, und durch das zugehörige Netzhyperboloid erhält man die Directrixen für den Uebergang von 1 zu 2 und von 2 zu 3 ebenso, wie für den directen Uebergang von 1 zu 3. Man erweitert den Satz ohne Schwierigkeit auf beliebige entsprechende Figuren und auf beliebige viele successive Abbildungen durch reciproke Radien.

10) Den Kreisen und überhaupt den Figuren einer Ebene entsprechen die Kreise und Figuren auf einer Kugelfläche mit Gleichheit der entsprechenden Winkel oder mit Aehnlichkeit in den kleinsten entsprechenden Theilen — wie man auch sagt conform — für einen Endpunkt des zur Ebene normalen Durchmessers der Kugel als Centrum und die um ihn beschriebene Kugel, welche die Ebene zu ihrer Potenzebene mit der gegebenen Kugel hat, als Directrix reciproker Radien. Es ist die von Hipparch für die Zwecke der Astronomie erfundene stereographische Projection. Alle unsere Entwickelungen sind so auf die Kugel übertragbar.

11) Der Ort der Centra von Kreisen, welche zwei feste Kreise gleichwinklig schneiden und einen dritten festen Kreis berühren, besteht aus vier Kegelschnitten. Wie sind sie zu construieren? Wann degenerieren sie in gerade Linien?

12) Wenn man die Gesammtheit der eine Kugel orthogonal (resp. diametral) schneidenden Kugeln ein Netz nennt, so wird die Schaar der Kugeln, die zwei gegebene Kugeln unter gleichen Winkeln schneiden, durch zwei Netze gebildet, die zu den beiden Potenzkugeln der gegebenen als Orthogonalkugeln gehören. Man erläutere die Gesammtheiten von Kugeln, welche zu zwei Paaren, zu drei Paaren und die Construction der sechszehn Kugeln, welche zu vier Paaren gegebener Kugeln gleichwinklig sind; endlich die der Kugeln, welche fünf gegebene gleichwinklig schneiden.

(36°.) Nachdem Kreisbüschel und Kreisnetze als Hauptanschauungen des betretenen Untersuchungsgebietes hervorgetreten sind, widmen wir ihnen eine für jetzt letzte Erörterung im Anschluss an die vervollständigte Figur 83. Wir haben in ihr die gleichseitige Hyperbel von den Scheiteln A, B und die Punkte P oder (x, y) und P' oder (x', y') nebst den dem letzten entsprechenden Kreisen ihrer beiden conjugierten Büschel, überdies aber als die Bildkreise des Punktes P in Bezug auf die durch P' normal zu der Axe x resp. der Axe α gelegten Ebenen, die Kreise von den Mittelpunkten N resp. N^*. Bestimmen wir nun die Winkel σ und σ^*, unter welchen die Bildkreise von P aus N resp. N^* die als fest betrachteten Kreise durch P' aus O resp. aus O^* durchschneiden, — nach der Definition von § (36c), 6, wonach der cosinus der Quotient ist aus der um das Quadrat der Centraldistanz der Kreise verminderten Summe der Quadrate ihrer Radien durch das doppelte Product ihrer Radien, — so ergiebt sich, dass dieselben für alle Punkte der Hyperbel constant sind. Denn die Centraldistanz zwischen den Kreisen aus O und N von den Radien x' und $(y' - y)$ ist x und die zwischen den Kreisen aus O^* und N^* mit den Radien y' und $(x' - x)$ ist y, so dass man nach der erinnerten Definition erhält resp.

$$\cos \sigma = \frac{x'^2 + (y' - y)^2 - x^2}{2\,x'\,(y' - y)}, \quad \cos \sigma^* = \frac{y'^2 + (x' - x)^2 - y^2}{2\,y'\,(x' - x)}.$$

Daraus wird, weil für P und P' als Punkte derselben gleichseitigen Hyperbel AP (Fig. 83) von der reellen Halbaxe r

$x^2 + r^2 = y^2$, $x'^2 + r^2 = y'^2$ und somit $x'^2 - x^2 = y'^2 - y^2$ ist,

$$\cos \dot{\sigma} = \frac{y'}{x'}, \quad \cos \sigma^* = \frac{x'}{y'};$$

die Winkel σ, σ^* sind unabhängig von der Lage von P in der Hyperbel, also constant, und ihre cosinus sind reciprok.

Nach der vorher betrachteten Entstehung der gleichseitigen Hyperbel ist aber der Winkel OAT, unter welchem die Strecke vom Fusspunkt der Ordinate eines Hyperbelpunktes in der Nebenaxe bis zum Fusspunkt seiner Tangente in derselben vom Scheitel aus erscheinen, ein rechter Winkel. Man hat also auch

Fig. 83.

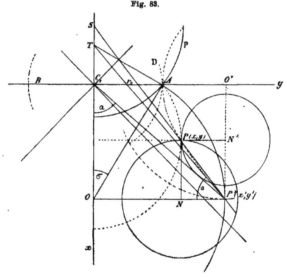

$$y' : x' = C_1O : OP' = C_1O : OA = OA : OT = OP' : OT,$$

oder, für α als den Winkel, den die Tangente der gleichseitigen Hyperbel in P' mit ihrer Hauptaxe bildet,

$\cos \sigma = \cot \alpha$ (vergl. § (7)) und $\cos \sigma^* = \cot (90^0 - \alpha)$.

Hierin liegen die bequemen Mittel zur Construction bei gegebenem Schnittwinkel und Grundkreis, wie nicht näher auszuführen nöthig scheint.

Wir sehen, dass die gleichseitige Hyperbel, deren Axen zur Tafel parallel und resp. rechtwinklig liegen, der Ort von Punkten ist, deren Bildkreise in jener den über der Sehne

zwischen ihren Schnittpunkten mit der Tafel als Durchmesser
beschriebenen Kreis unter constantem Winkel schneiden; also
auch weiter, dass die schon in § (36ᵇ) betrachteten
Oberflächen, die aus der Rotation der Hyperbel um
ihre zur Tafel normale Axe entstehen, die Orte aller
der Punkte sind, deren Bildkreise jenen festen Kreis,
den Spurkreis der bezüglichen Fläche in der Tafel,
unter constantem Winkel schneiden. Nach der Figur
ist α stets grösser als 45⁰, also cotan $\alpha < 1$ und σ somit reell
für die Nebenaxe der Hyperbel als normal zur Bildebene und
das einfache Hyperboloid; dagegen ist α stets kleiner als 45⁰,
cotan $\alpha > 1$ und σ nicht reell für die Hauptaxe der Hyperbel
und das zweifache Hyperboloid; offenbar kann bei diesem auch
der Spurkreis imaginär werden, und lässt man ihn durch seinen
Symmetriekreis vertreten sein, so findet man leicht, dass die
Gesammtheit dieser Symmetriekreise, reell im Raume gedacht,
die Scheitelberührungskugel des Hyperboloids bildet.

Die Uebergangsform der Hyperbel als rechtwinkliges Linienpaar mit den zugehörigen Halbierungslinien als Axen liefert
den gleichseitigen Rotationskegel mit zur Tafel normaler Axe
und das System der Kreise, die seinen Spurkreis berühren;
$\sigma = 0^0$ oder 180⁰ weil $\alpha = 45^0$ wegen cotan $\alpha = \cos \sigma = 1$.

Es ergiebt sich leicht der Zusammenhang auch dieser Systeme der gleichwinkligen Kreise mit unserer Theorie der Kegelschnitte aus Kreissystemen in § (36) folg. und damit zugleich
der cyklographische Beweis für ein Hauptresultat des § (36ᶜ).
Durch den Kegelschnitt als Durchdringung zweier parallelaxiger
gleichseitiger Rotationskegel sahen wir ein zur Ebene ihrer
Spurkreise als Hauptebene gehöriges Netzhyperboloid hindurchgehen, mit der Tafelnormale im Durchstosspunkt der Verbindungslinie der Kegelspitzen als Axe. Wenn durch eine sich selbst
parallele Verschiebung der Tafel, wie in § (36ᵃ) die Radien der
Basiskreise der Kegel und die der Bildkreise des Kegelschnittes
sich um den Betrag der Verschiebung ändern, so ändert sich das
zugehörige Netzhyperboloid, in der Art, dass sein Mittelpunkt der
nunmehrige Durchstosspunkt der Verbindungslinie der Spitzen,
der Aehnlichkeitspunkt der neuen Spurkreise, und sein Spurkreis
der zugehörige Potenzkreis derselben wird. Durch den Kegelschnitt gehen also unendlich viele gleichseitige

Rotationshyperboloide, nämlich eines für jede Ebene von der Stellung der Tafel als Hauptebene, mit der geraden Verbindungslinie der Kegelspitzen als Ort ihrer Mittelpunkte. Alle diese Hyperboloide haben mit einander dieselbe Durchdringungscurve gemein, nämlich den unendlich fernen Querschnitt und den Kegelschnitt, den irgend zwei von ihnen bestimmen; man nennt ihre Gesammtheit ein Büschel, durch jeden Punkt des Raumes geht eines von ihnen. Zwei unter ihnen können Kegel sein und diese trennen dann die einfachen Hyperboloide unter ihnen von den zweifachen; zwei bilden ein Paar von Ebenen (eine die unendlich ferne) und dieses gehört zu den zweifachen Hyperboloiden, wenn die Neigung α der Kegelschnittebene zur Grundebene oder Tafel unter 45° ist, es gehört zu den einfachen Hyperboloiden, wenn der Winkel α grösser ist als 45° und ist ein Kegel für $\alpha = 45°$. In jedem Falle ist der zugehörige Mittelpunkt unendlich fern und damit die Vertheilung der Mittelpunkte der einfachen und zweifachen Hyperboloide auf ihrer Geraden vollkommen festgestellt. Eine bestimmte Lage der Tafel-Ebene schneidet aus diesem Büschel von Hyperboloiden ein Büschel der Spurkreise aus, zu welchem die Spur der Ebene des Durchdringungskegel- schnittes als der von unendlich grossem Radius gehört. Das Bildkreissystem des Kegelschnittes in derselben schnei- det den Kehlkreis des Hyperboloids im Büschel, das seinen Mittelpunkt in dieser Tafelebene hat, orthogonal — wenn es ein zweifaches ist, seinen Scheitelkreis diametral —, es schneidet die Spur der Ebene unter einem constanten Winkel σ_e mit cos σ_e — cotan α und die Spur jedes andern der Hyperboloide d. h. jeden andern Kreis in dem durch beide vorige bestimmten Bü- schel, unter einem zugehörigen constanten Winkel, dessen cosi- nus mit der cotangente des Winkels übereinstimmt, unter wel- chem ein durch die Axe geführter Querschnitt des Hyperboloids die Tafel schneidet. Wenn die die Axen der Hyperboloide ent- haltende Ebene die Hauptaxe des Kegelschnittes enthält, so ent- hält das Büschel der Hyperboloide zwei reelle Kegel, — von denen im Falle der Parabel einer in ihre Ebene übergeht — und das Kreisbüschel der Spuren zwei Kreise, welche von dem Bildkreis- system des Kegelschnittes berührt werden. Die darstellend geo- metrische Behandlung dieser Flächen, die im Allgemeinen dem

15*

zweiten Theile dieses Werkes vorbehalten bleibt, liefert mannigfache Mittel zur Construction der Kegelschnitte aus ihren
Bildkreis-Systemen und zur Lösung von Problemen über die
Bestimmung von Kreisen aus Bedingungen.

1) Wenn die Hauptebene eines gleichseitigen Rotationshyperboloids die Distanz d von der Tafel hat, so ist für zwei concentrische Kreise des Bildkreissystems seiner Punkte, die also den
Spurkreis unter dem durch cotan $\alpha =$ cos σ bestimmten constanten
Winkel schneiden, die Radiendifferenz constant gleich $2\,d$.

2) Die Orthogonalprojectionen der Kehlkreise der unendlich
vielen einfachen Rotationshyperboloide, die durch einen Kegelschnitt
gehen, auf die Tafelebene bilden ein System doppelt berührender Kreise für die Projection des Kegelschnittes, da
sie dieselbe in der Projection der Durchschnittslinie seiner Ebene
mit der Ebene des Kehlkreises in zwei reellen oder nicht reellen
Punkten treffen, ohne von ihr geschnitten werden zu können. Ein
Specialfall definiert: Die Brennpunkte sind doppelt berührende Kreise
vom Radius Null, mit nicht reellen Berührungen in den zugehörigen
Directrixen.

3) Denkt man zwei bestimmte unter den Hyperboloiden von
2) und betrachtet einen Punkt ihrer Durchdringung als Schnitt
zweier geraden Mantellinien derselben, so erkennt man, weil diese
45⁰-Linien zur Tafel sind, dass für die Projectionen der
Punkte des Durchdringungskegelschnittes zwischen
ihren Hauptebenen die Summe und für die übrigen die
Differenz der Längen der Tangenten bis zu den Projectionen ihrer Kehlkreise constant ist, nämlich gleich
dem Abstande der Kehlkreisebenen. Vergl. § (36ᶜ), 3. Die
nähere Discussion muss vorbehalten bleiben.

4) Drei Kegelschnitte, die den nämlichen Kreis doppelt berühren, können als Orthogonalprojectionen von drei Paaren
tafelsymmetrischer Querschnitte desselben einfachen Netzhyperboloides betrachtet werden. Da ihre Ebenen vier dreiseitige Ecken mit
demselben Spurendreieck bilden, und die Orthogonalprojectionen
ihrer Kanten Durchschnittssehnen der Kegelschnitte in der Tafel
sind, so gehen diese viermal zu dreien durch einen Punkt und
diese vier Punkte liegen in Paaren in sechs Geraden durch die
Ecken jenes Spurendreiecks; etc.

5) Zwei beliebige Kugeln durchdringen sich im Endlichen, wenn sie sich treffen, in einem Kreis. Sie haben ausser
ihm den Querschnitt mit der unendlich fernen Ebene gemein; da
nämlich alle ihre ebenen Querschnitte Paare von Kreisen sind, Kegelschnitte also, die durch die imaginären Kreispunkte ihrer Ebenen
gehen (§ 31, 8), so sind die imaginären Kreispunkte auf allen
Ebenen des Raumes ihnen wie allen Kugeln desselben gemein, oder

ihre Gesammtheit bildet den Querschnitt der unendlich fernen Ebene
mit allen Kugeln des Raumes. Wir werden denselben als den unendlich fernen nicht reellen Kreis aller Kugeln oder, weil
er die Basis der geometrischen Maassbestimmungen ist, als den absoluten Kreis oder das Absolute im Raum bezeichnen.

Ueberblick. In dem hier schliessenden Abschnitt haben
wir in den ersten Artikeln (24 bis 26) die Kegelschnitte als
Centralprojectionen des Kreises eingeführt und später noch
wiederholt Gebrauch von dieser Auffassungsweise gemacht, oder
sie doch in Beziehung zu den weiterhin entwickelten Theorien
gesetzt (§ 28, 12; § 36). Es wird am Platze sein, sich Rechen-
schaft darüber zu geben, inwieweit und ob dies überall zulässig
ist, d. h. inwieweit unsere Theorie der Kegelschnitte zugleich eine Theorie der über ihnen stehenden oder sie aus
irgend einem Centrum projicierenden Kegel ist. Die projicierenden Linien ihrer Punkte sind dabei die Mantellinien des
projicierenden Kegels und die projicierenden Ebenen der zugehörigen Tangenten die Tangentialebenen desselben, d. h.
Ebenen, welche ihn in zwei unendlich nahe benachbarten Mantellinien durchschneiden. Dabei sind die in § 16 erörterten
Uebertragungen der Doppelverhältnisswerthe, und damit der
Doppelverhältnissgleichheit, von den Reihen auf ihre projicirenden Strahlbüschel und von den Strahlbüscheln auf ihre projicierenden Ebenenbüschel maassgebend.

Damit liefern aber die Sätze des § 24 für jeden projicirenden Kegel eines Kreises, oder, wie wir sagen wollen, für
jeden allgemeinen Kreiskegel die folgenden:

Die Ebenen von vier festen Mantellinien nach einer beliebigen fünften Mantellinie desselben bilden ein Ebenenbüschel von unveränderlichem Doppelverhältniss.	Die Schnittlinien von vier festen Tangentialebenen mit einer fünften Tangentialebene desselben bilden ein Strahlenbüschel von unveränderlichem Doppelverhältniss.

Und das Doppelverhältniss von vier festen Mantellinien eines Kreiskegels ist dem Doppelverhältniss
ihrer Tangentialebenen gleich. Aus § 25 folgt ebenso:

Der Ort der Schnittlinien aller entsprechenden Ebenenpaare von zwei projectivischen	Die Enveloppe der Verbindungsebenen aller entsprechenden Strahlenpaare von zwei pro-

Ebenenbüscheln mit sich schneidenden Scheitelkanten ist eine durch die Scheitelkanten gehende Kegelfläche, welche mit jeder durch den Schnittpunkt der Scheitelkanten gehenden Ebene nur zwei Mantellinien gemeinsam hat; nämlich die sich selbst entsprechenden Strahlen der beiden aus den erzeugenden Ebenenbüscheln durch sie ausgeschnittenen projectivischen Strahlenbüschel (§ 29). Sie heisst daher eine **Kegelfläche zweiter Ordnung und ist durch fünf Mantellinien bestimmt, von denen keine drei in einer Ebene liegen.** Die der gemeinsamen oder Scheitelkantenebene der erzeugenden Büschel entsprechenden Ebenen berühren die Kegelfläche in den Scheitelkanten respective.

Man erhält dieselbe Kegelfläche, welche zwei der fünf Mantellinien man auch zu Trägern der erzeugenden Ebenenbüschel wählt; denn man hat als eine Form ihrer Construction den Satz vom **Pascal'schen Sechskant**: Sechs Mantellinien eines Kegels zweiter Ordnung bilden in jeder Folge ein Sechskant, für welches die Schnittlinien seiner Gegenflächenpaare in einer Ebene liegen.

Liegen drei der Mantellinien

jectivischen Strahlenbüscheln mit einerlei Scheitel aber in verschiedenen Ebenen ist eine diese Ebenen berührende Kegelfläche, an welche durch jede den gemeinsamen Scheitel enthaltende Gerade nur zwei Tangentialebenen gehen; nämlich die sich selbst entsprechenden Ebenen der beiden aus ihr über den erzeugenden Strahlenbüscheln gebildeten projectivischen Ebenenbüscheln (§ 29). Sie heisst daher eine **Kegelfläche zweiter Classe und ist durch fünf Tangentialebenen bestimmt, von denen keine drei durch eine Gerade gehen.** Die dem gemeinsamen Strahl beider Büschel entsprechenden Strahlen sind die Mantellinien, nach welchen die Ebenen der Büschel den Kegel berühren.

Man erhält dieselbe Kegelfläche, welche zwei der fünf Tangentialebenen man auch zu Trägern der erzeugenden Strahlenbüschel wählt; denn eine Form ihrer Construction ist der **Satz vom Brianchon'schen Sechsflach**: Sechs Tangentialebenen eines Kegels zweiter Ordnung bilden in jeder Folge ein Sechsflach, für welches die Verbindungsebenen seiner Gegenkantenpaare durch eine Gerade gehen.

Gehen drei der Tangential-

in einer Ebene, so sind die an den beiden übrigen gebildeten Ebenenbüschel in perspectivischer Lage, und der erzeugte Kegel degeneriert in zwei Ebenen — die der Scheitelkanten und die des perspectivischen Durchschnittes.

ebenen durch eine Gerade, so sind die in den beiden übrigen gebildeten Strahlenbüschel in perspectivischer Lage, und der erzeugte Kegel degeneriert in zwei sich schneidende Gerade — die Schnittlinie der beiden letzten Ebenen und die der drei ersten.

Analog, wenn die erzeugenden Büschel singulär sind im Sinne von § 22. Man sieht, dass zwei Punkte eine Curve zweiter Classe und zwei Ebenen einen Kegel zweiter Ordnung bilden, während zwei sich schneidende Gerade ebensowohl eine Curve zweiter Ordnung als einen Kegel zweiter Classe bilden, jenes als Reihen von Punkten, dieses als Axen von Ebenenbüscheln. Mit Ausnahme dieser Degenerationsfälle ist nach § 28, 10 jeder Kegel zweiter Ordnung auch ein Kegel zweiter Classe; man nennt solche Kegel zusammenfassend Kegel zweiten Grades.

Nach § 30 bilden die Paare von Mantellinien eines Kegels zweiter Ordnung auf den Ebenen durch einen Strahl aus seinem Centrum oder seiner Spitze eine Involution, und die Paare der zugehörigen Tangentialebenen schneiden sich in geraden Linien einer Ebene oder in den Strahlen eines Büschels, und umgekehrt; wir nennen jenen Strahl den Polstrahl und diese Ebene die Polarebene der Involution oder kurz Pol und Polare. Die Kegelfläche zweiten Grades ordnet jeder Ebene durch ihr Centrum einen Polstrahl und jedem Strahl durch dasselbe eine Polarebene zu. Eine Kegelfläche zweiten Grades ist für jeden Strahl durch ihr Centrum als Centralstrahl und seine Polarebene als Collineationsebene mit sich selbst in involutorischer Centralcollineation und ebenso für jede durch ihr Centrum gehende Ebene als Collineationsebene und ihren Polstrahl als Centralstrahl. Die Polarebenen aller Strahlen in einer Ebene gehen durch den Polstrahl dieser Ebene, und die Polstrahlen aller Ebenen durch einen Strahl liegen in der Polarebene dieses Strahls. In Bezug auf einen Kegel zweiten Grades ordnen sich alle Strahlen eines ebenen Strahlenbüschels aus seinem Centrum in Paare so, dass immer der eine Strahl des Paares in der Polarebene des andern liegt; damit sind zugleich die Ebenen durch den Polstrahl der Ebene dieses Büschels so in Paare geordnet, dass immer die eine Ebene des Paares durch den Polstrahl der andern geht. Beide Systeme von einfach unendlich vielen Paaren sind Involutionen, die erste die **Involution harmonischer Polstrahlen in einer Ebene durch das Centrum, die zweite die Involution harmonischer Polarebenen um einen Strahl aus dem Centrum; sie sind in perspectivischer Lage, wenn jene Ebene die Polarebene dieses Strahles ist.** Die Doppelstrahlen der ersten liegen in den Doppelebenen der zweiten und sind die Berührungsmantellinien zu diesen Tangentialebenen (§ 32). Ein Strahl als Polstrahl, seine Polarebene und die Involution in dieser oder um jenen bestimmen mit einer Mantellinie oder einer Tangentialebene durch ihren Schnittpunkt alle andern Mantellinien resp. Tangentialebenen des Kegels (§ 32, 13); auch eine Involution harmonischer Polstrahlen und drei Mantellinien durch ihr Centrum, resp. zwei Involutionen harmonischer Polstrahlen und eine Mantellinie durch ihr gemeinsames Centrum bestimmen einen Kegel zweiten Grades; ebenso anderseits eine Involution harmonischer Polarebenen und drei Tangentialebenen aus einem Punkt ihrer Scheitelkante, resp. zwei Involutionen harmonischer Polarebenen und eine Tangentialebene durch den Schnittpunkt ihrer Scheitelkanten. Mit der Variation einer Mantellinie unter den Daten in den ersten Fällen erhält man **Büschel von Kegeln zweiter Ordnung** und mit der Variation einer Tangentialebene unter den Daten in den letzten **Fällen Schaaren von Kegeln zweiter Classe** — ganz analog der Uebersicht in § 33, 24 für die Kegelschnitte. Auch die zweideutigen und vierdeutigen Bestimmungen der Kegelschnitte in § 33, 21 und 22 gehen in derselben Weise auf die Kegel zweiten Grades über. Den Büscheln und Schaaren der Kegel zweiten Grades entsprechen Involutionseigenschaften ihrer Schnitte in Ebenen durch das gemeinsame Centrum und ihrer Tangentialebenen durch Strahlen aus demselben nach § 25 und, bezüglich der in ihnen auftretenden je drei degenerierten Kegel, Sätze und Constructionen über das vollständige Vierkant und resp. Vierflach analog § 25, 5.

Es ist evident, dass in einer Centralcollineation im

Bündel, die immer durch den Centralstrahl, die Collineationsebene und ihre Charakteristik $\varDelta$ bestimmt werden kann, einem Kegel zweiten Grades wieder ein Kegel zweiten Grades entspricht; ebenso, dass zwei concentrische Kegel zweiten Grades, wie in § 26 zwei Kegelschnitte, auf zwölf oder auf vier Arten centralcollinear mit einander sind. Wenn der Centralstrahl dem einen Kegel angehört, so gehört er auch zum andern, und beide Kegel haben längs desselben die nämliche Tangentialebene (§ 32, 18). Geht überdies die Collineationsebene durch den Centralstrahl (§ 19, 8), so fällt von den zwei übrigen gemeinsamen Mantellinien beider Kegel noch eine mit dem Centralstrahl zusammen und sie haben ausser ihm nur noch eine reelle Mantellinie gemein; man sagt sie berühren einander längs des Centralstrahles in der zweiten Ordnung oder sie sind in Osculation mit einander (§ 35). Der osculierende Kegel zweiten Grades zu einem gegebenen für eine gegebene Mantellinie desselben ist durch zwei andere Mantellinien bestimmt; etc.

Wir wissen schon, dass die Mittelpunkts- und Brennpunktseigenschaften der Kegelschnitte im Allgemeinen nicht projectivisch sind und sich also auch nicht auf ihre projicierenden Kegel übertragen; insbesondere versagt die Untersuchung des § 33 der projectivischen Erweiterung, weil es im Bündel unendlich ferne Elemente nicht giebt. Wir werden im zweiten Bande dieses Werkes die drei Hauptaxen und Hauptebenen der Kegel zweiten Grades sowie ihre Kreisschnitt-Ebenen mit denen der Flächen zweiten Grades überhaupt kennen lernen; und im dritten Bande auch die Analoga der Brennpunkte und Directrixen, die Focalstrahlen und ihre Polarebenen allgemein construieren, indem wir diese sämmtlichen ausgezeichneten Elemente aus dem durch den Kegel bestimmten und ihn in allen Fällen vertretenden Polarsystem definieren. Diese Betrachtung umfasst auch die Kegelschnitte in reellen Ebenen und die Kegel zweiten Grades an reellen Scheiteln, welche selbst nicht reell sind. (Vergl. § 34, 4—6.)

Hier ist zu bemerken, dass der gerade Kreiskegel (§ 33, 13) als Original der Centralcollineation für seine Axe als Centralstrahl auf die reellen Focalstrahlen und ihre Directrixebenen führt. Denn die rectanguläre Involution harmonischer Polarebenen um seine Axe ist dann die Polarinvolution um diese

Gerade auch für den entstehenden allgemeinen Kegel zweiten Grades; sie wird daher als Focalstrahl desselben und ihre Polarebene in Bezug auf ihn, d. h. die entsprechende zu ihrer Normalebene im Original, als zugehörige Directrixebene des Kegels bezeichnet (§ 36). Für seinen Querschnitt mit einer zum Focalstrahl normalen Ebene liegt in diesem der eine Brennpunkt; die Ebene, die die Hauptaxe desselben mit dem Focalstrahl verbindet, ist die eine Hauptebene des Kegels, aus welcher die Axen, die anderen Hauptebenen, der zweite reelle Focalstrahl und seine Directrixebene leicht zu erhalten sind.

Eine um den Kegelmittelpunkt beschriebene Kugel schneidet den Rotationskegel in zwei gleichen parallelen Kreisen, den allgemeinen in einem sphärischen Kegelschnitt, die Strahlen und Ebenen der Constructionsfigur in Paaren von Gegenpunkten und in grössten Kreisen und liefert so die sphärische Centralcollineation und die entsprechende Theorie der sphärischen Kegelschnitte.

Anderseits haben wir in § (36e) schon gesehen, dass durch die stereographische Projection oder die Theorie der reciproken Radien die cyklographische Theorie der Kegelschnitte aus Kreissystemen unter Festhaltung der Winkelrelationen auf die Kugel übergeht.

1) Von einem Kegel zweiten Grades kennt man die ebene Leitcurve **L** — durch fünf ihrer Punkte oder eine äquivalente Angabe — und drei Punkte A, B, C seines Mantels — durch ihre Bilder und Spur und Fluchtlinie ihrer Ebene; man soll den Mittelpunkt M des Kegels bestimmen. Wenn also die Mantellinien MA, MB, MC die Ebene der Basis **L** und also die Leitcurve in A^*, B^*, C^* respective schneiden, so sind die Dreiecke ABC und $A^*B^*C^*$ perspectivisch für M als Centrum und die Schnittlinie der Ebenen **L** und ABC als Axe, und die Schnittpunkte S_A, S_B, S_C der Geraden BC, CA, AB mit der Ebene **L** sind zugleich die Punkte der Geraden B^*C^*, C^*A^*, A^*B^* in der Perspectivaxe. Die vorgelegte Aufgabe kommt also auf die folgende zurück: Man soll auf dem Kegelschnitt **L** drei Punkte A^*, B^*, C^* so bestimmen, dass ihre Verbindungslinien B^*C^*, C^*A^*, A^*B^* durch drei gegebene feste Punkte S_A, S_B, S_C resp. in einer geraden Linie gehen. Wir werden sehen, dass im Allgemeinen zwei solche Punktetripel $A_1^*, ..$ und $A_2^*, ..$ existieren, und es ist evident, dass die Perspectivcentra der Dreiecke $A_1^*B_1^*C_1^*$, $A_2^*B_2^*C_2^*$ mit dem Dreieck ABC die beiden Lagen M_1 und M_2 des Kegelmittelpunktes liefern und dass durch ihre Angabe die beiden nach

den Bedingungen möglichen Kegel 2ten Grades vollkommen bestimmt werden. (Vergl. 5) unten.) Die bezeichnete Aufgabe behandeln wir aber zweckmässig als speciellen Fall der folgenden allgemeineren.

2) Ein Kegelschnitt und drei Punkte seiner Ebene ausser ihm sind gegeben; man soll die Dreiecke ermitteln, deren Ecken auf dem Kegelschnitt liegen, während ihre Seiten einzeln durch jene Punkte gehen.

Zu ihrer Bestimmung führt die Erinnerung (§ 30), dass die Paare der Schnittpunkte eines Kegelschnittes mit den Strahlen eines Büschels in seiner Ebene die Paare einer Involution sind, dass daher die Doppelverhältnisse aus irgend vier unter diesen Schnittpunkten und die gleichgebildeten aus den ihnen in der Involution entsprechenden einander gleich sein müssen.

Ist L der Kegelschnitt und sind S_A oder 1, S_B oder 2, S_C oder 3 jene Punkte, so ziehe man durch 1 eine den Kegelschnitt in B und C schneidende Gerade, verbinde C mit 2 und B mit 3, so dass man als zweite Schnittpunkte dieser beiden Geraden mit dem Kegelschnitt A resp. A^* erhält; sind dann durch zwei weitere Strahlen aus 1 resp. B' und C', B'' und C'' und aus ihnen durch die Strahlen nach 3 und 2 die Punkte $A^{*'}$, $A^{*''}$ und A', A'' bestimmt, so hat man $(A A' A''..) = (B B' B''..) = (A^* A^{*'} A^{*''}..)$ und somit $(A A' A''..) = (A^* A^{*'} A^{*''}..)$; also auch immer, wenn A und A^* zusammen fallen, eine Lösung A_1^*, A_2^* der Aufgabe, nämlich die erste Ecke eines Dreiecks, welches ihren Bedingungen entspricht. Man findet diese Lösungen also durch die Doppelpunkte von zwei projectivischen Reihen in dem Kegelschnitt; also entweder zwei reelle und verschiedene oder zwei nicht reelle Lösungen, im besondern Falle zwei reelle und vereinigte, — die ersten Ecken stets gelegen in der Pascal-Linie des Sechsecks $A A^* A' A^{*'} A'' A^{*''}$, nämlich in ihren Schnittpunkten mit dem Kegelschnitt L. Ist derselbe nicht gezeichnet, sondern nur durch fünf Punkte bestimmt, so wählt man drei derselben als B, B', B'', ermittelt nach dem Pascal'schen Satze wie in § 27, 1 die Punkte C, C', C'' in den Geraden aus ihnen nach 1, und ebenso A, A', A'' auf den Geraden von diesen nach 2 und A^*, $A^{*'}$, $A^{*''}$ auf den Geraden von B, B', B'' nach 3; endlich die Schnittpunkte der Pascal'schen Linie mit dem Kegelschnitt L mittelst eines Hülfskreises wie in § 29.

3) Man sieht sofort, dass die dualistische Uebersetzung des vorigen, d. h. die Benutzung der Polare der Involution von Tangenten an Stelle des Pols der Involution von Punkten des Kegelschnittes, also schliesslich die Verwendung des Brianchon'schen Satzes § 28, 1 zur Construction der neuen Tangenten des Kegelschnittes durch Punkte schon bekannter und die des Brianchon-Punktes (§ 29) vom umgeschriebenen Sechsseit $a a^* a' a^{*'} a'' a^{*''}$ das Problem löst: Man soll einem durch fünf Tangenten bestimmten Kegelschnitt ein Dreiseit umschreiben, dessen Ecken auf drei in seiner Ebene gegebenen Geraden liegen — mit den analogen allgemeinen und speciellen Resultaten.

4) Weil aber der Schluss in 2) auf die Projectivität des ersten und letzten Gliedes einer Kette von Gruppen, deren benachbarte projectivisch sind, durch die Zahl der Glieder nicht gestört wird, oder, weil ebenso wie dort $(A A' . .) = (A^* A^{*'} . .)$ aus

$$(A A' . .) = (B B' . .) = C C' . .) = (D D' . .) = \cdots = (X X' . .) = (A^* A^{*'} . .)$$

folgt, so haben wir damit auch die Lösung der allgemeinen Aufgaben von der Construction eines dem Kegelschnitt eingeschriebenen Vielecks, dessen Seiten durch beliebig in seiner Ebene gegebene Punkte gehen, und eines dem Kegelschnitt umgeschriebenen Vielseits, dessen Ecken auf ebenso vielen in seiner Ebene willkürlich gegebenen Geraden liegen. Auch diese Probleme haben also zwei Lösungen, wenn die Reihenfolge der festen Punkte resp. der festen Geraden als Enveloppen der benachbarten Seiten resp. Orte der benachbarten Ecken gegeben ist. Ist diese Reihenfolge frei wählbar, so entsprechen $2 . 3 \ldots (n - 1)$ Polygone, resp. n Ecke und n Seite, den Bedingungen.

5) Wenn insbesondere die Drehpunkte $1, 2, \ldots n$ in derselben geraden Linie liegen, resp. die Ortsgeraden $I, II, \ldots$ durch einen Punkt gehen, so entspringen verschiedene Specialitäten, je nachdem ihre Zahl ungerade oder gerade ist. Bei ungerader Anzahl derselben, also für das eingeschriebene Dreiseit, Fünfseit, etc. und das umgeschriebene Dreieck, Fünfeck, etc., bilden die in der Verbindungsgeraden liegenden beiden Punkte des Kegelschnittes, resp. die durch den Schnittpunkt gehenden Tangenten desselben, ein sich vertauschungsfähig entsprechendes Paar in der Projectivität der $A A' A'' \ldots$ und $A^* A^{*'} A^{*''} \ldots$ oder der $a a' a'' \ldots$ und $a^* a^{*'} a^{*''} \ldots$, und dieselbe ist daher Involution und somit durch ein einziges Paar ausser dem genannten bestimmt; ihr Pol ist für $n = (2 k - 1)$ Drehpunkte der Schnittpunkt ihrer Geraden mit der Sehne jenes zweiten Paares, und die Schnittpunkte seiner Polare mit dem Kegelschnitt, also die Berührungspunkte der von ihm aus an diesen gehenden Tangenten, sind die A_1^*, A_2^* der beiden Lösungen; für $(2 k - 1)$ Ortsgerade ist die Verbindungslinie ihres Schnittpunktes mit dem Schnittpunkt des einen neuen Paares die Polare der Involution, und die Tangenten in ihren Schnittpunkten mit dem Kegelschnitt oder durch ihren Pol an denselben bilden die a_1^*, a_2^* der beiden Lösungen.

So also auch in dem Falle des eingeschriebenen Dreiseits, von welchem in diese Erörterungen ausgingen; man bestimmt wie in 2) das Paar A, A^* und hat im Schnitt der Verbindungslinie mit der Geraden $1\,2\,3$ den Pol der Involution und in den Berührungspunkten der von ihm an den Kegelschnitt gehenden Tangenten die Punkte A_1^* und A_2^* der beiden Lösungen.

In Betreff der Bestimmung der beiden Lagen des Kegelschnittpunktes in 1) ist noch zu bemerken, dass die Fluchtlinie der Ebene $A B C$ in der Lösung nicht gebraucht wird, sondern dass dieselbe nur von ihrer Spur in der Ebene L abhängt. Jede der Lösungen umfasst dann auch bei gegebenem Distanzkreis noch unendlich viele

Fälle, und man kann z. B. die Fluchtlinie der Ebene ABC so bestimmen, dass die beiden gefundenen Kegel insbesondere Cylinder zweiten Grades oder die Dreiecke ABC und $A^*B^*C^*$ centrisch affin statt perspectivisch sind.

6) Im Falle der geraden Anzahl $n = 2k$ ist dagegen für die Lage der Drehpunkte in derselben Reihe oder der Ortsgeraden in demselben Büschel die $k$mal mit ihren beiden Schnittpunkten im Kegelschnitt gezählte gerade Reihe selbst resp. der $k$mal mit seinen beiden Tangenten an den Kegelschnitt gezählte Scheitel des Büschels selbst, und zwar immer für jedes der bezeichneten beiden Elemente als erstes, eine Lösung, so dass damit im Allgemeinen die möglichen Lösungen erschöpft sind. Wenn dann ein nicht in die Reihe fallendes $2k$ Seit existiert, dessen Ecken auf dem Kegelschnitt liegen, während seine Seiten durch jene Punkte gehen, so existieren deren unendlich viele; jeder Punkt des Kegelschnittes ist Anfangsecke eines solchen; etc.

7) Statt der Involution auf dem Kegelschnitt wird die Fundamental-Eigenschaft der Projectivität in analoger Weise gebraucht bei der Lösung der Aufgaben:

Zu einem n Eck, dessen benachbarte Seitenpaare n feste Kegelschnitte berühren, soll man ein neues n Eck bestimmen, dessen Ecken der Reihe nach in den Seiten des ersten liegen, während seine Seiten der Reihe nach jene Kegelschnitte berühren. Auch sie enthalten viele Specialfälle.

Zu einem n Seit, dessen benachbarte Eckenpaare in n festen Kegelschnitten liegen, soll man ein neues n Seit bestimmen, dessen Seiten der Reihe nach durch die Ecken des ersten gehen, während seine Ecken der Reihe nach in jenen Kegelschnitten liegen.

8) Es hat keine Schwierigkeit, auch diese Probleme mit ihren Lösungen auf Kegel und Cylinder zweiten Grades zu übertragen.

9) Man bezeichne und modificiere die Sätze des § 36 und seiner Beispiele, welche Focaleigenschaften der Kegel zweiten Grades geben.

10) Man erläutere die Constructionen der Kegel zweiten Grades, bei denen unter den Daten ein Focalstrahl mit oder ohne zugehörige Directrixebene ist; ebenso die aus beiden reellen Focalstrahlen.

(11) Zwei Kreise auf derselben Kugel bestimmen ein Büschel spliarischer Kreise; mit Grenz- oder mit Grundpunkten, je nachdem die Schnittlinie ihrer Ebenen ausserhalb der Kugel liegt oder sie schneidet. Wenn die Scheitelkante des einen Büschels die Kugel in den Punkten trifft, in denen ihre Tangentialebenen durch die Scheitelkante des andern sie berühren, so sind die Büschel orthogonal zu einander und heissen conjugiert.

(12) Die Kreise derselben Kugel bestimmen ein sphärisches Netz von Kreisen und einen zu ihnen orthogonalen Kreis. Die Ebenen der Kreise des Netzes gehen durch die Spitze des zu diesem gehörigen Berührungskegels; etc. Man prüfe die Entwickelungen der §§ (36) f. auf ihre Uebertragbarkeit auf die Kugel.

C. Die centrische Collineation räumlicher Systeme als Theorie der Modellierungs-Methoden.

37. Wenn ein Centrum C der Projection und eine nach drei Dimensionen ausgedehnte Originalfigur beliebig gegeben sind, so kann man auf allen durch das Centrum gehenden Ebenen, welche dieselbe schneiden, die Beziehung der centrischen Collineation ebener Systeme in der Weise hergestellt denken, dass jedem Punkte P des Originals ein Punkt P_1 des Abbild's oder Modell's, und umgekehrt, entspricht, und ebenso jeder Geraden g eine Gerade g_1, also auch jeder Ebene $\mathbf{E}$ eine Ebene $\mathbf{E}_1$. Entsprechende Punktepaare liegen auf einerlei Strahl aus dem Centrum, entsprechende Paare von Geraden auf einerlei Ebene durch dasselbe. In jeder von diesen Ebenen liegen die sich selbst entsprechenden, vom Centrum verschiedenen Punkte in einer geraden Linie, der zugehörigen Collineationsaxe s. Denken wir durch denselben Strahl aus dem Centrum ein Büschel von Ebenen gelegt, so haben die Axen s derselben nothwendig alle den Punkt jenes Strahls gemein, welcher mit seinem entsprechenden zusammenfällt; d. i. die Axen s auf allen Ebenen durch das Centrum bilden ein System von Geraden, von denen je zwei einander schneiden und somit nach p. 113, 3, da nicht alle durch einen Punkt gehen, eine Ebene. Sie ist die Ebene der sich selbst entsprechenden Punkte und Geraden und wir nennen sie die Collineationsebene $\mathbf{S}$ des Systems.

Denken wir ebenso in jeder Ebene durch das Centrum die beiden Gegenaxen q_1, r der ihr entsprechenden centrischen Collineation, so bilden die ersten aus gleichen Gründen — weil dem unendlich entfernten Punkte jedes Strahls durch das Centrum ebenso als Bild wie als Original nur ein bestimmter Punkt Q_1, respective R entsprechen kann — eine zur Collineationsebene parallele Ebene $\mathbf{Q}_1$ und die letzten eine ihr parallele Ebene $\mathbf{R}$; es sind die Gegenebenen des Systems, welche beide so liegen, dass die Mitte zwischen ihnen auf jedem Strahl durch das Centrum auch die Mitte ist zwischen Centrum und Collineationsebene auf demselben Strahl.

Der Parallelismus der Gegenebenen zur Collineationsebene kann auch direct wieder erwiesen werden, indem man drei Richtungen oder unendlich ferne Punkte Q_1, Q_2, Q_3 des Originalraums betrachtet, die nicht derselben Stellung angehören; denselben entsprechen drei Punkte Q_{11}, Q_{21}, Q_{31}, welche nicht in einer Geraden liegen, und die Geraden $Q_{11}Q_{21}$, $Q_{21}Q_{31}$, $Q_{31}Q_{11}$ müssen der Collineationsebene parallel sein, weil sie sich mit den entsprechenden unendlich fernen Geraden $Q_1 Q_2$, $Q_2 Q_3$, $Q_3 Q_1$ in ihr schneiden müssen. Ist dann Q_4 ein beliebiger unendlich ferner Punkt, und Q_{41} sein Abbild, so sind auch $Q_{11}Q_{41}$, $Q_{21}Q_{41}$, $Q_{31}Q_{41}$ der Collineationsebene parallel, d. h. den unendlich fernen Punkten des Originalraums entsprechen die Punkte einer bestimmten der Collineationsebene parallelen Ebene Q_1 des Bildraums. Aus denselben Gründen entsprechen den unendlich fernen Punkten R_1 des Bildraums die Punkte einer zur Collineationsebene parallelen Ebene R des Originalraums.

38.   Alle einander im Originalraume und im Bildraume entsprechenden Punktreihen, Strahlenbüschel und Ebenenbüschel, Strahlenbündel, Ebenenbündel und ebene Systeme sind zu einander perspectivisch, d. h. sie sind Schnitte oder Scheine des nämlichen Gebildes. So sind z. B. die entsprechenden Punktreihen Schnitte desselben Strahlenbüschels aus dem Centrum mit entsprechenden Geraden, die entsprechenden Ebenenbüschel Scheine desselben Strahlenbüschels in der Collineationsebene aus entsprechenden Punkten, etc. Die entsprechenden Grundgebilde erster Stufe haben somit gleiches Doppelverhältniss. Insbesondere liegen in jedem Strahl aus dem Centrum zwei projectivische Reihen entsprechender Punkte A, A_1, etc., welche das Centrum C und den der Collineationsebene angehörigen Punkt S zu Doppelpunkten haben; durch jede in der Collineationsebene liegende Gerade s gehen zwei projectivische Büschel entsprechender Ebenen A, A_1, etc., in denen die Collineationsebene S und die Ebene C nach dem Centrum die Doppelebenen sind; die entsprechenden Strahlen a, a_1, etc. aus einem Punkt der Collineationsebene bilden zwei projectivische Büschel in einerlei Ebene durch das Collineationscentrum mit dem der Collineationsebene angehörigen Strahl s und dem nach dem Centrum gehenden Strahl c als Doppelstrahlen. Man hat (vergl. § 19)

$$(CSAA_1) = (CSBB_1) = (CSAA_1) = (CSBB_1) = (csaa_1) = (csbb_1) = \varDelta$$

und nennt diese Constante das charakteristische Doppelverhältniss der centrischen Collineation der Räume.

Für die Gegenpunkte Q_1, R eines Strahls aus dem Centrum hat man insbesondere

$$\varDelta = (CSAA_1) = (CS\infty Q_1) = (CSR\infty), \text{ d. h. } \varDelta = \frac{SQ_1}{CQ_1} = \frac{CR}{SR};$$

und hieraus folgt durch Subtraction der Einheit auf beiden Seiten $CQ_1 = RS$. (Vergl. § 19; 1 u. f.)

1) Eine centrische Collineation räumlicher Systeme ist durch ihre Charakteristik $\varDelta$, das Centrum und die Collineationsebene oder eine Gegenebene bestimmt; ebenso durch das Centrum, die Collineationsebene und eine der Gegenebenen; endlich durch das Centrum, die Collineationsebene und ein Paar entsprechender Punkte, Strahlen oder Ebenen derselben.

2) Wenn die Ecken A_1, A_2, A_3, A_4 und A_1', A_2', A_3', A_4' von zwei Tetraedern in Paaren A_i, A_i' auf vier Geraden aus einem Centrum C liegen, so schneiden sich die Paare der entsprechenden Ebenen derselben in vier Geraden s_{ik} auf einer Ebene S und umgekehrt. (Vergl. § 19, 11.) Denn je zwei entsprechende Kanten $A_i A_k$ und $A_i' A_k'$ liegen in einer durch C gehenden Ebene und schneiden sich daher in einem Punkte; die vier genannten Geraden s_{ik} sind also die geraden Verbindungslinien von sechs Punkten oder sie schneiden sich paarweise ohne durch einen Punkt zu gehen, und müssen daher in einer Ebene liegen. (Vergl. S. 113, 3.) Der umgekehrte Satz, wonach die Ecken von zwei Tetraedern, deren Flächen A_i, A_i' paarweis durch vier Gerade derselben Ebene S gehen, in vier Geraden aus einem Punkte C liegen, folgt aus der nach dem Princip der Dualität entsprechenden Ueberlegung, dass die entsprechenden Kanten $A_i A_k$, $A_i' A_k'$ der Tetraeder, als in einem Punkte auf S' sich schneidend, je in einer Ebene liegen, die also auch das Paar der Verbindungslinien der zugehörigen entsprechenden Ecken enthält; dass also diese Kanten, weil sie nicht alle vier in derselben Ebene liegen können, durch einen und denselben Punkt C gehen müssen. Zwei perspectivische Tetraeder bestimmen eine centrische Collineation der Räume; die Parallelebenen A_i^* resp. $A_i^{*'}$ vom Centrum zu den Flächen A_i', A_i des einen Tetraeders schneiden die entsprechenden Flächen des andern in vier geraden Linien auf der Gegenebene Q_1 resp. R der beiden Räume. (Vergl. § 19, 11.)

3) Die Ebene S ist bereits durch die Schnittlinie eines Paares der entsprechenden Ebenen und den Durchschnittspunkt zweier von den gegenüberliegenden Ecken ausgehenden entsprechenden Kanten bestimmt, und man kann daher die beiden andern in jenen Ebenen gelegenen Eckenpaare auf Strahlen aus C beliebig bewegen, ohne die Ebene S zu ändern oder ihre Eigenschaft aufzuheben. Man gelangt also zu n seitigen perspectivischen Pyramiden und, wenn man will, zu perspectivischen Kegeln; die Grundflächen derselben liegen in einem dritten Kegel, dessen Spitze in der Verbindungslinie der

beiden ersten enthalten ist, und sie durchdringen sich in einer ebenen Curve, deren Ebene die Schnittlinie der Grundflächen-Ebenen enthält.

Aus zwei perspectivischen Cylindern folgt ein dritter und die Richtungen der drei sind derselben Ebene parallel.

39. Wir nennen das Abbild einer gegebenen Raumfigur, das man so erhält, zur Unterscheidung von der Projection auf die Ebene, die wir bisher betrachteten, das Modell derselben, genauer das centrisch collineare Modell, und besprechen zunächst die Art der Ableitung entsprechender Elemente auseinander. Ist g eine Gerade des Originalsystems, so erhält man durch ihren Schnittpunkt S mit der Collineationsebene in dem sich selbst entsprechenden Punkt derselben einen Punkt ihres Bildes g_1; ihr Schnittpunkt R mit der Gegenebene $\mathbf{R}$ giebt durch den nach ihm gehenden Strahl aus dem Centrum die Richtung des Bildes, und der zu g parallele Strahl aus dem Centrum giebt im Schnittpunkt Q_1 mit der Gegenebene $\mathbf{Q_1}$ den Gegenpunkt des Bildes g_1, so dass man dasselbe durch drei Punkte bestimmt hat; man bedarf zu seiner Construction somit nur der einen Gegenebene. Aus l_1 erhält man umgekehrt das Original l durch den Schnittpunkt S mit der Collineationsebene, den Schnitt R des zu l_1 parallelen Strahls aus dem Centrum in $\mathbf{R}$ und durch die Richtung des Collineationsstrahls nach dem Durchschnitt Q_1 von l_1 mit der Gegenebene $\mathbf{Q_1}$.

Zu einem Punkte A in g oder B_1 in l_1 findet man den entsprechenden A_1 respective B im Durchschnitt des nach ihm gehenden Strahls aus dem Centrum mit der entsprechenden Geraden g_1 respective l. Zu einer Ebene $\mathbf{A}$ durch g oder $\mathbf{B_1}$ durch l_1 ergiebt sich die entsprechende $\mathbf{A_1}$ respective $\mathbf{B}$, indem man ihre Spur s in der Collineationsebene mit g_1 respective l verbindet. Die entsprechenden zu denjenigen Geraden oder Ebenen, welche der Collineationsebene parallel sind, bestimmen sich durch einen ihrer Punkte, weil sie der gegebenen Geraden oder Ebene parallel sind. Für die der Collineationsebene parallelen Ebenen steht die Charakteristik $\varDelta$ zu dem Verjüngungsverhältniss der Aehnlichkeit der ebenen Systeme des Bildes und des Originals im umgekehrten Verhältniss ihrer Entfernungen von der Collineationsebene.

1) Zu einer Ebene $\mathbf{A}$ bestimmt man die entsprechende $\mathbf{A_1}$, indem man ihre Schnittlinie s mit der Collineationsebene, die Schnitt-

linie q_1 der ihr parallelen Ebene aus dem Centrum mit der Gegenebene Q_1 und die unendlich ferne Gerade der Ebene vom Centrum
nach der Schnittlinie r von A mit der Gegenebene R, d. h. die Stellung von A_1 bestimmt; diese drei liegen in A_1.

Man construiere auf demselben Wege die entsprechende Ebene
B zu einer gegebenen Ebene des Bildraums B_1.

2) Man erläutere die Construction der entsprechenden Elemente
in den den Grenzwerthen $+1$, 0, ∞ von $\varDelta$ entsprechenden Fällen.
Man hat $\varDelta = +1$ für $SQ_1 = CQ_1$, $CR = SR$ oder das Centrum
in der Collineationsebene, also die Gegenebenen äquidistant von
ihr. Dagegen ist $\varDelta = 0$ für $SQ_1 = CR = 0$, d. h. wenn S mit
Q_1 zusammenfällt und daher C in R liegt; und $\varDelta = \infty$ für
$CQ_1 = SR = 0$ oder C in Q_1 und S als mit R vereinigt, so dass
durch Vertauschung von Q_1 mit R beide Fälle in einander übergehen. Schliesslich wird $\varDelta$ unbestimmt, wenn Q_1, R und S in
einer durch C gehenden Ebene vereinigt sind. Im Falle $\varDelta = 0$ entsprechen einer als Original g resp. Modell h_1 betrachteten Geraden
im Raume der Strahl g_1 in SQ_1, welcher sie und ihren Parallelstrahl
von C aus schneidet, resp. der Strahl h aus C_1 der sie in S trifft;
also den Strahlen eines Bündels von g aus einem Punkte von S
die des Büschels in S um diesen Punkt, und denen eines eben-
solchen Bündels von h_1 der eine Strahl nach ihrem Scheitel; etc.
Nicht der Raum ist mehr bestimmt, sondern nur die Ebene mit den
Modificationen wie sie die Centralprojection benutzt. (Vergl. § 19, 8.)
Den besondern Fall $\varDelta = -1$ besprechen wir weiterhin für sich.

3) Die Systeme entsprechender Punkte und Strahlen in zwei
entsprechenden Ebenen A, A_1 sind centrisch collinear für ihre gemeinsame Schnittlinie s mit der Collineationsebene als Collineationsaxe
und für ihre respectiven Schnittlinien r, q_1 mit den Gegenebenen R,
Q_1 als Gegenaxen; alle diese centrischen Collineationen haben Charakteristiken $\varDelta_E$, die grösser oder kleiner sind als die Charakteristik
$\varDelta$, welche den projicierenden Ebenen zukommt. Für jede bestimmte
Neigung α der Originalebene gegen S nehmen sie von ∞ bis $\varDelta$ ab,
während diese von unendlicher Entfernung bis zum Centrum Q_1 her-
anrückt (vergl. § 19, 5); dann sinken sie weiter bis zu der Ebene,
deren Bild zur Collineationsebene senkrecht ist, mit dem Werthe
$\varDelta_E = \varDelta \sin \alpha$; endlich wachsen sie wieder von da durch $\varDelta$ bis ∞.

Denn für den Querschnitt von S, Q_1, E und E_1 mit einer zu s
normalen Ebene durch C hat man bei S als dem Schnitt mit s die
Winkel α und α_1 der Ebenen E und E_1 mit S, und erhält mit Q_1
als Schnitt der Geraden q_1, sowie mit S_1 als Schnitt der Spur der
projicierenden Parallelebene Cq_1, für die Charakteristiken der projicierenden Ebene oder der Collineation der Räume und die Charakteristik der Collineation der ebenen Systeme E, E_1 die Werthe

$$\varDelta = S_1Q_1 : CQ_1, \quad \varDelta_E = SQ_1 : CQ_1$$

oder $\qquad \varDelta : \varDelta_E = S_1Q_1 : SQ_1 = \sin \alpha_1 : \sin \alpha.$

4) Für welche entsprechenden ebenen Systeme findet symmetrische Congruenz statt? Man hat für A, A_1 als Punkte derselben

$$CQ_1 = RS = AR, \quad CR = Q_1 S = A_1 Q_1;$$

man erhält sie also wie in § 15, 4 die entsprechenden symmetrisch gleichen Reihen durch ihre Schnitte auf einem Collineationsstrahl; sie sind also auch die zur Collineationsebene in Bezug auf die Gegenebenen symmetrischen Ebenen $\mathbf{T}$, $\mathbf{T}_1$.

Natürlich liegen die symmetrisch gleichen Reihen i, t_1 aller entsprechenden ebenen Systeme in diesen Ebenen $\mathbf{T}$, $\mathbf{T}_1$.

Betrachtet man speciell den zu $\mathbf{S}$ normalen Strahl durch C, so erkennt man die zum Centrum in Bezug auf die Gegenebenen symmetrischen Punkte T, T_1 desselben als Scheitel entsprechender symmetrisch gleicher Bündel. Die Scheitel T, T_1 der symmetrisch gleichen entsprechenden Büschel in entsprechenden Ebenen sind Schnitte entsprechender Strahlen dieser Bündel mit den Ebenen.

Mit $\Delta = -1$ (§ 42.) vereinigen sich jene in der Parallelebene $\mathbf{V}$ zu $\mathbf{S}$ durch $C(5)$, diese fallen im Fusspunkt der Normale vom Centrum auf $\mathbf{S}$ zusammen.

5) Für die durch das Centrum gehende Parallelebene $\mathbf{V}$ zur Collineationsebene findet Aehnlichkeit und ähnliche Lage der entsprechenden Systeme nach dem Verjüngungsverhältniss Δ statt.

6) Man bestimme die Region des Bildes von A auf seinem Collineationsstrahl gegen Centrum, Collineationsebene und Gegenebene $\mathbf{R}$ aus der Lage von A gegen dieselben Stücke. (Vergl. § 4.)

7) Man erörtere die Formen, welche einem gegebenen Tetraeder je nach seinen verschiedenen Lagen in Beziehung zur Gegenebene seines Systems entsprechen können. (Vergl. § 14; 2, 3.)

8) Man bestimme in einer gegebenen centrischen Collineation räumlicher Systeme die Ebenen, denen eine bestimmte Bildbreite $s q_1$ zukommt. Ihre r in $\mathbf{R}$ sind äquidistant vom Centrum.

40. Wenn wir die räumlichen Systeme in centrischer Collineation als Systeme von Punkten fassen — von Punkten A_1, A_2, ... des Originals und entsprechenden Punkten A_{11}, A_{21}, ... des Bildes — so kann die Construction des einen aus dem andern zurückgeführt werden auf die Construction des centrisch collinearen ebenen Systems zu einem gegebenen System in derselben Ebene.

Wir denken eine durch das Collineationscentrum gehende Ebene und die Schnittpunkte B_1, B_2, ... derselben mit den Parallelen p_1, p_2, ... insbesondere solchen, die man zu einer festen Geraden p der Collineationsebene aus den Punkten A_1, A_2, ... des Originalsystems gezogen hat. Bilden wir dann zu dem System der B_i das centrisch collineare System in seiner

16*

Ebene für C als Centrum und die Schnittlinien derselben mit
$\mathbf{S}$, $\mathbf{Q_1}$ und $\mathbf{R}$ als Collineationsaxe s und Gegenaxen q_1 und r,
also das System B_{11}, B_{21}, $\ldots$, so sind die den p_i entsprechenden Geraden p_{i1} die durch B_{11}, B_{21}, $\ldots$ gezogenen Strahlen
nach dem Gegenpunkte Q_1 der p_i, insbesondere die durch sie
gehenden Parallelen zu p. Die Punkte A_{i1} liegen in den nach

Fig. 84.

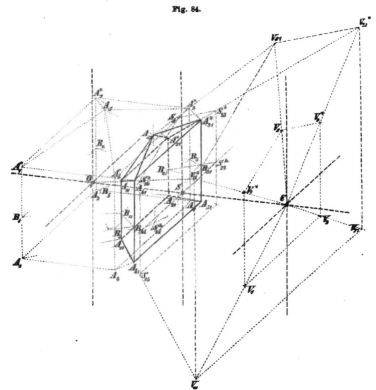

den entsprechenden Punkten A_i gehenden Collineationsstrahlen
da, wo dieselben die p_{i1} durchschneiden.

In Fig. 84 ist für das Polyeder $A_1 A_2 A_3 A_4 A_4{}^* A_1{}^* A_2{}^* A_3{}^* A_5$
mit Hilfe der Normalen zu der durch das Centrum C gehen-
den Horizontalebene als der p_i durch die Punkte B_1, B_2, B_3,
B_4, B_5 und ihre entsprechenden B_{11}, B_{21}, B_{31}, B_{41}, B_{51} in der
centrischen Collineation auf dieser Ebene das System der p_{i1}

und damit die centrisch collineare Raumfigur $A_{11} A_{21} A_{31} A_{41}$
$A_{41}{}^* A_{11}{}^* A_{21}{}^* A_{31}{}^* A_{51}$ anschaulich dargestellt.

Die Punkte S und Q_1 und die durch sie gehenden Parallelen zu den durch C gelegten Axen bezeichnen die Lage der
Collineationsebene **S** und der Gegenebene **Q**₁.

Ist die bezeichnete Ebene parallel der Collineationsebene,
so sind die Systeme der B_i und B_{i1} ähnlich und in ähnlicher
Lage für das Centrum C als Aehnlichkeitspunkt; dafür aber
kann das System der p_i nicht mehr aus Parallelen zu einer
Geraden p der Collineationsebene und das System seiner Bilder
p_i also nicht mehr aus Parallelen bestehen. In Fig. 84 sind
so die Fusspunkte V_1, V_2, $V_2{}^*$, V_5, $V_1{}^*$ der Normalen von den
Originalpunkten auf jene Parallelebene **V** benutzt, indem ihre
entsprechenden V_{11}, V_{21}, ... construiert sind.

Ist dann das System der A_i durch seine orthogonalen Parallelprojectionen A_i', A_i'' auf zwei zu einander rechtwinklige Ebenen
der Axen x, y und x, z dargestellt, die entweder beide zur
Collineationsebene **S** rechtwinklig sind oder von denen die eine
x, z zu ihr parallel ist, so kann man das System der projicierenden Linien jeder von diesen Ebenen im ersten Falle (Fig. 85),
im zweiten Falle (Fig. 86) das der projicierenden Linien der
Ebene x, y als das System der q_i und die Normalebene dieser
Projicierenden durch das Centrum als Ebene der B_i und B_{i1}
betrachten. Man bildet das centrisch collineare zu dem System
der zugehörigen Projectionen von A_i für die gleichnamige Projection von C als Centrum, die gleichnamige Spur von **S** als
Axe der Collineation und die gleichnamigen Spuren von **Q**₁
und **R** als Gegenaxen q_1 und r derselben, und erhält damit die
gleichnamigen Projectionen der A_{i1}; man findet endlich die
andern Projectionen der letzteren in denen der p_{i1} mittelst der
gleichnamigen Projectionen der durch das Centrum gehenden
Strahlen ♦nach den A_i, auf welchen sie liegen müssen.

Wählt man als das System der p_i die Normalen zur Collineationsebene aus den A_i, so kann das System ihrer Bilder
durch Benutzung der Aehnlichkeit mit dem Verhältniss Δ in
der Ebene **V** bestimmt werden, so dass die Construction des
Abbildes auf die Durchführung dieses speciellen Falles der
Collineation ebener Systeme reduciert ist. (Fig. 86.)

1) Man kann durch die Punkte A_i des Originalsystems ein Strah-

lenbündel aus einem Punkte R der Gegenebene **R** legen, welches
sich in ein Parallelenbündel von der Richtung von CR im Bilde
verwandelt; die Strahlen desselben gehen dann durch die Schnittpunkte der entsprechenden Strahlen des ersten in der Collineationsebene. Auch die Beziehung der Aehnlichkeit und ähnlichen Lage
in der Ebene **V** ist zweckmässig zu benutzen.

2) Welche Methode der Construction des Bildsystems ist die
zweckmässigste, wenn die Collineationsebene als zusammenfallend
mit der einen der beiden Projectionsebenen (x, z) vorausgesetzt wird?

41. Wenn die Gegenebenen Q_1 und **R** auf entgegengesetzten Seiten der Collineationsebene **S** und also auch des Centrums C gelegen sind, und zwar Q_1 näher als **R** bei **S**, — die
Charakteristik $\varDelta$ ist dann ein positiver ächter Bruch —, so
wird der ganze unendliche Raum auf der dem Centrum entgegengesetzten Seite der Collineationsebene in dem zwischen
der Collineationsebene **S** und der Gegenebene Q_1 gelegenen
Raume so abgebildet, dass die vom Centrum entfernteren
Punkte des Originals auch im Bilde die entfernteren sind. Die
entsprechenden projectivischen Reihen auf Strahlen aus C, etc.
sind gleichlaufende, die Doppelelemente S_1 liegen also zwischen
den Gegenebenen. Nur dies letzte entspricht den Bedingungen
des Sehprozesses, das Gegentheil ist im Widerspruch mit denselben. Die gedachte Anordnung vorausgesetzt, kann also —
da ja alle entsprechenden Systeme in dem centrisch collinearen
räumlichen Systeme in der Beziehung der Centralprojection zu
einander stehen — das centrisch collineare System einer
als gegeben gedachten Raumform für ein im Centrum
befindliches Auge ebenso vollkommen täuschend
diese Raumform selbst ersetzen, wie dies bei der
Perspective ebener Systeme geschehen kann — sobald nur den übrigen Bedingungen des Sehprozesses
genügt wird; insbesondere denen vom Sehkegel, wornach
die darzustellenden Punkte ganz innerhalb eines aus dem Centrum als Spitze und mit der Normalen zur Collineationsebene als
Axe beschriebenen geraden Kreiskegels von beschränktem Oeff-
nungswinkel auf derselben Seite seiner Spitze gelegen sein
müssen. (Man mag etwa $1/3$ als Tangente des halben Oeffnungs-
winkels wählen.) Sowie die Centralprojection dann Perspective
genannt wird, so nennt man in diesem Falle die Construction
räumlicher centrisch collinearer Systeme gemeiniglich Relief-

Perspective, nach ihrer Anwendung auf die Construction
der Reliefs in der plastischen Kunst. Die Charakteristik $\varDelta$ ist
dann ein kleiner positiver Bruch, z. B. $^1/_{10}$.

Fig. 85.

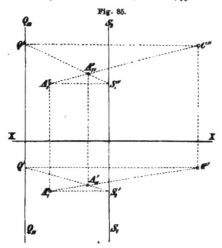

Nach denselben Grundsätzen sind aber ausser den Reliefs
der Sculptur die scenischen Darstellungen der Schau-

Fig. 86.

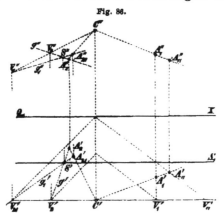

bühne — die Vorhangsebene als Collineationsebene S, die
Hinterwand der Bühne als Gegenebene Q_1 —, und die Constructionen der dekorativen Kunst überhaupt, sei es in

der Architektur oder in der höhern Gartenkunst, zu entwickeln. Für die Bühne ist $\varDelta$ ein positiver Bruch zwischen $^1/_3$ und $^1/_2$. Ist er zu klein, hat die Bühne zu wenig Tiefe, so macht sich der Gegensatz zwischen den in unverkürzten Tiefendimensionen erscheinenden Personen zu den Umgebungen mit stark verminderten bei jeder Entfernung derselben von der Vorhangsebene zu sehr bemerklich. Bei der Vielfachheit der Standpunkte, für welche eine Theaterdekoration wirken soll, und ebenso für die grossen nicht auf einmal zu übersehenden Sculpturwerke der Reliefkunst, liegt der Gedanke nahe, sie in Regionen zu theilen und aus den richtigen Einzeldarstellungen derselben für entsprechende Standpunkte einen Ausgleich zu bilden.

Auch die Bilder in den sphärischen Hohlspiegeln und in den Linsencombinationen stehen zu den Originalen in der Beziehung der centrischen Collineation. Sie hat also, abgesehen von ihrer geometrischen Bedeutung, ein ausgedehntes Feld interessanter praktischer Anwendungen.

1) Man construiere die centrisch collinearen Formen zu Würfeln, Prismen, Pyramiden in verschiedenen Stellungen hinter der Collineationsebene.

2) Man erläutere die Art, wie auf Grund der entwickelten Gesetze die Vertheilung und Anordnung der Coulissen einer Dekoration von vorgeschriebener Wirkung zu machen ist.

3) Man sieht leicht, dass zwei centralcollineare Kegel zweiten Grades im Sinne des Ueberblicks zum vorigen Abschnitt zu einander centrisch collinear im hier entwickelten Sinne sind für ihre Collineationsebene als Collineationsebene und für einen beliebigen Punkt ihres Centralstrahls als Centrum der Collineation; ebenso wie zwei centralcollineare Kegelschnitte einer Ebene für ihr Collineationscentrum und eine durch ihre Collineationsaxe gehende Ebene als Collineationsebene. Mit welcher Specialität im Falle ihrer Osculation?

4) Dem geraden Kreiscylinder von schräg zur Collineationsebene liegender Axe entspricht im Allgemeinen ein Kegel vom zweiten Grade; in welchem Falle wird derselbe ein gerader Kreiskegel?

5) Das Relief einer Kugel ist eine geschlossene Fläche mit elliptischen ebenen Querschnitten (in Parallelebenen zur Collineationsebene speciell kreisförmigen) — denn im Falle des Reliefs wird die Kugel von der Gegenebene B nicht getroffen.

Wenn man drei zu einander senkrechte Durchmesser der Kugel zieht, die sie in den Punkten A und B, C und D, E und F resp. schneiden, so liegen die in diesen an die Kugel gehenden Tangentialebenen A und B, C und D, E und F paarweise parallel und bilden einen der Kugel umgeschriebenen Würfel. Man nennt die Ebe-

nen ACE, ADE, AFE, AFC, ADF; BDE, BCE, BFC, BDF
die Polarebenen der Punkte ACE, ..., d. h. die Ebenen der Berührungspunkte der von ihnen ausgehenden Tangentialebenen; ebenso
sind $ABCD, CDEF, ABEF$ die Polarebenen von $ABCD$, ...
den Richtungen von EF, AB, CD resp. etc. Der Geraden zwischen
zwei Polen entspricht die Schnittlinie ihrer Polarebenen, also den
AB, CD, EF die Ebenen $CDEF$, ... resp., ebenso den AC, AD,
AE, AF die Geraden AC, AD, ..., DE ... die DE, ... und
(ACE, BDF) etc. (ACE, BDF) etc. die Stellungen ihrer Normalebenen, (Vergl. § 26.)

So wie die Ecken des der Kugel umgeschriebenen Würfels viermal zu vier Paaren in Strahlen aus einem Punkte liegen, — nämlich
aus den Richtungen von AB, CD, EF und aus dem Schnittpunkte
dieser Verbindungslinien der Berührungspunkte seiner Paare paralleler Ebenen, — so liegen die Ecken der entsprechenden Modellfigur
viermal in vier Paaren in Strahlen aus drei Punkten der Gegenebenen Q_1 der centrischen Collineation und aus dem Modell M_1
des Mittelpunktes; die Berührungspunkte A_1, B_1, etc. ihrer Ebenen
mit dem Relief der Kugel liegen paarweise in den Geraden von
ihm nach jenen ersten drei Punkten. Alle zu $ABCD$, etc. parallelen Schnitte liefern Modellschnitte von derselben Fluchtlinie und
haben in ihr dieselbe Involution harmonischer Pole (§ 32 f.). Weil
die Parallelstrahlen von AB, CD, EF zu einander rechtwinklig
sind, so bilden die zugehörigen Fluchtpunkte die Ecken und die
vorbenannten Fluchtlinien die Seiten eines Dreiecks in der Ebene
Q_1, das den Fusspunkt der Normale aus C zum Höhenschnitt und
die Länge derselben zum geometrischen Mittel der Abschnitte der
Höhen hat (§ 10, 15).

6) Wenn man aus drei geraden Linien der Ebene R an die
Kugel die Paare der Tangentialebenen legt, so bilden dieselben
ein ihr umgeschriebenes Sechsflach mit acht dreiseitigen Ecken, für
das der Pol von R in der Kugel der Schnittpunkt der Verbindungsgeraden zwischen den Berührungspunkten der Paare und zugleich
derjenigen zwischen den Eckenpaaren ist. Man sieht leicht, dass dasselbe sich in ein der entsprechenden Modellfläche umgeschriebenes Parallelepiped verwandelt, und dass diese Geraden Durchmesser werden
und ihr Schnittpunkt zum Mittelpunkt der Modellfläche wird (§ 34.).
Wenn das von den Geraden in der Ebene R gebildete Dreieck den
Fusspunkt des Perpendikels aus C auf R zum Höhenschnitt und
seine Länge zum geometrischen Mittel der Höhenabschnitte hat, so
wird auch das der Modellfläche umschriebene Parallelepiped rechtwinklig; etc. Man erläutere die harmonischen Gruppen von Punkten, Strahlen und Ebenen in diesem wie im vorigen Falle.

7) Wenn die Kugel die Gegenebene R berührt oder schneidet,
so ist die centrisch collineare Fläche in einer Richtung oder in den
Richtungen aller Strahlen eines Kreiskegels unendlich ausgedehnt;

ihre ebenen Querschnitte sind Ellipsen und Parabeln resp. Ellipsen und Hyperbeln, speciell parallel den Tangentialebenen jenes Kegels Parabeln; sie heisst resp. das zweifache oder elliptische Hyperboloid und das elliptische Paraboloid.

(8) Dieselben Flächen wie in 6) lassen sich auch als centrisch collineare Modelle des zweifachen gleichseitigen Rotationshyperboloids (siehe § (35ᵃ)) erzeugen, wenn dasselbe die Gegenebene **R** resp. nicht trifft, berührt oder reell schneidet.

Das einfache gleichseitige Rotationshyperboloid, (siehe § 35ᶜ) mit seinen zwei Schaaren von geraden Linien liefert durch centrische Collineation nur wieder Flächen mit zwei Schaaren reeller gerader Linien und mit Kegelschnitten als Querschnitten. Und da dasselbe von der Gegenebene **R** nur entweder in einem Kegelschnitt geschnitten oder berührt, d. h. nach § (35ᶜ) in zwei geraden Linien geschnitten werden kann, so liefert die centrische Collineation der Fläche im Allgemeinen, also im ersten Fall, einfache oder hyperbolische Hyperboloide d. h. Flächen mit elliptischen und hyperbolischen und in den Stellungen der Tangentialebenen eines Kegels vom zweiten Grade mit parabolischen Querschnitten; und im speciellen oder im zweiten Falle hyperbolische Paraboloide, Flächen, welche nur hyperbolische und einer gewissen Richtung parallel parabolische Querschnitte liefern.

So entspringen aus den beiden elementaren Formen die **fünf Arten der Flächen zweiten Grades.**

9) Nach § (35ᵉ) und nach Beisp. 5) desselben kann man sagen: Zwei Flächen zweiten Grades, welche einen ebenen Querschnitt gemein haben, durchdringen sich noch in einem zweiten ebenen Querschnitt. Und zwei centrisch collineare Flächen zweiten Grades durchdringen einander ausser der Collineationsebene noch in einem anderen ebenen Querschnitt.

10) Die Beleuchtung des Objects durch Sonnenlicht ist im Relief durch die Beleuchtung aus einem Punkte der Gegenebene **Q**₁ zu ersetzen.

42. Ein wichtiger Specialfall der centrisch collinearen räumlichen Systeme, obwohl ohne den Charakter der Bildlichkeit, ist der der **involutorischen** oder **harmonischen Collineation** mit dem charakteristischen Doppelverhältniss $\Delta = -1$. Dann sind die Gegenebenen **Q**₁, **R** in der Mitte zwischen Centrum und Collineationsebene vereinigt und — wie die Construction und das Doppelverhältniss gleichmässig ergeben — die Punkte, Geraden und Ebenen beider Systeme entsprechen einander vertauschungsfähig. Die grosse Bedeutung dieses Falles für das Studium der Raumformen tritt bei den weiteren Specialisierungen sofort hervor.

Ist das **Centrum** einer räumlichen Collineation **unend-**

lich fern, so sind es die Gegenebenen auch, da die Collineationsstrahlen unendlich ferner Punkte ganz im Unendlichen liegen; d. h. parallelen Strahlen und Ebenen des einen Systems entsprechen parallele Strahlen und Ebenen des andern; entsprechende Gerade sind ähnlich getheilt, weil $\varDelta = SA_1 : SA$ ist. (Vergl. § 21, a.)

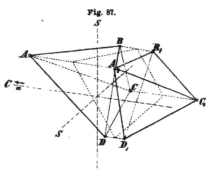

Fig. 87.

Man nennt solche Systeme (Fig. 87) **affin in centrischer oder perspectivischer Lage**. Ist insbesondere $\varDelta = -1$, somit $SA_1 = -SA$, also die affine Collineation involutorisch, so erhält man **die Symmetrie der räumlichen Systeme in Bezug auf eine Ebene**, die Collineationsebene; man wird bei derselben eine **schräge** und eine **normale Symmetrie** unterscheiden können. (Vergl. § 21, b.)

Ist die Collineationsebene einer centrischen Collineation räumlicher Systeme unendlich fern, so sind es auch die Gegenebenen; man erhält $\varDelta = CA : CA_1$ (§ 21, c.). Entsprechende Gerade und entsprechende Ebenen sind einander parallel und die in denselben gelegenen Systeme ähnlich und in ähnlicher Lage nach dem Verjüngungsverhältniss $\varDelta$. Solche räumliche Systeme nennt man **ähnlich in perspectivischer oder ähnlicher Lage**. Die Beziehung der Ebene **V** in § 39, 5. findet nun auf allen Ebenen statt, die das Centrum enthalten. Für $\varDelta = -1$ unter der Voraussetzung der unendlich fernen Collineationsebene ist **Aehnlichkeit mit Involution** verbunden; man erhält $CA = -CA_1$, die Reihen entsprechender Punkte in den Collineationsstrahlen sind symmetrisch gleich, die entsprechenden Systeme in entsprechenden Ebenen symmetrisch congruent. Es ist die **Symmetrie der räumlichen Systeme in Bezug auf ein Centrum**.

Endlich entspricht der gleichzeitigen unendlich fernen Lage des Centrums und der Collineationsebene die einfache **Congruenz der räumlichen Systeme**.

Es ergiebt sich also, dass die Involution die Quelle aller Symmetrieverhältnisse so im Raume wie in der Ebene ist, oder dass die Involutionsgestalten die allgemeinen Formen der symmetrischen Gestalten jeder Art sind. Sowie ferner im ebenen System die Involution sich eng verbunden gezeigt hat mit der Theorie der Curven zweiter Ordnung und Classe, als die Quelle der mannichfaltigen Symmetrien derselben, so zeigt sie sich im Raume als gleich wichtig für die Theorie der Flächen zweiter Ordnung und Classe, als Quelle aller ihrer Symmetrien. (Vergl. die Entwickelung im II. Thl. d. W.)

Endlich sind alle die üblichen Darstellungsmethoden räumlicher Formen durch räumliche Formen, d. i. die Modellierungs-Methoden, als Specialfälle der Lehre von den centrisch collinearen räumlichen Systemen hervorgetreten und damit der darstellenden Geometrie organisch angeschlossen; von ihnen dient die allgemeine des § 41 ganz besonders künstlerischen Zwecken, die besondere der Aehnlichkeit hat vorzugsweise technische Verwendung im engeren Sinne.

1) Der besondere Fall der Lage von C im Unendlichen der Collineationsebene ($\Delta = +1$) giebt eine durch die Gleichheit der entsprechenden Volumina charakterisierte Affinität der Räume. Eine solche ist durch die Collineationsebene S und ein Paar entsprechender Punkte A, A_1 in einer zu derselben parallelen Geraden bestimmt; man erhält B_1 aus B in Geraden der Parallelen zu AA_1 durch B mittelst der von A_1 nach dem Durchschnitt von AB mit der Ebene S. Sind A^*, $B^*, \ldots$ die in Bezug auf S orthogonal-symmetrischen der A, B, $\ldots$, so ist die Collinearfigur A_1, B_1, $\ldots$ schiefsymmetrisch zur Figur der A^*, $B^* \ldots$ in Bezug auf dieselbe Ebene, und die Richtung der Affinität und die der schiefen Symmetrie liegen in einerlei Normalstellung zur Ebene S.

2) Man construiert nach dem Vorigen das Ellipsoid von einer gegebenen Stellung der Kreisschnittebenen durch zwei Punkte A_1, B_1, deren mit ihnen in parallelen Geraden AA_1, BB_1 gelegene entsprechende A, B auf seiner Originalkugel man kennt, wenn verlangt ist, dass sein Volumen dem dieser Kugel gleich ist. Die Ebene S geht mit der gegebenen Stellung durch den Schnittpunkt von AB mit A_1B_1.

43. Die Methoden der Abbildung auf einer Ebene, welche die darstellende Geometrie verwendet, sind endlich die äussersten Specialfälle der Construction centrisch collinearer räumlicher Systeme. Fallen die Collinea-

tionsebene **S** und die Gegenebene **Q**₁, welche die entsprechenden der unendlich fernen Punkte des Originalraums enthält, in eine Ebene zusammen (§ 39, 2), so geht die andere Gegenebene **R** durch das Centrum oder fällt in die Ebene **V**. Man erhält die **Bestimmungsweise der Centralprojection** für die Gerade und die Ebene wieder, von welcher die Entwickelung ausging, wenn man die Elemente des Raumes als die Originale, die der Ebene **SQ**₁ als die Bilder ansieht. Die Collineationsebene wird zur **Bildebene**, die Gegenebene **R** zur **Verschwindungsebene**.

Eine Gerade durch das Centrum erscheint als ein Punkt, eine Ebene durch dasselbe als eine Gerade, etc. — die **Centralprojection eines Objects ist anzusehen als das in der Richtung der Collineationsstrahlen auf die Tiefe Null reducierte centrisch collineare Abbild desselben.** Zur Bestimmung einer Centralprojection gehört somit die Angabe der Bildebene, der Verschwindungsebene — die Distanz bestimmt diese aus jener — und des Centrums in dieser — der Hauptpunkt C_1 leistet dies.

Wenn beim Zusammenfallen der Ebenen **S** und **Q**₁ die Gegenebene **R** und das Centrum C unendlich fern liegen, so erhält man als Specialfall der centrischen Collineation räumlicher Systeme eine **ebene Parallelprojection des Originalraums**, als das in der Richtung der Collineationsstrahlen auf die Tiefe Null reducierte — **unendlich dünne** — per**spectivisch affine Abbild** desselben. Für die Bilder seiner ebenen Systeme gelten die Gesetze § 21, a.

Wenn die Originalebene die Bildebene in s (Fig. 88) unter dem Winkel α schneidet und A' das Bild eines Punktes A, (A) aber die Umlegung desselben mit der Originalebene in die Bildebene ist, so hat man für die Charakteristik der Affinität in derselben, mit den Bezeichnungen y und z für die senkrechten Abstände von A und A' zur Axe s und x für das zwischen ihnen enthaltene Stück derselben, $\Delta = \dfrac{SA'}{S(A)} = \dfrac{z}{y}$ und $\tan \varphi = \dfrac{y+z}{x}$. Also insbesondere für $x = 0$ oder $\mathfrak{C}$ in der Normalebene zu s $\varphi = 90^\circ$; dann ist auch $\Delta = \dfrac{z}{y} = \dfrac{\sin(\alpha+\beta)}{\sin\beta}$ oder $\Delta = \sin\alpha \cot\beta + \cos\alpha$; also für $\beta = 90^\circ$ oder die projicierenden Strahlen rechtwinklig zur Bildebene, kurz $\varDelta = \cos \alpha$, und somit für alle Projections-Ebenen dieselbe Einfachheit der Beziehung

$$F : F' : F'' : F''' = 1 : \cos \alpha_1 : \cos \alpha_2 : \cos \alpha_3.$$

Dies ist die Quelle für die **Vorzüge der gewöhnlichen orthogonalen Parallelprojection.**

Bei jeder gewöhnlichen Parallelprojection bestimmt ein Punkt der Bildebene die durch ihn gehende projicirende Linie und jede Gerade der Bildebene ihre projicirende Ebene. Zu einer Geraden g liefert der Schnittpunkt mit der Bildebene s ihren Durchstosspunkt S, durch welchen auch ihr Bild gehen muss, und die projicirende Linie eines anderen Punktes von g bestimmt dasselbe. Die zur Geraden g parallele projicirende Linie liegt, als Verbindungslinie von zwei unendlich fernen Punkten C und Q, ganz in unendlicher Ferne und trifft daher auch die Bildebene in einem unendlich fernen Punkte Q', d. i. die Flucht-punkte aller in derselben projicirenden Ebene möglichen Geraden fallen ununterscheidbar in den unendlich fernen Punkt ihrer Schnittlinie mit der Bildebene zusammen. Soll umgekehrt von dem Bilde einer Geraden zu ihrem Original übergegangen werden, so erweist sich die Angabe des Durchstosspunktes S und der Richtung der projicirenden Linien nur als hinreichend zur Bestimmung der projicirenden Ebene, in welcher es liegen, und des Strahlenbüschels in derselben, dem es angehören muss; aber die **Richtung** des Strahls, welcher als Original zu betrachten ist, bleibt unbestimmbar, weil die Gerade $Q'C$ als ganz im Unendlichen liegend oder als die Stellung der projicirenden Ebene die Richtungen aller in ihr liegenden Geraden enthält, daher keine Einzelne unter ihnen bestimmt. In Folge dessen ist auch kein Punkt der Geraden g durch sein Bild im Bilde der Geraden g' bestimmt, sondern nur der entsprechende projicirende Strahl in der projicirenden Ebene von g.

Das ganz analoge Ergebniss erhält man bei der Frage nach der Bestimmung der Ebene in diesem Falle. In Allem also: **Durch eine Parallelprojection in der Ebene ist eine Gerade, ein Punkt und eine Ebene in Folge der Ununterscheidbarkeit der Fluchtelemente von Geraden und Ebenen nicht bestimmbar, so lange man die unendlich ferne Ebene als die zweite Fix-Ebene benutzt.** Wir haben in (§ 6*) gesehen, wie leicht diese Schwierigkeit zu

heben und die Bestimmung mittelst einer Parallelprojection zu erlangen ist, wenn man von der geraden Linie als
Grundelement ausgeht.

Ohne jene Einführung einer zweiten Fix-Ebene im Endlichen wird der Zweck der
Bestimmung der räumlichen
Formen mit Hilfe der ebe-
nen Parallelprojectionen
durch die Combination
von zwei Parallelpro-
jectionen mit verschiede-
nen Richtungen der proji-
cierenden Strahlen erreicht.
Es ist der Grundgedanke
von Monge's „Géométrie
descriptive" hierzu zwei
orthogonale Parallel-
projectionen auf·zwei zu einander rechtwinkligen
Projectionsebenen zu verbinden, wie dies aus den Elementen bekannt ist. Eine orthogonale und eine schräge Parallelprojection auf dieselbe Projectionsebene reichen zur Bestimmung auch aus, wenn die Richtung der letzteren bekannt
ist; dies kommt vor in der Form der Schlagschatten, und
liefert für unter 45⁰ einfallendes Licht bequeme Bestimmungen,
etc. In beiden Fällen findet die nämliche Ueber-Bestimmung
statt, so dass je eine Relation zwischen den erhaltenen Projectionen eines Punktes besteht; nämlich bei der Combination
von zwei Orthogonalprojectionen die Lage in demselben Perpendikel zur Projectionsaxe (siehe § 46) und bei zwei Parallelprojectionen auf dieselbe Ebene die Lage in geraden Linien
von einerlei Richtung.

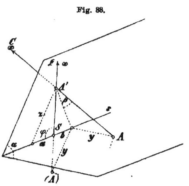

Fig. 88.

1) In Bezug auf das erste Kriterium des § 41 können alle
ebenen centralprojectivischen Abbildungen als bildlich bezeichnet
werden, und man hat nur das zweite des Sehkegels zu beachten,
um gute perspectivische Bilder zu erhalten. Man kann im Bilde
die Sichtbarkeit und Unsichtbarkeit unterscheiden, indem man die
Bildebene als vielfach und ihre Lagen als in derselben Ordnung vom Centrum als einander folgend und einander verdeckend
ansieht, wie die Flächen des abgebildeten Objects: Das centralprojectivische Bild als ein unendlich dünnes Relief.

2) In der Parallelprojection muss die S e i t e der Bildebene bezeichnet werden, auf welcher in unendlicher Ferne das Centrum
gedacht werden soll, um die gegenseitige Verdeckung der Flächen
des Originals im Bilde zu bestimmen (vergl. § 55). Dann gelten
die vorigen Bemerkungen.

3) Der von allen Sehstrahlen normal geschnittenen Kugelfläche
der Netzhaut entspricht die ebene Bildfläche der orthogonalen Parallelprojection; diese — die orthogonale — hat unter den Parallelprojectionen am meisten den Charakter der Bildlichkeit. Die Entwickelung darf sich im Allgemeinen auf sie beschränken, da die
allgemeinen Charaktere aller Parallelprojectionen in der Lehre von
der Affinität doch gegeben sind.

Für den Zeichner bietet die Anwendung schiefer Parallelprojectionen besondere Vortheile (§ 61), die Wahrung der Bildlichkeit
des Dargestellten steckt ihr jedoch sehr enge, obwohl nicht im Allgemeinen, sondern nur im speciellen Fall bestimmbare Grenzen.

4) Wenn die Punkte des Raumes durch gerade Strahlen aus
zwei festen Punkten auf eine Ebene projiciert werden, die keinen
derselben enthält, so liegen die beiden Bilder desselben Punktes
immer in einer Geraden mit dem Durchstosspunkt der Verbindungslinie der Centra; die Projectionen eines Dreiecks sind perspectivisch
für diesen Punkt als Centrum und die Spur seiner Ebene als Axe;
etc. Man kann die Ebenen des Raumes mittelst ihrer Schnittlinien
in zwei festen Ebenen und diese mittelst ihrer Verbindungsebenen
mit einem in keiner von beiden gelegenen festen Punkte bestimmen,
speciell an einem unendlich fernen Punkte; immer bilden die beiden
bestimmenden Ebenen derselben Ebene ein Büschel mit der von
ihm nach ihrer Schnittlinie gehenden Ebene. (Vergl. oben den
Schluss des Ueberblicks am Ende des Abschnittes A.)

5) Man entwickele die Bestimmung aus dem Aufriss und dem
Schlagschatten auf die Aufrissebene für Punkte, gerade Linien etc.,
wenn das Licht unter 45^0 zur Aufrissebene so einfällt, dass die
Aufrisse der Lichtstrahlen vertikal sind. (Vergl. § 47, 10 und 16 und
die Theorie der Normal-Elemente zu den Halbierungsebenen $\mathbf{H}_{x'}$, etc.)

44. Die centrisch collinearen räumlichen Systeme sind
projectivisch collineare räumliche Systeme in besonderer, nämlich perspectivischer Lage, wenn man als projectivische collineare Systeme allgemein diejenigen definiert,
welche dem Gesetze genügen, dass jedem Punkte ein Punkt
und jeder Geraden eine Gerade im andern System entspricht. Den geradlinigen Reihen, den ebenen Strahlenbüscheln
und den Ebenenbüscheln des einen Systems entsprechen projectivische Reihen, Strahlenbüschel und Ebenenbüschel des
andern. (Vergl. § 38.)

Eine solche Beziehung zweier Räume ist vollkommen bestimmt durch fünf Punkte A, B, C, D, E des einen, von denen
keine vier in einer Ebene liegen, und die fünf entsprechenden
Punkte A_1, B_1, C_1, D_1, E_1 des andern (Fig. 89). Denn ist F
ein sechster Punkt des ersten Systems, so bestimmt derselbe mit
drei Kanten des Tetraeders $ABCD$, welche nicht in einer Ecke
zusammenstossen, Ebenen, die nur ihn gemein haben und deren
entsprechende im andern System somit den entsprechenden
Punkt F_1 bestimmen. Diese aber construiert man nach der
Bemerkung, dass die beiden Ebenenbüschel $(AB.CDEF)$ und
$(A_1 B_1.C_1 D_1 E_1 F_1)$, ebenso $(BC.ADEF)$, $(B_1 C_1.A_1 D_1 E_1 F_1)$ und
$(CA.BDEF)$, $(C_1 A_1.B_1 D_1 E_1 F_1)$ zu einander projectivisch sind
(vergl. § 22), mit Hilfe von dreimaliger Anwendung der einfachen Mittel der §§ 17 und 18. In derselben Weise construiert

Fig. 89.

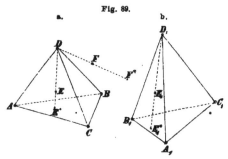

man durch Wiederholung oder ebenso direct entsprechende Gerade und entsprechende Ebenen beider Systeme. Den unendlich
fernen Punkten Q des einen Systems entsprechen die Punkte Q_1
der Gegenebene $\mathbf{Q}_1$ des andern und den unendlich fernen Punkten R_1 in diesem die R der Gegenebene $\mathbf{R}$ in jenem System,
welche beide man somit ebenfalls leicht ermittelt.

Ist dann im System des Bildraums $\mathbf{E}_1$ eine zur Gegenebene
$\mathbf{Q}_1$ parallele Ebene, so wird die entsprechende Ebene $\mathbf{E}$ des
Originalraums zu $\mathbf{R}$ parallel und die in beiden Ebenen enthaltenen Systeme werden zu einander affin sein; den Richtungen der einen entsprechen also Richtungen der andern, ohne
dass jedoch allgemein die Richtungsunterschiede hier den entsprechenden Richtungsunterschieden dort gleich sein werden.
Dies letztere ist aber der specielle Charakter, welchen ent-

sprechende ebene Systeme von der Stellung der Gegenebenen in centrisch collinearen Räumen besitzen, weil ihre unendlich ferne Gerade zugleich ihre Collineationsaxe ist, d. h. Punkt für Punkt sich selbst entspricht. Damit ist erwiesen, dass collineare räumliche Systeme im Allgemeinen nicht in centrische oder perspectivische Lage übergeführt werden können (vergl. § 22), dass vielmehr diese Möglichkeit von besonderen Eigenschaften derselben abhängt. Die Darstellungsmethoden haben es stets nur mit centrisch collinearen Systemen zu thun.

Reciproken räumlichen Systemen (vergl. den Ueberblick S. 113 f.) werden wir später begegnen. Sie sind im allgemeinen Falle auch durch fünf Punkte der einen und die fünf entsprechenden Ebenen des andern Raumes bestimmt, wenn keine vier von jenen in einer Ebene liegen und also keine vier von diesen durch einen Punkt gehen. Auch hier erfordert die Construction des entsprechenden zu einem gegebenen Element die dreimalige Wiederholung der Elementarconstruction des vierten Elements in projectivischen Gebilden erster Stufe.

1) Wenn zwei collineare räumliche Systeme ein ebenes System entsprechend gemein haben, so haben sie auch ein Strahlenbündel entsprechend gemein und umgekehrt. Man erläutere insbesondere den Zusammenhang dieses Satzes mit dem in § 38, 2.

2) Die Bestimmung der centrisch collinearen räumlichen Systeme durch Centrum und Ebene der Collineation und eine der Gegenebenen ist eine specielle Form der Bestimmung durch fünf Paare entsprechender Punkte. Das Centrum und drei Punkte der Collineationsebene, welche sie bestimmen, repräsentieren vier Paare; die Gegenebene ist durch einen weiteren Punkt bestimmt, dessen entsprechender die Richtung des durch ihn gehenden Strahls aus dem Centrum ist. Es ist analog, wenn die Gegenebene durch ein Paar von entsprechenden Punkten A, A_l ersetzt wird.

3) Wenn zwei Systeme mit einem und demselben dritten System collinear sind, so sind sie es auch untereinander; wenn in einer Reihe von Systemen jedes mit dem folgenden collinear ist, so ist auch das erste mit dem letzten und jedes mit jedem collinear. Ebenso für ähnliche und für affine Systeme.

45. Von wichtigen Folgen ist der Satz: Wenn von drei räumlichen Systemen je zwei mit einander centrisch collinear sind, so liegen die drei Collineationscentra in einer geraden Linie. Denn die Systeme, die wir als·

erstes, zweites, drittes System bezeichnen wollen, haben paarweise mit einander eine Collineationsebene, etwa das erste
und zweite die Ebene S_3, das zweite und dritte die Ebene S_1,
das dritte und erste die Ebene S_2, und diese drei Ebenen haben
mit einander einen Punkt S gemein. Nun entspricht (Fig. 90)
jeder durch S gehenden Geraden
g_1 des ersten Systems mit zwei
Punkten A_1, B_1 eine auch durch
S gehende Gerade g_2 des zweiten
mit den entsprechenden Punkten
A_2, B_2 und eine durch S gehende
Gerade g_3 des dritten mit den
Punkten A_3, B_3, und es schneiden
sich die Geraden $A_1 A_2$, $B_1 B_2$ im
Collineationscentrum C_3, $A_2 A_3$, $B_2 B_3$
im Centrum C_1 und $A_3 A_1$, $B_3 B_1$
in C_2. Die Dreiecke $A_1 A_2 A_3$ und
$B_1 B_2 B_3$ haben also ihre Ecken

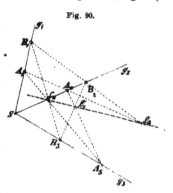

Fig. 90.

paarweise auf Strahlen aus einem Punkt S, und ihre entsprechenden Seitenpaare schneiden sich daher in drei Punkten einer
Geraden. (§ 19, 11.)

Damit ist zugleich der speciellere Satz bewiesen: Wenn
drei ebene Systeme paarweise centrisch collinear sind und ihre
Collineationsaxen einen Punkt gemein haben, so liegen ihre
Collineationscentra in einer Geraden, und umgekehrt. (Vergl.
§ 23, 6.) Und der noch speciellere: Sind zwei ebene Systeme
einem dritten ebenen System ähnlich und zu ihm in perspectivischer Lage, so sind sie beides auch untereinander und die drei
Aehnlichkeitscentra liegen in einer Geraden. Denn dann haben
die Geraden $A_1 B_1$, $A_2 B_2$, $A_3 B_3$ als einander parallel einen unendlich fernen Punkt gemein.

1) Wenn ein centrisch collineares Modell von einem andern
als dem ihm zugehörigen Centrum aus betrachtet wird, so kann
unter Festhaltung der in der Collineationsebene gelegenen Elemente
das ihm entsprechende System des Originalraums construiert werden,
und es muss dem ursprünglichen Originalsystem centrisch collinear
sein für ein Centrum in der Verbindungslinie der beiden benutzten.
Bei einer Verlegung beider Gegenebenen (natürlich parallel sich
selbst) ändert sich dies nicht; nur würde eine parallelepipedische
Figur des ersten Originals in eine solche mit nicht mehr parallelen

17 *

Flächenpaaren des zweiten übergehen. Darstellungen krummflächig begrenzter, organischer, speciell beweglicher Formen lassen darin eine ziemlich grosse Freiheit.

Man specialisiere den Satz für die perspectivischen Bilder, etc.

2) Je zwei Kreise derselben Ebene (oder in parallelen Ebenen) sind ähnlich und in perspectivischer Lage für ihren innern Aehnlichkeitspunkt J und den äussern Aehnlichkeitspunkt A. Sind die Aehnlichkeitspunkte von drei Kreisen K_1, K_2, K_3 in parallelen Ebenen oder in derselben Ebene A_{12}, J_{12} für K_1 und K_2, A_{23}, J_{23} für K_2 und K_3 und A_{31}, J_{31} für K_3 und K_1, so liegen dieselben vier mal zu dreien in einer Geraden — nämlich $A_{12} A_{23} A_{31}$, $J_{12} A_{23} A_{31}$, $A_{12} J_{23} A_{31}$, $A_{12} A_{23} J_{31}$ — und bilden also ein vollständiges Vierseit. Vergl. die ganz andere Ableitung in § (7).

Jede der Aehnlichkeitsaxen bestimmt ein zweifach unendliches System von Kreisen aus den gegebenen — jeden Kreis aus seinem Centrum und dem Aehnlichkeitspunkt mit einem der gegebenen Kreise.

Je zwei Kreise derselben Ebene sind auch centrisch collinear für dieselben beiden Punkte A und J als Centra und für die Gerade s, welche man Chordale, Potenzlinie oder Radicalaxe derselben nennt, als Collineationsaxe (§ 26, 5). Die Collineationsaxen oder Potenzlinien s_{12}, s_{23}, s_{13} von drei Kreisen derselben Ebene gehen durch einen Punkt.

3) Zwei Kugeln sind einander ähnlich in perspectivischer Lage für ihren innern und ihren äussern Aehnlichkeitspunkt J und A und sie sind zu einander centrisch collinear für dieselben Punkte als Centra und die Ebene S, welche man Chordal- oder Radical- oder Potenz-Ebene nennt, als Collineationsebene. Von den sechs Aehnlichkeitspunkten von drei Kugeln liegen viermal drei in einer Geraden in der Ebene ihrer Centra und die drei Collineationsebenen schneiden sich in einer zur Ebene der Centra normalen Geraden.

4) Vier Kugeln 1, 2, 3, 4 bilden auf acht Arten sechs Paare von ähnlichen Figuren in perspectivischer Lage; von den Aehnlichkeitspunkten liegen achtmal je sechs in einer Ebene, die kein Tripel der Centra enthält; während sie nach dem Vorigen zu drei in viermal vier in den Ebenen durch drei Centra enthaltenen Aehnlichkeitsaxen liegen. Die sechs Collineationsebenen S_{ik} schneiden sich in einem Punkt, dem Potenz- oder Chordal-Punkt der Kugeln. Von den vorher erwähnten acht Aehnlichkeitsebenen enthält eine nur äussere Aehnlichkeitspunkte der Kugeln in Paaren; drei enthalten je vier innere und zwei äussere und die vier letzten je drei innere und drei äussere. Jede der Aehnlichkeitsebenen bestimmt ein dreifach unendliches System von Kugeln aus den gegebenen — jede Kugel aus ihrem Centrum und dem Aehnlichkeitspunkt mit einer der gegebenen Kugeln.

D. Die Grundgesetze der orthogonalen Parallelprojection, ihre Transformationen und die Axonometrie.

46. Durch die orthogonalen Parallelprojectionen auf zwei zu einander rechtwinklige Ebenen können die Raumformen im Allgemeinen bestimmt werden; unter Festsetzung eines Anfangspunktes O in der Durchschnittslinie x derselben (Fig. 91) können sie nach gegebenen Maassen eingezeichnet werden, nämlich jeder Punkt aus der Angabe seiner Abstände AA', AA'' von jenen beiden Ebenen und aus der des Abstandes von O bis zu der durch ihn gelegten Normalebene $AA'A_xA''$ zur Axe x. Indem wir den Anfangspunkt O als Schnittpunkt mit einer dritten zu den beiden ersten normalen Ebene bestimmt denken, erhalten wir (Fig. 92) drei Grund- oder Projections-ebenen XOY, XOZ, YOZ, drei zu einander normale Schnitt-

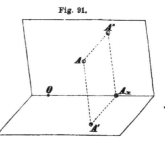

Fig. 91.

linien derselben oder Projectionsaxen OZ, OY, OX zur Angabe der Richtungen der projicierenden Linien, welche zu den Projectionsebenen XOY, XOZ, YOZ respective gehö-ren. Es entstehen drei ortho-gonale Parallel-Projectionen jeder Raumfigur, nämlich auf XOY, XOZ, YOZ, die wir als erste, zweite, dritte Projection respective benennen und durch Beifügung von einem Strich, von zwei oder drei Strichen oben rechts am Zeichen des Originals von einander und von diesem unterscheiden. In dieser Weise ge-fasst ist die Bestimmungsweise der darstellenden Geometrie mittelst der orthogonalen Parallelprojectionen identisch mit der-jenigen der Coordinatengeometrie des Raumes für rechtwinklige Parallelcoordinaten. Wir nennen auch die geradlinige Strecke von der ersten Projection A' eines Punktes A bis zu ihm selbst

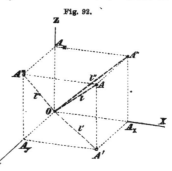

Fig. 92.

die Coordinate z, die von der zweiten Projection A'' zu ihm selbst die Coordinate y, und die von der dritten Projection A''' zu ihm die Coordinate x, weil dieselben respective den Axen OZ, OY, OX parallel sind. Wir unterscheiden in jeder der Axen, vom Anfangspunkt O ausgehend, den positiven und negativen Sinn der Bewegung und nennen jede Coordinate positiv oder negativ, je nachdem sie von der entsprechenden Projectionsebene aus im positiven oder negativen Sinn der dazu normalen Axe verläuft. Jeder Punkt ist durch Angabe seiner Coordinaten nach Grösse und Sinn bestimmt, d. h. der Grösse und des Sinnes der Strecken, welche auf seinen projicierenden Geraden zwischen der Projection und ihm selbst enthalten sind.

Die projicierenden Linien x, y, z eines Punktes A bestimmen paarweise drei Ebenen yz parallel YOZ, zx parallel ZOX, xy parallel XOY, und diese schneiden die Axen OX, OY, OZ respective in je einem Punkte A_x, A_y, A_z. Diese drei Ebenen umschliessen mit den drei Projectionsebenen ein rechtwinkliges Parallelepiped, welches wir als das **projicierende Parallelepiped des Punktes** bezeichnen; seine Flächen sind in Paaren parallel und congruent: $OA_x A'A_y$, $A_z A''AA'''$; $OA_y A''' A_z$, $A_x A'AA''$; $OA_z A''A_x$, $A_y A'''AA'$; seine Ecken in Paaren entgegengesetzt: O, A; A_x, A'''; A_y, A'; A_z, A'; seine Kanten zu vieren parallel und gleich: OA_z, $A_x A'$, $A A$, $A_y A'''$ $(= z)$; OA_y, $A_z A'''$, $A'A$, $A_x A'$ $(= y)$; OA_x, $A_y A'$, $A'''A$, $A_z A'$ $(= x)$. Setzt man: $OA = l$, $OA' = l'$, $OA'' = l''$, $OA''' = l'''$ und $\angle (l, l') = \beta_1$, $\angle (l, l'') = \beta_2$, $\angle (l, l''') = \beta_3$, die Neigungswinkel der Geraden l gegen die Projectionsebenen, so gelten die Relationen

$$l^2 = l'^2 + z^2 = l''^2 + y^2 = l'''^2 + x^2 = x^2 + y^2 + z^2;$$

$$\cos^2\beta_1 = \frac{l'^2}{l^2} = \frac{x^2+y^2}{l^2}, \quad \cos^2\beta_2 = \frac{l''^2}{l^2} = \frac{x^2+z^2}{l^2}, \quad \cos^2\beta_3 = \frac{l'''^2}{l^2} = \frac{y^2+z^2}{l^2};$$

$$\sin^2\beta_1 = \frac{z^2}{l^2}, \qquad \sin^2\beta_2 = \frac{y^2}{l^2}, \qquad \sin^2\beta_3 = \frac{x^2}{l^2};$$

also $\cos^2\beta_1 + \cos^2\beta_2 + \cos^2\beta_3 = 2$, $\sin^2\beta_1 + \sin^2\beta_2 + \sin^2\beta_3 = 1$ oder $\overset{i=3}{\underset{i=1}{\Sigma}} \cos^2\beta_i = 2$, $\overset{i=3}{\underset{i=1}{\Sigma}} \sin^2\beta_i = 1$; also auch unter Ausschluss von $i = k$ $\beta_i + \beta_k \leqq 90^0$.

Die folgenden Beispiele sind geeignet, die im Vorigen entwickelten Anschauungen zu vervollständigen.

1) Bezeichnen wir den Punkt von den Coordinaten $x = a$, $y = b$, $z = c$ kurz durch (a, b, c), so bedeutet $(0, 0, 0)$ den Anfangspunkt O; $(0, 0, c)$ jeden beliebigen Punkt der Axe OZ; $(0, b, 0)$ jeden Punkt der Axe OY; $(a, 0, 0)$ jeden in der Axe OX.

2) Ebenso bezeichnet $(0, b, c)$ einen beliebigen Punkt der Coordinaten- oder Projectionsebene YOZ, $(a, 0, c)$ einen solchen in XOZ, $(a, b, 0)$ einen in XOY. In welcher Weise fallen die Ecken der projicierenden Parallelepipede solcher Punkte in Paaren zusammen?

3) Alle Punkte, deren Coordinaten x und y von gleicher Länge sind, vertheilen sich in zwei durch die Axe OZ gehende und die Winkel zwischen den anstossenden Projectionsebenen halbierende Ebenen, deren eine $\mathbf{H}_z$ die Punkte $(\pm a, \pm a, c)$ mit gleichem Sinn der x und y, und die andere $\mathbf{H}_{z'}$ die $(\pm a, \mp a, c)$ mit verschiedenem Sinn der x und y enthält.

Ebenso liegen die Punkte $(a, \pm b, \pm b)$, $(a, \mp b, \pm b)$ in zwei Ebenen $\mathbf{H}_x$, $\mathbf{H}_{x'}$, die durch die Axe OX gehen und die Winkel der anliegenden Projectionsebenen halbieren; endlich die Punkte $(\pm a, b, \pm a)$, $(\pm a, b, \mp a)$ in zwei Ebenen $\mathbf{H}_y$, $\mathbf{H}_{y'}$. Wir nennen diese Ebenen die sechs Halbierungsebenen des Projectionssystems. (Vergl. § 10, 6.) Sie können als Diagonalebenen specieller projicierender Parallelepipede angesehen werden.

4) Die Punkte (a, a, a) von gleichen Coordinaten mit übereinstimmendem Sinn, liegen in einer Geraden $\mathfrak{h}$, welche von O ausgeht, mit den Projections-Axen und -Ebenen gleiche Winkel macht und die gemeinschaftliche Schnittlinie der Ebenen $\mathbf{H}_z$, $\mathbf{H}_x$, $\mathbf{H}_y$ ist, weil $x = y = z = a$ die Relationen $x = y = a$, $y = z = a$, $z = x = a$ einschliesst. Ebenso liegen die Punkte $(-a, a, a)$ in der Geraden $\mathfrak{h}_x$,

in welcher die Ebenen $\mathbf{H}_{z'}$, $\mathbf{H}_x$, $\mathbf{H}_{y'}$ sich schneiden; die Punkte $(a, -a, a)$ in der Schnittlinie $\mathfrak{h}_y$ der Ebenen $\mathbf{H}_{z'}$, $\mathbf{H}_{x'}$, $\mathbf{H}_y$ und die Punkte $(a, a, -a)$ in $\mathfrak{h}_z$ auf den Ebenen $\mathbf{H}_z$, $\mathbf{H}_{x'}$, $\mathbf{H}_{y'}$. Die sechs Halbierungsebenen schneiden sich ausser paarweise in den Projectionsaxen viermal zu dreien in vier Geraden aus O, welche mit den Projections-Axen und -Ebenen gleiche Winkel einschliessen, daher als die vier Halbierungsaxen des Systems bezeichnet werden dürfen. Sie können

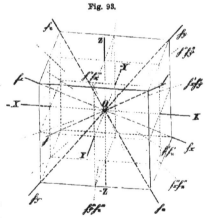

Fig. 93.

als Diagonalen projicierender Würfel angesehen werden; in der Fig. 93

sind acht solche zu einem Würfel vereinigt, die Ebenen $\mathbf{H}_x$, $\mathbf{H}_{x'}$; $\mathbf{H}_y$, $\mathbf{H}_{y'}$; $\mathbf{H}_z$, $\mathbf{H}_{z'}$ sind die Ebenen der Paare von Geraden $\mathfrak{h}\,\mathfrak{h}_x$, $\mathfrak{h}_y\mathfrak{h}_z$; $\mathfrak{h}\,\mathfrak{h}_y$, $\mathfrak{h}_x\mathfrak{h}_z$; $\mathfrak{h}\,\mathfrak{h}_z$, $\mathfrak{h}_x\mathfrak{h}_y$. (Vergl. § 10, 6; § 49, 5 und § 60, Anm.)

5) Wie gross sind die Winkel β_i für die Halbierungsaxen?

47. Eine beliebige **Ebene** erzeugt mit den drei Projectionsebenen Durchschnittslinien, die wir die **Spuren** s_i derselben nennen und als erste, zweite und dritte Spur so unterscheiden, dass s_1 in der Ebene XOY, s_2 in XOZ, s_3 in YOZ gelegen ist; sie bilden das **Spurendreieck** der Ebene, dessen Ecken mit S_x, S_y, S_z bezeichnet werden können nach ihrer Lage in den respectiven Axen. Die Ebene schneidet ferner das System der sechs Halbierungsebenen $\mathbf{H}_i$ und der vier Halbierungsaxen $\mathfrak{h}_i$ in den sechs Seiten — schreiben wir h_x, $h_{x'}$, h_y, $h_{y'}$, h_z, $h_{z'}$ — und vier Ecken — H, H_x, H_y, H_z — eines **vollständigen Vierecks**, für welches die drei Ecken des Spuren-

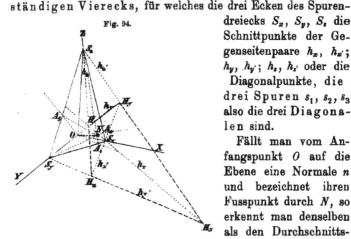

Fig. 94.

dreiecks S_x, S_y, S_z die Schnittpunkte der Gegenseitenpaare h_x, $h_{x'}$; h_y, $h_{y'}$; h_z, $h_{z'}$ oder die Diagonalpunkte, die drei Spuren s_1, s_2, s_3 also die drei Diagonalen sind.

Fällt man vom Anfangspunkt O auf die Ebene eine Normale n und bezeichnet ihren Fusspunkt durch N, so erkennt man denselben als den Durchschnittspunkt der drei Höhenperpendikel des Spurendreiecks $S_xS_yS_z$, weil die Normalebenen zur gegebenen Ebene durch OZ, OX, OY respective sich in ON durchschneiden (vergl. § 10, 15). Sind die Winkel dieser Normale mit den Projectionsebenen (§ 46) β_1, β_2, β_3, so sind die Neigungswinkel der Ebene α_1, α_2, α_3 gegen dieselben Projectionsebenen ihre Complemente und man hat folglich

$$\sum_{i=1}^{i=3} \cos^2 \alpha_i = 1, \quad \sum_{i=1}^{i=3} \sin^2 \alpha_i = 2; \quad \alpha_i + \alpha_k \geq 90^0$$

für i und k als verschieden unter den Zahlen 1, 2, 3; oder auch $\Sigma \varDelta_i{}^2 = 1$ nach § 43. Die Schnittlinien der Ebenen n, OZ; n, OY; n, OX mit den Projectionsebenen XOY, XOZ, YOZ respective sind die drei Projectionen n', n'', n''' der Normale n, und weil die bezeichneten Ebenen zu den Spuren s_1, s_2, s_3 respective normal sind, so sind auch n', n'', n''' respective normal zu s_1, s_2, s_3. Da endlich alle Normalen derselben Ebene und alle Normalebenen derselben Geraden einander parallel und die gleichnamigen Projectionen paralleler Geraden und Spuren paralleler Ebenen selbst parallel sind, so gilt der Satz: **Die Projectionen jeder Normale einer Ebene sind normal zu den gleichnamigen Spuren der Ebene** — und der umgekehrte: **Die Spuren der Normalebenen zu einer Geraden sind normal zu den gleichnamigen Projectionen der Geraden.**

Wir erläutern diese Anschauungen durch die folgenden Uebungen.

1) Wenn das Spurendreieck $S_x S_y S_z$ einer Ebene (Fig. 95) gegeben ist, so kann man mittelst des Höhenschnittpunktes N des-

Fig. 95.

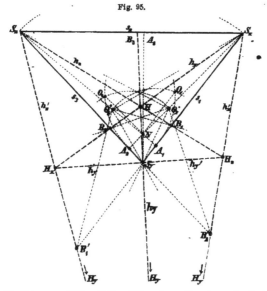

selben die Längen OS_x, OS_y, OS_z oder die Axenabschnitte der Ebene, und die Geraden h_i, also auch die Punkte H_i derselben verzeichnen. Ein Kreis über der Höhe $S_z A_1$ als Durchmesser schneidet auf der durch N gezogenen Parallele zu $S_x S_y$ den Punkt O_1 so an, dass $N O_1$ die normale Entfernung der Ebene vom Anfangspunkt ist, und die Abtragung von $A_1 O_1$ auf die Höhe $A_1 S_z$ giebt (vergl. Fig. 94) in O_1* die Umlegung von O mit $S_x S_y O$ in die Ebene. Die Halbierungslinien des rechten Winkels $S_x O_1* S_y$ geben in $S_x S_y$ zwei Schnittpunkte B_1, B_1', welche mit S_z verbunden die Geraden h_z, $h_{z'}$ bestimmen; und zwar giebt bei gleichem Sinne der Axenabschnitte $O S_x$, $O S_y$ der innere, bei ungleichem Sinne derselben der äussere Punkt die Linie h_z. Verfährt man ebenso mit den Seiten $S_y S_z$, $S_z S_x$ des Spurendreiecks, so erhält man die Geraden h_x, $h_{x'}$; h_y, $h_{y'}$ und durch ihre vier Schnittpunkte zu dreien die Punkte H, H_x, H_y, H_z. Da die Construction nur die Länge, aber nicht den Sinn der Axenabschnitte der Ebene bestimmt, so entsprechen **acht Lagen der Ebene** in den durch die Projectionsebenen erzeugten Octanten des Raumes **demselben Spurendreieck.** Man charakterisiere die bezügliche Unterscheidung der Vierecke der H_i.

2) Man entnehme der vorigen Construction die Neigungswinkel α_i der Ebene. Ebenso die Winkel der Ebene zu den Projectionsaxen.

*) Wenn die Schnittpunkte einer andern Ebene S_x^1, S_y^1, S_z^1 mit den Axen $N S_x$, .. bekannt sind, so soll man ihre Schnittlinie d mit $S_x S_y S_z$, ihren Neigungswinkel φ mit dieser und die Umklappung ihres Spurendreieckes in diese construieren. (Vergl. § 60.)

3) Die Punkte B_i, $B_{i'}$ in den Seiten des Spurendreieckes liegen viermal zu dreien in einer Geraden. (Siehe Fig. 102 und S. 274.)

4) Welches ist der besondere Charakter des Vierecks der H_i für eine Ebene mit gleichseitigem Spurendreieck, und wie gross sind die Neigungswinkel α_i derselben?

5) Jede projicierende Ebene hat zu ihrem Spurendreieck einen rechtwinkligen Parallelstreifen, dessen unendlich ferne Ecke der zu ihr parallelen Axe angehört. Das Viereck $H H_x H_y H_z$ ist dann ein gleichschenkliges Paralleltrapez, dessen parallele Seiten von der Richtung der beiden parallelen Spuren sind, und dessen nicht parallele Seiten mit der letzten Spur gleiche Winkel bilden.

6 Als erste ausgezeichnete Grenzlage der projicierenden Ebene kann ihr Parallelismus mit einer Projectionsebene betrachtet werden; dann ist eine Spur unendlich fern, das Viereck $H H_x H_y H_z$ ein Quadrat.

7) Die zweite ausgezeichnete Grenzlage giebt die projicierende Ebene parallel einer Halbierungsebene; dann liegen zwei der Ecken des Vierecks der H_i und also eine seiner Seiten unendlich fern, die beiden andern Ecken aber in der Mitte zwischen den parallelen Spuren und symmetrisch zur letzten Spur der Ebene.

8) Man erörtere die Unbestimmtheit des Normalenfusspunktes N in 6) und die speciellen Lagen desselben in den Fällen 4) und 7).

9) Wenn eine Ebene zu einer der Halbierungsaxen parallel

ist, so fällt eine der Ecken des Vierecks der H_i ins Unendliche und die drei zugehörigen h_i werden einander parallel.

10) Eine Ebene ist zu einer der Halbierungsebenen normal, wenn sie zu zwei Projectionsebenen gleich geneigt ist oder wenn zwei ihrer Axenabschnitte gleich sind (vergl. §. 10, 6); man charakterisiere das Viereck der H_i in diesem Falle. Die Normalebenen der Halbierungsaxen (§ 46, 4) sind gleich geneigt zu den Projectionsebenen (4).

11) Als weitere Specialfälle der Lage einer Ebene sind bezüglich des Dreiecks der Spuren und des Vierecks der H_i die Fälle zu charakterisieren, wo die Ebene eine Projectionsaxe respective eine Halbierungsaxe enthält.

12) Aus dem Sinne der Coordinaten der drei Axenschnittpunkte S_x, S_y, S_z der Ebene bestimmt sich der Sinn der Coordinaten aller ihrer Punkte aus ihrer Lage gegen das Spurendreieck. Alle Punkte innerhalb des Spurendreiecks haben ihre Coordinaten vom nämlichen Sinne, wie die Axenschnittpunkte selbst, sagen wir beispielsweise $+$, $+$, $+$ oder $(+, -, +)$; der Durchgang durch eine Spur markiert den Wechsel des Sinnes der zugehörigen, d. i. zu ihrer Projectionsebene normalen, Coordinate, so dass die Aussenwinkelflächen des Spurendreiecks an s_1 durch $+ + - (+ - -)$, an s_2 durch $+ - + (+ + +)$, an s_3 durch $- + + (- - +)$ charakterisiert sind; endlich die Scheitelwinkelräume an S_x, S_y, S_z respective die Zeichenfolgen $+ - - (+ + -)$, $- + - (- - -)$, $- - + (- + +)$ erhalten. Die Fig. 96 giebt einen dritten Fall.

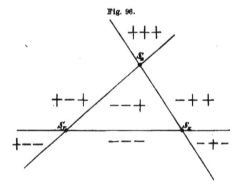

Fig. 96.

Eine Ebene geht im Allgemeinen durch sieben der acht Octanten, in welche die Projectionsebenen den Gesammtraum theilen. Durch welchen geht sie nicht? (Nicht durch $+ + -$ im Falle der Figur). Welche Ebenen gehen durch sechs und welche durch vier Octanten?

13) Man erörtere die in den vorher bezeichneten Specialfällen der Lage der Ebene eintretenden Besonderheiten der Discussion in

12), und füge die Untersuchung der Vertheilung der Punkte von besondern Coordinatenverbältnissen nach § 46, 1—4 hinzu. Der Gesammtraum wird durch die Projections- und Halbierungsebenen in 48 Winkelräume (dreiseitige Ecken) zerlegt, von denen jede Ebene im Allgemeinen 33 durchsetzt.

14) Man gebe die speciellen Relationen zwischen den Winkeln α_i für die projicirenden und die den Projections- oder Halbierungsebenen parallelen Ebenen an; dazu die Lage ihrer Normalen.

15) Wenn der eine Schenkel eines rechten Winkels einer Projectionsebene parallel ist, so ist die betreffende Projection desselben selbst ein rechter Winkel.

16) Der senkrechte Abstand eines Punktes von der Halbierungsebene $H_{x'}$ ist der Diagonale eines Quadrats gleich, das die halbe (algebraische) Summe seiner Coordinaten y und z zur Seite hat. Wie lautet die Regel für H_z? Wie für H_s, H_y, und H_y, $H_{y'}$?

48. **Eine Gerade g bestimmt mit den Richtungen der drei Projectionsaxen OZ, OY, OX drei projicirende Ebenen G_1, G_2, G_3, von denen jede zwei zu einander** parallele Spuren und eine zu

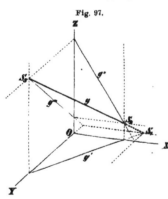

Fig. 97.

diesen rechtwinklige Spur hat; die letzteren sind die drei **Projectionen der Geraden g', g'', g'''**. Die Gerade schneidet die drei Projectionsebenen in drei Punkten, die wir ihre **Durchstosspunkte** nennen und mit S_1, S_2, S_3 bezeichnen wollen, nach den Projectionsebenen XOY, XOZ, YOZ, in welchen sie liegen. Jeder derselben liegt in den drei Ebenen G_i und in einer Projectionsebene, ist also der Durchschnittspunkt der drei gleichnamigen Spuren von jenen. (Fig. 97.)

Dieselbe Gerade schneidet im Allgemeinen die sechs Halbierungsebenen in endlich gelegenen und verschiedenen Punkten, die wir als ihre **Punkte** $\mathfrak{H}_i$ bezeichnen wollen nach den Indices der betreffenden Halbierungsebenen. Diese Punkte sind die Durchschnittspunkte von g mit den Seiten aller der Vierecke, welche die durch g gehenden Ebenen mit dem System der Projections- und der Halbierungsebenen bilden (Fig. 98);

sie gehören also (§ 25, 5) der nämlichen Involution an, als drei Paare derselben: $\mathfrak{H}_x, \mathfrak{H}_{x'}$; $\mathfrak{H}_y, \mathfrak{H}_{y'}$; $\mathfrak{H}_z, \mathfrak{H}_{z'}$.

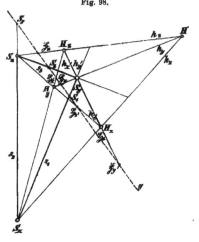

Fig. 98.

Die speciellen Lagen der Geraden charakterisieren sich einfach durch ihr Verhalten zum System der Projections- und Halbierungsebenen; sie kann einer Projectionsebene parallel sein, so dass der entsprechende Durchstosspunkt unendlich fern ist; sie kann zwei Projectionsebenen parallel sein oder einer Projectionsaxe. Eine Gerade kann zu einer Halbierungsebene parallel sein, oder zu zwei und somit zu drei solchen, d. h. zu einer Halbierungsaxe. Sie kann eine Projectionsaxe oder auch zwei Projectionsaxen schneiden, und sie kann ebenso eine Halbierungsaxe oder zwei Halbierungsaxen und damit auch eine Projectionsaxe schneiden. Es ist nützlich, für diese Fälle die Lagen der projicierenden Ebenen und die Besonderheiten der Systeme der S_i und $\mathfrak{H}_i$ zu verzeichnen.

Die in jeder Geraden liegende Reihe von unendlich vielen Punkten (§ 4) hat ihre Projectionen in den gleichnamigen Projectionen der Geraden, und die durch die Gerade gehenden unendlich vielen Ebenen (§ 7) haben Spuren, welche durch die gleichnamigen Durchstosspunkte der Geraden gehen.

1) Die Durchstosspunkte S_i der Geraden sind die Punkte derselben mit einer verschwindenden Coordinate $(x, y, 0)$; $(x, 0, z)$; $(0, y, z)$. (Vergl. § 46, 2.)

2) Man bezeichne die Spuren von $\mathbf{G}_1$, $\mathbf{G}_2$, $\mathbf{G}_3$, welche sich in S_i durchschneiden.

3) Die Durchstosspunkte S_1, S_2 sind zu $\mathfrak{H}_x$, $\mathfrak{H}_{x'}$; S_2, S_3 zu $\mathfrak{H}_z$, $\mathfrak{H}_{z'}$; S_3, S_1 zu $\mathfrak{H}_y$, $\mathfrak{H}_{y'}$ conjugiert harmonisch (§ 16, 13); wenn einer von ihnen unendlich fern ist, so ist der andere der Mittelpunkt des betreffenden Paares.

4) Durch wie viele und welche der acht Coordinatenräume

geht eine Gerade *g* im Allgemeinen? Welches sind die entsprechenden Zeichenwechsel der Coordinaten ihrer Punkte? (§ 47, 12.)

5) Man charakterisiere eine Gerade *g*, die zu einer Projectionsebene parallel ist, nach den hervorgetretenen Gesichtspunkten.

6) Man zeige, dass für die zu zwei Projectionsebenen parallele
Gerade *g* die Involution der $\mathfrak{H}_i$ eine symmetrische ist, welche den
vorhandenen Durchstosspunkt zum endlichen Doppelpunkt hat.

7) Man bezeichne den Centralpunkt der Involution der $\mathfrak{H}_i$ für
eine Gerade *g*, die zur Halbierungsaxe $\mathfrak{h}_s$ parallel ist.

8) Man erläutere die harmonische Relation der $\mathfrak{H}_i$ auf einer
Geraden *g*, die in einer Projectionsebene liegt.

9) Man specialisiere die Involution der $\mathfrak{H}_i$ und die Lage der
S_i für eine Gerade, die einer Halbierungsebene parallel ist.

10) Man untersuche, ob die Relationen der Winkel β_i für einige
dieser Specialfälle besondere Ergebnisse liefern. .

49. Die drei Projectionsebenen, in welchen alle
die gewonnenen Bestimmungs-Elemente enthalten
sind, werden zum Zwecke der Darstellung in eine
Ebene, die Zeichnungsebene, gebracht. Wir denken
eine derselben, die wir als Ebene *XOZ* nehmen wollen und
vertical voraussetzen, mit der Zeichnungsebene vereinigt und
führen die beiden andern *XOY* — wir denken sie horizontal —
und *YOZ*, die auf ihr normal stehen, durch Drehung um die
Axen *OX* und *OZ* respective in sie über. Wir wollen festsetzen, es geschehe dies in der Weise, dass die positive Axe
OY durch die Drehung um *OX* auf die negative Axe *OZ*, in
OY₁ (Fig. 99), und dass dieselbe positive Axe *OY* durch die

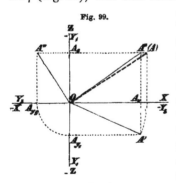

Fig. 99.

Drehung um *OZ* auf die negative Axe *OX* falle in *OY₃*. Dann
sind alle Coordinaten *y* sowohl
auf die horizontale, wie auf die
verticale Axe aufzutragen in
einerlei Sinn derselben. Wir
setzen auch fest, es sei der positive Sinn der *x* der nach rechts
und der positive Sinn der *z* der
nach oben, also der positive Sinn
der *y* nach unten und nach links
respective in *XOY* und *YOZ*.

Von den Flächen des projicierenden Parallelepipeds eines
Punktes *A* erscheinen drei, nämlich (Fig. 99) $O A_x A' A_y$, $O A_y A''' A_z$,

$O A_z A'' A_x$; sie enthalten jede der Coordinaten dreimal (y viermal?) und haben paarweise je eine Seite nach Richtung und Länge, somit die anstossenden Seitenpaare der Richtung nach, gemein: **Je zwei Projectionen desselben Punktes A liegen in demselben Perpendikel zur zwischenliegenden Projectionsaxe, nämlich respective $A' A_x A''$, $A' A_z A'''$, $A''' A_{y_t} A_{y_1} A'$. Die Entfernung des Punktes $A(x,y,z)$ vom Anfangspunkte O ergiebt sich als Hypotenuse in jedem der rechtwinkligen Dreiecke aus den respectiven Katheten $O A'$, z; $O A''$, y; $O A'''$, x. Der von ihr mit der Projection eingeschlossene Winkel ist der zugehörige Winkel β_i.**

1) Man trage die Projectionen eines Punktes aus seinen Coordinaten auf und zwar mit allen Veränderungen des Sinnes, welche möglich sind. Acht Punkte entsprechen den acht Zeichencombinationen $\pm, \pm, \pm$; $\pm, \pm, \mp$; $\pm, \mp, \pm$; $\mp, \pm, \pm$.

2) Man entnehme aus den gegebenen Projectionen eines Punktes auf die Ebenen XOY, XOZ seine drei Coordinaten und bestimme seine Lage im Raum und seine Projection auf YOZ.

3) Man bestimme aus A', A'''; respective aus A''', A'' die fehlende Projection A'', respective A'.

4) Man verzeichne die Projectionen von Punkten in allen den speciellen Coordinatenverhältnissen der Aufgaben des § 46 und erörtere insbesondere die Charaktere der in den Projectionsebenen gelegenen Punkte.

5) Die Punkte der Halbierungsebenen $\mathbf{H}_{x'}$, $\mathbf{H}_{y'}$ (?) und $\mathbf{H}_{z'}$ haben je ein Paar zusammenfallender Projectionen; die entsprechenden Projectionen der Punkte der Ebenen $\mathbf{H}_x$, $\mathbf{H}_y$, $\mathbf{H}_z$ sind symmetrisch zur zwischenliegenden Projectionsaxe; eine ihrer Projectionen liegt stets in einer der Halbierungslinien der Axenwinkel bei O.

6) Giebt es Punkte, für welche alle drei Projectionen sich decken und wo liegen sie und ihre Projectionen?

50. **Eine gerade Linie ist durch zwei ihrer Projectionen g_i** (Fig. 100) **bestimmt**, wenn die zu denselben gehörenden projicierenden Ebenen G_i sich schneiden; sie ist nicht bestimmt, wenn sie sich decken, d. i. wenn jene Projectionen in demselben Perpendikel zur zwischenliegenden Projectionsaxe enthalten sind. In diesem Falle ist die Gerade zur letzten Projection parallel und wird durch zwei Projectionen nur bestimmt, wenn eben diese unter denselben ist. Im Allgemeinen genügen somit zwei Projectionen zur Bestimmung der Objecte und die dritte kann weggelassen werden. (§ 49, 2.)

Nehmen wir zwei Punkte $A(x_1, y_1, z_1)$ und $B(x_2, y_2, z_2)$ als durch ihre Projectionen gegeben an, so sind die Projectionen ihrer geraden Verbindungslinie AB die geraden Verbindungslinien $A'B'$, $A''B''$, $A'''B'''$ ihrer gleichnamigen Projectionen. Die wahre Länge von AB bildet mit der Länge der Projection $A'B'$, $A''B''$, $A'''B'''$ und der algebraischen Differenz der zugehörigen projicierenden Linien $z_1 - z_2$, $y_1 - y_2$, $x_1 - x_2$ respective als Katheten je ein rechtwinkliges Dreieck, in welchem sie mit der ersteren den zugehörigen Winkel β_1, β_2, β_3 respective einschliesst. Man hat also $A'B' = AB \cdot \cos \beta_1$, etc.

Fig. 100.

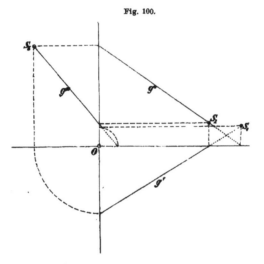

Oder: Da die Punktreihe in AB zu ihrer Parallelprojection perspectivisch ähnlich ist, so ist das Verkürzungsverhältniss $A'B' : AB =$ const., es ist nämlich $= \cos \beta_1$, etc. Für $\beta_1 = 0$ entsteht die Gleichheit der entsprechenden Reihen, für $\beta_1 = 90^0$ wird die Horizontalprojection der Geraden ein Punkt.

Die Durchstosspunkte S_1, S_2, S_3 der Geraden (Fig. 101) fallen mit ihren gleichnamigen Projectionen zusammen und liegen somit in den gleichnamigen Projectionen der Geraden und in den Perpendikeln, welche man auf den zugehörigen Axen in ihren Schnittpunkten mit den benachbarten Projectionen errichten kann. (Vergl. Fig. 97.)

Die Schnittpunkte der Geraden mit den Halbie-
rungsebenen haben je
eine ihrer Projectionen in
den Halbierungslinien der
Axenwinkel, nämlich (Fig.
101) $\mathfrak{H}_z$, $\mathfrak{H}_{z'}$ die erste, $\mathfrak{H}_x$, $\mathfrak{H}_{x'}$
die dritte und $\mathfrak{H}_y$, $\mathfrak{H}_{y'}$ die
zweite, und sind dadurch be-
stimmt.

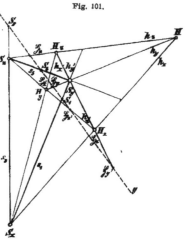

Fig. 101.

1) Man construiere die gerade Entfernung von zwei
Punkten, deren erste Projectionen nebst den Coordinaten
$z_1 = 5$, $z_2 = -3$ gegeben
sind; dazu die Winkel β_i der
Verbindungslinie.

2) Man projiciere eine Gerade aus der Angabe von
zweien ihrer Durchstosspunkte.

3) Man lege durch denselben Punkt zwei Gerade.

4) Parallele Gerade haben parallele gleichnamige Projectionen
und gleiche Verkürzungsverhältnisse; die Projectionen der Parallelen
zu Geraden $\mathfrak{h}_i$ liegen also unter 45^0 zu den Axen. Wodurch unter-
scheiden sich die von Parallelen zu $\mathfrak{h}$, $\mathfrak{h}_x$, $\mathfrak{h}_y$, $\mathfrak{h}_z$ von einander?

5) Man projiciere zu drei Punkten einer durch ihre Projectionen
gegebenen Geraden den oder die vierten harmonischen. (§ 16, 13.)

6) Man bestimme aus zwei Projectionen einer Geraden die
dritte Projection derselben und ihre drei Durchstosspunkte.

7) Man verzeichne die Projectionen von Geraden, welche zu
einer Projectionsaxe respective Projectionsebene parallel sind, oder
eine solche Axe schneiden respective in einer solchen Ebene liegen.

8) Wenn zwei Projectionen einer Geraden mit der zwischenliegenden Axe gleiche Winkel einschliessen, so ist die Gerade zu
einer der Halbierungsebenen parallel; wodurch unterscheiden sich
dabei die Halbierungsebenen $\mathbf{H}_z$, $\mathbf{H}_{z'}$, etc.?
Wodurch charakterisieren sich die Projectionen einer Geraden,
die in einer Halbierungsebene liegt? Insbesondere wenn sie zur
zugehörigen Projectionsaxe parallel geht?

9) Man zeichne durch einen in einer Geraden g gegebenen
Punkt P die Parallelen zu den Halbierungsebenen, welche mit ihr
eine Projection gemein haben. Ist p eine solche Parallele, so giebt
die Halbierungsebene, zu der sie parallel sein soll, diejenige ihrer
Projectionen, welche unter 45^0 zu den Axen liegt; aus dieser und
der in die gleichnamige Projection von g fallenden andern Projec-

tion ist p bestimmt. Welche zwei der gesuchten Geraden haben einen Punkt zur Projection?

10) Können alle drei Projectionen einer Geraden einander parallel sein, und wie liegt eine solche Gerade? (§ 49, 6.) Parallel der Geraden $\mathfrak{h}_y$, so dass durch jeden Punkt eine derselben geht.

51. Die Spuren s_1, s_2, s_3 einer Ebene schneiden sich paarweise in der jedesmal zwischenliegenden Projectionsaxe (Fig. 102). Von den Spuren der Halbierungsebenen fallen zwei

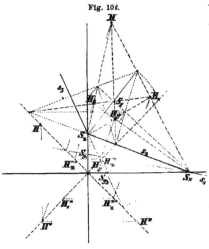

Fig. 102.

-in die bezügliche Projectionsaxe, die letzte in eine der Halbierungslinien der von den beiden andern Projectionsaxen gebildeten Winkel. Von jeder der sechs Geraden h_i der Ebene ist also eine ihrer Projectionen, nämlich von $h_z, h_{z'}$ die erste, von $h_y, h_{y'}$ die zweite, und von $h_x, h_{x'}$ die dritte Projection gegeben. Dies bestimmt die Projectionen der h_i und somit auch die der Punkte H_i.

Verzeichnet man das Spurendreieck aus seinen drei Seiten durch Umlegung um die eine derselben, etwa s_2 (also Bestimmung von S_y), in wahrer Grösse, so erhält man durch Beachtung der Schnittpunkte der h_i mit den Seiten desselben die wahre Figur der h_i und H_i der Ebene (Fig. 102). Die Schnittpunkte der h_i mit den Spuren liegen viermal zu dreien in einer Geraden; denn (vergl. Fig. 93, 94 u. 95) die Halbierungspunkte der zwölf Kanten eines Würfels liegen viermal zu sechs mit dem Mittelpunkte desselben in einer Ebene.

Alle Geraden dieser Art liegen folglich in vier festen Ebenen, welche die Halbierungslinien der Axenwinkel zu ihren Spuren haben und daher nach § 47 und dem Folgenden zu den Halbierungsaxen $\mathfrak{h}$, $\mathfrak{h}_x, \mathfrak{h}_y, \mathfrak{h}_z$ respective normal sind.

Jene Geraden sind die Polaren h_n, h_{nx}, h_{ny}, h_{ns} von H, H_x, H_y, H_s in dem Orthogonalsystem, welches für O als Centrum und für N als Hauptpunkt in der betrachteten Ebene bestimmt wird. (Ueberblick p. 114; § 34, 4 u. f.) Jene Ebenen sind als Hauptkreis- oder Diametral-Ebenen den Halbierungsaxen als ihren Poldurchmessern in jeder Kugel vom Mittelpunkt O conjugiert. (Vergl. Bd. II und III dieses Werkes.)

Die Normalen, die man vom Anfangspunkt O auf die drei Spuren s_1, s_2, s_3 fällen kann, sind die Projectionen n', n'', n''' der Normale n von O auf die Ebene (Fig. 103); sie sind auch Spuren und zwar erste, zweite, dritte Spur respective der Ebenen n, OZ; n, OY; n, OX, deren andere Spuren je in der bezüglichen Projectionsaxe vereinigt sind. Nennen wir die Fusspunkte dieser Perpendikel in den Spuren respective A_1, A_2, A_3, so enthalten die bei O rechtwinkligen Dreiecke OA_1S_s, OA_2S_y, OA_3S_x, die man leicht in ihrer wahren Gestalt darstellt — vergleiche die Figur — bei A_1, A_2, A_3 respective die Winkel α_1, α_2, α_3.

Liegt auf der Ebene $S_x S_y S_s$ eine Figur von beliebiger Begrenzung und von der Fläche F und denken wir sie durch äquidistante Parallelen zu einer der Spuren und zur zugehörigen Höhe des Spurendreiecks in gleiche sehr kleine Rechtecke getheilt, so zeigt die Projection der Parallelensysteme, welche

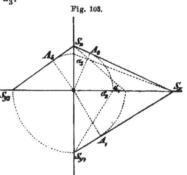

Fig. 103.

der besagten Spur entspricht, dass die Projectionen der Rechtecke in ihr dieselbe Grundlinie, wie im Original haben und dass ihre Höhen im Verhältniss $1 : \cos \alpha_i$ verjüngt sind. Wir schliessen daraus, dass die Flächen der Projection und des Originals einer ebenen Figur in dem Verhältniss $\cos \alpha_i : 1$ stehen, d. i.

$$F : F' : F'' : F''' = 1 : \cos \alpha_1 : \cos \alpha_2 : \cos \alpha_3 = 1 : \varDelta_1 : \varDelta_2 : \varDelta_3 \text{ nach } §43.$$

Zwei beliebige Ebenen schneiden einander in einer Geraden, welche die Durchschnittspunkte der gleichnamigen

Spuren derselben zu ihren Durchstosspunkten und offenbar ebenso die Durchschnittspunkte der gleichnamigen h_i derselben zu ihren $\mathfrak{H}_i$ Punkten hat; dies giebt Mittel zur Angabe der Projectionen der Schnittlinie von zwei Ebenen und des Durchschnittspunktes von drei Ebenen.

1) Man bestimme aus zwei Spuren einer Ebene die fehlende Spur derselben.

2) Man trage die Spuren der nach ihrem Spurendreieck in Aufg. 1, § 47 bestimmten Ebenen nach ihren möglichen Lagen in den acht Octanten ein — natürlich mittelst der durch die Umlegungen von O bestimmten Axenabschnitte mit den möglichen Wechseln des Sinnes.

3) Man bestimme die sämmtlichen Projectionen der Geraden h_i der Ebene $\mathbf{S}$ aus den Spuren derselben; damit auch die Projectionen des Vierecks der H_i. Die Durchstosspunkte der h_i liegen in den Spuren von $\mathbf{S}$ und den Halbierungslinien der Axenwinkel; sie liegen auch zu dreien in den geraden Linien, in denen die Ebene $\mathbf{S}$ von den Normalebenen der Würfelpunktlinien $\mathfrak{h}_1$ oder $\mathbf{H}_n$, $\mathbf{H}_{nx}$, $\mathbf{H}_{ny}$, $\mathbf{H}_{ns}$ geschnitten werden — nämlich S_1, S_2, S_3 von $h_{x'}$, $h_{y'}$, $h_{s'}$ in der Schnittlinie mit $\mathbf{H}_n$, von $h_{x'}$, h_y, h_s in der mit $\mathbf{H}_{nx}$, etc.

4) Dasselbe insbesondere für die speciellen Fälle in 4 bis 7 des § 47.

5) Man verzeichne die Spuren der drei projicierenden Ebenen einer Geraden, welche durch zwei ihrer Projectionen oder Durchstosspunkte bestimmt ist.

6) Man bestimme aus einer Projection einer Geraden g in gegebener Ebene $\mathbf{S}$ die andern Projectionen derselben, indem man sie als die Schnittlinie der Ebene $\mathbf{S}$ mit der durch jene Projection bestimmten projicierenden Ebene betrachtet.

7) Parallele Ebenen haben parallele gleichnamige Spuren. Wenn die gleichnamigen Spurenpaare von zwei Ebenen sich verkehrt decken, so ist ihre Durchschnittslinie die zugehörige gemeinsame Gerade h_i, z. B. für s_1 als mit $s_2{}^*$ und s_2 mit $s_1{}^*$ in Deckung die Gerade $h_{x'}$, etc.

8) Wenn in 6) die gegebene Projection der Geraden g der gleichnamigen Spur der Ebene $\mathbf{S}$ parallel ist, so sind ihre beiden andern Projectionen den anliegenden Projectionsaxen parallel.

9) Man verzeichne zu einem Punkte A in gegebener Ebene $\mathbf{S}$, von welchem eine Projection bekannt ist, die beiden andern Projectionen — indem man durch jene eine Gerade zieht, die man als gleichnamige Projection einer Geraden in der Ebene betrachtet (6); speciell eine Parallele zu einer Spur der Ebene (8).

10) Man verzeichne die Projectionen der Geraden $A_1 S_s$, $A_2 S_y$, $A_3 S_x$ (Fig. 103) einer durch ihre Spuren gegebenen Ebene und damit

die Projectionen des Fusspunktes N der Normale vom Anfangspunkt O auf die Ebene, so wie die wahre Länge von ON.

11) Man bestimme die Projectionen des Durchschnittspunktes D der durch zwei Projectionen bestimmten Geraden g mit einer durch zwei ihrer Spuren bestimmten Ebene S — indem man eine Projection von g als gleichnamige Projection einer in S gelegenen Geraden g^* ansieht und den Schnittpunkt von g mit g^* ermittelt; oder indem man eine beliebige von den durch g gehenden Ebenen so benutzt, wie hier ihr bezügliche projicierende Ebene.

12) Man lege durch eine aus g' und g'' bestimmte Gerade g die drei Ebenenpaare, welche je mit zwei Projectionsebenen gleiche Winkel machen. Man bestimmt die Durchstosspunkte S_1, S_2, S_3 der Geraden und zieht durch jeden derselben die Parallelen zu den Halbierungslinien der Axenwinkel als die s_1 des ersten, die s_2 des zweiten und die s_3 des dritten Ebenenpaars, aus denen die jedesmal andern Spuren sich ergeben. Die gefundenen Ebenen sind die Normalebenen zu den Ebenen $\mathbf{H}_x$, $\mathbf{H}_{x'}$, ..., welche durch die Gerade gehen. (Vergl. § 10, 6.)

13) Man bestimme zu drei durch dieselbe Gerade g gehenden Ebenen die vierte harmonische Ebene bei bestimmter Zuordnung, oder die drei vierten harmonischen Ebenen; z. B. die zu den drei projicierenden Ebenen der Geraden.

Eine Involution von Ebenen ist durch zwei Paare von entsprechenden Ebenen, respective deren Spuren, gegeben; man bestimme zu einer gegebenen fünften Ebene derselben die entsprechende. (§ 20, 14 f. § 25, 6. § 31, 1.)

14) Man verzeichne die vom Punkte A ausgehende Normale einer durch ihre Spuren bestimmten Ebene S und bestimme den Abstand der Ebene von A mittelst ihres Schnittes B mit der Normale.

15) Die gleichnamigen Spuren von drei Ebenen, welche eine trirectanguläre Ecke bilden, sind die Seiten eines Dreiecks, welches die gleichbenannte Projection ihres Schnittpunktes zum Höhenschnittpunkt hat. (Vergl. § 10, 15. § 47, 1.)

16) Man verzeichne die Spuren der Ebene, welche durch zwei parallele oder zwei sich schneidende Gerade bestimmt ist.

17) Man construiere die Spuren der durch einen gegebenen Punkt B gehenden Normalebene zu einer durch ihre Projectionen bestimmten Geraden g, (§ 47) — mit Hilfe der durch B gehenden Parallele zu einer Spur dieser Normalebene; analog die Parallelebene durch B zu einer gegebenen Ebene.

18) Man verzeichne durch die Gerade g die Normalebene zu der durch ihre Spuren s_1, s_2 bestimmten Ebene, — mit Hilfe der Normalen aus einem Punkte von g auf die Ebene.

19) Man lege durch eine Gerade g die Parallelebene zu einer andern gegebenen Geraden l — mittelst einer Parallelen zu l aus einem Punkte von g.

20) Man construiere die Projectionen und die wahre Länge der kürzesten Entfernung von zwei durch ihre Projectionen gegebenen Geraden g und l. (Vergl. § 10, 13.)

52. Die Bestimmung einer Ebene durch ihre Spuren oder Axenschnittpunkte ist ein Specialfall ihrer allgemeineren Bestimmung durch drei Punkte A, B, C oder durch zwei sich schneidende Gerade g, l. Daher ist die Construction

a) des Schnittpunktes D der Ebene mit einer nicht in ihr liegenden Geraden g_1 und

b) der Schnittlinie d von zwei Ebenen g, l; g_1, l_1 mit einander ohne Vermittelung der Spuren möglich.

Um D zu construiren betrachtet man z. B. (Fig. 104) g_1'' als zweite Projection einer in der Ebene gl gelegenen Geraden g_1^* — also als $g_1^{*''}$ — und bestimmt $g_1^{*'}$ durch Berücksichtigung ihrer Schnittpunkte mit g und l; dann ist der Schnittpunkt von $g_1^{*'}$ mit g' die erste Projection D' von D. In ganz analoger Weise findet man D'', D''' direkt durch Betrachtung z. B. der ersten Projection; sonst ergeben sie sich aus D'.

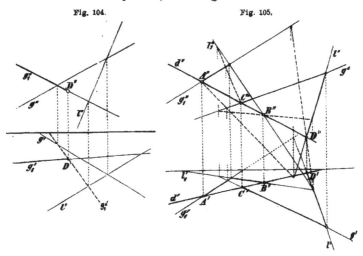

Fig. 104.   Fig. 105.

Man construiert sodann d, indem man (Fig. 105) die Punkte A, B bestimmt, in welchen g_1 und l_1 die Ebene gl, oder die Punkte C, D, in welchen g und l die Ebene $g_1 l_1$ schneiden,

— also durch zwei-, drei- oder vierfache Wiederholung des vorigen Verfahrens. Unter den zur Benutzung stehenden vier Punkten liefern diejenigen (A, D in der Figur) das genaueste Resultat, welche den grössten Abstand von einander haben.

Sind die Ebenen durch zwei Dreiecke von den Seitenlinien g, l, h; g_1, l_1, h_1 bestimmt und dargestellt, so liefert auf demselben Wege jede der Seiten des einen Dreiecks einen Schnittpunkt mit der Ebene des andern und man erhält die Schnittlinie der Ebenen durch zwei gut gewählte unter ihnen. Dies liefert die zweckmässigen Mittel zur Bestimmung der Durchschnittslinien begrenzter ebener Flächen; es ist offenbar, dass eine solche Durchschnittslinie nur in der Figur erscheint, so weit sie innerhalb der beiden begrenzten Flächen zugleich liegt — in unserer Figur, in der h und h_1 nur durch d vertreten sind, die Strecke zwischen B und C.

1) Man construiere den Durchschnittspunkt D der Dreiecksebene ABC mit der Geraden zwischen den Punkten E und F.

2) Man zeichne die Projectionen der Durchschnittslinie d der Dreiecksebenen ABC und DEF.

3) Man bestimme in der durch zwei sich schneidende oder zwei parallele Gerade g, l gehenden Ebene Parallelen zu den Spuren s_1 und s_2 derselben durch einen beliebigen in ihr gelegenen Punkt A und damit die Normale n der Ebene in diesem Punkte.

4) Man entscheide, ob ein durch seine Projectionen gegebener Punkt A in der Ebene der Geraden g, l liegt, und eventuell in welchem Sinne und Betrag er, in der Richtung x, y oder z gemessen, von ihr entfernt ist.

5) Man zeichne die Geraden h_i einer durch zwei Gerade g, l bestimmten Ebene — indem man wie in § 51 die in den Halbierungslinien der Axenwinkel gelegenen Projectionen derselben benutzt.

6) Man construiere die Projectionen der Geraden $h_{s'}$, $h_{x'}$ in der Ebene gl, deren zweite und dritte, respective erste und zweite Projectionen sich decken.

7) Durch einen Punkt A soll man die Normalebene zu einer Geraden g verzeichnen mittelst der Parallelen h und v zu ihren beiden ersten Spuren durch A; sodann ist der Schnittpunkt B derselben mit g und die wahre Länge von AB anzugeben.

8) Ein Rechteck $ABCD$ zu projicieren, wenn gegeben ist die Linie einer Seite AB, die darin liegende Ecke A und die nicht benachbarte Ecke C ausser ihr.

9) Man bestimme den Mittelpunkt M der durch vier Punkte A, B, C, D gehenden Kugel. Offenbar erhält man ihn als den

Schnittpunkt der Normalebenen zu den Kanten AD, BD, CD respective durch ihre Halbierungspunkte; und man bestimmt diesen nach der Methode des Textes aus den durch diese Mitten gezogenen Spurparallelen derselben (vergl. § 51, 17). Die wahre Grösse von $MA = MB = MC = MD$ giebt den Radius.

10) Ebenso bestimmt man einen geraden Kreiskegel aus drei Punkten A, B, C seines Basiskreises und seiner Höhe h; man construiert die Schnittlinie der Normalebenen zu AB und zu BC durch ihre respectiven Mitten, bestimmt ihren Schnitt mit der Ebene ABC (den Basismittelpunkt) und trägt in ihr von demselben aus die Höhe h ab, wodurch man die zwei Lagen der Spitze erhält.

53.   Die geraden Linien $h_{x'}$, $h_{y'}$, $h_{z'}$ einer Ebene haben (die zweite in einem besondern Sinne) die Eigenschaft, dass eine ihrer Projectionen — nämlich respective die dritte, zweite, erste, — in einer Halbierungslinie der Axenwinkel liegt, und dass ihre beiden andern Projectionen sich decken, so dass alle ihre Punkte ein Paar sich deckender Projectionen zeigen. Für die Gerade $h_{y'}$ modificiert sich dies in der Weise, dass ihre erste und dritte Projection zur Deckung kommen würden, sobald man durch eine Drehung der einen um 90⁰ die beiden Axen OY_1 und OY_3 zur Deckung brächte.

Da jede Gerade g der Ebene diese Geraden $h_{x'}$, $h_{z'}$ schneiden muss — von $h_{y'}$ soll der erwähnten Besonderheit wegen abgesehen werden —, so erhält man die Sätze: Die Projectionen g', g'' einer jeden Geraden g derselben Ebene schneiden sich in einem Punkte der Geraden $h_{x'}'''$, welche ihr entspricht. Die Projectionen g'', g''' einer jeden Geraden g der Ebene schneiden sich in einem Punkte der Geraden $h_{z'}'''$, welche derselben entspricht. Oder in andern Worten: Die beiden ersten Projectionen eines ebenen Systems sind affine Figuren in perspectivischer Lage für die Richtung der Axe z als Centrum und für die Gerade $h_{x'}'''$ der Ebene des Systems als Axe der Affinität. Die zweite und dritte Projection eines ebenen Systems sind affine Figuren in perspectivischer Lage für die Richtung der Axe x als Centrum und für die Gerade $h_{z'}'''$ als Axe der Affinität. Es lässt sich das auch als Folge von § 45 auffassen.

Demgemäss sind zwei Parallelprojectionen eines ebenen

Systems bestimmt aus der einen Projection seiner Punkte A,
B, C, ..., der Affinitätsaxe beider
Projectionen und der andern Projection eines Punktes A im System; z. B.
die beiden ersten aus A', B'', C'', ...;
$h_{x'}{'}''$; A'. Schneidet $A''B''$ (Fig. 106)
die Gerade $h_{x'}{'}''$ in $1'''$, so liegt B'
in der Geraden $1'''A'$ und in der Parallelen zur Axe z durch B''.

Fig. 106.

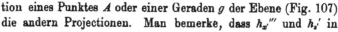

Durch die beiden Affinitätsaxen
$h_{x'}{'}''$ und $h_{z}{''}'''$ ist eine Ebene bestimmt, und mit Hilfe derselben construiert man daher zu einer Projec-
tion eines Punktes A oder einer Geraden g der Ebene (Fig. 107)
die andern Projectionen. Man bemerke, dass $h_{x'}'''$ und h_{z}' in
der einen Halbierungslinie
der Axenwinkel liegen, in
welcher auch die Affinitätsaxen selbst sich schneiden
müssen, da der Schnittpunkt
H_y derselben die Coordinaten $(a, -a, a)$ hat. (Vergl.
§ 49, 6.) Natürlich können
beide Affinitätsaxen der
Ebene durch die Construc-
tion von $H_y{'}''{'}'''$ zugleich bestimmt werden, d. h. des
Durchschnittspunktes ihrer
Ebene mit der Halbierungsaxe h_y oder der Geraden,

Fig. 107.

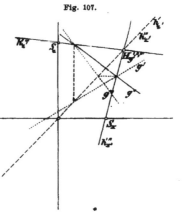

deren sämmtliche Projectionen in die von unten links nach
oben rechts gehende 45⁰ Linie durch O fallen.

Allgemein durfte man schliessen: Weil die Systeme der
ersten und zweiten Projection des ebenen Systems mit diesem
selbst affin sind, so sind sie auch unter einander affin (§ 44, 3),
und, da die Vereinigung der Systeme in der Zeichnungsebene
dieselben in perspectivischer Lage zeigt, das Centrum in der
zur Axe OX normalen Richtung, so müssen sie auch eine Axe
der Affinität besitzen (§ 23, 5), die durch drei Paare ent-

sprechender Punkte bestimmt ist und jedenfalls den bezüglichen Axenschnittpunkt der Ebene als sich selbst entsprechend und aus demselben Grunde den Punkt von drei zusammenfallenden Projectionen enthalten muss.

Aus $\varDelta_1 : \varDelta_2 : \varDelta_3 = \mathbf{F}' : \mathbf{F}'' : \mathbf{F}'''$ folgt $\varDelta_1 : \varDelta_2 = \varDelta_{12}$, $\varDelta_2 : \varDelta_3 = \varDelta_{23}$, $\varDelta_3 : \varDelta_1 = \varDelta_{31}$ zur Bestimmung der Charakteristiken der Affinitäten, in welchen die Projectionen der Ebene zu einander stehen. Es ist $\varDelta_{12} \varDelta_{23} \varDelta_{31} = 1$. Aus $\varDelta_{12}$ und $\varDelta_{23}$ bestimmen sich $\varDelta_1, \varDelta_2, \varDelta_3$; denn $\varDelta_k{}^2 (1 + \varDelta_{ik}{}^2 + \varDelta_{jk}{}^2) = 1$. (§ 47.) Für $\alpha_1 = 90^0$ wird $\varDelta_1 = 0$ und damit auch $\varDelta_{12} = 0$, $\varDelta_{31} = \infty$; $h_{x'}{}'''$ fällt in die Horizontalprojection; $\varDelta_{23}$ allein bestimmt $\varDelta_2$ und $\varDelta_3$. Für die Bestimmung einer Ebene durch zwei ihrer $\varDelta_{ik}$ oder die Flächenverhältnisse ihrer Projectionen siehe unten Beispiele.

Da die Affinitätsaxen des Originalsystems mit seinen Projectionen die Spuren des ebenen Systems sind (vergl. § 54), so ergiebt sich, dass die vorzugsweise bequemen Bestimmungsweisen des ebenen Systems durch Parallelprojection ohne Ausnahme die Axen dieser Affinitäten als Hauptbestimmungsstücke benutzen.

Wir haben im Vorigen die Lehre von den Affinitätsaxen der Ebene völlig elementar begründet, können aber dieselbe leicht und mit Vortheil auch mit der allgemeinen Theorie in Verbindung setzen. Sowie im Falle der centrischen Collineation ebener Systeme die Collineationsaxe und der nach dem Collineationscentrum gehende Strahl die Doppelstrahlen der projectivischen Büschel entsprechender Strahlen beider Systeme aus einem beliebigen Punkte ihrer Axe sind, so sind hier für den Punkt S_x resp. S_z der Ebene die Normale zur Axe x resp. zur Axe z der eine Doppelstrahl und die Affinitätsaxe $h_{x'}{}'''$ resp. $h_{z'}{}'''$ der andere Doppelstrahl der bezüglichen Büschel, d. h. der beiden benachbarten Projectionen eines von S_x resp. S_z ausgehenden Strahlenbüschels in der Ebene; und dieselben sind, da man den einen Doppelstrahl als Normale zur Axe x resp. z kennt, durch zwei entsprechende Paare bestimmt. In Fig. 106 ist durch $S_x A'$, $S_x A''$ ein erstes, durch $S_x B'$, $S_x B''$ ein zweites Strahlenpaar der Büschel gegeben, die die Normale zu x in S_x zum ersten Doppelstrahl haben und als deren andern Doppelstrahl man die Affinitätsaxe $h_{x'}{}'''$ findet; ebenso würde es für den Punkt S_z mit der Normalen zur Axe z als Doppel-

strahl und den Paaren $S_z A'$, $S_z A'''$ und $S_z B''$, $S_z B'''$ sein. Wären
die Spuren s_1, s_2, s_3 der Ebene bekannt, so bildeten bei S_x die
Spur s_1 und die Axe x das erste und die Axe x und die Spur
s_2 das zweite Paar; wenn man also über der Länge $S_x O$ als
Durchmesser einen Hilfskreis beschreibt, so liefert die Verbindungslinie seiner Schnittpunkte mit den Spuren s_1 und s_2 in
O_z den Fusspunkt von $h_x'·'''$. Ebenso bilden bei S_z die Spur s_2
und die Axe z das eine und die Axe z und die Spur s_3 das
andere Paar und die Sehne zwischen diesen Spuren in dem
über $O S_z$ als Durchmesser beschriebenen Hilfskreis schneidet x
in demselben Punkte wie $h_z''·'''$. Oder da die Construction des
zweiten Doppelstrahls aus zwei Paaren und dem ersten Doppelstrahl linear mit dem Lineal allein gemacht werden kann, indem man die beiden vereinigten Büschel durch zwei Parallelen
zum ersten Doppelstrahl schneidet und das Perspectivcentrum
der darin entstehenden nicht nur projectivischen sondern perspectivischen (natürlich auch ähnlichen) Reihen als einen Punkt
des zweiten Doppelstrahls erkennt, so erhält man z. B. aus den
Spuren s_2 und s_3 die Affinitätsaxe $h_z''·'''$ wie folgt: Man zieht
eine zur Axe z normale Gerade und verbindet ihren Schnitt
mit z mit S_z, ihren Schnitt mit s_3 mit O, den Schnittpunkt
beider Verbindungslinien aber mit S_z.

Hätte man wie in Fig. 106 den Punkt $1'·''$ der Affinitätsaxe
$h_x'·''$ aus den Projectionen $A'B'$, $A''B''$ der Seite AB, so geben
diese selbst das eine Paar und die von $1'·''$ nach C', C'' gehenden
Strahlen ein zweites Paar der projectivischen Büschel, sowie die
Normale zu x durch $1'·''$ den einen Doppelstrahl und man erhält
wieder die Affinitätsaxe als den andern Doppelstrahl — mit dem
Zirkel am besten durch einen Hilfskreis, der die Normale zu x
in $1'·''$ berührt; mit dem Lineal durch das Perspectivcentrum der
in Parallelen zu dieser Normale aus beiden concentrischen projectivischen Büscheln entstehenden perspectivisch-ähnlichen Reihen.

Man erhält endlich die Richtung dieser Affinitätsaxe aus
den Horizontal- und Verticalprojectionen a', b' und a'', b'' von
zwei sich schneidenden Geraden a und b als die des zweiten
Doppelstrahls in den durch die Normale zu x als ersten Doppelstrahl und die Strahlen a'', b'' mit den Parallelen zu a', b'
durch ihren Schnittpunkt, als ihre entsprechenden, gebildeten
concentrischen und projectivischen Büscheln.

Sollen beide Doppelstrahlen zusammenfallen, so kann dies nur in der Normalen zu x für $h_{x'}{}'{}''$ und in der Normalen zu z für $h_{x'}{}''{}'''$ geschehen, d. h. so, dass die Affinitätsaxe zwischen den beiden ersten Projectionen die Richtung ihrer Collineationsstrahlen und die Affinitätsaxe zwischen der zweiten und der dritten Projection die Richtung der Collineationsstrahlen zwischen diesen enthält (vergl. § 22^{b}). Wir erhalten also die specielle Form der Affinität, die als Flächengleichheit bezeichnet worden ist; im ersten Falle $F' = F''$ oder $\alpha_1 = \alpha_2$ und $\varDelta_1 = \varDelta_2$, $\varDelta_{12} = 1$, im zweiten $F'' = F'''$ oder $\alpha_2 = \alpha_3$, $\varDelta_2 = \varDelta_3$, $\varDelta_{23} = 1$. Dann bestimmt ein einziges Paar die Projectivität, d. h. durch eine Gerade von gegebenen Projectionen a', a'' oder a'', a''' geht nur eine Ebene dieser Art. Nach § 51 sind ihre Spuren s_1, s_2 gleichgeneigt und symmetrisch zur Axe x resp. ihre Spuren s_2, s_3 gleichgeneigt und symmetrisch zur Axe z; sie selbst ist normal zur Ebene $\mathbf{H}_x$ resp. $\mathbf{H}_z$. (Vergl. § 51, 12.)

Wenn dagegen die Spuren s_1 und s_2 gleichgeneigt zur Axe x sind und zusammen fallen, so ist die Ebene normal zur Halbierungsebene $\mathbf{H}_{x'}$; denn die beiden ersten Projectionen ihrer Normalen aus beliebigen Raumpunkten sind parallel und aus Punkten von $\mathbf{H}_{x'}$ in Deckung, so dass diese Normalen in $\mathbf{H}_{x'}$ liegen. Es wird $F' = - F''$, $\varDelta_{12} = - 1$ und die Affinitätsaxe $h_{x'}{}'{}''$ ist der zur Normalen zu x conjugierte harmonische Strahl in Bezug auf die Linie der Spuren und die Axe x, oder $h_{x'}{}'{}''$ geht nach der Mitte der Strecke $O S_x$ der Ebene. In der That ist durch das Zusammenfallen von $s_1{}'$ und $s_2{}''$ in der Geraden der Spuren und von $s_1{}''$ und $s_2{}'$ in der Axe x das vertauschbare Entsprechen dieser Strahlen und damit nach § 20 die Involution der concentrischen projectivischen Büschel bedingt. Durch eine gegebene Gerade geht immer auch eine einzige Ebene dieser Art. (Vergl. § 51, 12.) Mit $F' = F''$ folgen die entsprechenden Ecken der beiden ersten Projectionen eines Polygons in gleichem Sinne, mit $F' = - F''$ folgen sie in entgegengesetztem Sinne auf einander; ebenso für $F'' = \pm F'''$ und die zweite und dritte Projection.

So liefert uns die Theorie der Charakteristik (§ 19) die Unterscheidung der Flächen nach dem Vorzeichen des Inhaltes als nach dem Sinne, in welchem ihre Umfänge umlaufen werden. Natürlich gilt dies Alles auch für $\varDelta_{12} = \pm k$

und man erkennt leicht die Regel, dass für Ebenen, deren Spuren mit derselben Seite der zwischenliegenden Projectionsaxe spitze Winkel einschliessen, die zugehörigen $\varDelta_i$ von gleichem Zeichen und die Affinität zwischen den zugehörigen Projectionen von positiver Charakteristik sind; und umgekehrt bei der Lage der spitzen Winkel an entgegengesetzten Seiten der Axe. Man schliesst also auch umgekehrt aus der Gleichheit und dem Gegensatze des Sinnes der Projectionen derselben ebenen Figur auf die bezügliche Lage ihrer Ebenen. Beispielsweise sind in Fig. 102 und 103 Ebenen mit $\varDelta_{12} = - k_1$ und resp. $\varDelta_{12} = + k_2$, in Fig. 104 und 105 sind gl und resp. $g_1 l_1$ von positivem $\varDelta_{12}$, in Fig. 105 die Ebene gl von negativem; in Fig. 106 ist $\varDelta_{12}$ und in Fig. 107 sind $\varDelta_{12}$ und $\varDelta_{23}$ positiv. In den Figuren 116 sind die Ikosaederflächen 9 11 12 und 9 3 8 resp. von positivem und negativem $\varDelta_{12}$, in Fig. 119 ist die Würfelfläche $NTSR$ und in Fig 124 die Pyramidenfläche MCD von negativem, hier die Pyramidenfläche MDE von positivem $\varDelta_{12}$. Für die Bestimmung der Ebene durch ihre $\varDelta_{ik}$ verweisen wir auf die Beispiele.

Wir lenken unter den Beispielen die Aufmerksamkeit auf die Darstellung des durch fünf Punkte (oder was dem äquivalent ist) bestimmten Kegelschnittes mittelst zweier Orthogonalprojectionen. Für die Parallelprojectionen der Kegelschnitte entspringen aus dem Zusammenhalt von § 22ª über die unendlich ferne Lage der Gegenaxen mit § 32 über die Involutionseigenschaften die Sätze: Die Parallelprojection des Mittelpunktes eines Kegelschnittes ist der Mittelpunkt seiner Projection (§ 33, 19); die Projection seiner Durchmesser-Involution ist die Durchmesser-Involution seiner Projection, insbesondere sind auch die Projectionen seiner Asymptoten die Asymptoten seiner Projectionen. Die Projectionen seiner Axen, Brennpunkte und Directrixen sind aber nicht die Axen, etc. seiner Projectionen (vergl. § 33, 6 u. § 36). Die Parallelprojectionen von Kreisen und gleichseitigen Hyperbeln sind Ellipsen und ungleichseitige Hyperbeln, etc.; alle Parallelprojectionen eines Kegelschnittes sind von gleicher Art mit ihm selbst, d. h. sie sind Ellipsen, Parabeln, Hyperbeln mit ihm selbst. Für die Darstellung ist in diesem Betracht auf § 33 zu verweisen.

1) Man bestimme aus den Affinitätsaxen einer Ebene die Spuren derselben mittelst ihrer in den Projectionsaxen gelegenen Projectionen.

2) Man construiere den Durchschnittspunkt D einer Geraden g mit der durch ihre Affinitätsaxen $h_{x'}{'}{''}$, $h_{s'}{''}{'''}$ bestimmten Ebene.

3) Ebenso die Durchschnittslinien von zwei Ebenen, welche durch ihre respectiven Affinitätsaxen bestimmt sind; und den Schnittpunkt von drei Ebenen aus den Affinitätsaxen.

4) Man construiere die Transversale der Geraden g und l aus dem Punkte A oder in gegebener Richtung h mit Benutzung der Affinitätsaxen der Ebenen A, g und A, l. (Vergl. § 8, 8.)

5) Man verzeichne die Durchschnittslinie einer durch ihre Affinitätsaxen bestimmten Ebene mit der Ebene eines gegebenen Dreiecks ABC.

6) Zeichne ein Büschel von Ebenen mit gemeinsamer Affinitätsaxe $h_{x'}{'}{''}$.

7) Wenn die Affinitätsaxe $h_{x'}{'}{''}$ normal zur Axe OX ist, so sind die erste und zweite Spur einer zugehörigen Ebene entsprechende Strahlen einer symmetrischen Involution, welche die Geraden $h_{x'}{'}{''}$ und x zu ihren orthogonalen Doppelstrahlen und die zu x unter 45^0 geneigten zu ihren Rechtwinkelstrahlen hat. Man erläutere die Relation der beiden ersten Projectionen ihrer Flächen für jene Doppelstrahlen als Spuren.

8) Können alle drei Projectionen eines ebenen Systems gleich sein und wie liegen solche Ebenen oder wie gross sind ihre α_i?

9) Wenn die Affinitätsaxe $h_{x'}{'}{''}$ einer Ebene unendlich fern ist, so ist diese Ebene der Axe OX parallel und gegen die erste und zweite Projectionsebene gleich geneigt; die erste und zweite Projection ihres ebenen Systems sind congruent in perspectivischer Lage.

10) Man zeichne in gegebener Ebene durch einen Punkt diejenigen geraden Linien, deren beide Verticalprojectionen rechtwinklig zu einander sind, oder mit der Axe z complementäre Winkel machen. Man bestimmt die Affinitätsaxe $h_{s'}{''}{'''}$ und ihre Schnitte mit dem Kreis, der die Gerade $P''P_xP'''$ zum Durchmesser hat. Die Construction ist für einen beliebigen Winkel der Projectionen übertragbar.

Diese Geraden sind nicht immer reell, den Grenzfall bildet eine einzige Gerade, der Berührung der Affinitätsaxe mit jenem Kreis entsprechend.

11) Welche Ebenen werden durch das Zusammenfallen der Affinitätsaxen $h_{x'}{'}{''}$, $h_{s'}{''}{'''}$ charakterisiert? Die zu y parallelen.

12) Man charakterisiere die durch die Halbierungsaxe $\mathfrak{h}_y$ gehenden und die zu ihr normalen Ebenen; ebenso für $\mathfrak{h}$, $\mathfrak{h}_x$, $\mathfrak{h}_z$.

13) Man zeichne die beiden ersten Projectionen eines Kreises bei gegebenem Durchmesser AB unter der Bedingung, dass ihre Flächen direct oder entgegengesetzt gleich sind.

14) Von einem Kegelschnitt K sind drei Punkte T_1, T_2, A und die Tangenten T_1T, T_2T in zweien derselben durch ihre ersten Projectionen T_1', T_1''; T_2', T_2''; T', T'' und A' bestimmt; man verzeichne seine beiden ersten Projectionen, die Kegelschnitte K', K''.

Man erhält die Verticalprojection von A aus der Bedingung, dass die Geraden $A T_1$ und $T T_2$ einander schneiden, weil sich aus dem Grundriss des Schnittpunktes sein Aufriss in $T'' T_2''$ und damit der Aufriss von $T_1 A$ ergiebt, in dem A'' vertical über A' liegt. Weil projectivische Relationen durch Projection mittelst gerader Strahlen aus einem Punkte auf eine Ebene nicht gestört werden, so erhält man den Aufriss K'' des Kegelschnittes als das Erzeugniss der projectivischen Strahlenbüschel mit den Scheiteln T_1'', T_2'', dem perspectivischen Centrum T'' und dem Strahlenpaar $T_1'' A''$, $T_2'' A''$ wie in § 18 (die Gerade $T_1'' T_2''$ ist o_1'' und p_2'', die Geraden $T_1'' T''$ und $T_2'' T''$ sind p_1'', o_2''; $T_1'' A''$ und $T_2'' A''$ aber etwa a_1'', a_2'') und es kann die Construction nach dem Pascal'schen Satze an Stelle dessen gesetzt werden wie in § 27, 4. Ebenso erhält man K' als Erzeugniss der projectivischen Strahlenbüschel um T_1', T_2' mit dem perspectivischen Centrum T' und dem Paare $T_1' A'$, $T_2' A'$.

Man kann beide Constructionen als unabhängig von einander behandeln und erhält dann Punkte des Aufrisses und Punkte des Grundrisses von K, die nicht einerlei Punkten von K und daher auch nicht einander entsprechen. Will man, dass dieses der Fall sei, so führt man beide Constructionen mit einander im Zusammenhang durch, wie es am einfachsten durch die Bemerkung geschieht, dass beide Projectionen desselben Strahlenbüschels zu einander perspectivische Strahlenbüschel sind mit der zugehörigen Affinitätsaxe als perspectivischer Axe. Man wählt also nach Bestimmung der Affinitätsaxe im Büschel T_1 einen Strahl b_1, wobei sich aus seinem Grundriss der Aufriss durch den Schnitt mit der Affinitätsaxe bestimmt, und construiert zu b_1'' mittelst T'' den Aufriss b_2'' und zu b_1' mittelst T' den Grundriss b_2' des entsprechenden Strahles, welche sich wieder in der Affinitätsaxe begegnen müssen; beide liefern Grundriss und Aufriss eines neuen Kegelschnittpunktes B mit der bezüglichen Genauigkeitsprobe, etc.

15) Man ermittle für den Kegelschnitt des vorigen Beispiels die beiden Punkte von zusammenfallendem Grund- und Aufriss, d. h. die in der Affinitätsaxe h_x'''' liegenden gemeinschaftlichen Punkte seiner beiden Projectionen K' und K'' oder die Projectionen seiner Schnittpunkte mit der Ebene $\mathbf{H}_x'$.

Nach dem Schluss des Vorigen bestimmen die erzeugenden projectivischen Büschel von K' und K'' auf der Affinitätsaxe h_x'''' dieselben vereinigten projectivischen Reihen; die Doppelpunkte dieser Reihen sind die Projectionen der gesuchten Punkte. Dieselben sind durch die gegebenen Elemente bestimmt und sind im Falle ihrer Realität offenbar diejenigen Punkte von K', K'', deren Bestimmung die grössten Vortheile darbietet.

Ebenso durch die gegebenen Elemente (fünf Punkte, etc.) bestimmt sind die Asymptotenrichtungen und die Asymptoten von K' und K''; construiert man nach § 29, 7 die Asymptoten von K'

und ebenso die von K''', so müssen sich dieselben als die ersten Projectionen der einen und der andern Asymptote von K in der Affinitätsaxe begegnen.   Wir erkennen darin die Regel wieder, dass beide Orthogonalprojectionen eines Kegelschnittes Kegelschnitte von derselben Art sind, die aus der Wahrheit folgt, dass jede Parallelprojection eines Kegelschnittes mit ihm von der nämlichen Art ist.

16) Auch die Schnittpunkte der Projectionen des Kegelschnittes mit der zwischenliegenden Projectionsaxe und demnach die Schnittpunkte desselben mit den Spuren seiner Ebene erhält man als die Doppelpunkte der bezüglichen vereinigten projectivischen Reihen. Sie geben für undurchsichtig gedachte Projectionsebenen die Endpunkte der sichtbaren Theile der Projectionen.

17) Für zwei Ebenen von gleichen und entgegengesetzten Werthen des $\varDelta_{12}$ erhält man durch Betrachtung der Dreiecke, welche die Schnittpunkte S_1, S_2 ihrer gleichnamigen Spuren mit ihren Axenschnittpunkten bilden, also $S_1 S_2 S_x$ mit den Projectionen $S_1 S_2' S_x$, $S_1'' S_2 S_x$, und $S_1 S_2 S_x{}^*$ mit den Projectionen $S_1 S_2' S_x{}^*$, $S_1'' S_2 S_x{}^*$ den Satz, dass sie durch die projicierenden Ebenen ihrer Durchschnittslinie harmonisch getrennt sind. Darin liegt das bequeme Mittel zur Bestimmung der zweiten aus der ersten bei gegebener Durchschnittslinie in dieser.

Denn man hat in leicht zu bildender Figur

$$\varDelta_{12} : \varDelta_{12}{}^* = -1 = \frac{\varDelta S_1 S_2' S_x}{\varDelta S_1'' S_2 S_x} : \frac{\varDelta S_1 S_2' S_x{}^*}{\varDelta S_1'' S_2 S_x{}^*} = \frac{S_2' S_x}{S_1'' S_x} : \frac{S_2' S_x{}^*}{S_1'' S_x{}^*}.$$

Die Construction in § 51, 12 zeigt einen Specialfall der Relation.

18) Nach dem Vorigen bilden auch die Affinitätsaxen h_x',$''$ solcher Ebenenpaare mit den beiden ersten Projectionen ihrer Schnittlinie ein harmonisches Büschel; ebenso die h_x'',$'''$ mit der zweiten und dritten Projection der Schnittlinie.

19) Auch die Bestimmung der Spuren derjenigen Ebene, die durch eine Gerade geht und für welche $\varDelta_{12}$ einen gegebenen Werth $\pm k$ hat, liegt nahe. Aber sie wird am besten auf den Satz gegründet: Das Verhältniss $\varDelta_{12}$ für die beiden ersten Projectionen einer beliebigen Ebene $\mathbf{E}$ ist der reciproke Werth desselben Verhältnisses für die Projectionen ihrer durch die Axe x gehenden Normalebene $\mathbf{N}$.   Man beweist denselben durch Betrachtung des Spurendreiecks XYZ der Ebene $\mathbf{E}$ und der in X auf ihr errichteten Normale n, die durch ihren dritten Durchstosspunkt die dritte Spur der Normalebene $\mathbf{N}$ bestimmt. Sind nämlich die Axenabschnitte von $\mathbf{E}$ auf x, y, z resp. a, b, c, und sind b^*, c^* die in y durch den Grundriss n' und in z durch den Aufriss n'' der Normale abgeschnittenen Stücke, so hat man wegen $bb^* = cc^* = a^2$

$$\varDelta_{12}^{E} = \frac{\varDelta X'Y'Z'}{\varDelta X''Y''Z''} = \frac{b}{c} = \frac{c^*}{b^*} = 1 : \varDelta_{12}^{N}.$$

Analog für die übrigen Paare der Projectionen. Man sieht, dass nach diesem Satze alle Ebenen des Raumes in Bezug auf die Verhältnisse der Orthogonalprojectionen ihrer Flächen in die Bündel der Normalebenen zu den Ebenen des Büschels aus der zwischenliegenden Projectionsaxe geordnet werden. Eines der $\varDelta_{ik}$ bestimmt daher die Ebene **E** unter den Ebenen eines Büschels; zwei der $\varDelta_{ik}$ bestimmen sie unter den Ebenen eines Bündels — nämlich als normal zu einer bestimmten vom Axenschnittpunkt O ausgehenden Geraden. Eine Menge von neuen Aufgaben lassen sich daran anschliessen.

54. Der von zwei geraden Linien g, l in derselben Ebene eingeschlossene Winkel φ wird durch Umlegen mit seiner Ebene in eine der Projectionsebenen oder in eine zu einer solchen parallele Ebene, also durch Drehung um die betreffende Spur s_i oder um eine Parallele zu derselben, und um die Grösse des entsprechenden Neigungswinkels α_i oder seines Supplements bestimmt. Die Fig. 108 zeigt die Ausführung für die Spur s_1 mit α_1 und $(180 - \alpha_1)$.

Durch dieselbe Operation erhält man die wahre Gestalt und Grösse jeder durch Projectionen bestimmten ebenen Figur. (Vergl. § 9 und § 11.) Die Punkte der Drehungsaxe bleiben dabei an ihrem Orte und dieselbe ist daher die Axe derjenigen Affinität in perspectivischer Lage, in welcher auch nach der Umlegung noch (§ 19, 12) das Original des ebenen Systems und seine Projection zu einander stehen. Weil bei der Umlegung die Punkte des Systems Kreise in den durch

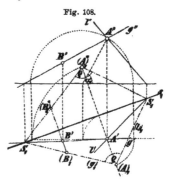

Fig. 108.

sie gehenden Normalebenen zur Drehungsaxe aus den betreffenden Punkten der Axe als Mittelpunkten beschreiben, so sind die Centralstrahlen der fraglichen Affinität zur Drehungsaxe normal und die wahren Abstände der Punkte des Systems von der Drehungsaxe bestimmen ihre Umlegung. (Vergl. Fig. 109.) Bei der Umlegung eines ebenen Systems kann daher aus der Umlegung eines Punktes — wo möglich des von der Drehungsaxe entferntesten Punktes — die aller andern Punkte des Systems durch die Benutzung der Eigen-

schaften perspectivisch affiner Systeme (§ 21, a.) abgeleitet werden. (Vergl. § 53.)

Wenn umgekehrt ein ebenes System in seiner Umlegung
in eine Projectionsebene — oder eine bestimmte zu einer solchen
parallele Ebene — gegeben ist, und die Drehungsaxe s_i (oder
die betreffende Spurparallele der Ebene), so wie der Winkel α_i,
unter welchem es gegen jene geneigt ist, bekannt sind, so
können seine Projectionen verzeichnet werden (vergl. Fig. 108,
die Punkte A und B); die Angabe des Winkels α_i kann dabei
durch die Projectionen eines in der Umlegung bekannten, möglichst weit von der Drehungsaxe entfernten, Punktes ersetzt
werden. Die Umlegungen der Punkte und Geraden des Systems
sind durch Einschluss ihrer Zeichen in Klammer unter Beifügung des die Projectionsebene und den Winkel α_i bezeich-
nenden Index unterschieden worden.

In der Regel erfordert die Lösung der constructiven Probleme die successive Anwendung beider Uebergänge — so unten
in 10), 13), 14), etc. Die damit zu lösenden Aufgaben sind sehr
zahlreich; wir bezeichnen die wichtigsten Gruppen derselben
durch Beispiele.

1) Man bestimme den von den Geraden $h_{x'}$, $h_{x'}$ einer Ebene
eingeschlossenen Winkel.

2) Man construiere den Neigungswinkel einer Geraden g gegen
eine Ebene S — als Complement des Winkels von g mit der von
einem seiner Punkte auf S gefällten Normale n.

3) Man bestimme den Neigungswinkel von zwei Ebenen S, S^*
— als den Winkel der von einem beliebigen Punkte A auf sie gefällten Normalen n, n^*. Anderseits durch die Umlegung des Dreiecks, welches von einer Spur der Normalebene zur Scheitelkante
mit den Schnittlinien derselben in beiden Ebenen gebildet wird, in
die gleichnamige Projectionsebene und mittelst der zur besagten
Spur gehörigen Höhe. (Vergl. § 54*, Fig. 118.)

4) Insbesondere für den Winkel von zwei Ebenen mit sich deckenden oder zur Axe x orthogonal symmetrischen ersten und zweiten
Spuren. Die ersten Ebenen sind zu $H_{x'}$, die zweiten zu H_x normal;
man wählt also den Punkt A in dieser Ebene respective. (§ 47, 10.)

Welches ist die Relation solcher Ebenen, die normal zu einander sind?

5) Man denke zwei zur Ebene H_x normale Ebenen und die
zwei zur Ebene $H_{x'}$ normalen Ebenen mit denselben horizontalen
oder verticalen Spuren. Der Winkel der ersten ist dem Winkel
der letzten gleich.

6) Für ein ebenes System ist die erste Projection aller Punkte und dazu die zweite Projection von drei bestimmten Punkten desselben gegeben; man soll dasselbe bestimmen — durch Umlegung in eine zur ersten Projectionsebene parallele Ebene; insbesondere das System der Geraden h_i der Ebene.

7) Wenn man die Umlegungen $(A)_i$, $(B)_i$, ... der Punkte eines ebenen Systems in eine Projectionsebene oder eine ihr parallele Ebene mit den Punkten A, B, ... des Systems selbst durch gerade Linien verbindet, so bilden die Geraden $A(A)_i$, $B(B)_i$, ... ein Bündel von Parallelen, normal zu derjenigen Ebene, welche den Neigungswinkel α_i der Ebene des Systems gegen die bezügliche Projectionsebene halbiert. (Vergl. § 14, 6.) Man kann dies einerseits zur Vermittelung des Ueberganges von der Projection des Systems zur Umlegung oder umgekehrt verwenden; man kann anderseits durch die Umlegungen $(A)_i$, $(A)_i{}^*$ eines Punktes die beiden

Fig. 109.

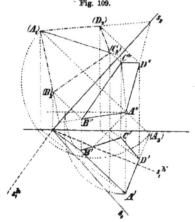

Halbierungsebenen der Winkel α_i und $180^0 - \alpha_i$ als normal zu jenen Parallelenbündeln bestimmen. In Fig. 109 ist dies für die beiden ersten Projectionen und den Winkel α_2 durchgeführt; s_1^h und s_1^{h*} sind die ersten Spuren der beiden Halbierungsebenen.

8) Von einem ebenen System sind die Umlegung $(A)_1$, etc. und die Projectionen A', A'' eines seiner Punkte gegeben; man soll es projicieren. Die Verwendung der Affinität genügt.

9) Man bestimme die Lage der parallelen Lichtstrahlen, für welche der Schlagschatten einer gegebenen Figur (in einer Ebene) auf eine Projectionsebene ihr selbst congruent wird.

10) Man verzeichne die Projectionen des Kreises, welcher durch drei gegebene Punkte A, B, C geht.

a) Man legt das Dreieck ABC um, bestimmt in der Umlegung

den ihm umgeschriebenen Kreis K und verzeichnet seine Projectionen; dieselben sind Ellipsen. Je zwei rechtwinklige Durchmesser des Kreises liefern durch ihre Projectionen ein Paar conjugierte Durchmesser dieser Ellipsen — man wählt vor Allem den zur Drehungsaxe parallelen und den zu ihr normalen Durchmesser, weil sie die Axen der Ellipse in der gleichnamigen Projection liefern. Aus solchen zwei Durchmessern construiert man die Ellipse nach § 34, 15, oder man bestimmt weitere Punkte und Tangenten der Projectionen durch die bekannten Punkte und Tangenten des Kreises in der Umlegung, natürlich unter Benutzung der Relationen der perspectivisch affinen Systeme und der axialen Symmetrie der Ellipse (§ 22, a.).

b) Man bestimmt die Projectionen des Mittelpunkts M des Kreises ABC als des Durchschnittspunktes der Normalebenen zu den Seiten durch ihre Mitten mit seiner Ebene, vollzieht dann die Umlegung in die Parallelebene zu einer Projectionsebene durch diesen Mittelpunkt, d. h. macht den zu dieser Projectionsebene parallelen Durchmesser zur Drehungsaxe; verfährt aber übrigens wie bei a).

Die Projection eines Kreises aus Ebene, Mittelpunkt und Halbmesser ist hieran zu knüpfen, also z. B. auch die des S c h n i t t k r e i s e s e i n e r E b e n e mit e i n e r K u g e l von gegebenem Mittelpunkt und Halbmesser. Hierzu legt man etwa durch den Mittelpunkt der Kugel die Normalebene zur ersten Spur der Ebene und legt mit derselben in die horizontale Projectionsebene oder besser in ihre durch den Kugelmittelpunkt gehende Parallelebene den zugehörigen Kugelkreis und die Schnittlinie mit der gegebenen Ebene um, wodurch man den Mittelpunkt des Querschnittkreises und den in der Falllinie der Ebene liegenden Durchmesser desselben in Projection und in wahrer Grösse erhält, und somit seine Projectionen aus den Axen und aus zwei conjugierten Durchmessern respective zeichnet.

11) Man projiciere ein Dreieck ABC orthogonal so, dass sein Bild einem gegebenem Dreiecke ähnlich werde — mittelst der Bemerkung über die Rechtwinkligkeit der Doppelstrahlen der projectivischen Büschel aus Punkten der Affinitätsaxe zwischen Umlegung und Projection. Man trage an ABC (Fig. 110) etwa in A_1BC ein dem gegebenen ähnliches Dreieck an und lege den Kreis aus einem Punkte von BC durch die Punkte A, A_1, welcher die erstere Gerade in D und E durchschneide. Ist dann $\angle AED > \angle A_1ED$, so kann AE die Affinitätsaxe s_1 und AD die Richtung der entsprechenden parallelen Projectionsstrahlen bezeichnen. Sodann ist das Verhältniss $\tan AED : \tan A_1ED$ das Verjüngungsverhältniss und bestimmt also den Winkel α_1.

12) Die eine Orthogonalprojection eines Kreises ist durch zwei conjugierte Durchmesser z. B. $A''B''$, $C''D''$ bestimmt und die Lage des Mittelpunktes M überdies durch die zugehörige Coordinate desselben festgesetzt; man soll die Ebene des Kreises bestimmen. Man

erhält sie aus der einen Projection eines rechtwinkligen und gleichschenkligen Dreiecks *AMC* und beiden Projectionen seiner Recht-
winkelecke *M* nach dem Verfahren der vorhergehenden Aufgabe. Man
kann sie auch durch Uebergang zu den Axen der elliptischen Projection ohne directe Benutzung derselben ableiten.

Fig. 110.

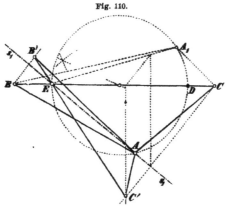

13) Man construiere eine Gerade *l* durch den gegebenen Punkt
A, welche die Gerade *g* so schneidet, dass von *A* bis zum Schnittpunkt *B* eine gegebene Länge oder dass der Winkel (g, l) von einer
gegebenen Grösse sei — durch Umlegung der Ebene *A*, *g*.

Fig. 111.

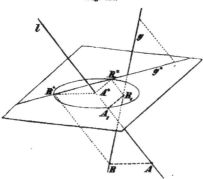

14) Man bestimme denjenigen Punkt *B* der Geraden *l*, der von
der Geraden *g* die vorgeschriebene Entfernung *e* hat — oder allgemeiner die einer gegebenen Ebene **S** parallele Transversale *t*
zweier gegebenen Geraden *g* und *l*, welche die Länge *e* hat. Man
verzeichnet (Fig. 111) dazu den Schnittpunkt A^* von *l* mit **S** und

die Schnittlinie g^* der durch g gehenden Parallelebene zu l mit $\mathbf{S}$, markiert in g^* die Punkte B^*, B_1^* in der Distanz e von A^* und führt durch sie die Parallelen B^*B, $B_1^*B_1$ zu l bis g. Dann sind BA parallel B^*A^* und B_1A_1 parallel $B_1^*A_1^*$ die gesuchten Geraden.

15) Man bestimme die kürzeste der Ebene $\mathbf{S}$ parallele Transversale t der Geraden g und l — natürlich durch den Fusspunkt des Perpendikels von A^* auf g^*.

16) Man soll durch einen Punkt A eine Gerade d so ziehen, dass sie eine Gerade g schneidet und mit der Ebene $\mathbf{S}$ einen vorgeschriebenen Winkel β macht — insbesondere auch, wenn g in $\mathbf{S}$ liegt oder wenn $\mathbf{S}$ respective g specielle Lagen gegen das Projectionssystem haben. Man benutzt den Kreis K der Durchschnittspunkte aller gegen $\mathbf{S}$ unter β geneigten Geraden durch A (§ 1) — natürlich in der Umlegung.

17) Man lege durch die Gerade g eine Ebene so, dass sie mit der gegebenen Ebene $\mathbf{S}$ einen Winkel von vorgeschriebener Grösse α bildet; insbesondere für specielle Lagen der Geraden g oder der Ebene $\mathbf{S}$ oder beider gegen das Projectionssystem. Man benutzt den Kreis K der Durchschnittslinien aller gegen $\mathbf{S}$ unter α geneigten Ebenen durch einen Punkt A (§ 2; vergl. § 10, 9) der Geraden g.

18) Man lege durch eine Gerade g eine Ebene, die mit der festen Geraden l den Winkel β bildet — mittelst der Normalebene von l und dem Complement von β.

19) Man construire und projicire die dreiseitige Ecke aus den drei Kantenwinkeln a, b, c, d. i. bestimme ihre Flächenwinkel α, β, γ und ihre Projectionen, indem man die eine Fläche der Ecke mit der ersten Projectionsebene zusammenlegt und die eine ihrer

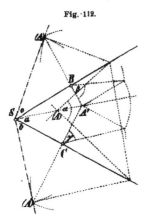

Fig. 112.

Kanten zur zweiten Projectionsebene normal macht. Ohne Zuziehung der zweiten Projection ist die Bestimmung der Flächenwinkel aus den Kantenwinkeln in Fig. 112 mit a in der Ebene xy gegeben; die nöthigen Ergänzungen sind einzufügen, etwa für SB als normal zur Axe x. Man hat von einem Punkte A der nicht in xy liegenden Kante die Normalebenen zu den drei Kanten gelegt und die Dreiseite dargestellt, welche dieselben mit den Flächen der Ecke erzeugen. Wenn man das Dreieck mit α nach rechts statt nach links umlegt, so giebt die Figur durch Ausschneiden zugleich das Netz und Modell der Construction. Jedoch kommt die von den Ebenen von α, β, γ gebildete Polarecke dabei nicht zur Anschauung.

20) Die vorige Constructionsfigur erscheint als unsymmetrische Degeneration der allgemeineren, bei welcher (Fig. 113) die Polarecke mit dem Scheitel S_1 aus den Tangentialebenen der Kugel aus S in den Austrittspunkten A, B, C der drei Kanten oder in den Ecken des zugehörigen sphärischen Dreiecks gebildet wird. (Im vorigen Falle liegt S_1 in A; hier ist C' der Fusspunkt der von C auf die Ebene von c gefällten Normale.) Sind A_1, B_1, C_1 die Durchschnittspunkte der Ebenen BSC, CSA, ASB respective mit den Paaren der Tangentialebenen in B und C, C und A, A und B, so wird die Ecke $SABC$ begrenzt durch die gleichschenkligen Vierecke mit je zwei rechten Winkeln bei A, B; B, C; C, A — also durch $ASBC_1$, $BSCA_1$, $CSAB_1$, und die Polarecke durch die Vierecke mit je zwei rechten Winkeln bei A_1, B_1; B_1, C_1; C_1, A_1 — also durch

Fig. 113.

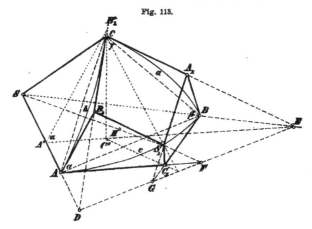

$A_1S_1B_1C$, $B_1S_1C_1A$, $C_1S_1A_1B$ mit gleichen Diagonalen (als Kugeltangenten aus S_1) S_1C, S_1A, S_1B. Die ersten enthalten c, a, b; die letzten γ, α, β. Man gelangt von jenen zu diesen in ebener Construction durch die Betrachtung der Schnittlinie einer Fläche der ursprünglichen Ecke mit der nicht anstossenden Fläche der Polarecke, also z. B. der Schnittlinie der Ebenen von c und γ.

Die Schnittpunkte D, E, F, G der vier Seiten CB_1, CA_1, S_1B_1 und S_1A_1 mit der Ebene von c d. h. mit den Geraden SA, SB, C_1A, C_1B respective sind vier Punkte jener Schnittlinie. Sind a, b, c gegeben und legt man sie und ihre Kreisvierecke in die Ebene von c nieder (Fig. 114), so erhält man zuerst D und E, sodann auf DE die Punkte F und G und aus diesen die Kreisvierecke $AB_1S_1C_1$, $BC_1S_1A_1$, indem man bemerkt, dass B_1 und A_1 in den über den Durchmessern AF und BG respective beschriebenen Halbkreisen in den aus den Kreisvierecken von b und a bekannten Entfernungen von A und B liegen. Das dritte Kreisviereck $C A_1 S_1 B_1$ ist nun vollständig bekannt.

Man könnte zur Construction auch die Bemerkung benutzen, dass die Länge $S_1 A = S_1 B = S_1 C$ als zweite Kathete eines rechtwinkligen Dreiecks bestimmbar ist, dessen erste Kathete $SA = SB = SC$ und dessen zur Hypotenuse gehörige Höhe der Halbmesser des dem Dreieck ABC umschriebenen Kreises ist.

Da die Dreiecke $B C_1 S_1$, $A C_1 S_1$; $C A_1 S_1$, $B A_1 S_1$; $A B_1 S_1$, $C B_1 S_1$ paarweis congruent sind, und also bei B, A; C, B; A, C gleiche Winkel x, y, z haben, so ist

$$\alpha = y + z, \quad \beta = z + x, \quad \gamma = x + y$$

und für $\alpha + \beta + \gamma = 2(x + y + z) = 2\sigma$

$$\alpha = \sigma - x, \quad \beta = \sigma - y, \quad \gamma = \sigma - z.$$

Fig. 114.

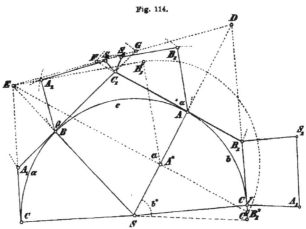

In Fig. 113 ist der Mittelpunkt dieses Kreises oder der gemeinsame Höhenfusspunkt H der Dreiecke $SS_1 A$, $SS_1 B$, $SS_1 C$ angegeben. Die Fig. 114 enthält nur die erste Methode. Man mache die Verification jener Länge nach der angegebenen Relation. Wenn man die Figur 114 nach dem Umriss $S C A_1 S_1 B_1 A B_1 S_1 C_1 S_1 A_1 B A_1 C S$ ausschneidet, so hat man zugleich das Netz und bildet daraus das Modell der Constructionsfigur, indem man die im Innern ausgezogenen Linien zum Umlegen ritzt.

Eine naheliegende Anwendung ist es, zu zwei windschiefen Geraden diejenigen Geraden zu construieren, welche sie unter gegebenen Winkeln a, b schneiden.

21) Bestimme die fehlenden Stücke einer dreiseitigen Ecke aus den Kantenwinkeln a, c und dem eingeschlossenen Flächenwinkel β. Im Falle der Auflösung nach Fig. 113 findet man aus

a, c, β zuerst E und G, damit EG und also D — woraus durch die zweite Tangente an den Kreis aus S durch CBA die zweite Umlegung von C also b — und F — woraus sodann α.

22) Ebenso aus den Kantenwinkeln a, c und dem nicht eingeschlossenen Flächenwinkel α; man discutiere die mögliche Zweideutigkeit der Lösung. Im Falle der Fig. 113 denke man das Dreieck FAB_1, welches α enthält, parallel sich selbst so verschoben, dass F nach E, damit B_1 und A nach $B_1{}^*$ und A^* respective fallen. Da man nun aus a, c die Vierecke SCA_1B, SBC_1A, also zunächst E und mittelst $EA^* \perp SA$ und α das rechtwinklige Dreieck $EA^*B_1{}^*$, sodann durch Verlängerung von EA^* über A^* um $A^*B_1{}^*$ einen Punkt in der Tangente erhält, welche in C an den Kreis aus S geht, so findet man C (zwei Lagen, welche beide zulässig sind, wenn $a < c$ ist), also b; von da aus D und damit die vollständige Constructionsfigur wie vorher. Man füge die zweite Bestimmung von $b(b^*)$, die Construction von D und die der entsprechenden Kreisvierecke $BC_1S_1A_1$ und $CA_1S_1B_1$ hinzu, welche die Fig. 114 nicht enthält. Die centralprojectivische Darstellung von Ecke $S.ABC$ — etwa aus SA, der Ebene ASB und den Grössen der Kantenwinkel — mit der aus SA, SB, SC enstehenden Polarecke und dem sphärischen Dreieck ABC ist zu empfehlen.

23) Man bestimme zwei Ebenen aus einem Paar gleichnamiger Spuren derselben und den Winkeln, welche diese mit ihrer Durchschnittslinie bilden.

24) Man construiere die dreiseitige Ecke aus ihren Flächenwinkeln, z. B. bestimme eine Ebene aus einem Punkte P in ihr, ihrem Winkel α gegen die erste Projectionsebene und dem Winkel β, den sie mit einer zweiten projicierenden Ebene einschliesst — ohne Zuhilfenahme der Polarecke (Fig. 115, p. 299.)

Sei $\mathbf{S^*}$ die gesuchte Ebene mit den Spuren $s_1{}^*$ und $s_2{}^*$, O der Axenschnittpunkt der gegebenen projicierenden Ebene und ON die von ihm auf $\mathbf{S^*}$ gefällte Normale mit dem Fusspunkt N, so legen wir durch ON die Normalebene zu $s_1{}^*$, welche $s_1{}^*$ in A schneide, und haben ein bei N rechtwinkliges Dreieck, welches bei A den Winkel α enthält und dessen Höhe NN' die Coordinate z des Punktes N giebt, während ON' die Entfernung seiner ersten Projection von O ist. Denken wir dann durch ON die Normalebene zur gegebenen zweiten projicierenden Ebene, welche die Schnittlinie von dieser mit der gesuchten Ebene in B schneidet, so ist $\triangle ONB$ bei N rechtwinklig und enthält bei B den Winkel β. Seine Höhe aus N ist der Abstand des Punktes N von dieser projicierenden Ebene und vollendet damit die Bestimmung von N. Die Normalebene zu ON durch P ist die gesuchte Ebene. Man discutiere die Zulässigkeit der verschiedenen Lösungen.

25) Man lege durch den Punkt P die Ebenen, welche gegebene Winkel α_1, α_2 oder α_2, α_3 besitzen.

26) Man projiciere ein reguläres Dodekaeder mit einer zur ersten Projectionsebene parallelen Fläche aus einer gegebenen Kante *A B* in dieser mit Benutzung der Regelmässigkeit seiner dreiseitigen Ecken und deducire die Symmetrieverhältnisse seiner Projectionen.

Wäre *A B C D E* diese Fläche und sind *F, G, H, J, K* die ihr nächsten und *L, M, N, O, P* die dann folgenden, endlich *Q R S T U* die von ihr entferntesten Ecken, d. h. die Ecken der zu ihr parallelen Gegenfläche, so dass *A B G M F, B C H N G, C D J O H, D E K P J, E A F L K* die an der zuerst genannten anliegenden Flächen sind, etc., so lehrt die Symmetrie, dass *A B C D E* und *Q R S T U* in der Folge

Fig. 116.

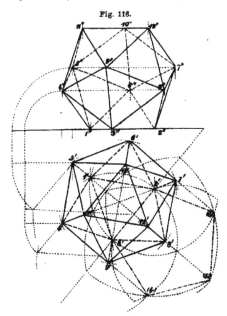

Q A R B S C T D U E in der ersten Projection die Ecken eines regulären Zehnecks sind; und ebenso *F M G N H O J P K L* die eines concentrischen und parallelen von grösserem Radius. Denkt man die in *A F* zusammenstossenden regulären Fünfecke *A B G M F, E A F L K* um *A B* resp. *A E* so in die Ebene *A B C D E* niedergelegt, dass sie mit ihrem Fünfeck zur Deckung gelangen, so fällt die Ecke *F* das erstemal auf *E* und das zweitemal auf *B* und die erste Projection von *F* ist somit der Schnittpunkt der von *B* und *E* auf *A E* und *A B* resp. gefällten Perpendikel. Offenbar entnimmt man daraus sofort auch die Höhe von *F* und somit die ihr gleichen Höhen von *G, H, J, K*, und weiter ebenso die von *L, M, N, O, P* über der

Ebene *ABCDE*; endlich erhält man durch Symmetrie die von *QRSTU*, womit die Projectionen des Dodekaeders bestimmt sind.

Für jede andere Lage des Körpers können, wie wir in § 59, 13 zeigen wollen, die Projectionen aus den so erhaltenen Daten abgeleitet werden. Man erläutere ihre Symmetrieverhältnisse.

Man stelle ebenso die andern regulären Körper dar, insbesondere das Ikosaeder. Die Fig. 116 giebt es in der Lage, in welcher zwei seiner Flächen parallel *xoy* sind; es ist aus der dreiseitigen Ecke an einer derselben 123, 23456, 126 construiert. Die Figur enthält die Zirkel-Construction des regulären Fünfecks aus seiner Seite.

Fig. 115.

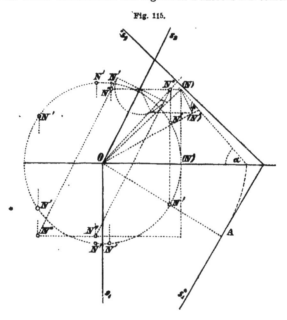

In Anwendung des Princips von vorher liegt die Horizontalprojection der Ecke 4 sowohl in dem Perpendikel von 2′ auf 3′1′ aus der Umklappung des Dreiecks 341, als auch in dem Perpendikel (4)4′ auf 2′3′ aus der Umklappung des regulären Fünfecks 23456. Man erhält also 5′ und die Höhen von 4, 6, 8 resp. 5, 7, 9 über der Ebene 123, endlich durch Symmetrie 10, 11, 12 und ihre Höhe. Die Gruppen der Projectionen 1, 10, 2, 12, 3, 11 und 5, 6, 7, 8, 9, 4 auf 123 bilden concentrische und parallele reguläre Sechsecke.

Man führe die Anwendung desselben Princips am regulären Oktaeder durch; für eine andere Anwendung desselben sehe man § 58, 10.

27) Die regulären Polyeder sollen in den reciproken Paaren dargestellt werden, in denen das eine einer Kugel eingeschrieben und das andre ihr nach den Ecken des ersten umgeschrieben ist; also mit dem Hexaeder das Oktaeder, mit dem Dodekaeder das Ikosaeder und mit dem Tetraeder das reciproke Tetraeder.

28) Man projiciere einen Würfel so, dass die Verbindungslinie zweier Gegenecken parallel zur Axe OZ sei. (Vergl. den Würfel in der Durchdringung der Fig. 121.)

29) Man projiciere eine sechsseitige Pyramide aus der Grundfläche in gegebener Ebene, den Winkeln, welche die von einer bestimmten Ecke derselben nach der Spitze gehende Kante mit den benachbarten Grundflächenkanten einschliesst, sowie der Länge dieser Kante; ebenso ein Parallelepiped durch die Längen und Winkel der in einer Ecke zusammenstossenden Kanten bei Parallelismus einer Fläche mit XOY und gegebener Richtung einer ihrer Kanten.

30) Ein Object ist in Bezug auf ein rechtwinkliges Coordinatensystem bestimmt durch die Coordinaten seiner Punkte; die Coordinatenaxen sind durch ihre Durchstosspunkte in der Projectionsebene fixiert. Man soll die Projectionen ausführen. (Vergl. Fig. 95, § 47, 1.) Die Höhen des Spurendreiecks der Axen sind die gleichnamigen Projectionen derselben; die ihnen zukommenden Verkürzungen und die zugehörige projicierende Linie des Anfangspunktes sind damit bestimmt. (Fig. 95, $O_1S_z : NS_z$; $O_2S_x : NS_x$; etc. und $NO_1 = NO_2$.)

54*. Es wird am Platze sein, hier eine kurze Betrachtung der Orthogonalprojection mit einer Fixebene ʊ im Endlichen rücksichtlich der praktischen Ausbildung ihrer Elemente einzuschalten, und zweckmässig, uns dabei auf die beiden Fälle zu beschränken, wo ʊ unter 45⁰ geneigt ist zur Tafel S, und wo es zu derselben parallel ist in der Entfernung d. Da aber offenbar für d als die Distanz einer Centralprojection mit derselben Bildebene im letzterwähnten Falle die Elemente U', u' von Geraden und Ebenen mit den R'' und r'' derselben im Sinne der §§ 3 und 6 identisch sind, so mag der knappe Raum dem ersten Falle gewidmet sein. Es sei u in Fig. 117 die Spur von ʊ und diese Ebene steige auf der Seite des Buchstabens unter 45⁰ Tafelneigung gegen den Beschauer auf.

Ist dann durch die in u sich schneidenden Geraden s, u' eine Ebene bestimmt, so wird ihre Umlegung in die Tafel durch Ermittelung von (u) erhalten: Man fällt von einem Punkte U' in u' das Perpendikel zu s und bildet aus dessen Länge $U'A$ als erster und dem Abstand des U' von u als zweiter

Kathete das rechtwinklige Dreieck mit dem Neigungswinkel α der Ebene zur Tafel als $\llcorner U A U'$ und der Hypotenuse $A U$; diese ist der Drehungsradius des Punktes U bei der Umlegung, durch den man also (U) und damit (u), die Umlegung zu u', erhält. Für jede auf der Ebene $s u'$ gelegene durch ihre Projection bestimmte Figur ist damit die Ermittelung der wahren Gestalt gesichert. Errichtet man in U auf $A U$ die Normale und markiert ihren Schnitt S_n in $A U'$, so ist offenbar zugleich $U'S_n$ die in U auf der Ebene errichtete Normale. Aus derselben bestimmt sich jede andere Normale der Ebene $s u'$, z. B. die vom Punkte P in $S_1 U_1'$ ausgehende, durch die Bemerkung, dass je zwei Normalen derselben Ebene parallel sind und also in einer Ebene

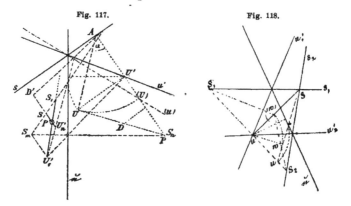

Fig. 117.   Fig. 118.

liegen; zieht man also $U'U_1'$ und durch S_n die mit ihr in u zusammentreffende Gerade, so ist die Parallele zu $U'S_n$ durch U_1' bis zu dieser in S_{1n} die durch U_1 gehende Normale und die Parallele durch P' zu ihr, zwischen den in u sich schneidenden Geraden $S_1 S_{1n}$ und durch U_1', oder die Gerade $S U_n'$ ist die gewünschte Normale. Die Fig. 117 enthält noch ihren Schnittpunkt D' mit der betrachteten Ebene $s u'$ (mittelst der Schnittlinie s, u' und der Ebene durch $S_1 U_1'$ und die Normale) und die Bestimmung der wahren Länge $p = S_n D$ von PD als in einer zu $S_n U'$ parallelen Geraden.

Wären ferner zwei Ebenen durch ihre Bestimmungslinien s_1, u_1' und s_2, u_2' (Fig. 118) gegeben, so dass die Verbindungslinie von s_1, s_2 oder S mit u_1', u_2' oder U' ihre Durchschnittslinie ist, so erhält man ihren Neigungswinkel φ in wahrer Grösse durch die Umklappung ihrer Schnittlinien mit einer zu dieser normalen Ebene; nimmt man die in U' auf $U'S$ errichtete Senkrechte als Spur mit den Schnitten S_1, S_2 in s_1 und s_2, so giebt die zur Hypotenuse gehörige Höhe im rechtwinkligen Dreieck $SU'U$ den Drehungsradius seines Scheitels W und damit den gesuchten Winkel als Winkel $S_1(W)S_2$.

Denkt man das Fünfeck $ABCDE$ in der Tafel als Basis einer Pyramide von der Spitze M in der Geraden SU', so erhält man die Projection des Querschnittes derselben mit der Ebene su' als die für M' als Centrum und s als Axe der Collineation zu $ABCDE$ als Original entsprechende Figur $A'B'C'D'E'$, mit der Spur der durch M zu su' gelegten Parallelebene als Gegenaxe r im System der Basis. Die Elementar-Aufgabe der Bestimmung der Parallelen durch einen Punkt zu einer Ebene löst man aber z. B. durch die Bestimmung des Punktes U_1', der zu der Parallelen durch den Punkt zur Geraden s der Ebene gehört: Man zieht durch S parallel s bis u, von da nach U' bis zur Parallele durch M' zu s; der Schnittpunkt ist U_1'. Nun giebt die Parallele zu u' durch U_1' die Linie u_1' und die durch ihren Schnitt mit u gehende Parallele zu s die Spur s_1 der gesuchten Parallelebene — im vorbesprochenem Falle die Gegenaxe r der Collineation. Fügt man die Umlegung (M) von M mit der Ebene Mr hinzu, so erhält man die wahre Gestalt des Querschnittes ebenso aus s, r und (M) als Collinearfigur zu $ABCDE$. (Man kann hierzu Fig. 119 vergleichen.)

Wir erörtern noch einige Beispiele, deren Durchführung danach leicht fallen wird.

1) Man bestimme die Normalebene durch einen Punkt A zu einer ihn enthaltenden Geraden SU' — mittelst der Umlegung der projicierenden Ebene der Geraden durch die in ihr liegenden Punkte U_n und S_n der Normalebene, wo der letztere die zu SU' normale Spur s_n und dadurch mit dem ersten auch die Gerade u_n' bestimmt.

2) Man projiciere und bestimme die kürzeste Entfernung von zwei Geraden S_1U_1' und S_2U_2', die nicht in einer Ebene liegen. Man legt die zur zweiten parallele Ebene durch die erste und bringt die zu derselben normalen Ebenen durch beide Geraden zum Schnitt; bestimmt endlich das zwischen den Schnittpunkten mit beiden Geraden liegende Stück ihrer Schnittlinie.

3) Man projiciere einen geraden Kreiskegel aus dem Bilde seiner Spitze M und des Basismittelpunktes C in der Axe SU',

wenn man den Radius r der Basis kennt. Man hat in der Normalebene durch C zu SU' den Kreis vom Mittelpunkt C und dem Radius r zu zeichnen und wird das durch Angabe seines der Tafel parallelen, unverkürzt erscheinenden Durchmessers als der grossen Axe und des nach $\cos \alpha$ verkürzten Durchmessers in der Falllinie der Ebene als der kleinen Axe seines Bildes thun.

4) Es sind die Geraden zu bestimmen, welche in einer gegebenen Ebene und von zwei festen Punkten in vorgeschriebenen Entfernungen liegen. Man hat offenbar die gemeinsamen Tangenten der Querschnittkreise der Ebene mit den um jene Punkte mit den zugehörigen Distanzen zu beschreibenden Kugeln zu zeichnen, und vollzieht dies zunächst in der Umlegung, nachdem man durch die Normalen der Ebene aus den Fixpunkten ihre Mittelpunkte erhalten und umgelegt hat.

5) Eine dreiseitige Ecke ist durch die Kante a respective ihr S_a und U_a', das Bild des Scheitels O' in ihrem Bilde und die Durchstosspunkte S_b und S_c der beiden andern Kanten gegeben. Wenn A_1', B_1', C_1' die Bilder von drei Punkten dieser Kanten sind, so ist das Dreieck $A_1'B_1'C_1'$ die Abstumpfung der Ecke mit der Ebene I desselben; man denke drei solche Ebenen, also durch A_2', B_2', C_2' bestimmt die Ebene II, und durch A_3', B_3', C_3' die Ebene III und stelle die entspringende Abstumpfungsfigur der Ecke dar. Man erhält zwei wesentlich verschiedene Fälle, je nachdem die Folge der Punkte mit den Indices 1, 2, 3 auf den drei Kanten cyklisch ist oder nicht; also für die Folgen $A_1 A_2 A_3 O$, $B_2 B_3 B_1 O$ und $C_3 C_1 C_2 O$ respective z. B. $A_1 A_2 A_3 O$, $B_3 B_2 B_1 O$, $C_1 C_3 C_2 O$; nämlich im ersten Falle drei viereckige Abstumpfungsflächen, im zweiten eine drei-, eine vier- und eine fünfseitige Fläche. Die Tafel IV enthält die Darstellung dieser beiden Fälle in Grundriss und Aufriss mit Bezeichnung der Punkte durch Ziffern allein; sie giebt dazu einen dritten Fall mit zwei Dreiecken und einem Fünfeck als Abstumpfungsflächen. (Man vergleiche die Beschreibung der Tafel im Register.)

6) Wenn einer der Punkte A_i, etc. in seiner Kante unendlich fern ist, so sagt man von der zugehörigen Ebene, dass sie diese Kante abstumpfe. Der erste unter den beiden Fällen in 5) mit A_1, B_2 und C_3 als unendlich fern giebt die symmetrische Abstumpfung der Ecke, mit drei Parallelstreifen mit drei Ecken im Endlichen; der zweite mit A_1, B_3, C_1 als unendlich fern zeigt ein Dreieck im Endlichen, etc.

7) Wenn die Fixebene U parallel zur Tafel und in der Entfernung Eins von derselben gelegen ist, so geben die Punkte S und U' einer Geraden zugleich ihren Gefälle-Maassstab und ebenso die Geraden s, u' (die dann parallel sind) den für eine Ebene; so ergeben sich die Constructionen der cotierten Darstellung. Wir empfehlen die Uebertragung von Fig. 118 für die Construction des Neigungswinkels zweier Ebenen und die Ausführung der Bestimmung der Entfernung eines Punktes von einer Ebene.

55. Die zahlreichen vorher besprochenen Elementar-Aufgaben könnten leicht noch vermehrt werden; wir empfehlen hier die Vergleichung der §§ 1—11, von deren Aufgaben eine ziemliche Anzahl hier nicht wiederholt ist, schon um deswillen, damit man bei ihrer Lösung in der Form der Orthogonalprojection sich durch den Vergleich mit der centralprojectivischen Lösung zur möglichsten Sparsamkeit im Verbrauch von Hilfslinien anleiten lasse. Die zur Lösung führenden geometrischen Anschauungen und Sätze bleiben im Allgemeinen dieselben und

Fig. 119.

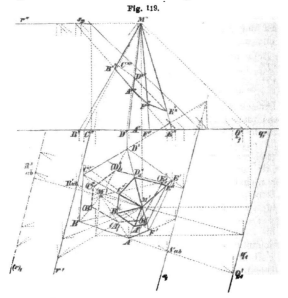

dem vorigen § kann man entnehmen, in wieweit bei orthogonaler Parallelprojection mit einem Bilde sich dieselbe Einfachheit gewinnen lässt, wie in der Centralprojection. Für die folgenden Erörterungen über die Polyeder ist umgekehrt die Heranziehung dieser beiden Darstellungsformen zu empfehlen.

Wenn ein Polyeder durch seine beiden orthogonalen Parallelprojectionen gegeben ist, so construiert man seine Schnittfigur mit einer gleichfalls bestimmten Ebene im Allgemeinen durch die Folge der Schnittlinien seiner Flächen mit derselben — in der Weise, dass jede dieser Schnittlinien die nächstfolgende als diejenige bestimmt, mit welcher sie in einer Kante ihrer Fläche zusammentrifft, natürlich innerhalb der Endpunkte dieser Kante. Man benutzt hierbei die Spuren der Polyederflächen im Allgemeinen nicht, sondern bedient sich des Verfahrens von § 52, welches für begrenzte Ebenen vorzugsweise geeignet ist.

Für die Ausführung denken wir das Polyeder als undurchsichtig und unterscheiden an demselben die sichtbaren von den unsichtbaren Kanten als mit ausgezogenen und mit punktierten Projectionen dargestellt, indem wir festsetzen, die Sichtbarkeit werde in jeder Projection für ein Auge beurtheilt, das sich in der Richtung und auf der positiven Seite der zu ihrer Ebene normalen Projectionsaxe befindet. (Vergl. § 43, 2.) Jede Seite der Schnittfigur ist unsichtbar, von der ein Endpunkt oder beide Endpunkte einer unsichtbaren Kante des Polyeders angehören.

Das häufige Vorkommen von Pyramiden und Prismen als selbständige Formen, sowie als Theilformen von zusammengesetzteren Polyedern macht es werthvoll, die speciellere Behandlung der ebenen Schnitte derselben zu erörtern. Wir denken die polygonale Basis einer Pyramide $ABC\ldots$ in einer Ebene S, speciell der ersten Projectionsebene, und die Spitze M derselben gegeben, dazu die Schnittebene E. Dann ist die Schnittfigur $A^*B^*C^*\ldots$ derselben mit dem Mantel der Pyramide anzusehen als die Centralprojection der Grundfläche $ABC\ldots$ aus dem Centrum M auf die Ebene E, oder umgekehrt diese als Bild von jener, und kann also — da die Parallelprojectionen centrisch collinearer ebener Systeme selbst centrisch collineare Figuren sind — als die centrisch collineare Figur zu jener construiert werden mit Benutzung der Collineationsaxe und der Gegenaxe des Systems.

Denken wir die Ebene der Basis als erste Projectionsebene (Fig. 119), so ist die centrisch collineare Beziehung der Basis als Bild zur Schnittfigur als Original auch in der ersten Projection erfüllt, für die erste Projection M' des Centrums M als Centrum, für die erste Spur s_1 der Ebene E als Axe der Collineation und für die erste Spur der durch M gehenden Parallelebene zur Schnittebene als Gegenaxe q_1. Daraus ergiebt sich bekanntlich die Gegenaxe r' (vergl. § 19, 1 etc.), welche auch die erste Projection der Schnittlinie der Ebene E mit der durch M gehenden Parallelebene zur Basisebene XOY ist. Man erhält dann die erste Projection der Schnittkante $A^* B^*$, indem man den Schnittpunkt S_{ab} von $A'B'$ und s_1 mit dem Schnittpunkt R'_{ab} der aus M' gezogenen Parallelen zu $A'B'$ in r' verbindet und diese Gerade in $M'A'$ und $M'B'$ begrenzt; auf der ihr Parallelen durch M' liegt auch Q_1', der Schnittpunkt von $A'B'$ mit q_1. Man fügt die zweite Projection hinzu, indem man die zweiten Projectionen der R in r'' und die der S auf der Axe OX verbindet und bemerkt, dass die zweiten Projectionen der Punkte Q_1 in derselben Axe mit M'' Parallelen zu $A^{*\prime\prime}B^{*\prime\prime}$... bestimmen.

Man construirt auch die wahre Gestalt der Schnittfigur $A^*B^*C^*$... direct aus ihrer centrischen Collineation zu ABC... als die Umlegung derselben in die erste Projectionsebene (Fig. 119); die centrische Collineation zwischen $(A^*)(B^*)(C^*)$... und $A'B'C'$... hat die Spur s_1 zur Collineationsaxe, die Umlegung (M) von M mit der zu $\mathbf{E}$ parallelen Ebene Mq_1 zum Collineationscentrum und die Umlegung $(r)_1$ von r mit der Ebene $\mathbf{E}$ zur Gegenaxe, indess die Gegenaxe q_1 ungeändert bleibt.

Auf diese Constructionen gehen somit alle die in der Theorie der centrisch collinearen ebenen Systeme entwickelten Hilfsmittel über.

1) Man untersuche, in wie weit sich die Hilfsmittel der centrischen Collineation auf eine Pyramide mit schräger Basisebene $\mathbf{E}$ mit Vortheil anwenden lassen.

2) Man benutze sie für die Darstellung des Schnittes, den ein reguläres Dodekaeder mit einer Ebene erzeugt, indem man die fünfseitigen regulären Pyramiden vorstellt, welche von den an eine nicht geschnittene Fläche desselben angrenzenden Flächen des Dodekaeders gebildet werden.

3) Man erörtere die Identität dieser Methode mit der der directen Construction der Schnittlinien der Pyramidenflächen mit der Schnittebene.

4) Man erläutere die Modificationen, welche diese Methoden für die Bestimmung der Projectionen und der wahren Gestalt des ebenen Schnittes der Prismen bedürfen. An Stelle der Collineation tritt die Affinität.

5) Man bestimme den Normalschnitt und das Netz — d. i. die möglichst zusammenhängende Ausbreitung seiner Flächen in einer Ebene — für ein schräges fünfseitiges Prisma mit einer zur ersten Projectionsebene parallelen Grundfläche.

56. Zwei Polyeder erzeugen mit einander als ihre Durchdringung ein nicht ebenes oder windschiefes Vieleck, dessen Seiten die Durchschnittslinien der Flächen des einen

Polyeders mit den Flächen des andern innerhalb ihrer Begrenzungen sind, während es die Durchschnittspunkte der Kanten
des einen mit den Flächen des andern zu seinen Ecken hat.

Die Durchdringungsfigur kann jedoch auch in mehrere von
einander getrennte windschiefe Vielecke zerfallen, so bei Euler'-
schen Polyedern in zwei, die man dann als Eintritts- und
Austritts-Figur unterscheiden kann.

Für die Construction derselben benutzt man offenbar ihre
Ecken und Seiten mit gleichem Erfolg, natürlich in dem für
begrenzte Figuren entwickelten Verfahren des § 52. Nehmen
wir an, es sei (Fig. 120) als Seite des Durchdringungspolygons
die Gerade p_1 durch den Schnitt der Flächen F_1 und F_1^* oder p_1'
durch den Schnitt von F_1', F_0^* der beiden Polyeder gefunden
worden, so liegen ihre beiden Endpunkte A und B resp. A_1 und

Fig. 120.

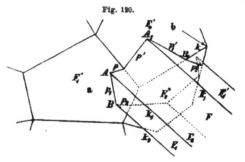

B_1 entweder a) beide in Kanten k_1, k_2 der einen Fläche, sagen
wir F_1, oder es liegt b) der eine A_1 in einer Kante k_1' von F_1'
und der andere B_1 in einer Kante k_1^* von F_0^*. Dann stösst im
ersten Falle in A die Durchschnittslinie p der längs k_1 an F_1
benachbarten Fläche F mit F_1^*, in B die Durchschnittslinie p_2
der längs k_2 an F_1 benachbarten Fläche F_2 mit F_1^* an. Im
zweiten Falle dagegen schliesst sich in A_1 die Durchschnittslinie
p' der an F_1' in k_1' benachbarten Fläche F mit der Ebene F_0^*
und in B_1 die Durchschnittslinie p_2' der an F_0^* in k_1^* benachbarten Fläche F_2^* mit F_1' an.

Geht man von einer bereits ermittelten Seite des Durchdringungspolygons aus nach diesem Gesetze weiter, so erhält
man ohne erfolglose Versuche die Durchdringung, respective die Eintrittsfigur der Eindringung. Im letzten Falle

hat man für die **Austrittsfigur** nach der gleichen Methode vorzugehen.

Die **Sichtbarkeit** des Durchdringungspolygons bestimmt nach dem vorigen § das Gesetz: Jede Seite desselben ist un-

Fig. 121.

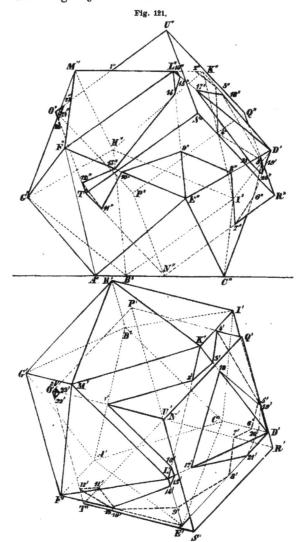

sichtbar, von der ein Endpunkt in einer unsichtbaren Kante
oder Fläche des einen oder andern Polyeders liegt.

Die Figur 121 zeigt die Durchdringung eines regulären
Ikosaeders $AB \ldots LM$ mit zwei horizontalen Flächen mit einem
Würfel $N \ldots U$ von verticaler Diagonale, deren unterer Endpunkt N in einer jener Flächen ABC liegt. Das Durchdringungs-
polygon zerfällt in drei Theile: Das windschiefe Polygon 1,
2, ... 16, das ebene Fünfeck 17, ... 21 und das Dreieck 22,
23, 24. Die Construction beginnt zweckmässig mit den Punkten
1, 2, 16 der oberen Ikosaederfläche.

Die folgenden zwei Beispiele vertreten eine grosse Mannich-
faltigkeit von Durchführungen.

1) Man construiere die Durchdringung eines regulären Ikosaeders mit einem vierseitigen Prisma und bilde die Netze der Körper
mit Eintragung der Durchdringung.

Fig. 122.;

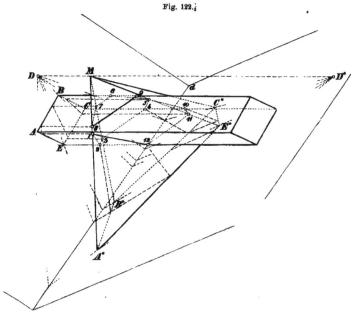

2) Man construiere die Durchdringung einer sechsseitigen Pyramide mit einem schrägen Parallelepiped und bilde ihre Netze —
indem man Ebenen parallel den Kanten des Prisma's durch die
Scheitelkanten der Pyramide und Ebenen durch die Prismenkanten

aus der Spitze der Pyramide benutzt. Welche Vortheile bringt es mit sich, dass diese Ebenen ein Büschel bilden? Die Figur 122 erläutert sie an dem Beispiel der vierseitigen Pyramide und des Parallelepipeds. Das Zwölfeck 1, 2, ... 12 ist die Eindringungsfigur.

3) Wie modificiert sich die Regel des Textes da, wo zwei Kanten beider Körper einander innerhalb ihrer Begrenzungen schneiden?

57. Die Einfachheit und Genauigkeit einer constructiven Lösung hängt oft ab von der Lage des projicierten Objects gegen die Projectionsebenen, und die Ueberführung in eine andere Lage kann daher von Vortheil sein für die Construction. In manchen Fällen ist es nothwendig, Elemente der Darstellung, welche über die Grenzen des Zeichenblattes hinaus gefallen sind, in dasselbe zurückzuführen, um die Ausführbarkeit zu sichern; schleifende Schnitte, Darstellungen von zu geringer Breite, etc. zu vermeiden, ist oft sehr wünschenswerth. Deshalb bilden die Transformationen ein wichtiges Mittelglied zwischen der Theorie und der Praxis der darstellenden Geometrie. (Vergl. § 12.) Sie sind, wenn man an der Orthogonalität der Parallelprojectionen festhält, entweder Verschiebungen und Drehungen der Projectionsebenen — die letzteren nothwendig in Paaren, damit ihre Rechtwinkligkeit unter einander nicht alterirt werde — oder Verschiebungen und Drehungen der darzustellenden Objecte. Verschiebungen respective Drehungen der ersteren sind Verschiebungen oder Drehungen der letzteren äquivalent, wenn sie sich nur durch ihren Sinn unterscheiden, während ihre Grössen und die Axen, nach welchen oder um welche sie erfolgen, dieselben sind.

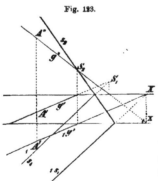

Fig. 123.

Die Parallelverschiebung einer Projectionsebene oder die des Objects nach den zugehörigen projicierenden Linien seiner Punkte hat nur eine algebraische Vermehrung dieser letzteren um die Verschiebungsgrösse, also eine gleichmässige Vermehrung der Abstände der durch sie bestimmten Projectionen von den zugehörigen Axen zur Folge. Wir wollen die Projectionen nach der Transformation dadurch bezeichnen, dass wir ihren Buchstaben unten links den Index der betreffenden Projectionsebene oder proji-cierenden Linie beifügen. (Fig. 123.)

Die Gestalt und Richtung der Projectionen wird durch beliebige Parallelverschiebungen nicht geändert; Parallelver-schiebungen können Raumersparniss nur erzielen, wenn sie das Ineinanderschieben der verschiedenen Projectionen bewirken; sie lassen das Maximum derselben erreichen, indem man den Mittelpunkt der dargestellten Raumfigur zum Anfangspunkt O des Systems oder zu einem Punkte der Halbierungsaxe $\mathfrak{h}_y$ des-selben macht (§ 46, 4; § 53). Grössere Deutlichkeit kann durch Parallelverschiebungen nur erreicht werden, insofern es sich um ein Auseinanderhalten der verschiedenen Projectionen des Objects handeln kann.

Es folgt, dass man die Einzeichnung der Axe x unter-lassen kann, indem es genügt, ihre Richtung zu kennen, so lange es sich nur um die Projectionen von Objecten und nicht um ihre Schnitte mit dem Projectionssystem, etc. handelt.

1) Man bestimme die Schnittlinie von zwei Ebenen aus den Spu-ren derselben, wenn der Schnitt-punkt der zweiten Spuren nicht auf dem Blatte liegt. Die Figur 124 giebt die Lösung.

Sie ist zugleich eine Auflösung der Aufgabe, die Verbindungslinie von einem Punkte nach dem unzu-gänglichen Schnittpunkte von zwei Geraden zu construieren. (Vergl. § 30, 1.) Ein weiteres Mittel giebt der Satz, dass die drei Höhenper-pendikel eines Dreiecks durch einen Punkt gehen.

2) Man bestimme die Schnitt-linie von zwei Ebenen aus den Spuren, wenn kein Paar derselben sich auf dem Blatte schneidet.

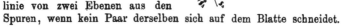

Fig. 124.

58. Die Drehung einer projicierten Raumfigur um eine Projectionsaxe oder eine Parallele zu einer sol-chen in bestimmten Sinne um einen Winkel θ_i (i als Index der projicierenden Linie, zu welcher diese Axe parallel läuft), d. i. die Darstellung ihrer Projectionen in der am Ende der Drehung erreichten Lage, ergiebt sich aus den beiden Bemer-

kungen: In den zur Drehungsaxe parallelen Projectionen schreiten die Punkte in Normalen zu ihr fort;
in der zu ihr normalen Projection drehen sie sich
in dem Sinne und um den Betrag des Winkels θ_i um
den Punkt, welcher die Drehungsaxe projiciert.

Wir wollen dabei den Drehungssinn durch ein aus dem
positiven Ende der Drehungsaxe oder der ihr parallelen Projectionsaxe nach der Projectionsebene blickendes Auge beurtheilt denken, und als positiv die im Sinne des Uhrzeigers ver-
laufende Drehung bezeichnen.

Die Drehung um eine schräg im Raume liegende Axe ist
durch die Methode dieses oder des nächsten § ebenfalls leicht
auszuführen. (Man vergl. § 59, 7, ferner Bd. II.)

1) Man drehe einen Punkt A, eine Gerade g und eine Ebene E
um die Axe OZ um $\theta_1 = +30^0$. Die Fig. 125 giebt diese Drehung.

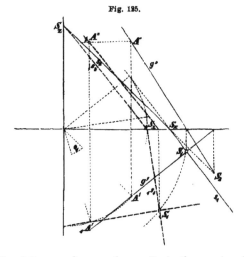

Fig. 125.

2) Man leite aus den gegebenen Projectionen eines Polyeders
in seiner einfachsten Stellung zu den Projectionsebenen diejenigen
ab, welche ihm am Ende von zwei successiven Drehungen um die
Axen OZ und OY — oder um mit dem Polyeder selbst verbundene
Axen, parallel OZ respective OY — mit den Beträgen $\theta_1 = +60^0$,
$\theta_2 = -15^0$ zukommen. Ein gutes Beispiel liefert das Rhombendodekaeder, der von zwölf congruenten Rhomben begrenzte Körper mit sechs vierkantigen (oder Oktaeder-) und acht dreikantigen

(Hexaeder-) Ecken. Wenn man die durch die Mittelpunkte des Körpers gehenden Verbindungslinien der Oktaedereckenpaare resp. parallel zu den Axen x, y, z stellt, so erscheinen Grund- und Aufriss des Körpers als gleiche Quadrate mit unter 45^0 geneigten Seiten, jedes durch die Geraden vom Mittelpunkt nach den Seitenmitten in vier gleiche Quadrate getheilt.

3) Man soll eine Ebene durch Drehungen um zwei Projectionsaxen zu einer Projectionsebene parallel machen. Man macht sie durch eine erste Drehung normal zu einer der beiden andern Projectionsebenen und erreicht dann den vorgesetzten Zweck durch eine zweite Drehung. Um welche Axen, um welche Winkel und in welchem Sinne hat man zu drehen? Für ein in besagter Ebene liegendes System erhält man dabei aus den ursprünglichen Projectionen die wahre Grösse und Gestalt.

4) Man mache eine Gerade durch Drehungen um zwei Projectionsaxen zu einer Projectionsaxe parallel und erörtere die analogen Fragen.

5) Ein Punkt A soll durch Drehung um die Axe OZ in eine gegebene Ebene 𝔈 gebracht werden; welche Drehung ist dazu erforderlich?

6) Man bringe einen Würfel, dessen Kanten den Projectionsaxen parallel sind, durch Drehung um die durch seinen Mittelpunkt gehenden Parallelen zu diesen in die Lage, in welcher die Verbindungslinie von zwei Gegenecken der Axe OZ parallel ist. (Vergl. Fig. 121.)

7) Man zeichne die neue erste Projection eines durch seine Projectionen bestimmten Objects, nachdem eine mit ihm fest verbundene durch ihre Spuren bestimmte Ebene zur ersten Projectionsebene parallel gemacht worden ist.

8) Man bestimme den Mittelpunkt M der einem Tetraeder $ABCD$ eingeschriebenen Kugel, wenn die eine seiner Flächen ABC in einer Projectionsebene z. B. der Ebene xy liegt. Er ist der Durchschnittspunkt der Halbierungsebenen der inneren Flächenwinkel an den Kanten AB, BC, CA und um ihn zu erhalten, führt man mit Vortheil eine zu xy parallele Hilfsebene ein, so dass M zwischen dieser und xy liegt. Schneiden die Halbierungsebenen H_c, H_a, H_b der an AB, BC, CA resp. liegenden Flächenwinkel diese Hilfsebene in drei Geraden s_c, s_a, s_b und bezeichnen wir die Schnittpunkte derselben mit einander durch C^*, A^*, B^*, nämlich den von s_b und s_c als A^*, etc., so ist das Dreieck $A^* B^* C^*$ zu ABC ähnlich und ähnlich gelegen und das Aehnlichkeitscentrum ist der gesuchte Kugelmittelpunkt M — insbesondere, zum Vortheil der Genauigkeit, bei der vorgeschlagenen Anordnung der Hilfsebene der innere Aehnlichkeitspunkt. Zur Bestimmung der Halbierungsebenen benutzt man die von der Ecke D zu den Seiten AB, BC, CA resp. gehenden Normalebenen und die in ihnen liegenden Halbierungslinien der Flächenwinkel, welche durch ihre Schnitte mit der ein-

geführten horizontalen Hilfsebene je einen Punkt C_1^*, A_1^*, B_1^* der
Seiten A^*B^*, B^*C^*, C^*A^* liefern und diese somit bestimmen.
Natürlich geschieht die Halbierung der Winkel nach ihrer Drehung
in die zur Ebene xz parallele Lage und die Halbierungslinien werden
aus dieser in die Ebenen derselben zurückgedreht. Sind also A, B,
C, D' die Horizontalprojectionen und A'', B'', C'' in der Axe x, D''
über ihr die Verticalprojectionen der Ecken des Tetraeders, so fällt
man von D' das Perpendikel mit dem Fusspunkt C_1 auf AB, dreht
C_1 um D' auf die durch D' gehende Parallele zu x in (C_1) und
bestimmt lothrecht darüber in x den Punkt $(C_1)''$; so die Halbierungslinie des inneren Winkels $A''(C_1)''D''$ giebt auf der Verticalspur und -Projection der Hilfsebene den Punkt $(C_1^*)''$ an, aus dem
in der Horizontalen durch D' seine Horizontalprojection $(C_1^*)'$ erhalten wird; diese liefert durch Zurückdrehung um D' bis in die
Gerade $D'C_1$ den Punkt C_1^*, durch den parallel $A'B'$ die Gerade
$A^*B^{*\prime}$ geht. Bestimmt man nach demselben Verfahren $B^{*\prime}C^{*\prime}$ und
$C^{*\prime}A^{*\prime}$, so erhält man $A^{*\prime}$, $B^{*\prime}$, $C^{*\prime}$ als ihre Schnittpunkte, aus ihnen
durch Perpendikel zu x in der Verticalspur der Hilfsebene $A^{*\prime\prime}$, $B^{*\prime\prime}$
und $C^{*\prime\prime}$ und damit als Aehnlichkeitscentren durch AA^*, BB^*, CC^*
in beiden Projectionen M', M''.

9) Wenn die Halbierungsebenen H_c^*, H_a^*, H_b^* der Aussen-
flächenwinkel an den Kanten AB, BC, CA mit bestimmt werden,
so erhält man im Allgemeinen acht verschiedene Punkte als Schnittpunkte derselben zu dreien mit der Eigenschaft, gleich entfernt
von den Flächen des Tetraeders zu sein; nämlich immer ausser
M, dem Mittelpunkt der eingeschriebenen Kugel, die vier Mittelpunkte M^*, M_1^*, M_2^*, M_3^* der Kugeln, die die Gegenflächen der
Ecken D, A, B, C resp. innerlich und die jeweiligen andern in ihren
Aussenwinkelflächen berühren, als Schnittpunkte von H_a^*, H_b^*, H_c^*;
H_a^*, H_b, H_c; H_a, H_b^*, H_c; H_a, H_b, H_c^* resp.; endlich aber im
Allgemeinen die Schnittpunkte von H_a, H_b^*, H_c^*; H_a^*, H_b, H_c^*;
H_a^*, H_b^*, H_c als Mittelpunkte M_1, M_2, M_3 von drei Kugeln,
welche je zwei Flächen in ihren Aussenwinkeltheilen und die zwei
anderen in ihren Scheitelwinkeltheilen berühren. Sie sind als äussere
Aehnlichkeitspunkte des Dreiecks ABC mit den Spurendreiecken
der bezüglichen Tripel von HEbenen bestimmt und können daher
auch unendlich fern sein; in der That existieren nur zwei im Endlichen, wenn die Summe der Inhalte von zwei Flächen des Tetraeders der Summe der Inhalte der beiden andern gleich ist; nur eine,
wenn die Flächen paarweise äquivalent sind, und keine beim regulären Tetraeder, wenn alle gleich gross sind. Denn die Halbierungsebenen eines Flächenwinkels im Tetraeder theilen die entsprechende
Gegenkante nach dem Verhältniss der einschliessenden Flächen und
bestimmen also mit den Ecken die diesen Verhältnissen entsprechenden harmonischen Gruppen; es sind Formen der Bedingungen, unter
welchen jene Spurendreiecke mit ABC centrisch ähnlich sind nach
dem Verjüngungsverhältniss Eins. Man erhält sie auch durch die

offenbaren Relationen zwischen dem Volumen des Tetraeders, den Arealen seiner Seitenflächen und den Radien der berührenden Kugeln.

Wir können die Lagenrelationen dieser acht Mittelpunkte folgendermassen überblicken. Die 6.2 Halbirungsebenen der Flächenwinkel an den Kanten des Tetraeders schneiden aus den Gegenkanten resp. 6.2 Punkte, die durch die zugehörigen Ecken harmonisch getrennt sind; nämlich H_1, H_1^* aus AD die Punkte 14, 14*; H_2, H_2^* aus BC die 24, 24* und H_3, H_3^* aus CD die 34, 34*. Ebenso entspringen aus den Halbirungsebenen durch die Kanten AD, BD, CD die Paare 23, 23*; 13, 13*; 12, 12*. Nun schneiden sich die Geraden 12, 34; 13, 24; 14, 23 in M; 12*, 34; 13*, 24; 14*, 23 in M_1^*; 12*, 34; 23*, 14 und 24*, 13 in M_2^*; 13*, 24; 23*, 14 und 34*, 12 in M_3^*; 14*, 23; 24*, 13; 34*, 12 in M^*; endlich 12*, 34*; 13*, 24* und 14, 23 in M_1; 12*, 34*; 13, 24; 14*, 23* in M_2; 34, 12; 13*, 24*; 23*, 14* in M_3. Jeder der acht Mittelpunkte liegt mit je drei andern in Geraden, welche die Gegenkanten des Tetraeders schneiden und mit vier andern in Linien durch die Ecken des Tetraeders. Man kann die Haupteigenschaft des ganzen Systems dahin aussprechen, dass die Ebene der Mittelpunkte M_1, M_2, M_3 von dem Mittelpunkte M der eingeschriebenen Kugel auf allen Kanten des Tetraeders durch seine Ecken harmonisch getrennt wird.

Eine andere Lösung desselben Problems ergiebt sich aus dem Princip der Umlegung und Aufrichtung (vergl. § 54, 26) durch folgende Schlüsse. Es ist erstens evident, dass die Berührungspunkte von zwei Ebenen mit derselben Kugel äquidistant von ihrer Durchschnittslinie und in Perpendikeln mit dem nämlichen Fusspunkt in derselben liegen, den Schenkeln ihres Neigungswinkels. Dieselben müssen daher bei der Umlegung der einen Ebene in die andere zur Deckung kommen. Es ist ebenso evident, dass die Berührungspunkte von drei Ebenen mit der nämlichen Kugel äquidistant sind von dem Durchschnittspunkt derselben. Aus beidem ergiebt sich in Anwendung auf die Umlegung der Berührungspunkte einer Kugel unseres Problems mit drei Ebenen in die vierte, dass der Berührungspunkt mit dieser vierten Ebene äquidistant ist von den gleichzeitigen Umlegungen des Schnittpunktes jener drei Ebenen in diese vierte. Und da die Berührungspunkte der Kugeln des Problems mit der Ebene ABC oder 123 zugleich die Horizontalprojectionen ihrer Mittelpunkte und aus diesen die Mittelpunkte selbst bestimmt sind, so hat man folgende Lösung: Man nenne die Umlegungen der Ecke 4 des Tetraeders mit den Ebenen 234, 314, 124 oder I, II, III in die Ebene 123, je nachdem sie nach der Seite des Körpers oder nach aussen vollzogen werden $(4)_I$, $(4)_I^*$; $(4)_{II}$, $(4)_{II}^*$; $(4)_{III}$, $(4)_{III}^*$ respective, oder kürzer (1), (1)*; (2), (2)*; (3), (3)*; dann sind die Mittelpunkte der Kreise durch die Punkttripel (1), (2), (3) und (1)*, (2)*, (3)* die Horizontalprojectionen der Mittelpunkte M und M_4 oder M^* respective der eingeschriebenen und der die Fläche 123 allein innerhalb ihrer

Begrenzung berührenden Kugel; es sind die Mittelpunkte der Kreise durch die Tripel (1)*, (2), (3); (1), (2)*, (3); (1), (2), (3)* die Horizontalprojectionen der Mittelpunkte M_1^*, M_2^*, M_3^* derjenigen Kugeln, welche resp. die Flächen 234, 314, 124 allein im Innern ihrer Begrenzung und daher die jedesmal übrigen in ihren anliegenden Aussenwinkelflächen berühren; und es sind endlich die Mittelpunkte der Kreise durch die Tripel $(1),(2)^*,(3)^*$; $(1)^*,(2),(3)^*$; $(1)^*$, $(2)^*$, (3) die Horizontalprojectionen der Mittelpunkte M_1, M_2, M_3 der drei letzten Kugeln, welche die Flächen in Paaren in Aussenwinkelflächen und in Scheitelwinkelflächen ihrer Begrenzungen berühren. Diese sind somit den Paaren der Gegenkanten des Tetraeders 12, 34; 23, 14; 31, 24 zugeordnet, wie z. B. bei der Kugel M_3 die Flächen 134, 234 in den Aussenwinkelflächen an der Kante 34 und die Ebenen 123, 124 in den Scheitelwinkelflächen an den Ecken 1, 2 berührt werden. Bei diesen drei Kugeln ist möglich, dass ihre vier Berührungspunkte mit den Flächen des Tetraeders in eine Ebene fallen, so dass der Mittelpunkt zum unendlich entfernten Punkt wird; man bestätigt die schon erwähnten Bedingungen für das ein-, zwei- oder dreimalige Vorkommen dieses Umstandes.

Wir erwähnen diese Relationen erst nach der Construction der M als Aehnlichkeits-Centren, weil wir diese für die grundlegende und überdies praktisch bessere halten; den Ursprung derselben im Zusammenhang der letzten deuten wir in der folgenden näheren Erörterung der ausgeführten Construction an.

10*) Es ist aus 8) ersichtlich, dass die beste Ausführung der Construction dieses Kugelsystems die Orthogonalprojection mit einem Bilde sein wird, bei welcher die Grundebene ABC der Pyramide die Bildebene und eine durch die Spitze D zu ihr gelegte Parallele die Fixebene U ist. Man ermittelt in U die Spurenpaare der Halbierungsebenen H_1, H_1^*; etc. oder die Aehnlichkeitscentra M, ... der durch sie gebildeten Dreiecke mit ABC; aus dem Abstand der beiden Ebenen oder der auf D bezüglichen Tetraederhöhe folgen dann die Abstände der Punkte M, M_1, ... von der Basisebene, oder die Radien der Kugeln und die Umrisse ihrer Bilder. Die selbständige Ausführung ist zu empfehlen. Die Relationen der harmonischen Trennung, etc. von 9) geben ihr ein grosses Interesse.

Die Tafel V enthält beide Constructionen im Zusammenhang für ein Tetraeder, dessen acht berührende Kugeln sämmtlich von endlichen Radien sind. In der Figur sind 1, 2, 3 die in der Zeichnungsebene gedachten Ecken des Tetraeders, 4′ ist die Orthogonalprojection und der Radius des daraus beschriebenen Kreises H die Höhe der vierten Ecke über dieser Ebene S; die Ebene U geht durch 4 parallel zu S. Man sieht in der Figur die Construction der Umklappungen (1), (1)*; (2), (2)*; (3), (3)* mit den Flächen 234, 314, 124 je nach der Seite des Körpers und nach der entgegengesetzten; die zugehörigen Hilfsumklappungen von 4 findet man mit 4_1, 4_2, 4_3

resp. bezeichnet und die spitzen Drehungswinkel durch α_1, α_2, α_3; nur der erste dieser Winkel liegt auf der Körperseite, die beiden letzten sind Aussenwinkel. Nun sind nach § 54, 7 und § 14, 6 die Geraden von 4_1 nach (1) und (1)* Parallelen zu den Halbierungslinien des Winkels α_1 und seines stumpfen Nebenwinkels, und wenn man diese Halbierungslinien selbst zieht, sie mit der durch 4_1 gehenden Normale zu 23 schneidet und durch die Schnittpunkte Parallelen zu 23 legt, so sind diese die Projectionen der Schnittlinien der Halbierungsebenen an der Kante 23 mit U auf S; man findet die der Halbierungsebene des Körperwinkels $180 - \alpha_1$ angehörige mit I, die andere mit I^* bezeichnet. Ebenso liefern $4_2(2)$ und $4_2(2)^*$ durch ihre Parallelen aus dem Scheitel von α_2 im Schnitt mit der Normale zu 31 durch 4_2 Punkte von den Projectionen der Schnitte von U mit den Halbierungsebenen von α_2, und damit diese Projectionen selbst in II und II^* für den Winkel auf der Körperseite und seinen Nebenwinkel resp. Endlich erhält man aus 4_3, (3), (3)* die Projectionen III, III^* mit derselben Unterscheidung. Die Projectionen der Kugelmittelpunkte M, M^*; M_1^*, M_2^*, M_3^*; M_1, M_2, M_3 sind nun die Aehnlichkeitscentra des Dreiecks 123 mit den respectiven Dreiecken $I\,II\,III$, $I^*\,II^*\,III^*$; $I^*\,II\,III$, $I\,II^*\,III$, $I\,II\,III^*$; $I\,II^*\,III^*$, $I^*\,II\,III^*$, $I^*\,II^*\,III$ und zugleich die Mittelpunkte der Kreise durch die Tripel der Umklappungen von 4, welche bezeichnet sind durch (1)(2)(3), (1)*(2)*(3)*; etc., bis (1)*(2)*(3) resp.

Die Radien der bezüglichen Kugeln und die Lagen ihrer Mittelpunkte über oder unter der Ebene 123 sind dann in der Figur durch die Bemerkung bestimmt, dass M, M_1^*, M_2^*, M_3 die Mittelpunkte in der nach III gehenden und M^*, M_3^*, M_1, M_2 dieselben in der nach III^* gehenden Halbierungsebene durch 12 haben; die Parallelen zu 12 durch M, M_1^*, M_2^*, M_3 liefern also die Radien dieser Kugeln zwischen der Halbierungslinie von α_3 und dessen zu 12 rechtwinkligen Schenkel, die durch M^*, M_3^*, M_1, M_2 ebenso zwischen demselben Schenkel und der Halbierungslinie von $(180 - \alpha_3)$.

Nach der Lage zu vier in den Halbierungsebenen befinden sich zweimal drei dieser Kugelmittelpunkte mit einander in Paaren auf Transversalen der gegenüberliegenden Tetraederkanten in einer Ebene; nämlich M_1 und M_2, M_2 und M_3, M_3 und M_1 resp. auf Transversalen zu den Kantenpaaren 12, 34; 23, 14; 31, 24, und ebenso auf solchen Transversalen M_1^*, M_2^*, M_3^*; die Schnittpunkte der einen und der andern auf den Kanten bilden mit den Ecken in denselben harmonische Gruppen, weil die Halbierungsebenen an der Gegenkante mit den Flächen ein harmonisches Büschel bilden.

Wir kommen in Bd. III dieses Werkes auf die Gruppen von acht Punkten, etc. zurück, die den hier erhaltenen nach den Gesetzen der Projectivität entsprechen und die auch dort noch beachtungswerth sind.

59. Dreht man statt des Objects die Projectionsebenen um dieselben Axen um gleiche Winkel aber im entgegengesetzten Sinn, so erhält man analoge Aenderungen der Projectionen. Denken wir die erste Projectionsebene und mit ihr die dritte um die Axe OY und um den Winkel θ_2 gedreht, während die zweite Projectionsebene und das Object ungeändert bleiben, so ändern sich die Coordinaten y seiner Punkte und die zweiten Projectionen derselben nicht. Man bestimmt daraus die neuen ersten Projectionen durch Abtragen der alten y aus den Fusspunkten der Normalen zur neuen Axe $O_1 X$ in dieser, welche von den zweiten Projectionen gefällt werden können. (Fig. 126.)

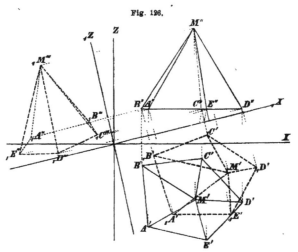

Fig. 126.

Analog im Falle der Drehung der zweiten Projectionsebene um die Axe OZ mit Vertauschung der ersten und zweiten Projectionen und Projicierenden.

Die bildliche Anschaulichkeit des Ergebnisses wird dabei oft — und dies ist gewöhnlich mit den Erfolgen der Transformationen verbunden — verringert, ganz ebenso wie die Symmetrie der analytischen Ausdrucksformen geometrischer Untersuchungen in der Regel verringert wird durch die Coordinaten-Transformationen, welche sie vereinfachen. (Vergl. unten 11.) Wir fügen hier eine Reihe wichtiger Beispiele hinzu, behandeln aber ein Hauptergebniss noch ausführlich im folgenden Artikel.

1) Man erläutere die dritte Projection als Projection auf eine neue erste oder zweite Projectionsebene.

2) Man bestimme den Winkel α_1 einer Ebene (oder β_1 einer geraden Strecke und die wahre Länge derselben) durch Transformation — indem man die neue zweite Projectionsebene zur Ebene normal (oder zur Geraden parallel) macht.

3) Man mache durch Drehung des Projectionssystems eine Gerade parallel zu einer Projectionsaxe, respective eine Ebene parallel zu einer Projectionsebene, — indem man zuerst eine neue erste oder zweite Projectionsebene parallel der Geraden respective normal der Ebene und sodann eine neue zweite oder erste Projectionsebene normal der Geraden respective parallel der Ebene einführt.

4) Die Identität der Umlegung eines ebenen Systems in eine Projectionsebene mit einer solchen Transformation ist zu erörtern.

5) Man soll den Abstand des Punktes A von der Ebene **E** respective der Geraden g durch Transformation bestimmen; ebenso den kürzesten Abstand zweier Geraden g und l — indem man eine der Geraden zu einer Projectionsebene normal macht.

Es ist von Interesse, speciell die Grösse und Lage der kürzesten Entfernung von zwei Projectionen z. B. g', g'' derselben Geraden zu bestimmen; man zeige, wie ihr Fusspunkt in der Axe x der endliche Doppelpunkt von zwei ähnlichen Reihen ist, deren Paare man erhält aus dem Grundriss eines Punktes von g'' in x und dem Schnittpunkt von x mit dem Perpendikel auf g' in dem Punkte, wo dieses von der Normalebene zu g'' in dem angenommenen Punkte geschnitten wird — so dass die beiden Durchstosspunkte der Geraden sie schon bestimmen.

6) Man bestimme durch Transformation die Grösse des Winkels von zwei Geraden oder Ebenen und den Winkel einer Geraden mit einer Ebene; insbesondere den Winkel von zwei Ebenen, die durch ihre Schnittlinie und je einen Punkt ausser dieser bestimmt sind. Im letzten Falle macht man durch Transformation eine Projectionsaxe zur Schnittlinie parallel und erhält in der zu ihr normalen Projection die wahre Grösse des gesuchten Winkels.

7) Man lege durch eine Gerade g die Ebenen **S**, **S*** unter vorgeschriebenem Winkel φ zu einer Geraden l unter Benutzung der Transformation. Die Figur 127 giebt die Ebenen vom Sinus des Winkels φ gegen l gleich 0,4; sie haben für Licht von der Richtung l die durch diese Zahl gemessene Helligkeit. (Vergl. die Lehre von den Beleuchtungs-Constructionen in Bd. II.) Mittelst der Punkte A, B, C ist die neue Verticalprojection $_1l''$, ... mit l' als Axe $_1X$ erhalten, in ihr φ angetragen und durch Uebergang zu einer neuen Horizontalprojection an $_2X$ sind mittelst des Punktes D von g die bezüglichen Spuren $_2D'$ $_2E'$, $_2D'$ $_2F'$ der gewünschten Ebenen gefunden. Die mittelst G in der ursprünglichen Lage bestimmten Punkte E und F liefern die Ebenen **S**, **S***, nämlich $g E$, $g F$ respective.

Da $_1g''$ und $_2g'$ oder $_1C''_1D''$ und $_1G''_2D'$ zusammengehörige Projectionen von g und $_1C''$, $_2D'$ der zweite und erste Durchstosspunkt derselben sind, so kann die Rückwärtstransformation zur directen Bestimmung der Spuren s_1 und s_1* noch einfacher so geschehen: Man markiert auf $_2x$ die Schnitte von $_2D'_2E'$ und $_2D'_2F'$ und verbindet sie mit $_1C''$, um durch diese Geraden die Axe $_1x$ zu schneiden;

Fig. 127.

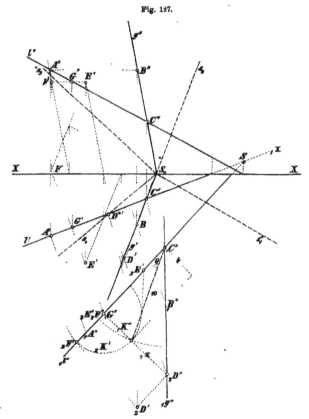

die Schnittpunkte gehören zu den Horizontalspuren s_1* und s_1, welche als von S_x ausgehend, hiermit bestimmt sind. Das Büschel der den verschiedenen Werthen von φ oder $\sin \varphi$ entsprechenden Ebenen bestimmt man nun leicht.

Man hat in der Aufgabe angenommen, dass g und l sich schneiden und dass g durch die Axe X gehe. Warum sind diese Annahmen allgemein zulässig?

8) Wie bestimmt man in der Figur von Aufg. 7 den Winkel, welchen eine gegebene Ebene durch g mit l einschliesst — also die Helligkeiten der verschiedenen Ebenen des Büschels durch g?

9) Ebenso bestimme man in einer Ebene E die Geraden g, welche mit einer gegebenen Geraden l vorgeschriebene Winkel einschliessen.

10) Man soll durch eine mittelst ihrer Projectionen gegebenen Gerade g von ihrer ersten projicierenden Ebene aus die zwölf Ebenen von 15 zu 15° antragen und ihre Spuren verzeichnen, durch Transformation mit einer zu g normalen Ebene. Ist g der Erd-Axe parallel und die erste projicierende Ebene der Meridian des Ortes,

Fig. 128.

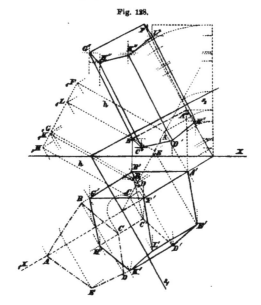

so sind die Ebenen die Stundenebenen und ihre Spuren liefern die Sonnenuhr; man denke die Gerade durch den Schnittpunkt der Axen gelegt, die Axen selbst als Kanten einer Würfelecke und auf die Spuren der Stundenebenen im Normalschnitt durch O zu g gleiche Strecken abgetragen und verzeichne durch Transformation die in den Würfelflächen erscheinenden ersten, resp. zweiten oder dritten Projectionen der Endpunkte. (Horizontale und doppelte verticale Sonnenuhr.)

11) Man vereinfacht die Construction der Aufgabe, die Transversalen zu drei Geraden zu construieren, indem man durch Transformation eine Projectionsaxe zu einer der Geraden parallel macht;

in der zugehörigen, d. i. zu ihr normalen, Projectionsebene erscheint diese letztere dann als Punkt und die Transversalen gehen durch denselben hindurch.

12) Weil nach § 10, 13 eine gerade Linie von allen Geraden einer zu ihr parallelen Ebene, die sie kreuzen, denselben Abstand hat, somit die von einer Geraden äquidistanten Geraden Tangenten eines geraden Kreiscylinders mit jener als Axe und der Distanz als Radius sind, so lassen sich die Tangenten einer Kugel bestimmen, die von einer gegebenen Geraden vorgeschriebenen Abstand haben und z. B. durch einen Punkt gehen. Man erläutere die Benutzung der Transformation bei der Construction.

13) Man bestimme den Normalschnitt eines prismatischen Mantels in wahrer Grösse durch Transformation; eventuell die dritte Kante eines dreieckig gleichseitigen (oder regulär vieleckigen) prismatischen Mantels, von welchem zwei schräge Parallelen als benachbarte, etc. Kanten gegeben sind.

14) Von einem geraden fünfseitigen Prisma ist die erste Spur s_1 und die Neigung α_1 der Grundebene, sowie die Gestalt und Grösse der Grundfläche sammt ihrer Lage gegen s_1, endlich die Höhe h gegeben; man soll dasselbe projicieren, unter Einführung einer neuen zu s_1 normalen Projectionsebene. Die Figur 128 zeigt die Ausführung. Man erörtere ihre Beziehung zur Methode der Umlegung.

60. Die Aufgabe 7) des § 58, die auch nach der Methode des vorigen § gelöst werden kann, ist in wenig veränderter Fassung das Problem der Axonometrie. Unter der Voraussetzung, dass ein beliebiges Raumgebilde durch die Coordinaten seiner Punkte in Bezug auf ein trirectanguläres Axensystem — wir setzen fest: mit lothrechter Axe OZ, gemäss der praktischen Bestimmung des Verfahrens — gegeben sei, kann offenbar seine orthogonale Parallelprojection auf eine in Bezug auf dieses Axensystem gleichfalls bestimmte Ebene (§ 54, 30) ermittelt werden, nämlich in verschiedenen Weisen durch Transformation nach den vorigen Entwickelungen. Es ist die Aufgabe der Axonometrie, dies nicht auf dem Umwege der Transformationen, sondern direct zu vollziehen, indem man die Richtungen ermittelt, in welchen alle Parallelen zu den Coordinatenaxen in dieser Projection erscheinen, und die Verkürzungsverhältnisse, welche ihnen respective zukommen. Allerdings kann auch dieses durch Transformation geschehen, wie es die Fig. 129 zeigt, in welcher $\mathbf{s}$ mit den Spuren s_1, s_2 die Ebene der axono-

metrischen Projection und O_2X', O_2Y', O_2Z' die Axen derselben sind; während die Verhältnisse der Längen $OX:O_2X'$, $OY:O_2Y'$,

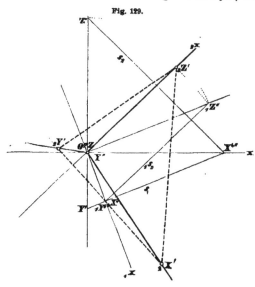

Fig. 129.

$OZ:O_2Z'$ die zugehörigen Verkürzungsverhältnisse geben. Man hat zuerst die Transformation $_1x$ für $_1x$ als die Normale von O auf s_1 und hiernach die Transformation $_2x$ für $_2x$ als parallel zu $_1s_2$ mit den Projectionen der Axenschnitte X, Y, Z vollzogen. In der That ist A (Fig. 130) die Projection eines Punktes auf die fragliche Ebene oder das axonometrische Bild desselben, wenn OX, OY, OZ die Projectionen der drei Coordinatenaxen und OA_x, OA_y,

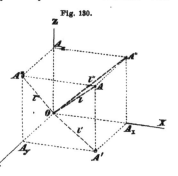

Fig. 130.

OA_z die Projectionen der drei vom Anfangspunkte O aus in ihnen aufgetragenen Coordinaten x, y, z des Punktes A repräsentieren; und zugleich sind A' der axonometrische Grundriss, A'' der axonometrische Aufriss und A''' der axono-

21*

metrische Seitenriss desselben Punktes, der durch zwei
dieser Projectionen — wir wollen setzen Bild und Grundriss — bestimmt wird. Dies Alles bliebe selbst für jede schiefe
Parallelprojection unverändert gültig.

Für die Ermittelung der Richtungen der Axenprojectionen
und der entsprechenden Verkürzungsverhältnisse für die Orthogonalprojection auf eine
beliebige Ebene **s** ist aber
auch in § 47, Aufg. 1) alles
Nöthige enthalten. Ist
$S_x S_y S_z$ das Spurendreieck
der Ebene der axonome-
trischen Projection (Fig.
131), so ist der Höhen-
schnittpunkt N desselben
die orthogonale Projec-
tion des Anfangspunktes
O der Coordinaten auf dieselbe und NS_z, NS_y, NS_x
sind die Projectionen der

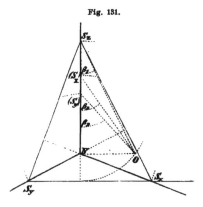

Fig. 131.

Axen, insbesondere die Projectionen der Axenabschnitte der
neuen Projectionsebene. Man erhält aus der Kenntniss der
wahren Längen OS_z, OS_y,
OS_x derselben die Verkür-
zungsmaassstäbe cos β_1,
cos β_2, cos β_3, welche den
Coordinaten z, y, x entsprechen, oder die Winkel
$\beta_1, \beta_2, \beta_3$, welche die Axen
OZ, OY, OX mit der
neuen Projectionsebene
einschliessen. Das recht-
winklige Dreieck $S_z O A_1$
(Fig. 132), welches in N
den Höhenfusspunkt auf
seiner Hypotenuse· hat,
oder also das Dreieck

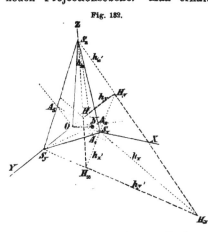

Fig. 132.

NOS_z (Fig. 131), giebt in OS_z die Länge des einen Axenabschnit-
tes, und durch die bei N rechtwinkligen Dreiecke NOS_x, NOS_y

erhält man die Längen der andern OS_x, OS_y. (Vergl. Fig. 95 und § 54, 30.)

Bemerkt man dann, dass die β_i die Complemente der Winkel α_i der Projectionsebene $S_x S_y S_z$ gegen die Coordinatenebenen XOY, XOZ, YOZ sind, so erkennt man (§ 47), dass ihre Cosinus-Quadrate die Summe 2 geben müssen; oder, wenn die Längeneinheit e, nach den drei Axen z, y, x aufgetragen, Projectionen von den respectiven Längen e_1, e_2, e_3 giebt, dass

$$e_1{}^2 + e_2{}^2 + e_3{}^2 = 2e^2 \quad \text{und} \quad \cos^2 \beta_i = \frac{2e_i{}^2}{e_1{}^2 + e_2{}^2 + e_3{}^2},$$

also

$$\tan^2 \beta_i = \frac{e_j{}^2 + e_k{}^2 - e_i{}^2}{2e_i{}^2}$$

ist. Die erste Relation genügt, um das Problem in der der praktischen Verwendung am meisten entsprechenden Form zu lösen. (Vergl. Aufg. 1.)

Zugleich knüpft sich daran die einfache Berechnung desselben. Die dreiseitige Ecke vom Scheitel O und den Kanten ON, OS_x, OS_y oder $O . N S_x S_y$ (Fig. 132) — analog die Ecken $O . N S_y S_z$, $O . N S_z S_x$ — liefert für den durch die Projectionen $N S_x$, $N S_y$ der Axen OS_x, OS_y eingeschlossenen Winkel $S_x N S_y$ oder φ_1 die Formel

$$\cos \varphi_1 = -\tan \beta_2 . \tan \beta_3 = -\frac{1}{2e_2 e_3} \sqrt{(e_1{}^2 + e_3{}^2 - e_2{}^2)(e_1{}^2 + e_2{}^2 - e_3{}^2)},$$

und zwei analoge Werthe entspringen für $\cos \varphi_2$, $\cos \varphi_3$.

Es ist für die Anwendung besonders bequem, zwischen den drei Projectionen e_i der Längeneinheit e nach den Axen einfache Verhältnisse vorauszusetzen, weil man dadurch im Stande ist, die drei sonst nöthigen Maassstäbe durch einen einzigen unter einfachen Reductionen zu ersetzen. Die Resultate für die brauchbarsten Verhältnisse der e_i sind hier tabellarisch zusammengestellt.

	$e_1 : e_2 : e_3$	$\cos \beta_1$	$\cos \beta_2$	$\cos \beta_3$	φ_1	φ_2	φ_3
a)	$1 : 1 : 1$	0,816	0,816	0,816	120°	120°	120°
b)	$2 : 1 : 2$	943	471	943	131° 24¼′	97° 11′	131° 24¼′
	$3 : 1 : 3$	973	324	973	133° 24¼′	93° 11′	133° 24¼′
c)	$5 : 4 : 6$	806	645	967	108° 13′	101° 10′	150° 37′
	$9 : 5 : 10$	887	493	985	107° 49′	95° 11′	157°
	$7 : 6 : 8$	811	695	927	114° 46′	106° 59¼′	138° 14¼′

Man hat den ersten Fall wegen der Gleichheit der drei Maassstäbe als die isometrische Projection, die Fälle b) nach der Uebereinstimmung zweier Maassstäbe, die vom dritten Maassstab verschieden sind, als monodimetrische Projectionen benannt, und ihnen die letzten Fälle c) als anisometrische Projectionen entgegengesetzt.

Es ist zu bemerken, dass für die isometrische Projection die Projectionsebene normal zu einer der Halbierungsaxen des Coordinatensystems (vergl. § 46, 4; § 51), für die monodimetrischen Projectionen aber normal zu einer der Halbierungsebenen desselben ist (§ 46, 3), und nur für die anisometrischen eine allgemeine Lage gegen dieses System besitzt. Dies hat zur Folge, dass in isometrischen Projectionen Gerade und Ebenen, die zu jener Halbierungsaxe parallel sind, als Punkte und Gerade respective erscheinen, in monodimetrischen Projectionen aber alle die Ebenen sich als Gerade abbilden, welche jener Halbierungsebene parallel sind. Da Linien und Ebenen von solcher Lage besonders oft an denjenigen Körperformen auftreten, welche eine reiche Symmetrie besitzen, so gewähren die bezüglichen Projectionen für solche nicht vorzugsweise die Bildlichkeit der Darstellung; z. B. also nicht für die Krystallformen des regulären Systems.*)

Bei der praktischen Anwendnng wird man endlich beachten, dass Darstellungen mit starker Verkürzung der Axe OZ, wie im ersten, vierten und sechsten Falle der Tabelle, nicht für Gegenstände von solcher Art Verwendung finden sollen, die man nicht wohl z. B. von oben herab unter starker Neigung der projicierenden Strahlen gegen den Horizont sehen kann, weil sonst die starke Abweichung der axonometrischen Darstellung derselben von dem gewohnten Gesichtsbilde ihr einen Theil ihres Werthes nimmt.

Wir widmen der directen Behandlung der wahren Grössen in den Aufgaben besondere Aufmerksamkeit, weil darin ein Hauptstück praktischer Brauchbarkeit der Methode enthalten ist; wir gehen dabei von der Kenntniss des Spurendreiecks aus, als welches jedes Dreieck angesehen werden kann, das die Axen zu seinen Höhen hat.

---

*) Die Fig. 93 des § 46, 3, 4 ist nach dem Verhältniss 9 : 5 : 10, die meisten übrigen schematischen Figuren sind nach 2 : 1 : 2 construiert.

Des Uebergangs von dem gegebenen Axensystem zu einem neuen gedenken wir, um das Problem der Transformation auch hier anzudeuten, unten bei 13).

1) Man construiere aus den Verhältnissen der $e_1 : e_2 : e_3$ [Fig. 133, a. b. $= 10 : 9 : 6$; Fig. 133, c. $= 10 : 6 : 9$] die β_i und das Spurendreieck mit den Axenprojectionen.

Man bildet (Fig. 133, b.) aus e_1 und e_2 als Katheten ein rechtwinkliges Dreieck und aus der Hypotenuse desselben mit e_3 ein zweites, dessen Hypotenuse daher der Durchmesser des Kreises ist, für den die Seite des eingeschriebenen Quadrates die Länge e hat. Diese bestimmt als Hypotenuse mit e_1, respective e_2, e_3 als der anliegenden Kathete die Winkel β_1, β_2, β_3, deren cosinus die Ver-

Fig. 133.

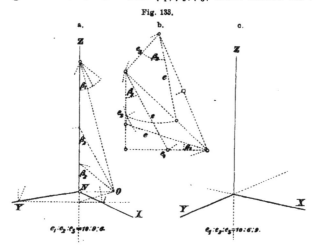

$e_1 : e_2 : e_3 = 10 : 9 : 6.$　　　$e_1 : e_2 : e_3 = 10 : 6 : 9.$

kürzungsverhältnisse sind. Mit denselben bildet man (Fig. 133, a.) rechtwinklige Dreiecke von einer Kathete NO an der Verticalen NZ, schneidet diese Verticale durch die Normale aus O zum Hypotenusenschenkel von β_1 und legt durch den Schnittpunkt eine Horizontale, welche von den aus N als Centrum durch die Scheitel von β_2 und β_3 beschriebenen Kreisen in Punkten von NY respective NX geschnitten wird. (Vergl. Fig. 131.)

2) Welchen Grenzwerthen der e_i entsprechen die Projectionen auf die drei Coordinatenebenen?

3) Das axonometrische Bild einer projicierenden Linie p ist ein Punkt und der axonometrische Grundriss, Aufriss und Seitenriss derselben sind Parallelen durch diesen Punkt zu den Axen z, y, x respective. Denn jener Punkt repräsentiert zugleich die drei Durchstosspunkte der Linie p. (Man leite dasselbe aus Fig. 134 ab.)

4) Die directe Ableitung aus Fig. 95 p. 265, deren bezüglicher (d. h. nicht das System der h und H darstellender) Theil hier zusammen mit dem Axenkreuz axonometrisch als Fig. 134 mit den Buchstabenänderungen A_1, A_2, A_3 in Z_1, X_1, Y_1 und S_x, S_y, S_z in X, Y, Z wiederholt wird, giebt noch das Folgende. Weil ein über XY als Durchmesser beschriebener Kreis durch die Punkte X_1, Y_1 geht, so ist

$$\angle\, Y_1 X_1 N = \angle\, NYX = \angle\, XZN = \angle\, NX_1 Z_1;$$

d. h. die Dreiecke $X_1 Y_1 N$ und YXN und ebenso $X_1 Z_1 N$ und ZYN,

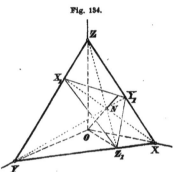

Fig. 134.

$Z_1 X_1 N$ und XZN sind ähnlich, und N ist der Mittelpunkt des eingeschriebenen Kreises für das Dreieck $X_1 Y_1 Z_1$. Bezeichnen wir durch r den Radius dieses Kreises, so hat man aus der ersten Aehnlichkeit

$$X_1 Y_1 : YX = r : NZ_1;$$

aber aus $\triangle\, XOY$ mit der zur Hypotenuse gehörigen Höhe OZ_1

$$YX : OX = OY : OZ_1,$$

und aus $\triangle\, ZOZ_1$ mit der Normale ON

$$NZ_1 : OZ_1 = ON : OZ, \quad OZ_1 : ON = OZ : NZ; \quad \text{also}$$

$$X_1 Y_1 = r\,\frac{YX}{NZ_1} = \frac{r\,.\,OX\,.\,OY}{NZ_1\,.\,OZ_1} = r\,\frac{OX\,.\,OY\,.\,OZ}{\overline{OZ_1}^2\,.\,ON}$$

$$= r\,\frac{OX\,.\,OY\,.\,OZ}{\overline{ON}^3}\left(\frac{NZ}{OZ}\right)^2 = r\,.\,\frac{OX\,.\,OY\,.\,OZ}{\overline{ON}^3}\cos^2\beta_1;$$

mit ebenso entspringenden analogen Werthen für $Y_1 Z_1$ und $Z_1 X_1$. Daher ergiebt sich

$$X_1 Y_1 : Z_1 X_1 : X_1 Z_1 = e_1{}^2 : e_2{}^2 : e_3{}^2,$$

$$X_1 Y_1 : Y_1 Z_1 : Z_1 X_1 = \cos^2\beta_1 : \cos^2\beta_3 : \cos^2\beta_2 = e_1{}^2 : e_3{}^2 : e_2{}^2;$$

oder symmetrischer mit Bezeichnung der e und β mit dem Index der Axe, in oder an der sie liegen,

$$X_1 Y_1 : Y_1 Z_1 : Z_1 X_1 = \cos\beta_z : \cos\beta_x : \cos\beta_y = e_z{}^2 : e_x{}^2 : e_y{}^2,$$

ein zur Construction gleichfalls sehr bequemer Satz.

Wenn man ein Dreieck $X_1 Y_1 Z_1$ verzeichnet, dessen Seiten den Quadraten der e_i proportional sind, so erhält man in den Halbierungslinien seiner Aussenwinkel die Seiten des Spurendreiecks der Ebene des axonometrischen Bildes, und in denen seiner innern Winkel oder den Höhen des letzten Dreiecks die Bilder der Axen.

Die Möglichkeit der axonometrischen Darstellung nach gegebenen e_i fordert also, wie auch die Formel für $\tan^2 \beta_i$ auf p. 325 lehrt, dass die Quadratsumme von zweien derselben grösser sei als das Quadrat des dritten.

5) Die isometrische Projection des Würfels mit zu den Axen parallelen Kanten ist das reguläre Sechseck mit seinen Diagonalen. (Vergl. Fig. 121, Grundriss.)

Man stelle die Formen des regulären Krystallsystems für gegebene Parameterverhältnisse anisometrisch dar.

6) Man zeichne axonometrisch das Tetraeder als Hälftgestalt des Oktaeders und das Rhomboeder als solche der sechsseitigen Doppelpyramide; ebenso die Durchdringung eines regulären Dodekaeders mit einem Tetraeder.

7) Man entwickele nach derselben Methode die orthogonalen Parallelprojectionen von Polyedern mit drei rechtwinkligen Symmetrieaxen bei schräger Lage dieser Axen gegen die Projectionsebenen.

8) Die Ableitung wahrer Grössen aus der Bestimmung durch axonometrische Projection erfolgt selbstverständlich, wie sonst auch, durch Umlegung ihrer Ebene in die Bildebene oder in eine zu ihr parallele Ebene. Man hat daher ein Spurendreieck $S_x S_y S_z$ oder XYZ der Bildebene einzuzeichnen, d. h. ein Dreieck, welches die Axen NX, NY, NZ zu Höhen hat, und man kann dasselbe durch einen Hauptpunkt der zu betrachtenden Figur hindurchlegen, um Vereinfachungen zu erlangen. Die Grundlage der Constructionen ist die Umlegung der Coordinatenebenen XOY, YOZ, ZOX, welche schon im § 47, 1; Fig. 95 enthalten ist; dort sind $S_x O_1{}^* S_y$, $S_y O_2{}^* S_z$ die Umlegungen der Dreiecke $S_x O S_y$, $S_y O S_z$ um die zugehörigen Spuren $S_x S_y$, $S_y S_z$ resp. in die Bildebene — aber es ist zu bemerken, dass $O_1{}^*$ auch als Schnittpunkt der Höhe $S_z N A_1$ mit dem über $S_x S_y$ als Durchmesser beschriebenen Kreis erhalten wird, etc. Ist also XYZ ein Spurendreieck der Axonometrie mit den Axen NX, NY, NZ, so erhält man die Umlegung O_1 von O mit XOY um XY in die Tafel in dem Schnitt von NZ mit dem über XY als Durchmesser beschriebenen Kreis. Ist dann P' ein Punkt und s_1 eine Gerade in XOY — jener der axonometrische Grundriss eines Punktes P im Raum, diese etwa die Horizontalspur einer beliebigen Ebene —, so erhält man ihre Umlegungen in die Bildebene um XY durch die orthogonale Affinität; dort zieht man NP', verbindet den Schnittpunkt NP', XY mit O_1 und hat hier im Schnitt mit dem Perpendikel von P' auf XY die Umlegung (P'); hier geht man vom Schnittpunkt von s_1 mit NX normal zu XY bis $O_1 X$ und verbindet diesen Punkt mit dem Schnitt von s_1 in XY, um (s_1) zu erhalten. Fällt man nun z. B. von (P') auf (s_1) das Perpendikel (n'), so geben seine Schnitte mit XY, mit $O_1 X$, $O_1 Y$ Punkte von n' — die beiden letzten in Perpendikeln zu XY auf NX, NY; n' ist der axonometrische Grundriss der Normale, die vom Punkte P auf eine Ebene

von der ersten Spur s_1 gefällt wird.   Ist z. B. eine Kugel durch das axonometrische Bild M und den axonometrischen Grundriss M' ihres Mittelpunktes und ihren Radius r bestimmt, so gelangt man zur Darstellung ihrer den Coordinatenebenen parallelen Hauptkreise vermittelst der vorher betrachteten Umlegung resp. Aufrichtung; man führt zur Vereinfachung für den horizontalen Hauptkreis XY durch M, indem man NZ mit der zu $M'N$ Parallelen durch M in N^* schneidet und durch den Schnitt parallel zu NX, NY die neuen Axen zieht, welche dann die durch M rechtwinklig auf NZ gehende Spur der Horizontalebene in X^*, Y^* begrenzen.   Die Umlegung von N^* nach O_1^* erlaubt dann das Bild des um M mit r beschriebenen

Fig. 135. •

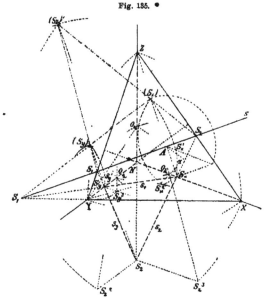

Kreises nach der orthogonalen Affinität sogleich einzuzeichnen. Natürlich werden die drei Ellipsen, welche die Bilder dieser Hauptkreise sind, von dem um M mit r als Radius beschriebenen Umrisskreis der Kugel gleichzeitig je doppelt berührt — nach drei Durchmessern, die zu den Axenrichtungen normal sind; etc.

9) Man zeichne die axonometrischen Bilder von Kreisen in den drei Coordinatenebenen und aus dem Anfangspunkt als Mittelpunkt.

10) Die Umlegung einer durch zwei Spuren $S_x S_y$ oder s_1, $S_x S_z$ oder s_2 — oder zwei sich schneidende Gerade, drei Punkte, etc. — bestimmten Ebene $\mathbf{E}$ in die Bildebene XYZ geschieht durch Drehung um ihre Schnittlinie s in derselben, d. h. die Verbindungs-

linie der Schnittpunkte S_1 von XY mit s_1, S_2 von XZ mit s_2 und S_3 von YZ mit s_3 (§ 19, 11). Da man jedoch das Spurendreieck der Bildebene durch S_x z. B. führen kann, so wird s zur Verbindungslinie von X, S_x mit dem Schnittpunkt S_3 von s_3 mit YZ, und die Umlegung der Ebene ist vollzogen, sobald man die Punkte S_y, S_z oder vielmehr einen derselben umgelegt hat, also mit der Angabe von (S_y) resp. (S_z). Da aber (S_y) und (S_z) resp. in der von S_y, S_z gefällten Senkrechten liegen, so genügt die Angabe der wahren Länge XS_y, XS_z aus der Umlegung der Coordinatenebene XOY, XOZ resp. zur Bestimmung derselben. Man bestimmt aus O_1 mittelst $O_1 Y$ in dem von S_y zu XY gefällten Perpendikel $(S_y)_1$ und mittelst des von X durch dieses geführten Kreisbogens auf dem Perpendikel von S_y zu s den Punkt (S_y); ebenso aus O_2 durch $O_2 Z$ in dem von S_z zu XZ gefällten Perpendikel $(S_z)_2$ und mittelst des aus X hindurchgeführten Kreisbogens auf dem Perpendikel von S_z zu s die Umlegung (S_z). Man erhält sowohl für (S_y) als für (S_z) zwei Lagen, welche so zu combinieren sind, dass $(S_y)(S_z)$ durch S_3 geht. Ebenso und vortheilhafter dient die Bestimmung der Abstände $S_3 S_y$ und $S_3 S_z$ aus der Ebene YOZ mittest O_3. (Es ist ersichtlich, dass auch für S_x als verschieden von X die Bestimmung von $(S_y)(S_z)$ durch die Ermittelung der wahren Längen von XS_y, XS_z oder von $S_3 S_y$, $S_3 S_z$ ebenso erfolgt, und dass man dann (S_x) als Schnitt von $(S_y)S_1$, $(S_z)S_2$ mit dem Perpendikel von S_x auf s erhält.)

Jeder der Punkte (S_y), (S_z) genügt, die Umlegung und Aufrichtung aller in der Ebene **E** gelegenen Figuren zu vollziehen, weil dieselben für s als Axe mit dem axonometrischen Bilde S_y, S_z in orthogonaler Affinität sind. Fig. 135 giebt die allgemeine Lösung in vollständigster Form: Mittelst O_1, O_2, O_3 sind die Umlegungen von XOY, XOZ, YOZ und dadurch S_x^1 und S_y^1, S_x^2 und S_z^2, S_y^3 und S_z^3 ermittelt; daraus (S_x), (S_y) und (S_z) in den Perpendikeln von S_x, S_y, S_z auf s und in den Kreisen um S_1 durch S_x^1 und um S_2 durch S_x^2, um S_1 durch S_y^1 und um S_3 durch S_y^3, um S_2 durch S_z^2 und um S_3 durch S_z^3; praktisch genügt die Bestimmung von (S_z) und dazu das Perpendikel von S_z auf s und der Kreis aus S_2 durch S_z^2. Man führt die Bestimmung der wahren Grösse des Winkels zweier Geraden, die durch ihre axonometrischen Bilder g, l und Grundrisse g', l' bestimmt sind, sofort darauf zurück. Es ist offenbar, dass auch der Winkel α der betrachteten Ebene gegen die Bildebene hier mit erhalten wird; man zieht $S_x(S_x)$ bis A in s und schneidet die Parallele zu s durch S_x mit dem von da durch (S_x) beschriebenen Kreise, und erhält bei A den Winkel α.

Den besondern Fall der Umlegung einer projicierenden d. h. zu einer der Axen OX, OY, OZ parallelen Ebene behandelt man durch Umlegung der begrenzten Spur.

11) Wenn nun von einem Kreise die Ebene **E**, der Mittelpunkt

M in derselben und der Radius r gegeben sind, so erhalten wir
sein axonometrisches Bild K aus dem mit r um M beschriebenen
Kreis (K) durch Aufrichtung; am bequemsten, wenn wir eine durch
M selbst hindurchgehende Bildebene benutzen, so dass M als in s
liegend auf seinem Platze bleibt; der in s liegende Durchmesser
von (K) ist die grosse Axe der Bild-Ellipse und mittelst des Winkels
α erhält man die kleine.

Und wenn unter 8) die Darstellung eines Kugel-Oktanten oder
eines trirectangulären Kugeldreiecks erhalten wurde, so kann man
hiernach die axonometrische Darstellung von sphärischen
Dreiecken aus ihren Bestimmungsstücken vollziehen.

12) Man soll die Berührungspunkte A, B der durch eine
gegebene Gerade g an die durch Mittelpunkt M und Radius r bestimmte Kugel gehenden Tangentialebenen construieren; oder man soll die Schnittlinie g der Tangentialebenen construieren, welche die Kugel in den Schnittpunkten A, B mit einer
Geraden h berühren. Im ersten Falle hat man vom Schnittpunkt D
der g mit ihrer Normalebene durch den Kugelmittelpunkt M an den
von dieser aus der Kugel geschnittenen Kreis die Tangenten DA und
DB zu legen; im zweiten legt man die Ebene Mh, in den Schnittpunkten A, B ihres Kugelkreises mit h sich in D schneidenden
Tangenten und durch D die Normale g zu Mh. Offenbar sind alle
diese Operationen nach dem Vorhergehenden direct axonometrisch
ausführbar. Fig. 136 enthält die vollständige Durchführung. Man
hatte M, M', g, g' und den Radius, also den axonometrischen Umrisskreis K der Kugel gegeben mit dem Axenkreuz N, X, Y, Z;
ausser den Berührungspunkten A, B der durch g an die Kugel
gehenden Tangentialebenen ist das Bild C des grössten Kreises ermittelt, nach welchem die zu g parallelen Tangenten und Tangentialebenen die Kugel berühren, also die Selbstschattengrenze
auf der Kugel bei Beleuchtung durch Lichtstrahlen, welche zu g
parallel sind. Durch MN^* parallel $M'N$ hat man zuerst unter Festhaltung der Axe z die Coordinatenebene xy und die Bildebene
durch M gelegt in $X^*N^*Y^*$ und $X^*Y^*Z^*$; man hat auch den
axonometrischen Grundriss $g^{*'}$ von g mit übertragen. Dann ist das
Perpendikel s von M zu g die Schnittlinie der Bildebene mit der
durch M gehenden Normalebene zu g und S_z in X^*Z^* ihr zweiter
Durchstosspunkt; mittelst der Umlegung $X^*O_1^*Y^*$ von $X^*O^*Y^*$
in die Bildebene hat man die Umlegung g^* in (g^{*}) eingetragen
und als die Normale von M zu ihr (s_1^*), die Umlegung der horizontalen Spur der Normalebene durch M zu g, somit in s_1^* diese
selbst und ihre Axenschnittpunkte S_x, S_y erhalten, welche sodann
die Spuren s_2 (von S_x nach S_z) und s_3 liefern und mittelst ihrer
wahren Entfernungen von M die Umlegungen (S_x), (S_y). Die Benutzung der ersten projicierenden Ebene von g im Schnitt mit der
Normalebene $S_x S_y S_z$ hat den Schnittpunkt D und dieser seine Um-

legung (D) mit jener in die Bildebene gegeben; K ist zugleich die
Umlegung des von ihr aus der Kugel geschnittenen grössten Kreises,
so dass die Berührungspunkte $(A)(B)$ der von (D) an K gehenden
Tangenten durch ihre Wiederaufrichtung die axonometrischen Bilder
der Berührungspunkte A, B liefern. Die Erklärung der Bestimmung der Schattengrenz-Ellipse C überlassen wir dem Leser.

Fig. 136.

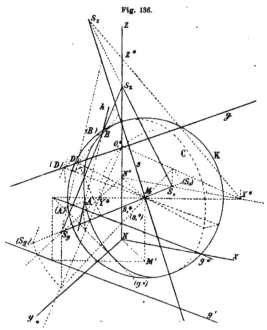

13) Wenn die axonometrischen Bilder x_1, y_1, z_1 von drei durch
O gehenden zu einander rechtwinkligen neuen Axen und der axonometrische Grundriss $x_1{}'$ der einen von ihnen gegeben sind, so
soll man die axonometrischen Grundrisse $y_1{}'$, $z_1{}'$ der beiden andern
bestimmen und sodann· den axonometrischen Grundriss $P_1{}'$ eines
durch sein Bild P und seinen axonometrischen Grundriss P' gegebenen Punktes ableiten.

Ein Dreieck XYZ, dessen Ecken in den gleichnamigen Axen
X, Y, Z liegen, während seine Seiten zu den ungleichnamigen Axen
normal sind, ist das Spurendreieck der Bildebene; die erste projicierende Ebene von x_1 schneidet dieselbe in einer Geraden, die
von Z nach dem Schnittpunkt der ersten Spuren XY und $x_1{}'$ geht,
und welche in x_1 den Durchstosspunkt X_1 dieser Axe mit der Bildebene bestimmt. Man erhält jetzt durch Perpendikel von X_1 zu

z_1 und y_1 die beiden andern Ecken des Spurendreiecks in Bezug
auf die neuen Axen Y_1, Z_1. Die Geraden ZY_1, ZZ_1 bestimmen
dann in XY zwei Punkte, durch welche die axonometrischen Grundrisse von y_1 und z_1 hindurchgehen.

Nun ist $P_1{}'$ die axonometrische Projection des Punktes, in dem
eine durch P gezogene Parallele zu z_1 (Bild durch P parallel zu z_1,
Grundriss durch P' parallel $z_1{}'$) die Ebene $x_1 y_1$ trifft, und wird
daher leicht construirt.

61. Wenn man auch schiefe Parallelprojectionen
zulässt (vergl. § 43, 3), so gilt als höchst bequeme Grundlage
der axonometrischen Projection der Satz: Drei Strecken
von beliebigen Längen und Richtungen, die in einer
Ebene von einem Punkte ausgehen, bilden eine Parallelprojection des Systems von drei gleichlangen
Stücken der zu einander rechtwinkligen und von
einem Punkte ausgehenden Axen OX, OY, OZ. Darnach können die Richtungen der Axenbilder und die Verkürzungsverhältnisse derselben willkürlich angenommen werden —
nur dass nicht die drei ersten zusammenfallen und nicht zwei
der letzteren Null sein dürfen.

Sei in Fig. 137 die Gerade ON die projicierende Gerade
des Durchschnittspunktes O der drei Coordinatenaxen OX, OY,
OZ und XYZ die durch den Punkt N derselben gehende zu
ihr normale Ebene. Eine durch X gelegte zu ON nicht normale Ebene, die wir als Projectionsebene denken wollen, wird
dann XYZ in einer durch X gehenden Geraden d vom Durchstosspunkt S_3 in der Ebene der y, z schneiden und auf ON
einen Punkt O' bestimmen, der das bezügliche Bild des Anfangspunktes O wäre. Trägt man die Strecke NO' von N aus
gegen O in NO'^* ab, so ist die durch d und O'^* bestimmte Ebene
zur Ebene dO' orthogonal symmetrisch in Bezug auf XYZ, und
im Falle der Benutzung derselben als Bildebene würden die
Bildrichtungen und die Verkürzungsverhältnisse der Axen OX,
OY, OZ offenbar dieselben sein als in $O'd$. Aus dem Durchstosspunkt X_1 der Geraden XN in ZOY erhält man dann in
der Figur die gleichnamigen Durchstosspunkte von XO' und
von XO'^* und durch Verbindung derselben mit S_3 die Spuren
$Y'Z'$ und Y'^*Z^* der besprochenen Ebenen in YOZ, sowie aus
diesen ihre durch X gehenden Spuren in XOY, XOZ respective. Fällen wir von N auf d die Normale NR, so sind NRO'

und NRO'^* die einander gleichen Neigungswinkel der Ebenen
$XY'Z'$, $XY'^*Z'^*$ gegen die Ebene XYZ oder die Complemente
der von ihnen mit der Richtung des projicierenden Strahls gebildeten Winkel. Ziehen wir durch O', N und O'^* die Parallelen
$O'Q'$, NQ und $O'^*Q'^*$ zu d, so sind die in den Ebenen dO' und
dO'^* respective liegenden rechten Winkel $Q'O'R'$ oder wie in
der Figur (q', r') und $Q'^*O'^*R'^*$ oder (q'^*, r'^*) gleichzeitig in
QNR oder (q, r) orthogonal auf XYZ projicirt. Damit sind
die Beziehungen hervorgehoben, welche erforderlich sind, um
zu den drei gegebenen Bildern $O'X'$, $O'Y'$, $O'Z'$ von drei zu ein-

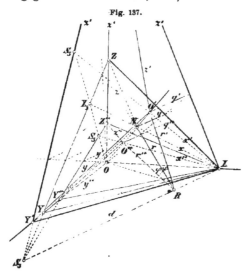

Fig. 137.

ander rechtwinkligen und gleich langen Strecken O_0X_0, O_0Y_0,
O_0Z_0 die Richtung des projicierenden Strahls p und die Stellung
der Bildebene zu bestimmen, d. h. den Satz zu beweisen und
zugleich die richtige Benutzung des Bildes zu sichern.

Wir denken das Tetraeder $O_0X_0Y_0Z_0$ mit den drei gleichlangen zu einander rechtwinkligen Kanten O_0X_0, O_0Y_0, O_0Z_0 im
Raum bestimmt, wie es dies im Falle der Anwendung ist, und
nehmen an, das Viereck $O'X'Y'Z'$ in der Bildebene (Fig. 138, b.)
sei eine Parallelprojection desselben oder genauer gesprochen
einer solchen ähnlich (§ 21, c); wobei wir ausdrücklich bemerken, dass diese Punkte X', Y', Z' von denen der vorigen

Erörterung und der Fig. 137 verschieden sind. Die Richtung der entsprechenden projicierenden Strahlen bestimmt sich dann wie folgt: Der Schnittpunkt von zwei Gegenseiten im Bildviereck z. B. von $X'Y'$ und $O'Z'$ ist das Bild A' eines Punktes A in der Diagonale XY und zugleich das Bild B' eines Punktes B in der Diagonale OZ; die Punkte A und B in XY und OZ respective sind durch die Theilverhältnisse bestimmt, nach welchen sie diese Strecken theilen und die (§ 21, a) den Theilverhältnissen gleich sind, nach welchen der Punkt $A'B'$ die Strecken $X'Y'$, respective $O'Z'$ theilt. Die Gerade AB im Ori-

Fig. 138.

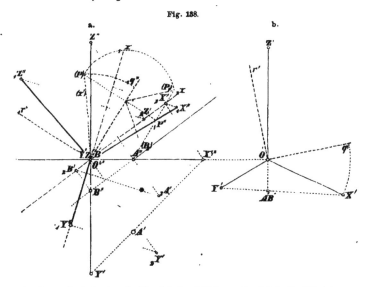

ginal erscheint als ein Punkt im Bilde und giebt die Richtung der projicierenden Strahlen an, welche von diesem Original zu diesem Bilde führen. Diese Richtung ist somit stets auf nur eine Weise bestimmt, so lange O', X', Y', Z' ein Viereck bilden.

Legen wir dann durch die Kanten OX, OY, OZ des Originals die projicierenden Ebenen von der Richtung R von AB, so bilden dieselben ein Ebenenbüschel $OR.XYZ$, dessen Schnitt mit der unbekannten Projectionsebene dem gegebenen Strahlenbüschel $O'.X'Y'Z'$ gleich sein muss. Dies bestimmt die beiden Lagen, welche für die Projectionsebene möglich sind.

Sei das durch die Normalebene zur Scheitelkante aus dem Ebenenbüschel $O\,R\,.\,X\,Y\,Z$ geschnittene Strahlenbüschel $N\,.\,X\,Y\,Z$ oder ein ihm paralleles aus $O\,xyz$, so ist das Büschel $O'.\,X'Y'Z'$ so zu legen, dass $O\,.\,xyz$ die Orthogonalprojection desselben ist. Diese Büschel, von denen das eine gegeben war und das andere nun leicht construierbar ist, sind sonach projectivisch; denken wir die entsprechenden Rechtwinkelpaare $q'\,r'$, $q\,r$ derselben, so giebt die einfache Bemerkung das Mittel zur Bestimmung der Lage der Ebene des Büschels $O'.\,X'Y'Z'$ oder der Projectionsebene, dass die Orthogonalprojection eines rechten Winkels nur dann ein rechter Winkel ist, wenn einer seiner Schenkel der Projectionsebene parallel ist oder in derselben liegt. Wir ermitteln daher in den durch drei entsprechende Paare bestimmten Büscheln $O'.\,X'Y'Z'$ und $O\,.\,xyz$ die Schenkel der entsprechenden rechten Winkel q', r' und q, r (§ 18, 5) und bringen q mit q' zur Deckung. Da nun von den spitzen Winkeln $(q,\,x)$ und $(x,\,r)$ der eine grösser und der andere kleiner sein muss als der ihm entsprechende Winkel $(q',\,x')$ respective $(x',\,r')$, weil die Summe beiderseits einem Rechten gleich ist, also z. B. $\angle(q,\,x) < \angle(q',\,x')$, so sind zwei Stellungen der Ebene des Büschels $O'.\,X'Y'Z'$ möglich, für welche q' in q fällt und zugleich x' in die ihm entsprechende Ebene $O\,R\,X$ kommt. Offenbar sind dieselben zur Richtung der projicierenden Strahlen oder zur Ebene $q\,q'\,R$ symmetrisch.

Man construiert somit zwei Lagen der Projectionsebene, welche allen Bedingungen genügen. Dieselben fallen nur dann in eine einzige zusammen, wenn die Projection eine orthogonale wird.

Die Figur 138 enthält die vollständige Durchführung für das Axenkreuz $O'.\,X'Y'Z'$. Durch die Theilverhältnisse von A' in $X'Y'$ und von B' in $O'Z'$ (Fig. 138, b.) sind die Punkte A, B und die Richtung der projicierenden Strahlen als Richtung der Geraden $A'B'$, $A''B''$ (Fig. 138, a.) bestimmt. Dann ist der Normalschnitt des Ebenenbüschels, welches diese Richtung mit den Coordinatenaxen bestimmt, auf dem Wege der Transformation ermittelt, indem die Projectionen der Axen auf eine Ebene construiert sind, die zu $A\,B$ normal ist (Fig. 138, a.); die successiven Transformationen um die Axe y mit der neuen Axe $_2x$ und nach ihr um die Axe z mit der neuen Axe $_1x$

führen dazu, $O_1 X''$, $O_1 Y''$ und $O_1 Z''$ sind die Endprojectionen und bilden das Büschel des Normalschnittes, das Büschel $O . xyz$ des Vorigen.

Die Rechtwinkelpaare sind q', r'; $_1q''$, $_1r''$ — ihre Construction (§ 18, 6) ist als bekannt unterdrückt — und es ist, wie im Vorigen vorausgesetzt wurde, so bezeichnet, dass man hat $L(q', x') > L(_1q'', _1x'')$. Daher ist $L(q', x')$ in $_1q'' O(x')$ angetragen und ein Punkt P seines Schenkels x' durch Drehung um $O_1 q''$ in die Ebene gebracht, welche in $_1x''$ normal zur Tafel ist; P_1, P_2 sind die beiden in Umlegung eingezeichneten entsprechenden Lagen, deren jede eine Projectionsebene bestimmt, respective P_1, $_1q''$; P_2, $_2q''$. Sie liefern die von den Projectionsebenen mit der Normalebene eingeschlossenen Winkel φ. Wie man daraus die Richtung der projicierenden Strahlen in Bezug auf die Ebene des Bildes $O' . X' Y' Z'$ erhält, ist evident.

Um die wahren Maassstäbe zu erfahren, nach welchen in den Axen aufzutragen ist, hat man nur etwa das Verhältniss $OX : O'X$ (Fig. 137). zu bestimmen. Man wird von OX als einer gegebenen Grösse ausgehen, durch X die Gerade d parallel $_1q''$ in Fig. 138, a. ziehen, von N aus die Normale NR auf sie fällen, aus ihr und dem anliegenden Winkel φ das bei N rechtwinklige Dreieck NOR zusammensetzen, um dann aus NO' und NX als Katheten die Hypotenuse $O'X$ zu bilden. Die Maassstäbe der y und z sind dadurch mit bestimmt.

Es ist noch zu· bemerken, dass diese Construction die Rechtwinkligkeit der Coordinatenaxen OX, OY, OZ, die wir voraussetzen, nicht fordert, dass sie also den Satz auch für die Ausmessung in irgend einem schiefwinkligen Axensystem begründet. So ist derselbe die wahrhaft allgemeine Grundlage der Axonometrie. Wenn man das Dreieck der Diagonalpunkte des Vierecks $O'X'Y'Z'$ betrachtet, also das Dreieck der Punkte $X'Y'$, $O'Z'$; $Y'Z'$, $O'X'$; $Z'X'$, $O'Y'$, so liefert es in der oben entwickelten Weise drei Kanten AB, CD, EF eines prismatischen Mantels im Tetraeder und die Aufgabe der Bestimmung der Projectionsebene lässt sich auch so aussprechen: Man soll die Lage der Ebenen bestimmen, welche diesen Mantel in einem dem besagten Diagonaldreieck ähnlichen .Dreieck schneiden. (Vergl. § 54, 11.) In der That, wenn die Dreiecke der Diagonalpunkte zweier ebenen Vierecke ähnlich und ähnlich gelegen sind, so sind die entsprechenden Seiten beider Vierecke Parallelen, weil die Collineationsaxe derselben unendlich fern ist. (§ 22, c; § 23.)

Auf die andere von einem Spurendreieck ausgehende Behandlung des Problems weisen wir in den Beispielen 9) bis 11) hin.

Allgemein gefasst ist der Hauptsatz dieses § ein Specialfall der Bestimmung collinearer Systeme. Wir sahen (§ 44), dass durch fünf Ebenen oder Punkte des einen und die entsprechenden des andern Systems zwei solche Räume bestimmt sind; sollen sie affin sein, so entspricht der unendlich fernen Ebene des einen die unendlich ferne Ebene im andern; zwei Tetraeder, welche Ecke für Ecke einander entsprechen, bestimmen somit zwei affine Systeme, die entsprechenden projectivischen Reihen in ihren Kanten sind speciell ähnliche Reihen. (§ 17, 5.) Ist das eine der Systeme eine ebene Abbildung oder ein unendlich dünnes Relief (§ 43), so haben wir ein Viereck in demselben als entsprechend einem Tetraeder des Originalraums.

Auf die rechnerische Behandlung gehen wir nicht ein; es mag nur erwähnt werden, dass die Grundgleichung

$$\left(\frac{e_x}{e}\right)^2 + \left(\frac{e_y}{e}\right)^2 + \left(\frac{e_z}{e}\right)^2 = 2 \ (§ 60) \ \text{in} \ \left(\frac{e_x}{e}\right)^2 + \cdots = 2 + \tan^2 \varphi$$

übergeht.

1) Man construire den Normalschnitt des Ebenenbüschels $OR.XYZ$ durch das Spurendreieck und die Höhen desselben für eine zu OR oder AB normale Ebene — durch Umlegung statt durch Transformation.

2) Wenn die Axen $O'X'$ und $O'Z'$ oder $O'Y'$ und $O'Z'$ im Bilde rectangulär sind, so wird die eine Projectionsebene parallel der Ebene XOZ, YOZ respective; die andere ist zu ihr orthogonalsymmetrisch nach dem projicierenden Strahl. Man erhält eine hieraus zu erläuternde schiefe Parallelprojection, die man als Cavalierperspective bezeichnet.

3) Um ein axonometrisches Bild dem centralen Bilde eines Objects von einem bestimmten Centrum möglichst ähnlich zu machen, kann man drei zu einander normale Hauptlinien des Objects central projicieren und die Bilder derselben nach Richtungen und Längen als Axenbilder der allgemeinen axonometrischen Darstellung zu Grunde legen. Man erreicht dadurch eine um so engere Annäherung an das centrale Bild, je grösser die Distanz

für dasselbe war. Tafel VI giebt hierzu ein Beispiel, für dessen Erläuterung wir auf das Figurenverzeichniss verweisen.

4) Nur in der Richtung der projicierenden Strahlen gesehen ist die Darstellung eines Objects nach dem hier entwickelten Verfahren bildlich; die Vortheile, die es dem Zeichner bietet, sind begleitet von der Gefahr der Verzerrung beim normalen Betrachten.

5) Man erläutere, wie ein gegebenes Tetraeder durch schiefe Parallelprojection ähnlich einem beliebig gegebenen Viereck abgebildet wird.

6) Man erläutere den Uebergang von einem beliebigen Tetraeder und seinem Bildviereck zu einem solchen mit rechtwinkliger Ecke und gleichlangen Kanten an derselben, und dem Bildviereck, welches ihm entspricht.

7) Man bestimme die beiden Stellungen der Ebenen, durch welche aus einem vierseitig prismatischen Mantel von als Parallelogramm gegebenem Normalschnitt Quadrate geschnitten werden; oder allgemeiner Rhomben von gegebenem Winkel.

8) Es ist zu untersuchen, welche Geltung und Bedeutung die Lehre von der Affinität für die Darstellung ebener Systeme (§ 22, a.; § 53) in der schrägen Parallelprojection besitzt; und wie die Constructionen zur directen Ableitung wahrer Grössen aus den Projectionen sich gestalten. (Vergl. § 60, 10—12.)

9) Wenn wir das Spurendreieck XYZ der Bildebene in dem System rechtwinkliger Coordinatenaxen OX, OY, OZ und dazu das Bild O' des Anfangspunktes O gegeben denken, so sind dadurch sowohl die Maassstäbe der x, y, z, als die Projectionsrichtung bestimmt. Der Höhenschnittpunkt N des Dreiecks XYZ und die Distanz NO, die Ordinate in N für den über einer der Höhen XX_1, ... als Durchmesser beschriebenen Kreis, bestimmen zwei Lagen des Anfangspunktes O, O^* im Raume und in OO' und O^*O' die beiden Projectionsrichtungen. Die Verhältnisse $O'X : OX$, $O'Y : OY$, $O'Z : OZ$ liefern die Maassstäbe.

10) Wenn wir das Spurendreieck der Bildebene XYZ gleichseitig voraussetzen, so dass N der Mittelpunkt desselben ist, so sind die Axenlängen OX, OY, OZ gleich gross, und man sieht leicht, dass O' aus den Maassstabsverhältnissen $e_x : e_y : e_z = O'X :$ $O'Y : O'Z$ bestimmbar ist. Denn der Ort der Punkte der Tafel, deren Distanzen von X und Y das gegebene Verhältniss von $e_x : e_y$ haben, ist ein Kreis, für welchen die die Strecke XY innerlich und äusserlich nach diesem Verhältniss theilenden Punkte die Endpunkte eines Durchmessers sind. Denken wir dazu den entsprechenden Kreis aus YZ für $e_y : e_z$, und den aus ZX für $e_z : e_x$, so bilden diese drei Kreise offenbar ein Büschel, dessen beide Grundpunkte die möglichen Lagen des Punktes O' sind. Wir bemerken auch, dass sie, mit den allen möglichen Werthen der Verhältnisse $e_x : e_y : e_z$ entsprechenden Kreisen derselben Art, zu dem Netze von Kreisen

gehören, welches den umgeschriebenen Kreis des Spurendreiecks XYZ zum Orthogonalkreis hat.

11) Die Uebertragung auf den Fall eines ungleichseitigen Spurendreiecks XYZ hat offenbar keine wesentliche Schwierigkeit. Es ist evident, dass damit zugleich die Verbindung der schiefen Axonometrie mit der schiefen Parallelprojection mit einem Bilde hergestellt ist. (Vergl. den Schlussüberblick, p. 345.) Man kann für dieselbe die Spur $\mathfrak{u}$ der Fixebene und den Winkel ω derselben gegen die Tafel wählen, um daraus etwa die Orthogonalprojection des Punktes U für den projicierenden Strahl von O zu bestimmen. (Vergl. §§ 6* und 54*.)

12) Man zeichne in freier Axonometrie den 48flächner $m\,O\,n$, den 24flächner $m\,O\,m$ oder das Leucitoeder, den oktaederkantigen 24flächner $m\,O$, den hexaederkantigen $\infty\,O\,n$, das Rhombendodekaeder $\infty\,O$; etwa auch das Pentagon-Dodekaeder und das Deltoid-Dodekaeder respective $\dfrac{\infty\,O\,n}{2}$ und $\dfrac{m\,O}{2}$. Man benutze die unter 3) bezeichnete Methode zur Erlangung von möglichst bildlichen Darstellungen.

13) Man construiere in freier Axonometrie die Durchdringung von zwei Körpern des regulären Systems, wenn für den einen die Axen mit den Projectionsaxen zusammenfallen und für den andern die Durchstosspunkte in der Ebene xy für seine Axen gegeben sind. (Vergl. § 54, 30.) Etwa $\infty\,O$, $\dfrac{\infty\,O\,n}{2}$, $\dfrac{m\,O}{2}$ mit 0, $\dfrac{O}{2}$.

14) Die freie axonometrische Darstellung, welche die schiefe Projection gewährt, ist insbesondere geeignet für die Darstellung projectivischer Beziehungen. Jeder geänderten Richtung der Beschauung entspricht zwar ein anderes Original zu der dargestellten Figur, aber alle diese Originale haben die projectivischen Eigenschaften mit einander gemein (vergl. § 45, 1) — gerade so, wie bei Constructionen der Centralprojection, welche den Distanzkreis nicht fordern, eine Zeichnung, für jedes Auge richtig, die gleiche Beziehung für unendlich viele individuelle Lagen veranschaulicht. Fasst man dieselben Figuren als nach einer andern Projectionsmethode gebildet auf, so stellen sie die projectivischen Relationen nicht minder richtig dar. Projectivische Beziehungen werden durch Projection nicht geändert. Der besondere Charakter, welcher die Originale der nämlichen schiefen Parallelprojection verbindet, ist offenbar.

Schlussüberblick. In den beiden letzten Abschnitten haben wir die Methodik der darstellenden Geometrie im Wesentlichen zur Vollständigkeit zu entwickeln gesucht, ohne in der Auswahl von Objecten für ihre erläuternde Anwendung über das Frühere hinauszugehen, so weit es nicht diese Anwendung von selbst mit sich brachte. Sowohl an die gewonnene Ueber-

sicht der Methoden als an die der Objecte ihrer ersten Erläuterung sollen noch einige zusammenfassende Bemerkungen hier
angeknüpft werden; dieselben dienen zugleich zur Bezeichnung
des Standpunktes, von dem wir zum Studium eines Theiles
dieser Objecte und einer Reihe neuer im zweiten Bande dieses
Werkes übergehen.

Wir sahen zuerst, dass es möglich ist, auf allen durch
einen Punkt gehenden Ebenen die Beziehung perspectivischer
ebener Systeme, d. h. der centrischen Collineation, mit diesem
Punkt als Centrum und somit den von ihm ausgehenden
Strahlen als Collineationsstrahlen herzustellen, und erhielten so
die Methode der Construction centrisch collinearer Modelle,
von denen thatsächlich erwiesen ist, dass sie unter geeigneten,
wesentlich durch den Sehkegel des betrachtenden Auges ge-
lieferten, Bedingungen einem Auge im Centrum den Eindruck
der nachgeahmten Objecte trotz verminderter Tiefe gewähren.
Sie gab in allgemeiner Form die Theorie der künstlerischen,
in specieller die der technisch verwendeten Modellierungs-
methoden. Diese ausnahmslos eindeutige Abbildung des Ori-
ginalraumes durch den Bildraum wiesen wir nun als die allgemeine Methode auf, aus welcher alle speciellen Methoden
der darstellenden Geometrie abgeleitet werden, also insbesondere alle Methoden ebener Abbildung, sofern sie dem Gesetze
der Sparsamkeit in der Anwendung von Hilfsmitteln am voll-
kommensten entsprechen; diese Ableitung war das Princip,
welches zunächst bei ihrer Auswahl leitete. Hier setzen die für
die Methodenübersicht vorbehaltenen Bemerkungen ein.

Die centrische Collineation zweier Räume fanden wir in
§ 38, 1 durch Centrum, Collineationsebene und ein Paar entsprechender Elemente bestimmt, also z. B. durch C, $\mathbf{s}$ und das
sich in einer Geraden auf $\mathbf{s}$ schneidende Ebenenpaar $\mathbf{U}$, $\mathbf{U}_1$.
Wenn durch C die Parallelebenen $\mathbf{U}^*$ zu $\mathbf{U}$ und $\mathbf{U}_1{}^*$ zu $\mathbf{U}_1$
gelegt werden, so sind die Schnittlinien $\mathbf{U}_1$, $\mathbf{U}^*$ und $\mathbf{U}$, $\mathbf{U}_1{}^*$
den Gegenebenen $\mathbf{Q}_1$ und $\mathbf{R}$ angehörige Gerade und bestimmen
also diese. Wir erhalten aber zu Elementen g, A, $\mathbf{A}$ des einen
Raumes die entsprechenden Elemente g_1, A_1, $\mathbf{A}_1$ des anderen
indem wir den Punkt $\mathbf{s}$, g oder S mit dem Punkte U_1 von $\mathbf{U}_1$,
wo diese Ebene durch den von C nach g, $\mathbf{U}$ oder U gehenden
Strahl geschnitten wird; etc. Denken wir nun $\mathbf{U}_1$ als sich der

Collineationsebene durch Drehung um ihre Schnittlinie mit derselben immer mehr nähernd und schliesslich damit zusammenfallend, ohne Aenderung von U, so vereinigen sich die Ebene Q_1
mit S und die Ebene R mit der durch C gehenden Parallelebene
zu S — nunmehr der Verschwindungsebene V —, g_1 fällt in die
Ebene S als Verbindungslinie von zwei in derselben liegenden
Punkten, etc. Unter Benutzung der Ebenen Q_1 oder R als der
entsprechenden zu der unendlich fernen Ebene des Raumes als
Theil des Originals resp. des Bildes entstand in § 43 die ge-
wöhnliche Centralprojection als Grenzfall; benutzen wir aber die
vorige Construction aus dem beliebigen Paar entsprechender
Ebenen U, U_1, von denen nur die letzte in S liegt, so entsteht als
Grenzfall für ein Centrum im endlichen Raume die allgemeine
Centralprojection des § 6*, und für ein unendlich fernes
Centrum oder aus der analog bestimmt gedachten centrischen
Affinität der Räume die allgemeine Parallelprojection
mit einem Bilde, die wir a. a. O. p. 19 erwähnten und im
Weitern mehrfach berührten und benutzten. Wir besprechen
hier noch einiges auf sie Bezügliche, wozu sich früher die Ge-
legenheit nicht bot. Wir nehmen die Bildebene S als Tafel und
bestimmen (man vergl. Fig. 8, p. 19 und bilde die neue Figur
selbst) die Fixebene U durch ihre Spur u und den Winkel ω,
welchen sie mit der Tafel einschliesst. Wir tragen ihn mit
Scheitel O in u und dem einen zu u normalen Schenkel OU_1
an, so dass das bei U_1 rechtwinklige Dreieck $OU_1(U)_0$ um
OU_1 gedreht und mit $(U)_0$ gegen den Beschauer aufsteigend
in der zur Tafel rechtwinkligen Lage seiner Ebene durch seine
Hypotenuse OU die Falllinie der Ebene U gegen die Tafel angiebt. Geben wir dann noch in U' den Durchstosspunkt des
durch die Ecke U in U gehenden projicierenden Strahles in
der Tafel an, so ist die Richtung der Geraden $U'U$ das Projectionscentrum und das Projectionssystem vollkommen bestimmt. Ein bei U_1 rechtwinkliges Dreieck aus den Katheten
$U'U_1$ und $U_1(U)_1 = U_1(U)_0$ enthält bei U' den spitzen Neigungswinkel ψ der projicierenden Strahlen zur Tafel. Die
Gerade u bildet also mit einem beliebigen bei U_1 rechtwinkligen Dreieck $U'U_1(U)_1$ die vollständigen Data des Projectionssystems. In dem früher als vortheilhaft erwähnten Falle $\omega = 45^0$
ist die Kathete $U_1(U)_1$ dieses Dreiecks dem Abstand U_1, u

gleich, allgemein ist ihr Verhältniss zu diesem gleich tan ω.
Die Behandlung aller Elementaraufgaben über die in diesem
Buche hervorgetretenen geometrischen Formen, darf als eine
Uebung ohne wesentliche Schwierigkeit dem Leser empfohlen
werden; wir meinen unter jenen zunächst die Elementarformen
und unter deren Zusammensetzungen den Kreis, die Kugel, die
Rotations-Kegel und -Cylinder. Aber auch die Transforma-
tionen nach Maassgabe der Ausführungen der §§ 12, 13, 57—59
sind darin inbegriffen; und wir haben in der That in § 61, 9 f.
die schiefe Axonometrie, die als ein Hauptergebniss solcher
Transformationen angesehen werden kann, mit der allgemeinen
Parallelprojection bereits in Verbindung gesetzt.

Wir wollen aber ebendeshalb die Reihe dieser Transformationen hier kurz betrachten. Wir ordnen sie in drei Gruppen: a) Transformationen der Projectionsrichtung, b) solche
der festen Ebene U und c) solche der Tafel und des Objectes.
Die Transformationen c) sind im Allgemeinen die Probleme
der Umlegung, aber die besonderen Fälle der Verschiebungen
des Objectes nach Parallelen und resp. nach Normalen zur
Tafel und der Verschiebung der Tafel nach Normalen zu ihr
sind wie in § 13 etwa hervorzuheben; demnächst der Fall ihrer
Drehung um u. Die Transformationen b) würden sein: Veränderung des Winkels ω bei festgehaltener Spur u, sodann
Veränderung der Spur u bei unveränderter Grösse von ω; man
sieht leicht, wie einfach sich das jeweilige neue Dreieck $U'U_1(U)_1$
aus den Daten ableiten lässt. Endlich reduciren sich alle Transformationen des Centrums oder der Projectionsrichtung auf Aenderung des Winkels ψ zur Tafel unter Festhaltung der Punkte
U' und U_1 einerseits und auf Aenderung des Punktes U' in
dem um U_1 beschriebenen Kreise unter Beibehaltung der Winkel-
grösse ψ. Man erkennt in allen einfachen bezüglichen Constructionen das Typische der Behandlung in den §§ 12 und 13
wieder. Auf die entsprechenden Transformationen der allgemeinen Centralprojection wollen wir daher nur hinweisen,
ohne sie hier aufzuzählen. Auch der Uebergang zu einem unendlich fernen u im Falle der Transformation der Fixebene,
obwohl damit zugleich ω = 0 wird, und der zu ψ = 90° im
Falle der Transformation des Centrums, endlich die Herbei-
führung beider Specialitäten zugleich, ist ohne Schwierigkeit.

Wir wollen nur noch einen Fall der allgemeinen schiefen Parallelprojection kurz besprechen, der zugleich das letzterwähnte Projectionssystem als Specialfall in sich enthält, den Fall nämlich, wo die Projectionsrichtung zur Halbierungsebene des Winkels ω normal ist, so dass die Strecken $O\,U_1$ und $U_1 U'$ in einer zu u normalen Geraden liegen, die Umlegungen $(U)_0$ und $(U)_1$ sich decken und $2\,\psi = 180^0 - \omega$ ist. Auf diesen Fall ist offenbar die schräge Axonometrie in § 61, 11 zurückführbar; mit $\omega = 0^0$ wird $\psi = 90^0$ und mit $\omega = 90^0$ in anderer Weise bequem $\psi = 45^0$. Immer ist die Projection der Schnittlinie von zwei Ebenen mit verkehrt aufeinanderliegenden Bestimmungsgeraden s und u' der zu u conjugierte vierte harmonische Strahl in Bezug auf diese Geraden, und die des Schnittpunktes von zwei Geraden mit verkehrt aufeinanderliegenden Bestimmungspunkten S und U' der in Bezug auf sie zum Schnitt ihres Bildes mit u harmonisch conjugierte Punkt; und diese Schnittelemente liegen in der zum projicierenden Strahlenbündel normalen Halbierungs-Ebene zwischen der Tafel und der Fixebene, also bei $\omega = 90^0$ in einer 45^0 Ebene. Die Umlegung der Ebene und die Constructionen der orthogonalen Elemente zu gegebenen erfahren nützliche Vereinfachungen. Mit $\omega = 0^0$ entsteht die Orthogonalprojection, bei welcher die Fixebene U in bestimmter Distanz parallel zur Tafel ist und die harmonische Ebene die Mittelebene zwischen beiden bildet. Wenn jene Distanz die Einheit des Höhenmaassstabes ist, so giebt die Darstellung nach diesen Daten (vergl. § 54*, 2) die Méthode des plans cotés, die altbekannte Bestimmung durch eine Orthogonalprojection; dieser Zusammenhang ist die Grundlage der besonderen Verwendbarkeit, welche sie besitzt, und wonach man sie als eine elementare Einleitung in die descriptive Geometrie benutzen kann. Gegenüber vielen technischen Objecten hat aber wegen der Menge von verticalen Geraden, die an denselben auftreten, bei horizontaler Tafel eine schiefe Projection den Vorzug, dass sie dieselben nicht als Punkte erscheinen lässt, und die vorbezeichnete mit $\omega = 90^0$ und $\psi = 45^0$ den sehr erheblichen weiteren, dass sie die Längen der in ihnen enthaltenen Strecken in ihren zu u normalen Projectionen in wahrer Grösse darstellt, weil sie überhaupt für die Ebene U und alle zu ihr parallelen eine

Congruenzprojection giebt (vergl. § 14, 6; § 54, 7), wie
alle die hier besprochenen Projectionen. Und von hier aus wird
der Uebergang zu der Methode Monge's ersichtlich. Dieselbe
giebt die Coten der Punkte als senkrechte Distanzen in Perpendikeln aus ihnen zu einer willkürlich eingetragenen Axe
an; oder auch sie trägt die Abmessung SA' in der zu u rechtwinkligen Projection der Tafelnormale aus S von dem Schnitt
mit dem als x gewählten u ab, um die zweite Projection A''
des Punktes A zu bestimmen. In dieser letzteren Verbindung
mit der vorerwähnten 45° Projection (vergl. p. 255) sieht man
besonders deutlich den ihr anhaftenden Luxus an Hilfsmitteln
schon beim ersten Schritt hervortreten. Unsere Darstellung der
Elemente der „Géométrie descriptive", der ihre innige Verbindung mit der Methode der rechtwinkligen Cartesischen Coordinaten immer ihre grosse Bedeutung sichert, ist darum jedoch
nicht weniger sorgfältig gewesen; wir haben sie in vielen Stücken
bereichern können, und haben keine wesentliche Lücke gelassen. Ueber scheinbare Lücken, wie z. B. den Mangel einer
eingehenden Erörterung der Netzbildung der Polyeder, die nur
bei den Prismenformen erwähnt ist, soll hier kein Excurs gegeben werden.

Die Vollständigkeit, die wir erreicht und gegeben haben,
liegt viel mehr, als in der absolut vollständigen Durchführung
einer Methode, darin, dass alle in Betracht gezogenen
Methoden eine Familie mit gemeinsamen Charakter-
zügen bilden; die vorwaltende Betonung der „Géométrie descriptive" unter den Parallelprojectionsmethoden ist praktisch
bedingt und bedarf keiner Rechtfertigung weiter. Als ein
solcher gemeinsamer Charakterzug der allgemeinen Methoden,
Central- und Parallelprojection, der bei ihrer Anwendung auf
die Elementarprobleme so wesentlich hervortritt, sei nochmals
erinnert und specialisiert die Entbehrlichkeit gewisser
Elemente des Projectionssystems für die Lösung von
gewissen Aufgabengruppen und ihre Nothwendigkeit
für andere. Probleme, in denen weder Parallelismus noch
Orthogonalität von Elementen auftreten, erfordern in der allgemeinen Central- und Parallelprojection nur die Kenntniss der
Spur u der Fixebene. In der speciellen Centralprojection ist, weil
U im Unendlichen liegt, der Parallelismus ohne jede weitere An-

gabe über das Projectionssystem der Behandlung zugänglich;
für denselben Fall ist in der allgemeinen Centralprojection die
Fluchtlinie der Fixebene q' nöthig, in der allgemeinen Parallelprojection genügt auch dann u allein. Die Darstellung von
Orthogonalitätsrelationen fordert in der speciellen wie in der allgemeinen Centralprojection die Hinzufügung des Distanzkreises
und auch in der allgemeinen Parallelprojection diese vollständige
Angabe der Data, die die Bestimmung der Raumformen vollendet
und daher auch alle wahren Grössen zu finden gestattet. Im
Falle der „Géométrie descriptive" ist mit Angabe der Axe x
das Projectionssystem vollständig bestimmt, falls über seine Vereinigung mit der Zeichnungstafel gewisse Conventionen festgehalten werden (§ 49), und eben desshalb halten wir die Hervorhebung jener zulässigen Unbestimmtheiten nicht für überflüssig und erörtern sie noch an einigen Beispielen. In der
gewöhnlichen Centralprojection erfordern die zwölf Fundamen-
talaufgaben des § 8 den Distanzkreis nicht, also ausser der
Tafel als Zeichnungsebene keine Angabe über das Projectionssystem; die Bedeutung hiervon ist nach § 3, 2 und § 5, 10
nicht zweifelhaft gewesen. In der allgemeinen Centralprojection würden die Aufgaben 4, 9 bis 11 des § 8 von den übrigen
sich absondern, weil bei ihnen Parallelismus verlangt wird —
bei 1 und 3 ist er nur ein bequemes Hilfsmittel — und dazu
die Kenntniss von u und q' gehört; in der allgemeinen Parallelprojection wäre auch für sie nur die Kenntniss von u
nöthig. Dass die Gesetze der Collineation für jede Abhängigkeit ebener Systeme in Centralprojection und die der Affinität
für solche in Parallelprojection gelten, ist evident; die Unbestimmtheit des Centrums ist in der fundamentalen Untersuchung derselben in § 23 genau erörtert worden — die
Figuren der centrischen Collineation ebener Systeme wie Fig. 49,
50 etc. sind daher unendlich vieler stereometrischen Auffassungen
fähig neben der planimetrischen, und die Gesammtheit derselben wird durch die Gesetze der Projectivität verbunden.
(Vergl. § 45, 1.) Wir erinnern auch an das Beispiel 1 im
Ueberblick des Abschnittes B und die Erörterung über die
Vieldeutigkeit seiner Lösung unter 5) auf p. 236 f. daselbst.
Ferner können die Figuren der orthogonalen Axonometrie wie
z. B. Fig. 84, 130, 134 als solche der schiefen aufgefasst werden,

selbst ohne Aufhebung des Parallelismus dargestellter Elemente
(vergl. den Schluss von § 61); nur wird dann die Grösse der
Winkel zwischen Flächen, die den Coordinatenebenen nicht
parallel sind, in Fig. 84 geändert, in Fig. 130 tritt an Stelle
des Würfels etwa ein rechtwinkliges Parallelepiped, in Fig. 134
wäre etwa ON nicht mehr normal zu XOZ, etc. In der Figur 122
bleibt die nähere Bestimmung folgenden Ueberlegungen vorbehalten, ohne dass die Construction in derselben für irgend
einen der wählbaren Fälle in irgend einem Punkte unrichtig
wird.   Die Durchschnittslinie der Basisebenen $ABCE$ und
$A^*B^*C^*E^*$ beider Körper wird bestimmt durch Angabe 1) ihrer
Punkte S und U' in allgemeiner Central- oder Parallelprojection, respective 2) durch S und Q' in gewöhnlicher Centralprojection, wenn man sie als das Bild nach diesen Methoden
betrachtet; sie kann auch 3) als Grundriss in einer Darstellung
nach Monge angesehen und daraus bestimmt werden, indem
man auf ihr einen Punkt als ersten Durchstosspunkt S_1 wählt,
sodann eine Gerade als Axe x einzeichnet und einen Punkt
des auf ihr im Schnitte mit jener errichteten Perpendikels als
zweiten Durchstosspunkt S_2 festsetzt; endlich kann sie als axonometrisches Bild in 4) schräger oder 5) orthogonaler Axonometrie angesehen werden, indem man ein Axenkreuz $O'.X'Y'Z'$
oder $N.xyz$ willkürlich einzeichnet und zwei Punkte unserer
Geraden z. B. als ersten und zweiten Durchstosspunkt festsetzt.
Ist diese Gerade d bestimmt, so werden die beiden Ebenen
$ABCED$ und $A^* \ldots D^*$ bestimmt, im 1) Falle durch je ein
Paar Gerade s und u', s^* und $u^{*'}$, welche sich auf der Spur u
der Fixebene schneiden; im 2) durch zwei Paare von Parallelen
s, q' und s^*, $q^{*'}$; im 3) sodann durch die Paare der Spuren s_1
und s_2, s_1^* und s_2^*, welche durch S_1, S_2 respective gehen und
sich je auf der Axe x begegnen, und analog natürlich im Falle 4)
und im Falle 5). Um endlich die dargestellten Raumformen
vollständig zu bestimmen, hätte man im Falle 1) bei allgemeiner Centralprojection die zu u parallele Fluchtlinie q' der
Fixebene und den Distanzkreis einzuzeichnen, bei allgemeiner
Parallelprojection durch Angabe eines Dreiecks $U'U_1(U)_1$ die
Projectionsrichtung und die Stellung der Fixebene zu bestimmen, sowie im Falle 2) wiederum den Distanzkreis. Die
Fälle 3), 4) und 5) erfordern keine weiteren Angaben, falls

wir bei 4) die $O'X'$, $O'Y'$, $O'Z'$ als Bilder gleicher Längen-
einheiten ansehen, wie es der Text des § 61 an die Hand
giebt. Wie man auch über diese ausserordentlich zahlreichen
Annahmen disponiert, die ausgeführte Construction der Durchdringung ist richtig; doch ist ihre Bedeutung nicht ganz die
gleiche, denn im Falle der Centralprojection ist nicht blos
$M . A^* \ldots E^*$, sondern auch der Körper über $A B C E$ mit parallelen Mantellinienbildern im Allgemeinen eine Pyramide —
der letztere natürlich mit Spitze in der Verschwindungsebene —,
während sie in den Fällen der Parallelprojection jeweilig Pyramide und Prisma sind ihrer Erscheinung gemäss. (Aehnliches
gilt für Fig. 89, 90, etc.) Wir halten diese beispielsweise Erläuterung für nützlich, obschon die allgemeinen Gesetze einfach und aus dem Früheren bekannt sind; ihre Tragweite wird
eben durch Beispiele am besten ersichtlich und die Anschauung
ist durch allgemeine Sätze zwar reguliert, aber nicht vollzogen
oder ersetzt. Wir werden diese Betrachtungen im zweiten
Bande in erhöhtem Grade fruchtbar finden.

Hier haben wir den Erörterungen über die Methoden noch
Einiges über die zur Erläuterung derselben benutzten Objecte
hinzuzufügen, das uns zu dem Endresultat führen wird, die
Methoden und den Kreis dieser Objecte als überall im Zusammenhang und als in gleicher Weise integrierende Theile
einer natürlichen Entwickelung der Geometrie zu erkennen.
Wie die Methoden ein organisches Ganzes darstellen, so
bilden auch die ersten Objecte ihrer Anwendung eine natürliche Gruppe; nicht nur die in erster Reihe auftretenden Elementarformen: Gerade, Punkt und Ebene, deren Lagenrelationen
die fundamentalen Aufgaben und den Leitfaden der Entwickelung für alle Methoden der darstellenden Geometrie liefern.
Denn zu ihnen tritt mit dem ersten Schritt unter den Daten der
Projectionsmethoden in ihrer Grundform die ebenso elementare
Anschauung des Kreises; aus seiner Benutzung zur Bestimmung
des Centrums entspringt die Methode der „Cyklographischen
Abbildung", welche die Geraden und die Ebenen durch die Kreise
mit einerlei Aehnlichkeitspunkt resp. einerlei Aehnlichkeitsaxe,
und den gleichseitigen Rotationskegel mit zur Tafel normaler
Axe durch die Gesammtheit der einen festen Kreis berührenden
Kreise in der Tafel darstellen lehrt. Aus der Anwendung der

Projectionsprozesse auf den Kreis als darzustellendes Object ergiebt sich die Projectivitätstheorie der Kegelschnitte, die in planimetrischer fundamentaler Entwickelung schliesslich zu den metrischen Eigenschaften führt, und die stereometrisch die Durchdringung der gleichseitigen Rotationskegel mit zur Tafel normalen Axen durch Vermittelung der Orthogonalprojection auf diese Tafel cyklographisch sofort liefert. Die Methode der Cyklographie knüpft aber an den Fall dieser Kegeldurchdringung, wo beide Kegelmittelpunkte in der Tafel liegen, die Lehre von den Kreisbüscheln und Kreisnetzen und den Nachweis ihrer räumlichen Abbilder, der tafelsymmetrischen gleichseitigen Hyperbeln und gleichseitigen Rotationshyperboloide mit ihren Eigenschaften; sie entdeckt die Eigenschaften der conjugierten Büschel von Kreisen und damit die fundamentale metrische Verwandtschaft der reciproken Radien oder der Inversion, welche die ganze Geometrie der Kreis- und Kugelsysteme beherrscht. Durch die einfache Parallelverschiebung der Tafel gelangt sie von den Kreisen, die einen gegebenen reellen Kreis orthogonal resp. diametral schneiden, zu denen, welche einen gegebenen Kreis unter vorgeschriebenen Winkeln schneiden, mit dem räumlichen Abbild in denselben Hyperboloiden; und mit dem strengen und elementaren Nachweis, dass solche Hyperboloide sich immer nur in Kegelschnitten durchdringen, stellt sie die Kegelschnitte in den Zusammenhang einer Geometrie der Kreissysteme, dessen Bedeutung weit über die der Gruppe von metrischen Eigenschaften hinausgeht, welche die Projectivitätstheorie schon geliefert hat. Der Formenkreis dieser Theorie: Kreis und Kugel, gleichseitige Hyperbel und gleichseitige Rotations-Kegel und Rotations-Hyperboloide, ist ein einheitlicher, nach ihr selbst, wie nach der Projectivitätslehre, welche den Kreis und die gleichseitige Hyperbel aus denselben gleichwinkligen Strahlenbüscheln unter Gleichheit resp. Gegensatz ihres Drehungssinnes hervorgehen lässt. Die Behandlung dieser Formen ist nur begonnen, aber weitaus nicht erschöpft worden — wird vielmehr einen Haupttheil des zweiten Bandes von diesem Werke bilden; denn sie ward hier nur soweit geführt, als es die Darlegung der Methode selbst unmittelbar mit sich brachte, aus der sie entsprangen. Die Methode selbst zwingt auch zur Erweiterung und Verallgemeinerung dieser Formen. Der Prozess der Projection fügt zu den Kegelschnitten die allgemeinen Kegel zweiten Grades, von denen vorher nur gewisse Specialformen hervorgetreten sind; die Methode der centrisch collinearen Modellierung, die seine naturgemässe Erweiterung über das ebene System auf den Raum ist, führt in verschiedenen Arten vom gleichseitigen Rotationskegel zu denselben allgemeinen Kegeln zweiten Grades; sie bildet aber auch aus der Kugel und dem einfachen gleichseitigen Rotationshyperboloid die fünf Arten der Flächen zweiten Grades, eine zukünftig zu untersuchende Flächengruppe, von gleicher Bedeutung für die Geometrie des Raumes, wie die Kegelschnitte für die Geometrie der Ebene und die Kegel zweiten Grades für die des Bündels.

Es war ein Hauptergebniss unserer Methoden-Entwickelung, dass die Symmetrieen der ebenen und räumlichen Systeme als specielle Fälle der involutorischen Collineation sich ergaben — wir fügen hier hinzu, auch die Symmetrieen in den Bündeln von Strahlen oder Ebenen. Die Symmetrie ebener Systeme nannten wir axial resp. central, je nachdem die entsprechenden Punktepaare in gleich gerichteten resp. durch ein endlich entferntes Centrum gehenden Geraden in gleichen Entfernungen auf entgegengesetzten Seiten der Axe resp. des Centrums liegen, — jene speciell orthogonal, wenn diese Geraden zur Axe rechtwinklig sind. Man bildet ohne Schwierigkeit die entsprechenden Symmetrieen im Bündel, und fasst alle in den projectivisch allgemeinen Involutionsdefinitionen zusammen, wie folgt:

Je zwei entsprechende Punkte involutorisch vereinigter symmetrischer ebener Systeme liegen in einerlei Strahl durch das Symmetriecentrum und sind von diesem durch die Symmetrieaxe harmonisch getrennt; je zwei entsprechende Strahlen gehen durch einerlei Punkt der Symmetrieaxe und werden von dieser durch das Symmetriecentrum harmonisch getrennt. Die sich selbst entsprechenden

Je zwei entsprechende Ebenen involutorisch vereinigter symmetrischer Bündel gehen durch einerlei Strahl in der Symmetrieebene und werden von dieser durch die Symmetrieaxe harmonisch getrennt; je zwei entsprechende Strahlen liegen in einerlei Ebene durch die Symmetrieaxe und werden von dieser durch die Symmetrieebene harmonisch getrennt. Die sich selbst entsprechenden

Punkte ausser dem Centrum liegen in der Axe und die sich selbst entsprechenden Strahlen ausser der Axe gehen durch das Centrum der involutorischen Symmetrie.

Ebenen ausser der Symmetrieebene gehen durch die Axe und die sich selbst entsprechenden Strahlen ausser der Symmetrieaxe liegen in der Ebene der involutorischen Symmetrie.

Die Symmetrieen d e r R ä u m e , die wir bisher kennen gelernt und beachtet haben, unterschieden wir als central und planar und können sie iu folgenden Erklärungen zusammen fassen:

Je zwei entsprechende Punkte liegen in demselben Strahl aus dem Centrum und sind von diesem durch die Symmetrieaxe harmonisch getrennt. Auf jeder Ebene durch das Centrum findet Involution der entsprechenden Elemente statt, mit ihrer Spur in der Symmetrieebene als Axe.

Je zwei entsprechende Ebenen gehen durch denselben Strahl in der Symmetrieebene und sind von dieser durch das Centrum harmonisch getrennt. An jedem Punkte der Symmetrieebene findet Involution der entsprechenden Elemente statt mit dem von ihm nach dem Centrum gehenden Strahl als Axe.

Je zwei entsprechende Gerade liegen in einer Ebene durch das Symmetriecentrum, gehen durch einen Punkt der Symmetrieebene und werden durch jenes und durch diese harmonisch getrennt. Die sich selbst entsprechenden Punkte ausser dem Centrum liegen in der Symmetriebene, die sich selbst entsprechenden Ebenen ausser der Symmetrieebene gehen durch das Centrum; die sich selbst entsprechenden Geraden gehen durch das Centrum oder sie liegen in der Symmetrieebene.

Die speciellen gewöhnlich auftretenden Formen entsprechen bei den ebenen Systemen der unendlich fernen Lage der Axe, resp. der Lage des Centrums in der Richtung der Normalen zur Axe und werden durch Halbierung der Strecken und Winkel charakterisiert; bei den Bündeln durch die Orthogonalität von Symmetrieaxe und Symmetrieebene, welche die Halbierung der Linien und Flächen-Winkel aber auch die gewisser Strecken im Gefolge hat; bei den Räumen entsprechen sie der unendlich fernen Lage des Symmetriecentrums in der Richtung der Normalen zur Symmetrieebene resp. der unendlich fernen Lage der Symmetrieebene unter analogen Folgen.

Wir finden nun diese Symmetrieen an den aufgezählten
Objectformen der bisherigen Entwickelung wieder, an den
ursprünglichen in den speciellen und an den methodisch daraus
entwickelten in den zugehörigen allgemeinen Formen, als
naturgemäss unverlierbare Eigenschaften derselben. Der gleichseitige Rotationskegel ist als Figur im Strahlenbündel symmetrisch in Bezug auf seine Axe und deren Normalebene durch
die Spitze, d. h. seine Mantellinien und die zugehörigen Tangentialebenen ordnen sich nach obigem Gesetz in symmetrische
Paare; das Gleiche thun nach demselben Gesetz die Punkte
seiner entsprechenden Paare von Mantellinien und zwar sowohl in Normalen zur Symmetrieebene als in Normalen zur
Symmetrieaxe; überdies theilen sich seine Mantellinien und die
zugehörigen Tangentialebenen auch in orthogonal symmetrische
Paare in Bezug auf jede durch seine Axe gehende Ebene; centrisch symmetrisch in Bezug auf seinen Mittelpunkt ist er
natürlich auch. Jedes gleichseitige Hyperboloid ist wiederum
für seinen Mittelpunkt centrisch symmetrisch, für seine Hauptebene und für jede durch seine Axe gehende Ebene orthogonal
planar-symmetrisch; seine Punkte theilen sich daher auch in
jeder dieser Ebenen in Paare, welche orthogonal symmetrisch
zur Rotationsaxe liegen, d. h. die Axensymmetrie der gleichseitigen Hyperbel und des rechtwinkligen Linienpaares als ihrer
Grenzform findet in jeder Meridianebene dieser Rotationsflächen
statt; die Paare der zu solchen Punkten gehörigen Tangentialebenen schneiden sich in Normalen zur Rotationsaxe und der
betreffenden Meridianebene, d. h. sie schneiden jene und gehen
der Hauptebene der Fläche ebenso parallel wie die Verbindungsgeraden entsprechender Punkte. Die Kugel endlich zeigt
uns das Gleiche, nur in noch vollständigerer Weise; sie ist
centrisch symmetrisch für ihren Mittelpunkt und orthogonal
planar-symmetrisch für jede ihn enthaltende Ebene; daher
theilen sich auch die Punkte ihrer Oberfläche in Bezug auf
jeden ihrer Durchmesser in Paare, welche zu ihm orthogonal
symmetrisch liegen, und die zugehörigen Tangentialebenen sind
Ebenenpaare, deren Schnittlinien diesen Durchmesser rechtwinklig schneiden, wie die Verbindungslinien jener Puncte-
paare. Sie zeigt uns aber zugleich die allgemeine Form dieser
Symmetrie; wir haben in § 60, 12 gesehen, dass in Bezug auf

die Kugel zu jeder geraden Linie *g* des Raumes, durch welche
zwei Tangentialebenen an sie gehen, eine andere *h* zugeordnet
oder conjugiert ist, welche die Berührungspunkte *A*, *B* derselben mit der Kugel verbindet; da nun evident ist, dass jede
durch *h* gelegte Ebene einen Kreis durch *A*, *B* aus der Kugel
schneidet, in Bezug auf welchen der Pol von *h* im Schnittpunkt seiner Ebene mit *g* liegt, so werden irgend zwei Punkte
der Kugel auf einer sowohl *g* als *h* schneidenden Geraden
von ihren Schnittpunkten mit diesen Geraden harmonisch getrennt. Man kann auch zeigen, dass die Schnittlinie der zu
solchen Punkten gehörigen Tangentialebenen der Kugel eine
Transversale der Geraden *g* und *h* ist und mit ihnen Ebenen
bestimmt, welche von jenen harmonisch getrennt werden. Aber
wir werden im zweiten Bande mit den dazu nöthigen Mitteln
sehen, dass dies eine allgemeine Eigenschaft aller Flächen
zweiten Grades ist. Hier formulieren wir sie als eine dritte
wesentliche involutorische Symmetrie räumlicher Figuren, die mit zwei windschiefen Axen, und beschreiben
sie wie folgt: .

Je zwei entsprechende Punkte liegen in einerlei Transversale zu den Symmetrieaxen und werden durch dieselben harmonisch getrennt; die Punkte in den Symmetrieaxen sind die sich selbst entsprechenden Punkte.	Je zwei entsprechende Ebenen gehen durch einerlei Transversale der Symmetrieaxen und werden durch dieselben harmonisch getrennt; die Ebenen durch die Symmetrieaxen sind die sich selbst entsprechenden Ebenen.

Je zwei entsprechende Gerade haben mit den Symmetrieaxen unendlich viele gemeinsame Transversalen — Verbindungslinien ihrer entsprechenden Punktepaare und Schnittlinien der
durch sie gehenden entsprechenden Ebehenpaare — und werden
in und an denselben durch die Schnittpunkte und die Verbindungsebenen mit jenen harmonisch getrennt. Nur die Axen
entsprechen je sich selbst.

In Folge dessen findet auf jeder durch eine Axe gehenden
also sich selbst entsprechenden Ebene zwischen ihren entsprechenden Elementen Involution statt für die Axe als Axe
und ihren Schnittpunkt mit der andern Axe als Centrum; und
in jedem auf einer Axe liegenden Punkte involutorische Cen-

tralcollineation mit der Axe als Axe und der Ebene von ihm nach der andern Axe als Hauptebene. Wir kommen im dritten Bande unter dem Titel „Geschaarte Collineation" auf sie zurück.

Wenn durch centrisch collineare Umwandlung die eine der Axen in's Unendliche gebracht, also zur Stellung eines Ebenensystems und die andre Axe zu demselben rechtwinklig gemacht wird, was immer auf unendlich viele Arten geschehen kann, so erhalten wir die einfachen Erscheinungen der, wir wollen sagen, Rotationssymmetrie, welche vorher an den speciellen Formen unserer Formengruppen geschildert sind. Aber wir geben sie mit Recht als allgemeine Eigenschaften des Raumes. Denn man kann mit ganz elementaren an die Bestimmung und Modellierung der Körperformen anknüpfenden Betrachtungen zeigen, dass die erhaltenen Arten der Symmetrie ebenso nothwendig als erschöpfend sind in dem Raume unserer Anschauung. Man denke sich das Netz eines Polyeders gezeichnet, copiere es in drei congruenten Exemplaren und bilde sodann aus ihnen das Modell des Polyeders zweimal so, dass dieselbe obere Seite der Netzebenen zur Aussenflächeder Polyeder *I* und *II* wird, das dritte mal aber so, dass die andere untere Seite der Netzebene Aussenfläche des Polyeders *III* wird. Die entsprechenden Ecken seien mit denselben Buchstaben *A B* ... bezeichnet, und zur leichteren Verfolgung der möglichen Zusammenlegungen sei eine der Flächen *A B C D* ein Rechteck, und diese werde mit der entsprechenden Fläche zunächst *a*) zur Deckung der Körper *I* und *II* zusammengelegt. Aus dieser Lage *a*) drehe man den Körper *II* um je 180⁰ um die drei Axen, deren erste *A B*, *C D* senkrecht halbiert, deren zweite mit *B C*, *D A* dasselbe thut, indes die dritte im Mittelpunkt von *A B C D* auf seiner Ebene senkrecht steht, in die neuen Lagen *b*), *c*), *d*); man erhält Axen- oder Rotationssymmetrie in Bezug auf die jedesmalige Drehungsaxe als Axe im endlichen Raume. Die Körper *I* und *III* können nicht zur Deckung gebracht werden, sondern ihre einfachste Aneinanderlegung mit Deckung der Punktepaare *A, B, C, D* ist die Lage *a**) der Symmetrie in Bezug auf die Ebene *A B C D*; von dieser Lage ausgehend drehen wir wieder das Polyeder *III* um die Axen von vorhin um 180⁰ und erhalten in der Lage *b**) und in der Lage *c**) Symmetrie in Bezug auf die Ebenen respective, welche die Gegenseitenpaare AB, CD und BC, DA des Rechtecks senkrecht halbieren, in der Lage d^*) aber Symmetrie in Bezug auf den Mittelpunkt des Rechtecks $ABCD$ als Centrum. Andere Symmetrielagen der Polyeder sind bei der vollkommenen Unbestimmtheit ihrer übrigen Ecken und Flächen nicht möglich; die Wahl einer rechteckigen Fläche erleichtert die Vorstellung, ist aber nicht erforderlich. Es kann also Symmetrieen räumlicher Figuren ausser nach diesen drei Typen nicht geben. Die Anwendung des Princips der Dualität auf die gefundenen Resultate zeigt nun, dass die eine Symmetrieform der Ebene in ihren zwei speciellen Erscheinungen, oder die des Bündels, daran geknüpft ist, dass es in der Ebene nur zwei Elemente, Punkt und Gerade giebt, wie im Bündel nur Ebene und Strahl, von denen eben ein Paar als sich selbst entsprechende Elemente der involutorischen Symmetrie auftreten. Weil es im Raume dreierlei Elemente Punkt, Ebene und Gerade giebt, von denen die zwei ersten einander und das dritte sich selbst dual gegenüber stehen, so giebt es im Raume zwei wesentlich verschiedene Symmetrieen, von denen die erste zwei specielle Erscheinungsformen darbietet; die centrische und die planare Symmetrie mit einem sich selbst entsprechenden Punkt und einer sich selbst entsprechenden Ebene — diese, resp. jener, unendlich entfernt —, und die axiale oder Rotationssymmetrie mit zwei windschiefen rechtwinkligen Axen, von denen die eine unendlich fern, also die Stellung der Normalebenen zur andern ist. Auch das ist ein Grund für die Vollständigkeit der Reihe jener Typen. Der Gegensatz zur Congruenz ist, wie man sieht, nicht wesentlich in unserm Sinne; der gemeinsame Charakterzug der Symmetrieen ist die involutorische Correspondenz der Elementenpaare.

So giebt uns auch die Betrachtung der hervorgetretenen Grundformen ein allgemeines Resultat für das System der Geometrie, welches für die Fortsetzung unserer Untersuchungen von Werth ist. Die metrischen und die projectivischen Eigenschaften der Figuren und Systeme stehen in dem Zusammenhang, dass die Theorie der Involution von den einen zu den andern führt; darum haben wir die Formen derselben auch mit der Methode der Cyklographie in inniger Verbindung gefunden.

Quellen- und Literatur-Nachweisungen
zum ersten Theil.

Einleitung. 1) p. 1. Man vergl. No. 1 von Monge's „Géométrie descriptive".

2) p. 3. Monge hat die Perspective zu den Anwendungen der „Géom descr." neben die Schattenconstruction, die Gnomonik, etc. gestellt. Dass die Centralprojection als mathematisches Abstractum des Sehprozesses die Grundlage und der natürliche Ausgangspunkt der darstellenden Geometrie und dass die Bestimmung der geraden Linie und nicht die des Punktes das Ursprüngliche in ihrer Entwickelung sein müsse, habe ich zuerst betont in einer kurzen Abhandlung „Ueber das System in der darstellenden Geometrie" (Jan. 1863) in der „Zeitschrift f. Math. u. Physik" Bd. 8, p. 444 f., welche schon die wesentlichen Grundlinien meiner späteren Ausführung enthielt; die allgemeine Centralprojection hatte ich in meiner Dissertation entwickelt (1859). Vergl. unten. Nur die mit der Centralprojection in meiner Auffassung unmittelbar verbundene Methode der Abbildung der Punkte des Raumes durch die Kreise der Ebene hielt ich bis in die neueste Zeit zurück, in der Ueberzeugung, dass Jakob Steiner ihr das im Jahre 1826 als druckfertig und demnächst erscheinend angekündigte Werk von 25—30 Bogen „über das Schneiden der Kreise in der Ebene und auf der Kugelfläche und das Schneiden der Kugeln im Raume" gewidmet habe. Erst als bei nahender Vollendung der Ausgabe der gesammelten Werke Steiner's durch die K. Akad. von Berlin (1881, 1882) die Hoffnung aufgegeben werden musste, diese Schrift jemals an das Licht treten zu sehen, habe ich diesen Theil meiner Gesammtauffassung elementar entwickelt in dem Buche „Cyklographie oder Construction der Aufgaben über Kreise und Kugeln und elementare Geometrie der Kreis- und Kugelsysteme" (Leipzig 1882, mit 16 lithogr. Tafeln), nachdem ich seit 1879 noch immer zweifelnd einige Abhandlungen in der „Vierteljahrschrift der Züricher Naturforschenden Gesellschaft" vorausgeschickt hatte. Während die Centralprojection selbst zu den projectivischen Verwandtschaften führt, liefert die Cyklographie die fundamentale metrische Verwandtschaft für die höhere Geometrie und den ganzen von Kreis und Kugel handelnden Haupttheil der elementaren metrischen Geometrie.

3) p. 5. Von Desargues, wie es scheint, sind diese Grundsätze der perspectivischen Raumanschauung zuerst ausgesprochen worden. Vergl. die Anmerkungen zu §§ 1—11.

4) p. 6. Die organische Verbindung der Geometrie der Lage mit der darstellenden Geometrie, das mit der leitenden Stellung der Centralprojection zusammenhängende Programm des Verfassers, ist mehr und mehr als dem heutigen Entwickelungsstandpunkt allein gemäss anerkannt worden; die Gründe, die zu demselben geführt haben, werden im Buche selbst überall hervortreten. Der Schlusssatz der Einleitung spricht einen dabei führenden Gedanken aus.

Abschnitt A.

Zu dem Abschnitt §§ **1—11**, der die allgemeine Entwickelung der Centralprojection als Darstellungsmethode enthält, sind besonders zu erwähnen die Schriften von **Desargues** (1636), welchen Poncelet den Monge seines Jahrhunderts genannt hat, ein Buch von **Brook Taylor** (1719) und eines von J. H. **Lambert** (1759), als Schriften, in denen wir die strengen Grundlagen der Centralprojection finden — sämmtlich **vor** Monge. Von **Desargues'** Schriften gebe ich weiterhin noch einzelne Nachweisungen.

In **Brook Taylor's** „New principles of linear perspective" (London 1715 u. 1719) — italienisch mit Zusätzen von **Francesco Jaquier** als „Elementi di Perspettiva" (Rom 1755) — findet man die Bestimmung der Geraden aus Durchstosspunkt und Fluchtpunkt und der Ebene durch Spur und Fluchtlinie, verbunden mit den nächstliegenden einfachen Anwendungen.

Ebenso und in umfassenderer Entwickelung in J. H. **Lambert's** Werk „Die freie Perspective oder Anweisung, jeden perspectivischen Aufriss von freien Stücken und ohne Grundriss zu verfertigen" (Zürich 1759, dazu ein 2. Theil, ebenda 1774) — besonders in dem Abschnitt V „Von der Entwerfung schiefliegender Linien und Flächen und dessen, was darauf vorkommt." Insbesondere erscheint die Knotenlinie oder Spur und die Grenzlinie oder Fluchtlinie der Ebene in den §§ 165, 166 daselbst. Man findet den Augenpunkt H der Grenzlinie, den Punkt H unserer Figuren 2, 5, 10—12, 16 im Text, in seinem § 168, den Fluchtpunkt der Normalen zu einer Ebene in seinem § 182 und seine Verwendung zur Bestimmung der in solchen Normalen gelegenen Strecken in seinen §§ 185 f. Man vergleiche besonders die Aufgaben 14) p. 101 und 15) p. 105 daselbst.

Die nämlichen Grundlagen sind von **Cousinery** in der Schrift „Géométrie perspective ou principes de projection polaire appliquée à la description des corps" (Paris 1828) als neu dargeboten, und auch als Erweiterungen der Perspective von den Berichterstattern der französischen Akademie **Fresnel** und **Mathieu** anerkannt, so wie noch von **Chasles**, dem Geschichtschreiber der Geometrie, hervorgehoben worden. (Vergl. „Geschichte der Geometrie." Deutsch von Sohnke, p. 192.) Ich habe **Lambert's** Priorität in meiner Dissertation erwiesen, ohne noch Brook **Taylor's** Buch zu kennen. (Vergl. die Programmabhandlung der höheren Gewerbschule zu Chemnitz für Ostern 1860: „Die Centralprojection als geometrische Wissenschaft.") Ich will erwähnen, dass **Taylor's** Werk bald auch zu einer ausführlichen praktischen Perspective den Anlass gegeben hat: Joseph Highmoore „The Practice of Perspective on the Principles of Dr. Brook Taylor." 4to. (London 1763.) Mit 48 vortrefflich gezeichneten Tafeln. **Lambert's** Werk ist das vollständigste und unserer Zeit nächststehende unter denen der drei genannten grundlegenden Geometer. Hier nur noch zwei spezielle Beziehungen, nämlich zu § 9, dass der Grundsatz für die Winkelmessung in der Centralprojection sich bei **Lambert** in § 216 findet; und zu § 10, 15 f., dass bei Brook **Taylor** (Jaquier's Uebersetzung p. 61) die Aufgabe gelöst ist: Aus der Centralprojection eines rechtwinkligen Parallelepipeds den Hauptpunkt und die Distanz zu bestimmen.

Die zahlreichen anderen Aufgaben mit ihren Lösungen glaube ich zuerst gegeben zu haben, in noch reicherem Maasse als hier in den Constructionsübungen, die ich halte — wie es die leitende Stellung der Centralprojection naturgemäss mit sich bringt.

Zu § **6*** ist anzuführen, dass ich die Centralprojection mit einer festen Ebene **U** im Endlichen an Stelle der unendlich fernen Ebene zuerst, aber sofort unter vollständiger Entwickelung ihrer Elemente, mitgetheilt habe in der IV. meiner „Geom. Mittheilungen" in Bd. 24 der „Vierteljahrsschrift der Züricher Naturforschenden Gesellschaft" (1879) p. 205 f. Dass sich nun aus ihr auch die Parallelprojectionen ergeben, welche mittelst eines Bildes bestimmen, zeigte ich ebenda p. 213 f. Alles dies war aber schon seit einer Reihe von Jahren von mir zum Gegenstand der Beschäftigung in meinem nächsten Wirkungskreise gemacht worden.

Zu § 7. Die Ableitung der Centralprojection aus dem Aufriss in der Bildebene und der Breite y glaube ich zuerst als die bequemste betont zu haben. Vergl. die genannte Programm-Abhandlung von 1860.

Zu § (7). Die cyklographische Lehre von den linearen und von den planaren Kreissystemen veröffentlichte ich zuerst in der vorher genannten No. IV der „Geom. Mittheilungen" p. 222, 223 — noch immer in Zweifel, ob sie wirklich neu sein könne. Durch das Verschwinden des Steiner'schen Manuscripts (siehe oben unter 2), und sonst, ist diese Neuheit constatiert. Die Ausführung der Constructionen für die Kreise der linearen Reihe, welche einen gegebenen Punkt enthalten oder einen gegebenen Kreis berühren, mittelst der Schnittpunkte der Geraden mit gleichseitigen Rotationskegeln von zur Tafel normaler Axe, findet man in „Cyklographie" Art. 30 f.; die für Kreise der linearen Reihe, welche mit einer gegebenen Geraden Winkel von vorgeschriebenem cosinus machen, ebenda Art. 33, von Aufgaben über zwei und drei lineare Kreisreihen in Art. 36 f., von solchen über planare Systeme in Art. 52 f.

. § 11, 5. Dieser besondere Kegel ist zuerst von Hachette in der „Correspondence sur l'école polytechnique" Bd. 1, p. 179 gebildet worden; vergl. Steiner in „Systemat. Entwickelung der Abhängigkeit geometrischer Gestalten von einander" (Berlin 1832) § 53, 4) rechts. Man nennt ihn jetzt den orthogonalen Kegel und ich darf für denselben auf den zweiten Band des Werkes verweisen, wo er in Zusammenhang mit dem orthogonalen Hyperboloid wieder hervortritt. Für seine andere allgemeine Eigenschaft, die ich entdeckt habe, und ihren Zusammenhang mit dieser verweise ich einstweilen auf No. I meiner „Geom. Mittheilungen" in Bd. 24 der „Vierteljahrsschrift" etc. p. 154 f.: Jeder Kegel dieser Art entsteht auch aus unendlich vielen Paaren von gleichwinkligen projectivischen Ebenenbüscheln. Für eine Centralprojection aus dem Centrum in einem Punkte des Raumes von vier Dimensionen auf einem ihm angehörenden Raum von drei Dimensionen lässt sich das Schema, das in den §§ 1—11 dieses Buches für die Centralprojection aus dem Raum von drei Dimensionen auf die Ebene sich ergeben hat, gleichfalls anwenden; auch der Gedanke der „Cyklographie" ist einer solchen Erweiterung fähig. Man vergl. meine Abhandlung „Zur Geschichte und Theorie der elementaren Abbildungsmethoden" in Band 27 der „Vierteljahrsschrift der Züricher Naturf. Gesellschaft" p. 125 f., speciell p. 174.

Zu den §§ 12 und 13, mit der Entwickelung der Mittel zur Ueberwindung der praktischen Schwierigkeiten bei der Ausführung der theoretisch erledigten Constructionen, bemerke ich, dass die Transformationen zuerst von mir als der Inbegriff dieser Mittel gefasst worden sind. Man findet unter den Anmerkungen und Zusätzen des zweiten Theils von Lambert's Werk in der VIII. Anm. zum § 136 des ersten Theils mit der Ueberschrift „Verwandlung eines Gemäldes für einen andern Gesichtspunkt" eine Construction, in welcher der betreffende Specialfall der Verschiebung des Centrums zu erkennen ist. Ohne dieselbe bemerkt zu haben, entwickelte ich die beiden Constructionen, welche bei den Transformationen des Centrums, der Bildebene und des Objects gleichmässig zur Anwendung kommen, zuerst in meiner Programmschrift von 1860 im

§ 16 derselben und gab dann ihre weitere Durchführung in der Abhandlung „Ueber die Transformationen in der darstellenden Geometrie" im
9. Bd. der „Zeitschrift f. Math. u. Physik" p. 331—355. Seitdem sind die
Transformationen der Centralprojection mehrfach behandelt worden.

Zu § 12, 7. In der Schrift von Desargues „Méthode universelle
de mettre en perspective les objects données réellement" (Paris 1636) —
siehe „Oeuvres de Desargues réunies et analysées par Poudra" (Paris
1864) Bd. 1, p. 55—95 — ist als allgemeine Methode des perspectivischen
Zeichnens die Auftragung der projicierenden oder Coordinaten-Parallel-
epipeda der Objectpunkte (nach der Redeweise des Textes auch weiterhin z. B. p. 262, § 46) in Bezug auf drei zu einander rechtwinklige Ebenen
gelehrt.

Zu § 14 Man kann vergleichen Poncelet „Traité des propriétées
projectives des figures" (Paris 1822, 2. Ausg., mit einem 2. Bd. vermehrt
1865), speciell p. 3 f. und Möbius „Der barycentrische Calcul" (Leipzig
1827), 2. Abschnitt „Von den Verwandtschaften der Figuren" p. 181—368;
insbesondere das 7. Kapitel, p. 301 f., namentlich p. 321. Die symmetrisch gleichen entsprechenden Reihen und Büschel hier in § 15, 4 des
Textes fehlen in den Quellen; ihre einfache Bestimmung im Text ist neu.
Neuerlich ist in einem älteren wenig bekannten Buche G. Walker's
„Conic Sections" (Nottingham, 1794) ein ziemlich allgemeiner Specialfall der Collineation ebener Systeme entdeckt worden: Ein Vierseit be-
wegt sich so, dass zwei Gegenecken fest sind und zwei andere in festen
Geraden bleiben; dann sind die beiden letzten Gegenecken entsprechende
Punkte P' von vereinigten collinearen Ebenen in nicht centrischer Lage.
Die Schnittpunkte der festen Geraden und die Verbindungsgerade der
festen Punkte entsprechen sich selbst, jedoch nicht Strahl für Strahl und
Punkt für Punkt.

Zu § 15. Die Construction entsprechend gleicher Strecken in projectivischen Reihen für gegebene Anfangspunkte ist von Steiner in
seinen Vorlesungen gegeben worden (siehe Bd. 2 der „Vorlesungen über
synthetische Geometrie" von Schröter, § 12); die für gegebene Länge
der gleichen entsprechenden Strecken ist neu. Mir ist besonders jene
als Antwort auf eine fundamentale Frage der praktischen Perspective
erschienen und vielleicht hat auch Steiner sie so gefunden.

Zu § 16. Die Theorie der Doppelverhältnisse von vier Elementen
findet man bei Möbius a. a. O. p. 243—265. Man vergl. Desargues
„Proposition fondamentale de la pratique de la perspective" („Oeuvres"
p. Poudra Bd. 1, p. 403, 423); auch Chasles' „Aperçu historique"
(Bruxelles 1837) oder in Sohnke's Uebersetzung „Geschichte der Geometrie" (Halle 1839), Note 14—16 p. 344 f. Nur der Fall § 16, 12 fehlt
bei Möbius und ist von Cremona 1862 hinzugefügt worden.

Zu § 16, *15 bemerke ich, dass dieser gemeinsame Charakterzug
der allgemeinen bildlichen Projectionsmethoden, als nicht bloss für die
Ebene, sondern für alle Regelflächen geltend, schon in meiner Dissertation (Programm-Abhandlung von 1860) p. 39 hervorgehoben worden ist.

Zu den §§ 16, 17 vergl. man v. Staudt „Geometrie der Lage"
(Nürnberg 1847) § 9, p. 49 f. und den 3. Bd. dieses Buches. Die vom
darstellend geometrischen Standpunkt aus selbstverständliche Betrachtung der Ebenenbüschel gab zuerst J. Steiner in „System. Entwickelung" etc. p. 69 f.

Die Construction § 17, 8 ist eine der frühesten Anwendungen der
Projectivitätslehre auf die Centralprojection, die ich gemacht habe.

Die Relationen in § 18, 10, welche sich auf die symmetrischen Elemente zu *c* und *s* in Bezug auf die entsprechenden Rechtwinkelpaare vereinigter projectivischer Büschel beziehen, sind neu.

Zu § 19. Die Theorie der Charakteristik $\varDelta$ der centrischen Collineation ebener Systeme und ihre geometrische Deutung und Verwerthung gehört mir an (vergl. Abschnitt C, speciell § 38; § 39, 2 f.); ihre fundamentale Bedeutung zeigt der Bd. 3 dieses Werkes auf. Ebenso gab ich zuerst die Collineationen an, bei denen das Centrum in der Axe liegt (§ 19, 7), sammt ihren Specialfällen (§ 22b, e).

Zu § 19, 11. Dieser Satz findet sich zuerst bei Desargues in den „Oeuvres“ p. Poudra Bd. 1, p. 413 und 430.

Zu § 20. Involutorische Reihen und Büschel betrachtete zuerst Desargues in „Brouillon project d'une atteinte aux évènements de rencontre d'une cone avec un plan“ (Paris 1639) oder „Oeuvres“ p. Poudra Bd. 1, p. 103—230; vergl. p. 119—157 und weiterhin p. 246—260. Vielleicht hat ihn die Betrachtung der Bilder symmetrischer Figuren zu dieser vollkommenen Einsicht geführt, die erst nach 200 Jahren durch Chasles von neuem gewonnen ward. Ich werde weiterhin angeben, in welcher erstaunlichen Vollständigkeit Desargues bereits diese Theorie kannte, namentlich in ihren Consequenzen für die Lehre von den Kegelschnitten.

Das Räthselhafte dieser historischen Thatsache finde ich höchst einfach aufgeklärt, wenn ich bedenke, in wie ausgedehnter Weise sich Desargues mit der Praxis des perspectivischen Zeichnens beschäftigt hat; ich finde es sehr natürlich, dass aus der denkenden Beobachtung des perspectivischen Verhaltens aller der zahlreichen symmetrischen Reihen und Büschel, welche in elementar geometrischen, architektonischen, etc. Figuren vorkommen, in seinem Geiste die Gesetze der allgemeineren Beziehung aufgingen, von welcher jede Symmetrie ein specieller Fall ist, die Gesetze der Involution; dass die Anwendung auf das Beispiel des Kreises ihm die Theorie der Involution am Kegelschnitt geliefert hat, u. s. w.

Zu § 20, 14. Die Ableitung der Construction der Involution aus zwei Paaren mittelst des vollständigen Vierecks resp. Vierseits ist neu.

Zu § 21 Die Entwickelung der von Steiner in der „System. Entwickelung“ §§ 16 u. 17 angegebenen Construction für die Doppelpunkte in vereinigten projectivischen Reihen aus der Anschauung der centrisch collinearen ebenen Systeme gab ich zuerst in der Vorrede dieses Buches (2. Aufl.) an mit der Meinung, dass auch in Steiner's mitgetheilten Entwickelungen der darstellend geometrische Gedankengang erkennbar sei, den ich herstellte.

Die Anwendung in § 21, 7 (vergl. § 18, 3) ist neu.

Zu § 22b. Von der Construction flächengleicher Figuren handelte ich zuerst in Bd. 6 der „Zeitschrift f. Math. u. Physik“ p. 56. Den Satz bezüglich ihrer symmetrischen Figuren findet man zuerst in meiner Abhandlung „Zur Reform des geometrischen Unterrichts“ im 22. Bd. der „Vierteljahrsschrift der Züricher Naturf. Gesellsch.“

Zu § 22b u. d, wo die Symmetrien als Specialformen der Involution aufgezeigt sind, nenne ich die Schrift von Ch. Paulus „Zeichnende Geometrie zum Schulunterricht und zum Privatstudium“ (Stuttgart 1866) als eine elementare Behandlung der Constructionen in der Ebene, die in diese Einsicht mündet.

Zu § 22f u. g. Die Collineationen mit singulären Elementen wurden von mir zuerst behandelt und systematisch benutzt, wie sie denn aus der Methode des Projicierens sich mit Nothwendigkeit ergeben. Doch kann ich die Anmerkung nicht unterlassen, dass während des Druckes der 2. Aufl. dieses Werkes die Abhandlung von T. A. Hirst „On the Correlation of two planes" erschien, in der von den singulären Projectivitäten zuerst eine Anwendung in ganz anderer Richtung gemacht ist. (Proceedings of the London Mathematical Society" Bd. 5, p. 40 f.)

Zu § 23 vergleiche man den 8. Abschnitt „Umgekehrte Aufgaben der Perspective" in Lambert's „Freie Perspective" (1759) p. 168—196.

Ueberblick zum Abschnitt A. Die Betrachtung des Orthogonalsystems mit dem Distanzkreis in der Centralprojection und analog in der Orthogonalprojection gab mir 1858 die Ueberzeugung, dass das Studium der darstellenden Geometrie von dem der Geometrie der Lage nicht getrennt werden dürfe. Für die Reciprocitäten mit singulären Elementen vergleiche man die Note zu § 22' u. 5 vorher.

Abschnitt B.

Zu § 24 vergleiche man J. Steiner's „Systematische Entwickelung" § 37, p. 134 und § 43, p. 156. Für § 25 ebendort die §§ 38 f., p. 137 f.

Zu § 25, 2 ist anzumerken, dass dieser Satz von der Involution aus dem Kegelschnittbüschel Desargues angehört; siehe a. a. O. Bd. 1, p. 186.

Zu §§ 27, 28 vergleiche man in J. Steiner's „Systematische Entwickelung" § 42, p. 149; für § 28, 10 seine „Vorlesungen" Bd. 2, § 23.

Zu § 29 ist zu vergleichen J. Steiner's „Die geometrischen Constructionen ausgeführt mittelst des Lineals und eines festen Kreises" (Berlin 1833) § 20, p. 90 f. Die Erledigung der daselbst behandelten Aufgaben findet sich weiterhin im Text, jedoch nicht durchweg nach Steiners'cher Wegweisung; ich will die Hauptstellen angeben. Steiner hat a. a. O. 21 Aufgaben, von denen die ersten 7, sodann 16, 17 und 20, 21 die Hauptaufgaben sind. Für jene ersten 7 finden sich der Reihe nach die Lösungen im Texte § 21, 5 f. für 1, § 29 für 2 und 3, § 29, 2 u. 4 für 4 und 5, § 33, 22 für 6 und 7. Die Aufgaben 8—15 sind Specialfälle und Combinationen der vorigen; 16 und 17 findet man gelöst unter § 29, c; 18 und 19 sind Zusammensetzungen aus ihnen; endlich sind 20, 21 die beiden Formen des Poncelet'schen Problems, für welches man die Lösung im Texte p. 234 f. im Ueberblick zum Abschnitt B unter 2 und 4 findet und die zugehörige Note vergleichen wolle. Mit der letzten Aufg. 22 kehrt Steiner zu dem Punkte zurück, von dem er ausgegangen ist in der einleitenden Uebersicht, zur Ausführung aller Constructionen in der Ebene mit Hilfe des Lineals und eines festen Kreises. Mir war dieser feste Kreis immer der Distanzkreis der Centralprojection, der als Vertreter des Beobachtungscentrums die Raumwelt construieren zu bestimmen gestatten muss. (Vergl. meine „Cyklographie" Art. 24.)

Zu § 30 bemerke ich, dass die Theorie von Pol und Polare bei einem Kegelschnitt bereits bei Desargues (a. a. O. Bd. 1, p. 162 und p. 186) zu finden ist.

Die Construction § 30, 1 findet man in anderer Auffassung bei J. H. Lambert a. a. O., 2. Theil p. 172.

Zu § 31 kann für weiteres Studium empfohlen werden Seydewitz' „Das Wesen der involutorischen Gebilde in der Ebene als gemeinschaftliches Princip individueller Eigenschaften der Figuren." (Heiligenstadt 1846.)

Zu § 31, 11 f. Für die hier gegebene Behandlung der Probleme über die Reduction der allgemeinen Involutionen auf die metrisch specialisierten vergleiche man meine Note „Zu den Elementen der Geometrie der Lage" im 26. Bd. p. 89 f. der „Vierteljahrsschrift der Naturf. Gesellsch. zu Zürich." Die zweite Hälfte derselben deckt sich mit § 31, 18.

Zu § 82 vergl. man J. Steiner's „Vorlesungen" Bd. 2, § 29. Der Begriff des Tripels harmonischer Pole und die Lehre von der Involution harmonischer Pole in Bezug auf den Kegelschnitt findet sich schon bei Desargues, a. a. O. an der unter § 30 citierten Stelle. Ebenso der Uebergang von der Polare zum Durchmesser in § 33; man vergl. auch p. 215 und Fig. 19 seines „Brouillon" (siehe oben zu § 20) mit Steiner's „Vorlesungen" Bd. 2, § 30.

Endlich ist zu bemerken, dass der darstellend geometrische Gesichtspunkt bei Desargues schon die Uebertragung dieser Theorien auf den Kegel und ihre Erweiterung für die Kugel zur Folge hatte, die dann bei Steiner wiederkehrt; ja dass Desargues die Idee von denjenigen Flächen fasste — die Ausführung fehlt — welche sich nach seinem Ausdruck zur Kugel ebenso verhalten, wie die Kegelschnitte zum Kreis — a. a. O. Bd. 1, p. 214. Man vergl. die Beispiele in § 41 des Textes für die nothwendige Ergänzung der Idee.

Zu § 88, 8 kann bemerkt werden, dass eine Durchführung der betreffenden Constructionsfälle durch Rückgang auf den Kreis für 32 Fälle gegeben wurde von Poudra in „Compléments de géométrie" (Paris 1868) p. 416 f. Man vergleiche aber die betreffende Erörterung über Kegelschnitte bei Poncelet a. a. O. in Bd. 1, p. 159 f. der zweiten Ausgabe.

Zu § 88, 10. Die hier angegebenen in meinen Constructionsübungen von jeher benutzten Verwendungsformen des Pascal'schen und des Brianchon'schen Satzes sind neuerlich zum Theil Pohlke als besondere Erfindungen zugeschrieben worden; die erste (Fig. 74) von Herrn H. A. Schwarz in der 2. Aufl. von A. L. Busch's „Vorschule der darstellenden Geometrie" (Berlin 1868), p. 75, Aufg 70 auf Grund von Pohlke's Vorträgen; die dann folgende zweite auf Grund seines Buches „Darstellende Geometrie" 2. Abthlg. (Berlin 1876) p. 35 f. von Herrn R. Baltzer in „Analytische Geometrie" (Leipzig 1882) p. 109.

Zu § 84 vergl. man Poncelet a. a. O. No. 232.

Für § 84, 8 zum Normalenproblem der Kegelschnitte will ich nennen die Abhandlung von K. Pelz im 85. Bd. der „Sitzungsberichte der K. Akademie der Wissenschaften zu Wien."

Zu § 85 und § 86 bemerke ich, dass beide Specialfälle der Lehre von den Beziehungen zweier Kegelschnitte in derselben Ebene betreffen; in § 35 ist die Beziehung die specielle einer Berührung höheren Grades, in § 36 ist der eine Kegelschnitt specialisiert, nämlich als das Paar der imaginären Kreispunkte der Ebene, der Doppelpunkte der Involution der orthogonalen Paare von Richtungen. Die Ableitung der Construction des Krümmungsmittelpunktes in § 35, 8 ist neu.

Zu den §§ (85) und (85ª). Die cyklographische Theorie der Kegelschnitte veröffentlichte ich zuerst in Bd. 25 der „Vierteljahrsschrift der Züricher Naturf. Gesellsch." p. 217 f., nachdem ich die Construction des Apollonischen Problems § (86ª), 4 ausführlicher in Bd. 24 derselben Zeitschrift p. 199 f. und p. 225 behandelt hatte.

Zu den §§ (85ᵇ) und (85ᶜ). Die cyklographische Theorie der Kreisbüschel und Kreisnetze habe ich auch bereits am letztgenannten Orte gegeben; die jetzige Darstellung unterscheidet sich sowohl von dieser als von der Entwickelung in der „Cyklographie".

Auch die Entwickelung der Theorie der reciproken Radien in § (85ᵈ) weicht von der in der „Cyklographie" gegebenen ab.

Für § (**35ᵉ**), die Lehre vom Winkelschnitt der Kreise, vergl. man die „Cyklographie" behufs weiterer Ausführung; ihr ging die Note voran (Bd. 26 der „Vierteljahrsschrift etc.") „Vom Schneiden der Kreise unter bestimmten reellen und nicht reellen Winkeln."

Ueberblick zum Abschnitt **B**. Die Ableitung der Focalstrahlen und Directrixebenen des Kegels vom zweiten Grade aus der Centralcollineation des Rotationskegels für seine Axe als Centralstrahl ist neu. Das Hauptbeispiel 4) ist das berühmte Problem von Poncelet, mit dessen Aufstellung und Lösung derselbe in Bd. 8 der „Annales de Mathématiques" (1817) dem Herausgeber Gergonne rücksichtlich der Behauptung von der Ueberlegenheit der analytischen Methode bei der Untersuchung geometrischer Probleme entgegentrat, die dieser wohl im besonderen Hinblick auf seine elegante Lösung des Apollonischen Problems gemacht hatte. Man hat längst diese Lösung synthetisch begründet (vergl. z. B. Salmon-Fiedler „Analytische Geometrie der Kegelschnitte." Art. 151. 4. Aufl.) und wir wissen, dass die Methode der Centralprojection zu allen erforderlichen Hilfsmitteln systematisch hinführt; dass ihre darstellend geometrische Ableitung nach der Idee der „Cyklographie" erst alle Schwierigkeiten hebt, die bei Specialfällen auftreten, ist zuerst gezeigt worden in Art. 124 meiner „Cyklographie". Und dass dieselben Mittel auch die grosse Reihe der durch Steiner mittelst der Einführung der Idee vom Winkelschnitt eröffneten Probleme lösen, ist in demselben Buche constructiv entwickelt. Für die Poncelet'schen Probleme vergleiche man in seinem „Traité" Bd. 1, Sect. IV, Chap. II; dazu etwa Meier-Hirsch „Sammlung geometrischer Aufgaben" Bd. 1, p. 263—270.

Abschnitt C.

Zu § **37**. Die strengen Regeln zur Construction der Reliefs wurden zuerst empirisch gegeben von J. A. Breysig, Prof. a. d. Kunstschule in Magdeburg, in der Schrift „Versuch einer Erläuterung der Reliefperspective." (Magdeburg 1798.) In mathematischer Begründung und ganz unabhängig hiervon gab dieselben Gesetze Poncelet in seinem „Traité des propriétés proj." Bd. 1, p. 357—408 in dem „Supplément sur les propriétés projectives des figures dans l'espace." Man vergleiche auch Möbius' barycentr. Calcul p. 311—330; und vielleicht Anger „Analytische Darstellung der Basrelief-Perspective" (Danzig 1834) oder Magnus „Sammlung von Aufgaben und Lehrsätzen aus der analytischen Geometrie des Raumes" (Berlin 1837) p. 72—120 und die von mir veranlasste Abhandlung von Raf. Morstadt „Ueber die räumliche Projection" in der „Zeitschrift für Mathem. u. Physik" Bd. 12. Meine Ableitung im Text war zum guten Theil neu.

Zu § **40**. Für andere Ausführungen vergleiche man Poudra's „Traité de perspective relief." (Paris 1862.)

Zu § **41**. Von den Anwendungen der Construction centrischcollinearer Raumfiguren in der dekorativen Kunst handelt ausser dem Werke von Breysig besonders eingehend Poudra a. a. O. p. 65—219. Eine vollständige Durchführung einer theatralischen Dekoration findet man in de la Gournerie's „Traité de perspective linéaire" (Paris 1859) p. 247—267 und Tafel 40—45. Der Werth der geometrischen Construction für die Kunst ist vielfach bestritten worden; ich habe auf Grund früherer Versuche und Studien meine Ansicht darüber neuerlich dargelegt in der Abhandlung „Zur Geschichte und Theorie der elementaren Abbildungsmethoden" in Bd. 27 der „Vierteljahrsschrift der Naturf. Gesellsch. in Zürich" p. 125 f., speciell p. 129—143. Für ihre optische Bedeutung vergleiche Möbius „Entwickelung der Lehre von dioptri-

schen Bildern mit Hilfe der Collineationsverwandtschaft" in „Berichte
der K. S. Gesellsch. der Wissenschaften zu Leipzig" 1855, p. 8—32.
Die den künstlerischen Anwendungen gegenüber naheliegende Erörterung der Transformationen namentlich des Centrums in der centrischen Collineation der Räume konnte unerörtert bleiben, weil sie auf
Früheres zurückkommt. Ich habe sie jedoch bereits in der in der Note zu
den §§ 12 und 13 p. 359 angeführten Abhandlung über die Transformationen (p. 355 a. a. O.) als die theoretische Zusammenfassung aller übrigen
hervorgehoben.

Zu § **42**. Für die Involution der Grundgebilde erster, zweiter und
dritter Stufe vergleiche hier in v. Staudt's „Geometrie der Lage"
§§ 16 u. 17, No. 226—229.

Zu §§ **42 und 43**. Diese Gedanken-Entwickelungen gab ich zuerst
in meiner Note „Ueber das System der darstellenden Geometrie" im
8. Bd. der „Zeitschrift für Mathem. u. Physik" p. 414 f. als ich mit
Pohlke's „Darstellende Geometrie" noch unbekannt war. Pohlke hat
die Centralprojection und centrische Collineation auch nicht als Grundlage und Quelle behandelt, sondern sie an den Schluss gestellt; eine
Ableitung der speciellen Abbildungsmethoden aus den allgemeinen war
nirgends gegeben, ebenso wenig die besondere Bedeutung der orthogonalen unter den Parallelprojectionen begründet worden.
Bei dem Rückweis auf die durch eine Parallelprojection bestimmende
Methode des § 6* liegt die Frage nahe nach derjenigen centrischen Collineation der Räume, welche der Centralprojection mit der zweiten Fixebene U im Endlichen analog wäre; man sieht sofort, dass sie nichts
Neues ist, sondern nur die Bestimmung aus Collineationsebene, Centrum
und Ebenenpaar oder Punktepaar; darum ist sie mit allem Zubehör im
Texte nicht berührt worden. Fällt das Bild von U auch in die Ebene S,
so erhält man eben die allgemeine Centralprojection des § 6* wieder, und
als weiterer Grenzfall von dieser die mit einer Abbildung bestimmende
Parallelprojection, welche somit das letzte Glied in der Reihe ist. Vergl.
§ 54* und die bezügliche Note unten.

Zu § **44** vergl. man über Projectivität räumlicher Systeme v. Staudt's
„Geometrie der Lage" § 10, No. 124, 132—137. Ueber reciproke räumliche Systeme den 4. Vortrag des 2. Bd. von Reye's „Die Geometrie
der Lage" (Hannover 1868) p. 18—26.

Abschnitt D.

§ **46**. Für den Entwickelungsstand der Orthogonalprojectionslehre
vor Monge ist ganz besonders lehrreich das schöne Werk von Frézier
„La théorie et la pratique de la coupe de pierres et de bois ou Traité
de Stéréotomie à l'usage de l'architecture." (Strassbourg 1737; dann
Paris 1752; nouv. Éd. 1764—1769; 3 tom. avec 113 pl.)

ibid. Die Lehre von den Halbierungsebenen und Halbierungsaxen
mit ihren zahlreichen Consequenzen in den folgenden Entwickelungen
ist von mir eingeführt worden.

§ **46**, 4 und §§ **47, 51**. Man vergl. die Lehre von den Orthogonal-
systemen in Bd. 3.

§ **53**. Von der Axe der Affinität zwischen den beiden orthogonalen
Projectionen desselben ebenen Systems handelte wohl zuerst Brasseur
in den Abhandlungen der Acad. des sciences etc. de Bruxelles. 1853.
„Mémoire sur une nouvelle méthode d'application de la géométrie descriptive à la recherche des propriétés de l'étendue." (148 p., 3 Tafeln.)

Unbekannt mit dieser Schrift leitete mich 1857 die Betrachtung der speciellen Formen des projicierenden Parallelepipeds (§ 46, 3, 4) auf das System der sechs Halbierungsebenen und der vier Halbierungsaxen des Projectionssystems und ich erkannte das System der Linien h_i und der Punkte H_i der Ebene (§ 47; auch 1) und den Gebrauch der beiden Affinitätsaxen $h_x{'}{\cdot}{''}$ $h_x{''}{\cdot}{'''}$ derselben (§ 53). Eine Note „Ueber die Anwendung der Affinitätsaxen zur graphischen Bestimmung der Ebene" gab ich in der „Zeitschrift für Mathem. u. Physik" (1860) Bd. 5, p. 79, Tafel II. Die Erörterungen und Beispiele über die Normalen und Normalebenen der Halbierungsebenen (§ 47, 10, 14; § 54, 4, 5) waren neu in diesem Werke; sie erscheinen als Specialfälle zu § 10, 6 und zu § 53, 17 f.

Um dieselbe Zeit (1860) erschien die erste Ausgabe von Pohlke's „Darstellende Geometrie. Erste Abthlg." (2. Aufl., Berlin 1866), in welcher in den §§ 26, 41, 66 die Bestimmung der Affinitätsaxe $h_x{'}{\cdot}{''}$ und in § 71 die Verwendung derselben zur Projection ebener Systeme gelehrt ist.

Die Ableitung der Affinitätsaxen $h_x{'}{\cdot}{''}$ und $h_x{''}{\cdot}{'''}$ der Ebene als zweite Doppelstrahlen concentrischer projectivischer Strahlenbüschel, und die einfache Herleitung des Principes der Zeichen bei den Flächen ebener Figuren aus der Charakteristik $\varDelta$ am Schlusse des § 53 ist auch jetzt noch neu.

Wenn man Brasseur's Abhandlung 1a recherche des propriétés de l'étendu mit der Entwickelung der Theorie der Kegelschnitte vergleicht, die sich aus der Centralprojection des Kreises ergiebt (§ 24 f. im Text), so wird der Vortheil unseres Ausgangspunktes und die Natürlichkeit unseres Principes vom Sehprozess besonders evident.

§ 54, 3. Siehe Monge's „Géométrie descriptive" No. 19.

§ 54, 11. Man vergleiche Gugler's „Lehrbuch der descriptiven Geometrie." (2. Aufl., Stuttgart 1867.) § 145, p. 103.

§ 54, 19 f. Siehe Monge's „Géométrie descriptive" No. 22. Die dualistische Behandlung der dreiseitigen Ecke in 20 f. gab ich zuerst in „Zeitschrift für Mathematik und Physik" Bd. 8, p. 448. (1863.) Sie ist nun aufgenommen in das vortreffliche Schriftchen von R. Sturm „Elemente der darstellenden Geometrie" (Leipzig 1874), von dem ich nur bedaure, dass seine Bezeichnung von der meinigen abweicht.

Dieselbe Lösung führt auch besser wie die gewöhnliche zu den trigonometrischen Formeln. Es ist charakteristisch für das Verhältniss der beiden constructiven Darstellungen, dass man aus der unsymmetrischen letzteren neben dem *sinus* Satz der sphärischen Trigonometrie die Formel $\cos \gamma \cdot \sin a \cdot \sin b = \cos c - \cos a \cdot \cos b$ erhält, während sich aus der bezeichneten symmetrischen Construction direct die Gauss-Delambre'schen Gleichungen und die Neper'schen Analogien ergeben, der Hauptschatz der für die Rechnung bequemen Formeln. Vergl. die dies ausführende Abhandlung von J. Hemmig in Bd. 17 derselben Zeitschrift p. 159 (1872).

§ 54*. Die Orthogonalprojection mit einer festen Ebene U im Endlichen ward zuerst von mir entwickelt in „Geom. Mittheilungen" III, Bd. 24 der „Vierteljahrsschrift" p. 213—217. Vergl. die Note zu §§ 42, 43 oben.

§ 57 f. Die Transformationen in der darstellenden Geometrie sind Gegenstand sehr verschiedener Auffassungen und Würdigungen gewesen. Olivier und nach ihm andere haben sie zum Hauptmittel der constructiven Lösungen selbst der Grundprobleme der darstellenden Geometrie gemacht; man vergleiche für diese Richtung Tresca's „Traité élémentaire de géométrie descriptive" (Paris, 2. éd. 1864) und Pohlke's „Darstellende Geometrie." Ihnen ist von de la Gournerie (vergl. die Vorrede zum ersten Bande des „Traité de géométrie descriptive") und

Andern entgegengesetzt worden, dass die Methode trotz ihres Alters — sie geht auf Desargues' „Pratique du Trait à preuves" zurück — weder in der Praxis der Stereotomie noch in der Theorie sich solcher hohen Bedeutung würdig erwiesen habe. Gerechte Schätzung scheint mir die Lehre von den Transformationen in der übrigens vor Olivier datierenden Darstellung von Gugler „Lehrbuch der descriptiven Geometrie." Erster Abschnitt, IV. Kap. erhalten zu haben. Ich fasse sie einfach als Mittel zur Beseitigung wesentlicher technischer Schwierigkeiten, wie ich dies in der schon unter §§ 12, 13 genannten Abhandlung gethan habe. Eine grundlegende Bedeutung für die darstellende Geometrie kann ich ihnen aus pädagogischen Gründen nicht zuweisen; denn nach meiner Erfahrung ist es besser erst in dem festen Projectionssystem sich ganz heimisch zu machen, ehe man dasselbe in Bewegung zu setzen und zu verändern unternimmt. Dann sind die Lösungen durch Transformation sehr nützliche Uebungen. (Vergl. § 59.) Die Construction des Mittelpunkts der einem Tetraeder eingeschriebenen Kugel § 58, 8 als Beispiel für den Gebrauch der Parallelverschiebungen findet man in Monge's „Géométrie descriptive" No. 92, jedoch nicht das System der acht Kugeln zu vier Ebenen; die Verwendung des Princips der identischen Umklappungen zur Bestimmung der Berührungspunkte ist neu. Die Verbindung der Relationen des Systems (Tafel V) mit der cyklographischen Theorie der Aehnlichkeitspunkte etc. der Kreise ist leicht zu entwickeln.

§ 60. Ich hoffe, dass die Verbindung der Axonometrie mit der Lehre von den Transformationen als naturgemäss wird erachtet werden.

Man vergleiche besonders in J. H. Lambert's „Freie Perspective" den 7. Abschnitt: „Von der perspectivischen Entwerfung aus einem unendlich entfernten Gesichtspunkte." p. 149—167 und Fig. XXVI. Dazu die ausführliche Behandlung in Pohlke's „Darstellende Geometrie." p. 72—100. Von den deutschen Schriften, welche über Axonometrie speciell in neuerer Zeit erschienen sind, nenne ich die älteste, Möllinger's „Isometrische Projectionslehre (Perspective)." (Solothurn 1840.) und die neueste von Delabar „Die Polar- und Parallelperspective." (Freiburg 1870.) Die Einführung einfacher Verhältnisse zwischen den Maassstäben gab J. Weisbach in dem Aufsatze: „Die monodimetrische und anisometrische Projectionsmethode" in „Polytechnische Mittheilungen von Volz und Karmarsch" 1844; eine elementare und praktische Darstellung des ganzen Verfahrens derselbe in „Anleitung zum axonometrischen Zeichnen." (Freiberg 1857.) Man vergleiche dazu (besonders für § 60, 4) die Abhandlungen von Schlömilch in der Zeitschrift „Der Civilingenieur." Bd. 2, p. 196, Bd. 5, p. 221 und in „Zeitschrift für Mathem. und Physik." Bd. 4, p. 361. Ich nenne noch die Abhandlung von K. Pelz im Februar-Heft des 81. Bdes. der „Sitzungsberichte der K. Akademie der Wissenschaften zu Wien" mit dem Titel: „Zur wissenschaftlichen Behandlung der orthogonalen Axonometrie." Die isometrische Projection gab Farish 1820 in den Abhandlungen der „Cambridge Philosophical Society" — ausgehend von der Orthogonalprojection des Würfels als reguläres Sechseck. (Fig. 114, Grundriss.)

Die direkte Behandlung der wahren Grössen, die ich gebe, § 60, 10—12 ist neu; sie ist ebenso wesentlich für die Benutzung orthogonal axonometrischer Zeichnungen wie für die Herstellung derselben, in beiden Fällen für den Sachverständigen gesprochen. Die Anwendung einfacher Verhältnisse zwischen den Maassstäben hat für ihre Herstellung einige Vortheile und für die Benutzung durch den Laien.

§ 61. Der Hauptsatz des § verdient den Namen des Pohlke'schen Satzes; man vergleiche die Darstellung desselben in der Schrift seines Entdeckers a. a. O. 2. Aufl. § 147 und dazu die Abhandlungen von H. A. Schwarz im 63. Bde. des „Journal f. d. r. u. a. Mathem.", der den

ersten elementaren Beweis des Satzes gab; von Th. Reye in der „Vierteljahrsschrift der Naturforschenden Gesellschaft zu Zürich" 1866, p. 350
und die von v. Deschwanden am gleichen Orte, 1861, p. 254; 1862,
p. 159 und 1864, p. 223. Der im Text mitgetheilte Beweis beruht auf
einer Bemerkung Steiner's p. 226, p. 231 oder 147, 157 § 53 seiner
„Systemat. Entwickelung." Einen Beweis, der dem ursprünglichen
aber nicht veröffentlichten Beweis Pohlke's selbst (1853) analog sein
muss, gab K. Pelz im Juni-Heft des 76. Bdes. der „Sitzungsberichte
der K. Akademie der Wissenschaften zu Wien."

Schlussüberblick p. 341 f. speciell p. 344 f. Die Erörterung der Transformationen in der allgemeinen Parallelprojection und die der schiefen
symmetrischen Parallelprojectionen war bis jetzt nicht veröffentlicht.
Sodann p. 354 f. Zu der gegebenen Vervollständigung der Lehre von
den Symmetrieverhältnissen im Raume vergl. man meinen Aufsatz „Ueber
Symmetrie" im Bd. XXI der „Vierteljahrsschr." p. 50 f. Dort wies ich
zuerst gegenüber der Behandlung der Sache in den Lehrbüchern nach,
dass für gleichbildete körperliche Formen im dreidimensionalen Raume
nicht mehr und nicht weniger als drei Symmetrielagen möglich sind:
Centrisch, planar und biaxial.

Den wesentlichen Gang und den Hauptinhalt dieses ersten Theils gab
ich in der Absicht, zu verwandten Bestrebungen anzuregen, in der Abhandlung „Die Methodik der darstellenden Geometrie zugleich als Einleitung in die Geometrie der Lage" 182 p., 3 Tafeln, im 55. Bde. der
„Sitzungsberichte der K. Akademie der Wissenschaften." (Wien 1867.)
Dieselbe bildet mit meinen früher genanten Abhandlungen (1860—1863)
den Ausgangspunkt der Umgestaltung der darstellenden im Sinne der
projectivischen Geometrie, welcher nun die Zukunft unbestritten zu gehören scheint.
Die wohlbedachte aber unvermeidliche Abweichung meiner Entwickelung von der seit Monge eingebürgerten Behandlungsweise der
darstellenden Geometrie habe ich in der oben §§ 42, 43 genannten Note
über das System in der darstellenden Geometrie durch den Satz bezeichnet, es folge aus der Natur des Systems, dass die Behandlung der
geraden Linie — nicht des Punktes — das Fundamentale in dem Aufbau der darstellenden Geometrie sein muss. Ich habe sodann im Bd. XXI
der „Vierteljahrsschrift etc." p. 65 f. die Nothwendigkeit dieser Abweichung näher erläutert mit den Worten: „Monge hat die Bewunde-
rung, die er vollauf verdient, gerade in dem Gebiete, das man seine
Schöpfung par excellence nannte, und das doch weder die eigenste noch
auch die wichtigste seiner Schöpfungen ist, also vor allem in der darstellenden Geometrie viel zu sehr in der Form der unbedingten Nachahmung erfahren, und diese ist in jedem Betracht die schwächste der
Huldigungen, die man einem grossen Manne widmen kann." Poncelet
und Steiner waren seine berufenen Fortsetzer in dieser Untersuchungs-
richtung und man kann sie auch in diesem Gebiete nicht mehr igno-
rieren, indem man sich auf Monge's Autorität stützt, nachdem ich
gezeigt habe, wie Alles, das Alte und das Neue, aus einem natürlichen
Princip der Anschauung hervorgeht, das die unabweisliche Grundlage
der darstellenden und eine sehr gute Grundlage aller Geometrie ist.

Alphabetisches Sachen-Register
für den ersten Theil.

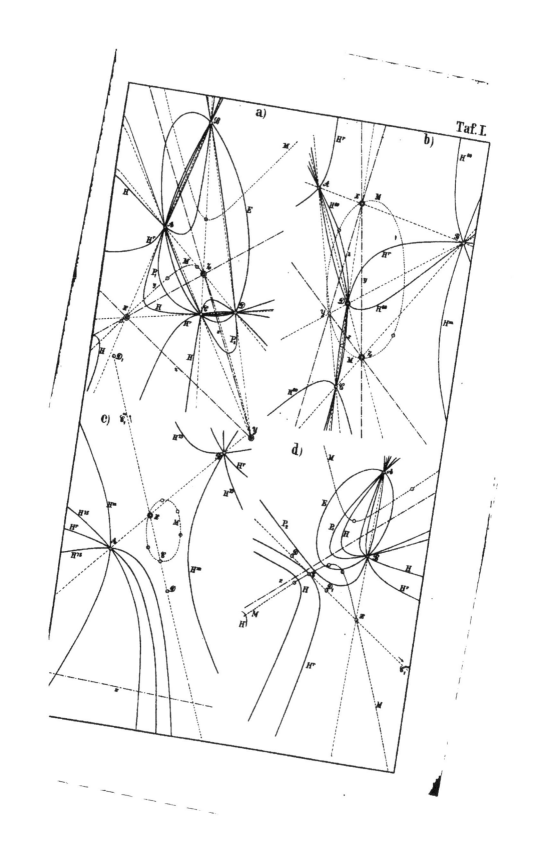

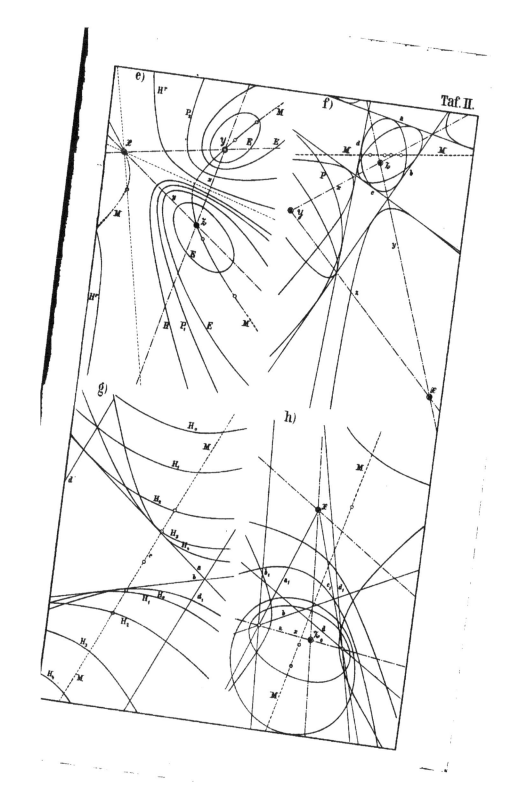

Taf. II.

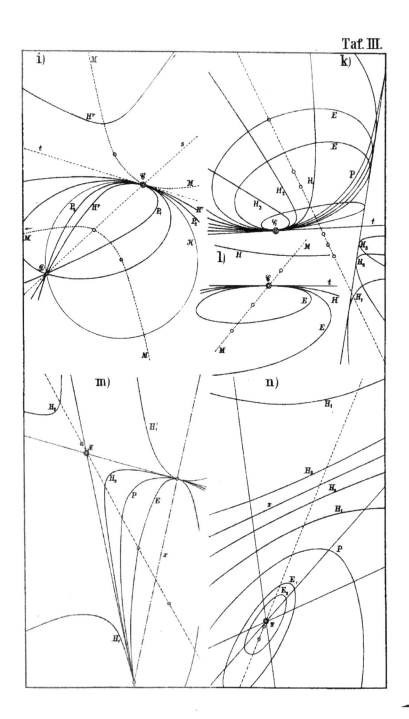

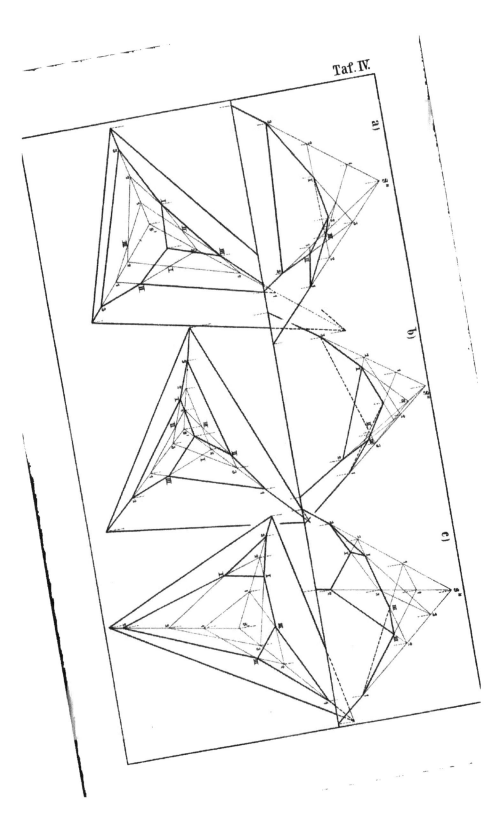

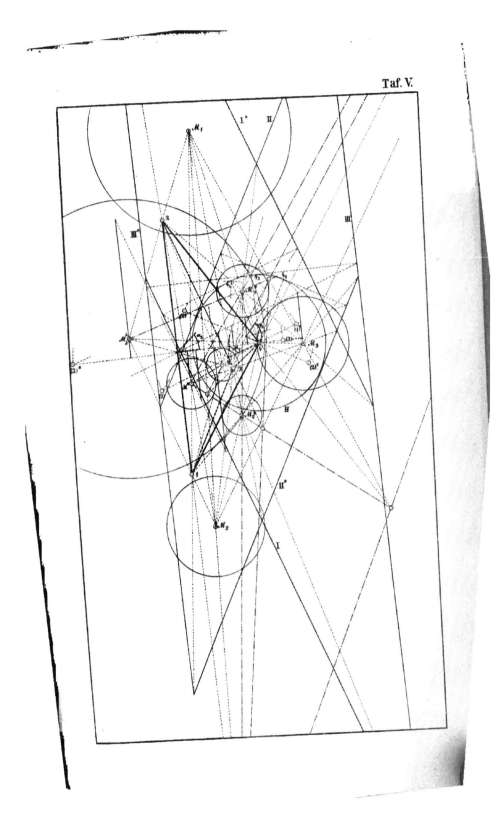

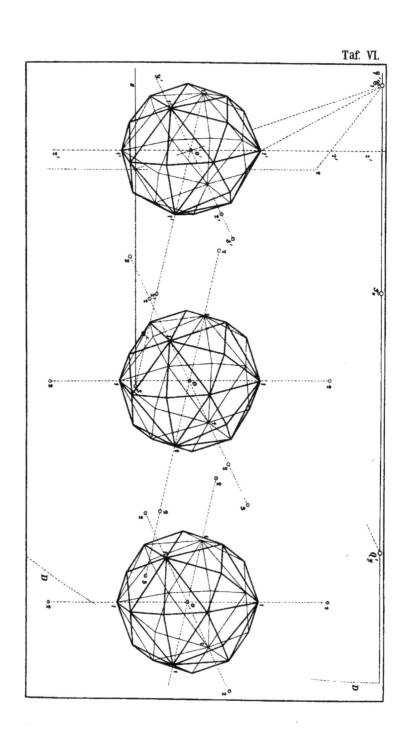